همه‌ی مردان شاه

استیفن کینزر

ترجمه‌ی شهریار خوّاجیان

نشر اختران

Kinzer, Stephen
کینزر، استیفن
همه‌ی مردان شاه / نویسنده استیفن کینزر؛ ترجمه‌ی شهریار خواجیان. ــ تهران: اختران، ۱۳۸۲.
۳۶۸ ص.: مصور؛ ۱۴/۵ x ۲۱/۵ س م
ISBN 964-7514-42-5
فهرستنویسی براساس اطلاعات فیپا.
۱. ایران -- سیاست و حکومت -- ۱۳۲۰ - ۱۳۵۷. ۲. مصدق، محمد، ۱۲۶۱ - ۱۳۴۵. ۳. ایالات متحده -- روابط خارجی -- ایران. ۴. ایران -- روابط خارجی -- ایالات متحده. الف. خواجیان، شهریار، ۱۳۳۱ - ، مترجم. ب. عنوان: همه‌ی مردان شاه
۸ هـ ۹ ک / ۱۵۰۱ ۹۵۵ / ۰۸۲۴ الف ۱۳۸۲
کتابخانه ملی ایران ۱۷۴۷۹ - ۸۲ م

All the Shah's men: an American Coup
and the roots of Middle East terrer

نشر اختران

همه‌ی مردان شاه

استیفن کینزر
ترجمه‌ی شهریار خوّاجیان
طرح جلد از ابراهیم حقیقی
ویراسته‌ی بهرام معلمی
چاپ اول ۱۳۸۲ -- شماره نشر ۴۰
چاپ دوم ۱۳۸۳ -- شمارگان ۳۰۰۰ نسخه
چاپ فرشیوه -- صحافی دیدآور

تلفاکس: ۶۴۱۰۳۲۵ ــ تلفن کتاب‌فروشی: ۶۴۱۱۴۲۹ - ۶۹۵۳۰۷۱
http://www.akhtaranbook.com E-mail:info@akhtaranbook.com
ISBN 964-7514-42-5 EAN 9789647514422

تقدیم به مردم ایران

هیچ چیز جدیدی در جهان وجود ندارد جز
آن سرگذشتی که شما نمی‌دانید.
هاری ترومن

فهرست مطالب

یادداشت مترجم

۲۸ مرداد ۱۳۳۲ روزی ویژه در تاریخ معاصر ایران، منطقه و شاید جهان است. در این روز ایالات متحده‌ی آمریکا، ابرقدرت تازه‌نفس و آسیب نادیده از جنگ دوم جهانی، در تکاپوی هماوردی با کمونیسم واقعاً موجود، دولت دمکرات و مردمی مصدق را سرنگون کرد. بهانه، همان مبارزه با توسعه‌طلبی شوروی بود که گویا در ادامه‌ی توسعه‌طلبی‌های خود دندان برای بلعیدن ایران تیز کرده بود. بزرگ‌نمایی درباره‌ی قدرت خام حزب توده و بی‌میلی دولت مصدق در سرکوب آن، محمل‌های لازم را از سوی دولت متجاوز و استعمارگر بریتانیا برای این اقدام کودتایی فراهم کرد. آمریکایی‌ها البته هنوز هم حرکت خود را در چارچوب نیاز به مقابله با تحریکات کمونیستی شوروی در آن زمان توجیه می‌کنند و به‌راحتی این حقیقت را لاپوشانی می‌کنند که اگر شوروی توان بلعیدن ایران را داشت این کار را پس از خروج نیروهای آمریکایی و انگلیسی از ایران در پایان جنگ و با حضور استالین در رأس قدرت انجام می‌داد، نه در غیاب وی و در بحبوبه‌ی تداوم جنگ قدرت در بالاترین سطوح سیاسی کشور.

درهرحال آمریکا با برانداختن دولت ملی مصدق و کمک به استقرار دیکتاتوری محمدرضا پهلوی، ۵۰ سال تاریخ شگرف معاصر ایران و منطقه را رقم زد. ارزیابی نویسنده از رویدادهای پیش و پس از کودتا به‌روشنی اعترافی، دست‌کم، از جانب بخشی از روشنفکری سیاسی غرب و به‌ویژه آمریکاست که انگار می‌خواهد گناه دولت خود را باز گوید و به‌راستی نیز گویی آمریکا همان عقاب غول‌پیکری است که «چون نیک نظر کرد، پرِ خویش بر آن دید» و حال از زبان کینزر مرثیه‌وار می‌گوید که «ز که نالیم، که از

ماست که بر ماست!»

و به‌راستی نیز جای این چکامه‌ی بی‌نظیر حکیم و شاعر بزرگ ایران‌زمین، ناصرخسرو، در بخش تاریخی کتاب خالی است، چرا که بیش از هر شعر و واگویه‌ی دیگری برازنده‌ی نام و نشان کتاب است. کتاب «همه‌ی مردان شاه» که عنوان آن با توجه به محتوای متن می‌توانست همان «همه‌ی مردان رئیس جمهور» باشد، ارزیابی نسبتاً کامل، بی‌طرفانه و واقع‌بینانه‌ای از حوادث منجر به کودتای ۲۸ مرداد به دست می‌دهد که می‌تواند درس عبرتی بـرای مـا ایرانی‌ها و مهم‌تر، آمریکایی‌ها باشد. می‌گویم آمریکایی‌ها، چون کتاب در اصل برای آنها و به زبان آنها و برای آگاهی آنها، نوشته شـده است. بـاید امیدوار بود که این ملتِ هنوز نوپا با خواندن این کتاب درک کند که چگونه دولت‌شان ۵۰ سال پیش در ایران «بادکاشت» و اکنون در آغاز هزاره‌ی سوم میلادی، در کشور خودشان «توفان درو می‌کند»، و... ما ایرانی‌ها نیز «همچنان دوره می‌کنیم شب را و روز را، هنوز را.»

دیباچه

روزی به ضیافت معرفی کتاب یک خانم مسّن ایرانی که خاطراتش را منتشر کرده بود، دعوت شدم. وی یک‌ساعت درباره‌ی زندگی پرماجرایش صحبت کرد و اگرچه هیچ سخنی درباره‌ی سیاست به میان نیاورد، به‌طور گذرا اشاره کرد که با محمد مصدق، نخست‌وزیر سال‌های ۱۳۳۰-۱۳۳۲ که سازمان اطلاعات مرکزی امریکا (سیا) سرنگونش کرد، فامیل است.

پس از پایان سخنان وی نتوانستم در برابر وسوسه‌ی یک پرسش مقاومت کنم. گفتم: «نام مصدق را بردید، چه چیزی را درباره‌ی او یا کودتایی که علیه وی صورت گرفت به یاد می‌آورید یا می‌توانید به ما بگویید؟» وی بلافاصله به هیجان و جنب وجوش افتاد و فریاد کشید «چرا شما امریکایی‌ها به آن کار وحشتناک دست زدید؟ ما همیشه آمریکا را دوست داشتیم. آمریکا از نظر ما کشوری بزرگ و بی‌عیب ونقص بود، کشوری که در همان حال که دیگران ما را می‌چاپیدند به ما کمک می‌کرد. امّا از آن تاریخ به بعد، هیچ‌کس در ایران دیگر به آمریکا اعتماد نکرد. من با اطمینان به شما می‌گویم که اگر چنان کاری را نکرده بودید، هرگز کارمندان سفارتخانه‌ی کشورتان در تهران به گروگان گرفته نمی‌شدند. تمام گرفتاری‌های شما [با ما] در ۱۹۵۳ آغاز شد. چرا، چرا آن کار را کردید؟»

این طغیان احساسات، بازتاب شکاف عمیقی است که آگاهی و درک بیشترِ ایرانی‌ها را از غیرایرانی‌ها متمایز می‌کند. در ایران، تقریباً همگان به‌مدّت چند دهه بر این باور بوده‌اند که ایالات متحده مسئول برانداختن دولت آزادی‌خواه [مصدق] در سال ۱۳۳۲ و استقرار دیکتاتوری درازمدت

محمدرضا شاه بوده است. دیکتاتوری وی، خاستگاه انقلاب اسلامی سال ۱۳۵۷ بود که طی آن یک حکومت مذهبی شدیداً ضدآمریکایی به قدرت رسید، که این حکومت نیز به‌نوبه‌ی خود وحشت‌آفرینی [در مقابل دشمنانش] را به‌مثابه‌ی یک ابزار اعمال قدرت دولتی پیشه ساخت. رادیکالیسم این حکومت، الهام‌بخش متعصبان ضدآمریکایی در بسیاری از کشورها، به‌خصوص افغانستان، شد. در کشور اخیر، القاعده و سایر گروه‌های تروریستی مأوا گرفتند و پایگاه ساختند.

این رویدادها هشداری آشکار به ایالات متحده و هر کشوری است که درصدد تحمیل اراده‌ی خود به ملت‌های دیگرند. دولت‌هایی که از کودتا، انقلاب یا اشغال نظامی کشورهای دیگر حمایت می‌کنند، با این باور دست به اقدام می‌زنند که پیروز خواهند شد و اغلب نیز چنین است. با این حال، پیروزی آنها می‌تواند پیامدهای معکوس و بعضاً ویرانگر و غم‌انگیزی به بار آورد. این امر به‌ویژه در مورد منطقه‌ی ناپایدار و پیچیده‌ی خاورمیانه‌ی امروز، صادق است که در آن سنت، تاریخ و مذهب به‌شیوه‌هایی که درک‌اش برای بسیاری از خارجی‌ها ناممکن است، حیات سیاسی را شکل می‌دهند.

ضدیت شدید با آمریکا که در پی انقلاب سال ۱۳۵۷ از ایران سر برآورد، بسیاری از آمریکایی‌ها را تکان داد. آمریکایی‌ها نمی‌فهمیدند که چه چیز احتمالاً چنان نفرت تلخی را در کشوری که همیشه تصور می‌کردند کمابیش در آن محبوب‌اند، دامن زده است. علت این امر آن است که تقریباً هیچ‌کس در ایالات متحده نمی‌دانست که سازمان اطلاعات مرکزی [آمریکا] در سال ۱۳۳۲ در ایران به چه کاری دست زده است.

محمد مصدق در زمان خود چهره‌ای تابناک و بی‌رقیب بود. وی یکی از بزرگ‌ترین امپراتوری‌های عصر را به لرزه انداخت و دنیا را تغییر داد. مردم در همه‌جا او را می‌شناختند. رهبران جهان به‌دنبال نفوذ بر او و سپس برافکندنش بودند. [بنابراین] هیچ‌کس حیرت نکرد وقتی نشریه‌ی تایم وی را بالاتر از هری ترومن، دوایت آیزنهاور و وینستون چرچیل، به‌عنوان مرد سال

۱۹۵۱ (۱۳۳۰) برگزید.

عملیات آژاکس، نام رمز کودتا علیه مصدق، ضایعه‌ای عظیم برای ایران، خاورمیانه و جهان استعمارزده به بار آورد، زیرا این نخستین‌بار بود که ایالات متحده یک دولت خارجی را سرنگون کرد، و تا سالیان آینده الگویی برجای نهاد تا ملیون‌ها تن انسان‌های جهان، ایالات متحده را از دریچه‌ی آن بنگرند. در این کتاب، ماجرایی را باز می‌گوییم که بسیاری از سرچشمه‌های خشونتی را توضیح می‌دهد که اکنون جهان را درمی‌نوردد. این حکایت فراتر از یک ماجرای پرکشش و جذاب، پیامی عقلایی از گذشته و درسی هدفمند برای آینده به شمار می‌آید.

سپاسگزاری

گروهی کوچک اما متعهد از پژوهشگران، تلاش چشم‌گیری کردند تا حقایق مربوط به کودتای ۱۳۳۲ را برملا کنند. کوشاترین آنها مارک جی. گازیو‌رووسکی است که سرپرستی غیررسمی گروه را عهده‌دار شده است. سایر کسانی که در این مأموریت روشنگر، وی را همراهی کرده‌اند عبارت‌اند از: یرواند آبراهامیان، فخرالدین عظیمی، جیمز ای. بیل، مازیار بهروز، ملکوم بیرن، ریچارد و. کاتَم، فرهاد دیبا، مصطفی عَلَم، جیمز ف. گود، ماری آن هیس، هما کاتوزیان، ویلیام راجر لوئیس و سپهر ذبیح. به‌اعتبار کار این افراد است که انتشار کتاب حاضر میسر شده است.

سیا، گزارش خود را از این کودتا تهیه اما برای سال‌ها از افشای آن خودداری کرد. در سال ۲۰۰۰، نسخه‌ای از این گزارش به دست *نیویورک تایمز* رسید که بیشترِ آن‌چه را درباره‌ی کودتا گفته شده بود تأیید، و در عین حال جزئیات بیشتری را فاش می‌کرد. گزارشگری که به این نسخه دست یافت، جیمز رایزن، بیشترین نقش و اعتبار را در پرتوافکنی بر این واقعه دارد.

همچنین، برای این کار پژوهشی به همکاری کتابداران و بایگانان که وقت و تخصص خود را سخاوتمندانه به این کار اختصاص دادند، بسی مدیونم. از جمله‌ی این افراد آنهایند که در کتابخانه‌های عمومی شیکاگو و اوک پارک، در ایالات ایلی‌نوی؛ کتابخانه‌ی کنت لا در شیکاگو، کتابخانه‌ی دوایت د. آیزنهاور در آبیلن کانزاس، و کتابخانه‌ی هری س. ترومن در ایندیاناپولیس میسوری، آرشیو ملی در کالج پارک، مریلند؛ و دفتر سوابق عمومی در نیوگاردنز واقع در سوری، در انگلستان، فعال‌اند.

از میان کسانی که پیش‌نویس اولیه‌ی دست‌نوشته‌ی مرا، به تفصیل، خواندند و اظهارنظرهای ارزشمندی درباره‌ی آن ارائه دادند، ژانت آفاری، دیوید باربوسا، المیرا بیراشلی، دیوید شومان، جیمز م. استون و جان ئی وودز، بودند. آن‌ها هیچ‌گونه مسئولیتی در قبال محصول نهایی [که این کتاب باشد] ندارند امّا سپاس عمیق خود را نثارشان می‌کنم.

بسیاری از ایرانیانی که در این کار تحقیقی در ایران به من یاری رساندند تقاضا کردند که نام‌شان برده نشود. آن‌ها خود می‌دانند که کیستند و در این جا عمیقاً از آن‌ها سپاس‌گزاری می‌کنم.

فصل ۱

شب به‌خیر آقای روزولت

لحظاتی پیش از نیمه‌شب ۲۴ مرداد ۱۳۳۲، درحالی‌که یک کاروان [نظامی] غیرعادی تاریکی را درمی‌نوردید، اکثر سکنه‌ی تهران را خواب در ربوده بود. در جلوی کاروان یک زرهپوش با نشان‌های نظامی حرکت می‌کرد و در پی آن دو جیپ و چند کامیون ارتشی پر از سرباز رهسپار بودند. آن‌روز هوا به‌شکلی استثنایی داغ بود، امّا شب‌هنگام گرما کمی فروکش کرد. هلال ماه در آسمان می‌درخشید. خلاصه...، برای سرنگونی یک دولت، شب خوبی بود.

در داخل خودرو جلویی، سرهنگ نعمت‌الله نصیری، فرمانده گارد شاهنشاهی نشسته بود، که به‌دلایلی که خود می‌دانست با اعتماد به پیش می‌راند. وی فرمانی از شاه در جیب داشت که در آن حکم عزل محمد مصدق، نخست‌وزیر، را صادر کرده بود. نصیری در راه اقامتگاه مصدق بود تا فرمان را به او نشان دهد و در صورت مقاومت، نخست‌وزیر را بازداشت کند.

فرض مأموران اطلاعاتی آمریکایی و انگلیسی که نقشه‌ی این تمرّد را ریخته بودند، بر این بود که مصدق بلافاصله ارتش را به سرکوبی این نافرمانی و تمرّد فراخواهد خواند. آنان کارها را چنان ترتیب داده بودند که در آن سوی خط تلفن کسی نباشد تا پاسخ وی را بدهد. سرهنگ نصیری قرار بود ابتدا به در خانه‌ی رئیس ستاد ارتش برود و وی را دستگیر کند و سپس رهسپار تحویل آن فرمان سرنوشت‌ساز شود.

سرهنگ نصیری همان کاری را کرد که به وی دستور داده شده بود. با این

حال، وقتی به نخستین منزل رسید با غیرعادی‌ترین وضع مواجه شد: تیمسار تقی ریاحی، رئیس ستاد ارتش، به‌رغم دیرگاه بودن، در خانه نبود. هیچ‌کس دیگر هم، حتی یک مستخدم یا دربان، در آن جا حضور نداشت. این اتفاق، باید سرهنگ نصیری را هشیار می‌کرد که یک جای کار لنگ می‌زند. امّا وی به این فکر نیفتاد. فقط به داخل زرهپوش خود بازگشت و به راننده دستور داد به سوی هدف اصلی، منزل نخست‌وزیر، راه افتد. دو سازمان اطلاعاتی نخبه نیز به او چشم امید بسته بودند.

سرهنگ نصیری آن‌قدرها هم بی‌احتیاط نبود که سرِخود عازم چنین مأموریت جسورانه‌ای شود. فرمانی که در جیبش بود از لحاظ قانونی ایراد داشت، زیرا در [قوانین] ایران دموکراتیک، رؤسای دولت فقط با اجازه‌ی مجلس، گماشته یا برکنار می‌شدند. امّا، کار آن‌شب حاصل ماه‌ها برنامه‌ریزی سازمان اطلاعات مرکزی آمریکا و سرویس مخفی اطلاعاتی بریتانیا بود. کودتایی که آنها در صدد انجام‌اش بودند به فرمان آیزنهاور، رئیس جمهور امریکا و وینستون چرچیل، نخست‌وزیر انگلیس، در حال تحقق بود.

در سال ۱۳۳۲، ایالات متحده هنوز چهره‌ی جدیدی برای ایران به شمار می‌آمد. بسیاری از ایرانیان، آمریکایی‌ها را دوست و پشتیبان دموکراسی شکننده‌ای می‌دانستند که نیم‌قرن برای بنا کردن آن وقت صرف کرده بودند. آنها بریتانیا، و نه ایالات متحده، را به‌مثابه‌ی اهریمن و ستمگری استعماری که آنها را استثمار می‌کند، می‌شناختند.

از اوایل قرن بیستم میلادی، یک شرکت انگلیسی که عمده‌ی سهام‌اش در مالکیت دولت بریتانیا بود، بر تولید و فروش نفت ایران سلطه‌ی انحصاری بسیار سودآوری اعمال می‌کرد. نفتی که از زیر خاک ایران استخراج و جاری می‌شد، در حفظ قدرت جهانی بریتانیا نقش تعیین‌کننده‌ای ایفا می‌کرد، و این در حالی بود که اکثر ایرانیان در فقر زندگی می‌کردند. ایرانیان عمیقاً از این بی‌عدالتی برآشفته بودند و سرانجام در سال ۱۳۳۰ به مصدق روی آوردند که بیش از هر رهبر سیاسی دیگری به مظهر خشم آنها از شرکت نفت انگلیس و

ایران (AIOC) تبدیل شد. او قول داد که بساط این شرکت را در ایران برچیند و از ایران بیرونش کند، و ذخایر عظیم نفتی کشور را باز پس گیرد و مملکت را از چنگال اسارت قدرت خارجی رها کند.

مصدق، در سِمت نخست‌وزیر، با شوری حاکی از صمیمیت و قاطعیت به عهد خود وفا کرد. وی در میان سرخوشی هیجان‌آلود مردم کشورش، شرکت نفت انگلیس و ایران را که سودآورترین بنگاه تجاری بریتانیا در جهان به‌شمار می‌آمد، ملی کرد. ایرانیان پس از کوتاه زمانی، کنترل پالایشگاه غول‌آسای آن شرکت را در آبادان به دست گرفتند.

با این کار، سرمستی میهن‌پرستیِ وجدآوری در روح ایران دمیده و مصدق به قهرمانی ملی تبدیل شد. بریتانیا از این اقدام برآشفت و مصدق را به سرقت اموال خود متهم کرد. آنها ابتدا از دیوان عالی بین‌المللی و سازمان ملل مجازات وی را خواستار شدند. سپس کشتی‌های جنگی خود را به خلیج فارس گسیل داشتند و سرانجام تحریمی قاطع و نابودگر بر ایران تحمیل کردند که بنیاد اقتصاد کشور را برافکند. به‌رغم این اقدامات، بسیاری از ایرانیان، و نیز رهبران ضداستعماری در آسیا و آفریقا، از جسارت مصدق به وجد آمدند.

مصدق به هیچ‌وجه مرعوب اقدامات بریتانیا علیه خود نشد. روزنامه‌ای اروپایی گزارش داد که مصدق «ترجیح می‌دهد که در شعله‌های آتش نفت خلیج فارس کباب شود تا این که کوچک‌ترین امتیازی به انگلیسی‌ها بدهد.» بریتانیا زمانی تصمیم گرفت که با توسل به نیروی نظامی حوزه‌های نفتی و پالایشگاه را بازپس گیرد، امّا، پس از خودداری رئیس جمهور آمریکا، ترومن، از حمایت‌اش، این نظر را کنار گذاشت. فقط دو راه باقی مانده بود: رها کردن مصدق در قدرت به حال خود، و یا سازمان‌دهی یک کودتا و برکناری وی. چرچیل، نخست‌وزیر بریتانیا، دست‌پروردهٔ مغرورِ سنت امپراتوری بریتانیا، در راه انجام یک کودتا مشکل و مانعی نمی‌دید. کوتاه زمانی پس از ملی شدن شرکت نفت انگلیس و ایران، مأموران بریتانیا، دسیسه‌چینی برای سرنگون کردن مصدق را آغاز کردند. آنان بسیار مشتاقانه و با

روحیه‌ی تهاجمی عمل می‌کردند. مصدق از توطئه‌چینی آنها آگاه شد و در پاییز ۱۳۳۱ دستور تعطیلی سفارت بریتانیا را صادر کرد. همه‌ی دیپلمات‌های انگلیسی، از جمله مأموران مخفی که در پوشش نمایندگان دیپلماتیک عمل می‌کردند، ناگزیر ایران را ترک کردند و کسی باقی‌نماند تا کودتا را سازمان‌دهی کند.

انگلیسی‌ها بلافاصله از ترومن، رئیس جمهور امریکا، کمک خواستند. امّا، ترومن در باطن با جنبش‌های وطن‌پرستانه از نوعی که مصدق آن را رهبری می‌کرد، همدلی نشان می‌داد. وی برای امپراتوری‌های قدیمی‌مآب، از نوع آنها که شرکت نفت انگلیس و ایران را اداره می‌کردند، ارزش چندانی قایل نبود. به‌علاوه، سیا هرگز اقدام به براندازی یک دولت نکرده بود و ترومن تمایلی نداشت که زمینه‌ساز این کار شود.

نگرش آمریکا به انجام کودتا در ایران، پس از به قدرت رسیدن آیزنهاور در اکتبر ۱۹۵۲ (آبان ۱۳۳۱)، عمیقاً دستخوش دگرگونی شد. چند روز پس از انتخابات آمریکا، یک مأمور ارشد سرویس مخفی بریتانیا، به‌نام کریستوفر مونتاگیو وودهاوس، به واشنگتن رفت تا با مقام‌های بلندپایه‌ی سیا و وزارت خارجه ملاقات کند. وودهاوس با زیرکی پی برد که نباید از ادعاهای قدیمی انگلیس، مبنی بر این که مصدق باید از قدرت کنار برود چون اموال انگلیس را ملی کرده است، سخن به میان آورد. این دعاوی، همدلی چندانی در واشنگتن برنمی‌انگیخت و وودهاوس به این حقیقت آگاه بود.

وی بعدها نوشت: «از آنجا که نمی‌خواستم متهم شوم که برای نجات بریتانیا از مخمصه خواسته‌ام از امریکایی‌ها بهره گیرم، تصمیم گرفتم تا به‌جای ابراز نیاز به بازپس‌گیری کنترل صنعت نفت آن کشور، بر تهدید ایران از جانب کمونیست‌ها تأکید کنم.»

این درخواست، بنا بر این محاسبه پیش کشیده شد که دو برادری را برانگیزد که اداره‌ی سیاست خارجی آمریکا را پس از به قدرت رسیدن آیزنهاور برعهده گرفتند: جان فاستر دالس، وزیر خارجه‌ی آینده و آلن دالس

رئیس آینده‌ی سیا، از جمله‌ی سرسخت‌ترین شوالیه‌های جنگ سرد به شمار می‌رفتند. آنان جهان را از دیدگاه جبهه‌ی نبرد ایدئولوژیکی می‌نگریستند و هر منازعه‌ی محلی را در کانون رویارویی بزرگ شرق و غرب قرار می‌دادند. از زاویه‌ی دید آنها، هر کشوری که قاطعانه در کنار ایالات متحده نمی‌ایستاد، دشمنی بالقوه محسوب می‌شد. آنان، ایران را به‌طور خاص خطرناک می‌انگاشتند. این کشور از منابع عظیم نفت، مرزهای طولانی با اتحاد شوروی، یک حزب کمونیست فعال، و نخست‌وزیری ملی‌گرا برخوردار بود. برادران دالس، بر این باور بودند که با فرو افتادن ایران به دامن کمونیسم خطری جدّی پدید خواهد آمد. چشم‌انداز ظهور یک «چین دیگر» آنها را هراسان می‌کرد. وقتی انگلیسی‌ها پیشنهاد خود را برای سرنگونی مصدق و نشاندن نخست‌وزیر طرفدار غرب به‌جای وی ارائه کردند، توجه آنها بلافاصله به این موضوع جلب شد.

کوتاه زمانی پس از به قدرت رسیدن آیزنهاور در بیستم ژانویه‌ی **۱۹۵۳**، جان فاستر دالس و آلن دالس به همتایان انگلیسی خود خبر دادند که آماده‌ی اقدام علیه مصدق هستند. نام رمز کودتایی که باید تحقق می‌یافت، عملیات آژاکس یا به زبان فنیِ سیا، تی‌پی آژاکس بود و برایِ رهبری آن، یک مأمور سیا، با تجربه‌ی چشم‌گیر در منطقه خاورمیانه، انتخاب شد. وی کِرمیت روزولت، نواده‌ی رئیس جمهورِ پیشین آمریکا، تئودور روزولت، بود. کرمیت روزولت مثل سایر اعضای خاندان مشهورش، میل وافری به اقدامات عملی داشت و به نشان دادن قاطعیت در مواقع بحرانی معروف بود. وی **۳۷** سال داشت، رئیس دایره‌ی خاور نزدیک و آسیای سیا و یکی از استادان و خبرگان شناخته و تأیید شده‌ی عملیات مخفی به شمار می‌رفت. کیم فیلبی، مأمور شوروی، وی را نمونه‌ی کامل یک آمریکایی آرام توصیف کرد: «یکی از اهالی ایالات شرقی امریکا و مردی مؤدب و نرم‌گفتار با ارتباط‌های اجتماعی نامحسوس، اما نه روشن‌فکر؛ مطبوع و بی‌تکلف در مقام میزبان و میهمان، و به‌خصوص برخوردار از یک همسر خوب. در حقیقت، به او اصلاً

نمی‌آمد که تا خرخره درگیر کارهای کثیف باشد.»

مأموران سیا در آن روزگار به یک آرمان‌گرایی ناب معتقد بودند؛ این باور که برای حفظ آزادی است که به کارهای کثیف در عین حال حیاتی دست می‌زنند. بسیاری از آنها مجموعه‌ای از بهترین صفات آدم‌های اندیشمند ماجراجو را در خود داشتند. [اما] هیچ‌کدام مثل کِرمیت روزولت به‌طور کامل از این خصوصیات برخوردار نبودند. وی در آغاز ماه ژوئیه از دستور یک پزشک سیا برای اولویت دادن به عمل جراحی فوری کلیه‌هایش سر باز زد، و رهسپار مأموریت محرمانه‌ی خود شد. هواپیمای او در بیروت فرود آمد و وی از طریق صحاری سوریه و عراق راه ایران را در پیش گرفت. هنگامی که از یک نقطه‌ی دورافتاده‌ی مرزی وارد ایران شد، به‌سختی قادر به پنهان کردن هیجان خود بود:

> چیزهایی را که پدرم درباره‌ی ورود به آفریقا به همراه پدرش، ت. ر[1]، در ۱۹۰۹ در جریان سفر African Game Trails نوشته بود، به یاد آوردم. «یک ماجراجویی بزرگ بود و ما انگار تازه به این دنیا پا نهاده بودیم!» من به همان چیزی می‌اندیشیدم که او قاعدتاً باید در آن زمان به آن اندیشیده باشد. اعصابم تحریک شده و درحالی‌که از کوه‌ها بالا می‌رفتیم روحم به پرواز درآمده بود... وقتی که در ۱۹ ژوئیه ۱۹۵۳ (۲۸ تیر ۱۳۳۲) به خانقین رسیدیم، در اداره‌ی گمرگ مرزی با مأموری کم‌سواد، گیج وگنگ و به‌نحوی نامعمول وارفته، مواجه شدیم.
>
> در آن روزها، روی هر گذرنامه‌ی آمریکایی، اطلاعات مختصری درباره‌ی دارنده‌ی آن درج می‌شد، که امروزه از آنها خبری نیست. نگهبان با تشویق و کمک من و با زحمت زیاد نامم را به زبان خودش از این قرار نوشت: «آقایی، با یک زخم در سمت راست پیشانی.[2]» این را من به فال نیک گرفتم.

روزولت دو هفته در تهران ماند و در آن‌جا از داخل یک ویلای اجاره‌ای، که

---

1. T.R. (Theodore Roosevelt)

2. "Mr. Scar on Right Forehead"

مأموران آمریکایی برایش تهیه کرده بودند، به تمشیت امور پرداخت. با توجه به حضور توطئه‌آمیز ده‌ها ساله‌ی انگلیس در ایران، و در کنار اقدامات اخیر سیا، زمینه‌ی فعالیت بسیار ممتازی برای وی فراهم بود. از جمله، گروه انگشت‌شماری از عمّال ورزیده و بسیار پرمایه‌ی ایرانی وجود داشتند که سال‌ها بود به تشکیل شبکه‌ای مخفی متشکل از دولت‌مردان هوادار شاه، افسران ارتش، روحانیان، نویسندگان مطبوعات و رهبران باندهای خیابانی مشغول بودند. سیا به این عاملان خود، هرماهه ده‌ها هزار دلار می‌پرداخت و آنها نیز نشان دادند که شایسته‌ی دریافت هر سِنت از این پول‌هایند. طی بهار و تابستان **۱۳۳۲**، هیچ روزی سپری نشد، مگر این که سخنوری مزدبگیرِ سیا، مفسّر خبری مزدور سیا، یا سیاستمدار وابسته به سیا مصدق را طعن و لعن کرده باشد. نخست‌وزیر که احترام زیادی برای آزادی مطبوعات قایل بود، از مقابله با این کارزار خودداری می‌کرد.

مأموران ایرانی که به ویلای روزولت رفت وآمد می‌کردند وی را با نام مستعارش، جیمز لاک‌ریج می‌شناختند. آنان به‌مرور زمان و به‌طور طبیعی نوعی رابطه‌ی رفیقانه با او برقرار کردند؛ برخی از ایرانیان در میان تعجب روزولت وی را «جیم» می‌نامیدند. تنها مواقعی که بیم آن می‌رفت که هویت‌اش فاش شود هنگام بازی تنیس در سفارت ترکیه و محوطه‌ی انستیتو فرانسه بود. در آن‌جا، وقتی که از مهار ضربه‌ی توپ عاجز می‌شد دشنام‌گویان فریاد می‌کشید که «اوه، ای روزولت لعنتی!» چندبار در معرض این پرسش قرارگرفت که چرا وی با داشتن نام لاک‌ریج چنین عادتی پیدا کرده است و او در پاسخ می‌گفت که چون یکی از هواداران سرسخت جمهوری‌خواهان است و فرانکلین دی. روزولت[۱] را تجسم شیطان می‌داند، از نام او برای دشنام استفاده می‌کند.

نقشه‌ی عملیات آژاکس، راه انداختن کارزار روانی شدید و پردامنه‌ای را

۱. رئیس‌جمهوری دموکرات زمان جنگ امریکا، برادرزاده تئودور و عموی خودش. م.

علیه مصدق پیش‌بینی کرده بود که سیا قبلاً در این راه گام نهاده بود. در پی آن قرار بود اعلامیه‌ی شاه مبنی بر برکناری مصدق صادر شود؛ دارودسته‌ی اوباش و واحدهای نظامی که رهبران آنها جیره‌خوار سیا بودند نیز به درهم شکستن هرگونه مقاومت مصدق می‌پرداختند، آن‌گاه اعلام می‌شد که شاه، تیمسار فضل‌الله زاهدی (از افسران بازنشسته که بیش از ۱۰۰ هزار دلار از سیا دریافت کرده بود) را به‌عنوان نخست‌وزیر جدید، برگزیده است.

در اواسط ماه مرداد، تهران در آتش التهاب می‌سوخت؛ دارودسته‌ی اوباش که برای سیا کار می‌کردند تظاهرات ضدمصدقی به راه می‌انداختند، در خیابان‌ها به راه می‌افتادند و با حمل تصاویر شاه به سر دادن شعارهای سلطنت‌طلبانه می‌پرداختند. مأموران خارجی به نمایندگان مجلس و هرکس دیگری که ممکن بود برای کودتای قریب‌الوقوع مفید واقع شود، رشوه پیشنهاد می‌کردند.

حملات مطبوعاتی به مصدق ابعاد جدید و خطرناکی می‌یافت. در مقالات روزنامه‌ها[ی مزدور سیا]، وی نه‌فقط به داشتن ارتباطات کمونیستی و نقشه برای برانداختن تاج و تخت کشور، بلکه به دارا بودن پیوندهای خانوادگی با یهودیت، و حتی به هواداری پنهان از انگلیسی‌ها، متهم می‌شد. اگرچه مصدق این را نمی‌دانست، امّا اکثر این مقالات آتشین تحت القائات سیا و یا مبلّغان آن در واشنگتن نوشته می‌شد. بنا بر برآورد یکی از این مبلغان، ریچارد کاتم، چهارپنجم (هشتاد درصد) روزنامه‌های تهران تحت نفوذ سیا بودند. کاتم با یادآوری آن روزها می‌گوید: «هر مقاله‌ای که می‌نوشتم ــ که نوعی حس قدرت را القا می‌کرد ــ تقریباً بلافاصله و در روز بعد در مطبوعات ایران منتشر می‌شد. این مطالب به‌قصد ترسیم سیمایی کمونیستی و متعصبِ افراطی از مصدق نوشته می‌شدند.»

با شتاب یافتن جریان توطئه، روزولت با جدی‌ترین مانعِ پیش‌روی خود مواجه شد: محمدرضاشاه. این پادشاه ۳۲[1] ساله، دومین شاه دودمان پهلوی، بالفطره

۱. محمدرضاشاه در آن‌هنگام ۳۴ ساله بود.ـ م

ترسو و مردّد بود و از هرگونه مشارکت در این توطئهی جسورانه سرسختانه خودداری میکرد. یک دیپلمات انگلیسی در گزارش خود نوشت «وی از تصمیمگیری نفرت دارد و زمانی هم که تصمیمی بگیرد به آن پایبند نیست. او فاقد شهامت اخلاقی است و بهآسانی اسیر ترس میشود.»

[اما] چیزی بیشتر از ویژگیهای شخصی، شاه را از اقدام بازمیداشت. مصدق در تاریخ نوین ایران چهرهای پرطرفدار بود و اگرچه کـارزار خرابکارانه و تحریم اقتصادی انگلیس وی را ضعیف کرده بود، هنوز مردم بهنحو گستردهای هوادار و علاقهمندش بودند. شاه حتّی از لحاظ قانونی هم مطمئن نبود که بتواند وی را برکنار کند. ممکن بود کودتا بهراحتی نـتیجهی معکوس به بار آورد و نهفقط زندگی شاه که خود سلطنت را نیز به خطر اندازد.

هیچ یک از این ملاحظات مانعی بر سر راه روزولت نشـد. وی بـرای اجرای نقشهی خود نیازمند آن بود که شاه با امضای فرمانی مصدق را برکنار و تیمسار زاهدی را به جایش منصوب کند. روزولت هرگز تردیدی در گرفتن این فرمانها به خود راه نداد. جنگ اعصاب وی با شاه از همان آغاز، نابرابر بود. روزولت زیرک و بـهخوبی آمـوزش دیـده و از پشتـوانـهی نیـرومند بینالمللی برخوردار بود. امّا شاه کمخرد، ضعیف، ناپخته و تنها و بیپشتوانه بود.

نخستین اقدام حساب شدهی روزولت عبارت بود از گسیل نمایندگانی که احتمالاً بر شاه نفوذ خاصی داشتند. ابتدا، ترتیب مـلاقات وی بـا خـواهـر دوقلویش شاهزاده اشرف را داد (که به همان اندازه که شاه کندذهن بود، وی تند و تیزهوش و رزمجو مینمود) تا به او دل و جرئت دهد. زخمزبان اشرف به برادرش معروف خاص و عام بود، از جمله این که یکبار در حضور دیپلماتهای خارجی از شاه خواست که ثابت کند مرد است یا این که در حضور همه خود را موش معرفی کند. وی از مصدق نفرت داشت زیرا مصدق دشمن اقتدار سلطنت بود. حملات اشرف به دولت مصدق چندان شدت گرفت که شاه احساس کرد بهتر است او را به خارج بفرستد. وی از تبعیدگاه طلایی خود

در اروپا، رویدادهای کشورش را با شور فزاینده‌ای دنبال می‌کرد.

اشرف به خوشگذرانی و عیاشی در کازینوها و کاباره‌های فرانسه مشغول بود که یکی از بهترین مأموران روزولت، اسدالله رشیدیان، با او تماس گرفت. اشرف روی خوش نشان نداد، لذا روز بعد هیئتی از مأموران آمریکایی و انگلیسی به دیدار وی شتافتند تا دعوت خود را با پشتوانه‌ی قوی‌تری اعلام کنند. رئیس هیئت، مأمور ارشد انگلیسی به‌نام نورمن داربی‌شایر، از این دورنگری زیرکانه بهره برد که به همراه خود یک پالتوپوست و کیفی از پول بیاورد. داربی‌شایر بعدها به یاد آورد که وقتی اشرف این عطایا را دید «چشم‌هایش برق زدند» و مقاومتش درهم شکسته شد. وی پذیرفت که با گذرنامه‌ای تحت نام خانوادگی شوهرش، خانم شفیق، به تهران پرواز کند و بدون هیچ‌گونه جلب توجهی به پایتخت وارد شود. برادرش ابتدا از ملاقات با وی خودداری کرد، امّا پس از آن که مصاحبانش که در تماس با سیا بودند به‌شکل نه‌چندان ظریفی وی را به تغییر عقیده متقاعد کردند، به این کار رضایت داد. برادر و خواهر، در غروب هفتم مرداد سال ۱۳۳۲ با یکدیگر دیدار کردند. دیداری که سرشار از تنش برگزار شد. اشرف نتوانست شاه را به امضای فرمان‌ها تشویق کند. کار حتی بدتر هم شد، و خبر ورود و دیدار او با شاه به بیرون درز کرد و موجی از نفرت و خشم به راه انداخت. با مراجعت سریع وی به اروپا، همه نفس راحتی کشیدند.

در مرحله‌ی بعد، روزولت به ژنرال نورمن هـ. شوارتسکف متوسل شد که در طول قسمت عمده‌ی سال‌های دهه‌ی ۱۹۴۰ (دهه‌ی ۱۳۲۰ شمسی) فرماندهی هنگی از نیروهای نخبه‌ی نظامی را برعهده داشت و شاه عمیقاً خود را مدیون وی می‌دانست. سیا «پوششی مأموریتی»، شامل ملاقات با افراد و بازرسی از واحدهای نظامی در لبنان، پاکستان و مصر برای شوارتسکف تهیه کرد، به‌نحوی که حضور او در ایران صرفاً به‌عنوان یک توقف کوتاه بر سر راه مأموریتش انگاشته شود. مطابق یک گزارش، وی هنگام ورود به ایران «چندین کیف بزرگ» به همراه داشت که حاوی چندملیون دلار پول نقد بودند.

وی، ابتدا با روزولت و سپس با رؤسای ایرانی عملیات ملاقات کرد و بیشترِ پول‌ها را هم به همین افراد داد. در روز دهم مردادماه، او به دیدن شاه در کاخ سعدآباد رفت.

برخورد عجیبی بود. ابتدا شاه از گفتن کلمه‌ای با میهمانش خودداری کرد و با اشاره به او فهماند که ممکن است در اتاق میکروفن مخفی کار گذاشته شده باشد. سپس، شوارتسکف را به یک تالار بزرگ رقص هدایت کرد. میز بزرگی را به وسط اتاق کشید، بر روی آن نشست و ژنرال را نیز دعوت کرد که به او ملحق شود. در آن جا با صدای آهسته گفت که هنوز تصمیم به امضای فرمان‌هایی که روزولت از وی خواسته، نگرفته است. وی گفت شک دارد که ارتش به فرمان‌های امضا شده‌ی او گردن نهد، و از این روی نمی‌خواهد در طرف بازنده‌ی چنین عملیات مخاطره‌آمیزی قرار گیرد.

شوارتسکف حتی در حال گوش دادن به سخنان شاه، حس می‌کرد که مقاومت او رو به ضعف نهاده است. یک ملاقات دیگر می‌توانست نتیجه‌ی مطلوب را به بار آورد، اگرچه این بار باید خود روزولت می‌آمد. امّا ایـن پیشنهادی خطرناک بود. اگر روزولت در کاخ دیده می‌شد، خبر حضورش در ایران ممکن بود به خارج درز پیدا کند و کل عملیات را به خطر اندازد. با این حال، شوارتسکف به وی گفت که راه دیگری وجود ندارد.

روزولت انتظار این پیشنهاد را داشت. وی بعدها نوشت، «از همان ابتدا مطمئن بودم که یک ملاقات شخصی با شاه لازم خواهد شد. من و شاه در یک جای امن و در تنهایی می‌توانستیم بسیاری از مشکلاتِ پیش روی را حل کنیم. این کار فقط باید از طریق گفت وگوی رودررو انجام می‌شد. با به حسـاب آوردن همه‌ی احتمالات، ناگزیر بودیم با هم دیدار کنیم، نه یک‌بار، کـه چندبار؛ و هرچه زودتر، بهتر.»

روزولت برای تدارک این دیدار، اسدالله رشیدیان، یکی از مـأموران متعهد خود را در روز ۱۱ مرداد به ملاقات شاه فرستاد. پیام رشیدیان ساده بود: انگلیسی‌ها و آمریکایی‌ها در حال برنامه‌ریزی کـودتایی‌انـد کـه از آن

گریزی نیست. تحت این شرایط، رشیدیان با لحن آمرانه‌ای می‌گوید، شاه چاره‌ای جز همکاری ندارد؛ و شاه در حال سکوت، سرِ خود را به‌نشانه‌ی موافقت تکان داد.

با این همه، فقط روزولت می‌توانست معامله را تمام کند. وی از یکی از مأموران خود در دربار شاه، به‌نام رمزیِ روزن کرانتْز، خواست که به شاه بگوید: «یک آمریکایی به نمایندگی آیزنهاور و چرچیل میل دارد به حضورش برسد.» طی چندساعت این کار انجام شد و شاه ملاقات را پذیرفت و قرار شد نیمه‌شب اتومبیلی به ویلای روزولت بفرستد. روزولت پس از گرفتن این پیام به خود گفت: «دوساعت معطلی! فکر کردم لباس‌ام اگر برای یک ملاقات شاهانه مناسب نباشد، در عوض برای چنین شرایط ویژه‌ای مطلوب است. یک پیراهن سیاه یقه اسکی در بر، یک شوار گشاد خاکستری مارک آکسفورد و یک جفت **گیوه**ی سیاه به پا داشتم. نه‌چندان هوشمندانه امّا چندان مناسب بود که جلب توجه کسی را نکند.»

روزولت، که شش سال پیش هنگام تحقیق درباره‌ی کتابی تحت عنوان ***اعراب، نفت و تاریخ*** با شاه مصاحبه، و طی دیدارهای بعدی خود از ایران نیز با وی ملاقات کرده بود، با چندتن از مأمورانش در انتظار ساعت موعود بود. به نظرش رسید که بهتر است مشروب نخورد، هرچند همپالگی‌هایش چنین دغدغه‌ای نداشتند. با فرارسیدن نیمه‌شب، از دروازه‌ی جلویی ویلا خارج شد و به خیابان گام نهاد. اتومبیلی منتظرش بود و او به طرفش رفت و در صندلی عقب آن نشست. همچنان که روزولت مسیر کاخ سلطنتی را می‌پیمود، خیابان‌های خلوت را از نظر می‌گذرانید. وقتی اتومبیل در مسیر خیابان سربالای منتهی به کاخ قرار گرفت، وی تصمیم گرفت که خود را از انظار مخفی نگهدارد. میزبانانِ بافکرش پتوی تاشده‌ای را روی صندلی اتومبیل گذاشته بودند و او به بهترین نحوی از آن سود برد: کف اتومبیل دراز کشید و پتو را به روی خود انداخت.

هنگام عبور از دروازه‌ی کاخ، مشکلی پیش نیامد و فقط یک وارسی

تشریفاتی انجام گرفت. اتومبیل چندلحظهای به راه خود ادامه داد و سپس در کنار پلکان سنگی و پهن کاخ توقف کرد. روزولت پتو را از روی خود کنار زد و روی صندلی نشست. شخصی با سیمای لاغر از پلهها پایین آمـد و بـه او نزدیک شد. آن مرد، که روزولت بلافاصله تشخیص داد خودِ شاه است، درِ اتومبیل را باز کرد و در کنار او نشست. راننده با احتیاط از اتومبیل خارج و در سیاهی شب ناپدید شد.

شاه درحالیکه دست خود را به سوی او دراز میکرد گفت: «شب بهخیر آقای روزولت، نمیتوانم بگویم که انتظار دیدن شما را داشتم، امّا از دیدنتان خوشحالم.»

روزولت به شاه گفت که وی از طرف سـرویسهای مـخفی آمـریکا و انگلیس به ایران آمده و تأیید این مسئله را شاه میتواند با عبارت رمزی که فردا شب از بی. بی. سی گفته میشود، بشنود. چرچیل ترتیبی داده بود کـه بی. بی. سی برنامهی روزانهی خود را نه مثل همیشه با گفتن عبارت «اکنون نیمهشب است»، بلکه با بیان عبارت «اکنون **دقیقاً** نیمهشب است»، به پـایان برساند. شاه پاسخ داد که اینگونه اطمینانبخشیها بهندرت ضـرورت پـیدا میکند. آن دو نفر حرف یکدیگر را بهخوبی میفهمیدند.

با این حال، شاه هنوز برای پیوستن به طـرح کـودتا مـردّد بـود. وی بـه روزولت گفت که ماجراجو نیست و نمیتواند دست به ماجراجویی بزند. لحن روزولت تندتر شد و به شاه گفت نگهداشتن مصدق در قـدرت «فـقط بـه کمونیستی شدن ایران یا تبدیل شدنش به یک کرهی دیگر، میانجامد» کـه رهبران غرب آمادهی پـذیرش ایـن اتـفاق نیستند. بـرای اجـتناب از ایـن [سرنوشت]، طرحی برای سرنگونی مصدق ــ و ضمناً افزایش قدرت شاه ــ به تصویب رسیده است، و وی باید ظرف چند روز آن را به اجرا بگذارد. اگر شاه امتناع کند، او (روزولت) کشور را ترک و «طرحهای دیگری» را پـیشنهاد خواهد کرد. شاه پاسخ صریحی نداد. اما پیشنهاد کرد که شب بعد یکدیگر را دوباره ملاقات کنند. سپس برگشت تا درِ اتومبیل را باز کند و بیرون بیاید. در

این هنگام رو به سوی روزولت کرد و گفت «یک بار دیگر ورود شما را به کشورم خوشامد می‌گویم.»

از آن به بعد، روزولت تقریباً هر نیمه‌شب سوار بر همان اتومبیل و در زیر همان پتو به کاخ شاه می‌رفت و با او ملاقات می‌کرد. پیش و بعد از هر جلسه، روزولت با عمّال ایرانی خود مشورت می‌کرد. وقتی که پاسبان پست محله نسبت به ویلای مسکونی وی ظنین شد، این روند دیدارها را متوقف کرد و راه دیگری را برای برگزاری جلسه‌ها در پیش گرفت. وی یک تاکسی اجاره کرد و در مواقع مشخص به گوشه‌ای خلوت می‌راند و همیشه چراغ روی سقف آن را که نشان می‌داد «در حال کار»، روشن می‌کرد. در آن جا تاکسی را متوقف و شروع به قدم زدن می‌کرد تا این که یکی دیگر از مأمورانش که معمولاً برای انجام عملیات بی‌قراری نشان می‌داد، او را در یک ماشین کرایسلر یا بیوک سوار می‌کرد. آنها هنگام گشت وگذار در تپه‌ماهورهای اطراف تهران، به برنامه‌ریزی مجدد تاکتیک‌های روزبه‌روزِ عملیات می‌پرداختند.

روزولت در گفت وگوهایش با شاه می‌گفت که «معادل یک ملیون دلار»، و چندین «سازمان‌دهنده‌ی بسیار لایق و حرفه‌ای» در اختیار دارد که می‌توانند «به توزیع جزوه‌ها، سازمان‌دهی اراذل و اوباش، و تعقیب مخالفان بپردازند ــ هر کاری را که می‌خواهید، آنها انجام خواهند داد.» در مرحله‌ی اوّل، یک کارزار تبلیغاتی در مساجد، مطبوعات و خیابان‌ها محبوبیت مصدق را تضعیف خواهد کرد؛ در مرحله‌ی دوّم، افسران سلطنت‌طلب ارتش فرمان عزل را به وی تحویل خواهند داد؛ در مرحله‌ی سوم، جمعیت اوباش خیابان‌ها را به کنترل خود درخواهند آورد؛ در مرحله‌ی چهارم، تیمسار زاهدی فاتحانه ظاهر خواهد شد و پیشنهاد نخست‌وزیری از طرف شاه را خواهد پذیرفت.

نقشه‌ای خوشایند امّا نه کاملاً متقاعدکننده بود، و شاه همچنان در عذاب باقی ماند؛ حالت وی به آن‌چه که روزولت «بلاتصمیمی لجوجانه» می‌نامید، می‌گرایید. امّا روزولت در پیامی که برای رؤسایش فرستاد، اظهار داشت که «ادامه‌ی کار بدون شاه ناامیدکننده» خواهد بود؛ از این رو فشار خود را بر شاه

افزایش داد. سرانجام، مقاومت شاه بهطور اجتنابناپذیری درهم شکست و پذیرفت که فرمانها را امضا کند، اما فقط به این شرط که به او اجازه داده شود که بلافاصله پس از این کار تهران را بهسوی مقصدی امن ترک کند.

محمدرضا شاه را هرگز مردی باجرئت و جسور نمیشناختند، بنابراین، آخرین اقدام محتاطانهی وی روزولت را به تعجب نینداخت. آن دو، به این نتیجه رسیدند که امنترین محل برای پنهان شدن شاه، شکارگاه اختصاصی خاندان سلطنتی در نزدیکی رامسر است. در آن نزدیکی یک باند موقت هواپیما احداث شده بود که برای شاه اطمینانبخش بود.

وی با حالتی توهینآمیز و خشن به روزولت گفت که «اگر نقشه به هم بخورد و اتفاق وحشتناکی بیفتد، من و ملکه مستقیماً بهسوی بغداد پرواز خواهیم کرد.» آن دو برای آخرین بار در پیش از سپیدهدم روز ۱۸ مرداد با هم ملاقات کردند. روزولت قبل از وداع با شاه، درست دانست که از او بهخاطر تصمیم به همکاری تشکر کند، هرچند این کار را با اکراه انجام داد. لحظهای تاریخی و مهم بود و سخنی متناسب با این لحظه باید گفته میشد. روزولت راهی جالب برای شاخ و برگ دادن به پیام خود یافت.

وی ضمن یک رشته کلیبافی به شاه گفت: «اعلیحضرتا، اوایل غروب امروز پیامی از واشنگتن دریافت کردم. رئیس جمهور از من خواست که این پیام را به شما برسانم: "سفر خوشی را برای اعلیحضرت همایونی آرزو میکنم. اگر خاندان پهلوی و خانوادهی روزولت در همکاری با یکدیگر نتوانند این مشکل کوچک را حل کنند، پس امیدی در هیچ کجا وجود ندارد. باور راسخ دارم که شما این کار را با موفقیت به انجام خواهید رساند."»

قرار شد یکی از پیکهای سریعالسیر سیا فرمانها را در اوایل صبح روز بعد به کاخ شاه بیاورد و شاه آنها را امضا و بلافاصله به سوی پناهگاه خود در رامسر پرواز کند. ترتیب همهچیز کاملاً داده شده بود.

وقتی روزولت با خبرهای خوش به خانهی ویلایی خود بازگشت، بهاتفاق مأمورانش این واقعه را با نوشخواری پرنشاطی جشن گرفتند. وی سرانجام،

ساعت ۵ صبح به بستر خواب رفت. چندساعت بعد با فریاد دشنام‌آلود یکی از دستیارانش از خواب بیدار شد. در آخرین لحظه کار خراب شده بود. مأمور پستی که قرار بود فرمان‌ها را به امضای شاه برساند دیر به کاخ رسیده بود، و وقتی وارد شد که زوج سلطنتی رفته بودند.

این واقعه چه از خطایی در هماهنگی ارتباطات ناشی می‌شد، و چه از تلاش شاه در آخرین لحظات برای شانه خالی کردن از زیر بار امضای فرمان‌ها، روزولت مصمم بود از به‌هم خوردن نقشه‌اش بر اثر این وقفه، جلوگیری کند. این فرمان‌ها در تحقق نقشه‌ی کودتایی که او طراحی کرده بود، نقش حیاتی و بی‌چون و چرایی بازی می‌کرد. آنها نه‌فقط یک تکه کاغذ با بارقه‌ای از قانونیت بودند، بلکه اصل محوری در سازماندهی عملیات نیز محسوب می‌شدند. اگر شاه در تهران نبود که فرمان‌ها را امضا کند، باید آنها را به هرکجا که وی رفته بود، می‌بردند.

بهترین کسی که روزولت برای این کار مناسب تشخیص داد، سـرهنگ نصیری افسر گـارد شـاهنشاهی بـود. وی سلطنت‌طلبی ثـابت‌قدم بـود که می‌توانست هواپیمایی پیدا کند و آن را به پرواز درآورد، ضمن این که با شاه نیز روابط صمیمانه‌ای داشت. تـرتیب کـارها بـه‌سرعت داده شـد و ایـن‌بار هماهنگی ارتباطات به‌درستی انجام شد. نصیری عازم رامسر شـد، امضای ناخوانای شاه را بر روی هر دو فرمان گرفت و سپس به‌دلیل بدی هوا از پرواز منصرف شد و فرمان‌ها را با اتومبیل به تهران فرستاد.

روزولت و رفقایش آن روز را با بی‌حوصله‌گی کنار استخر گذراندند و نمی‌دانستند که چه چیزی موجب دیر کردن نصیری شده است. وقتی شب فرارسید، به دود کردن سیگار و ورق‌بازی و نوشیدن ودکا لایم پرداختند. در تهران هرشب ساعت ۹ مقررات منع رفت و آمد برقرار می‌شد؛ امّا پس از این ساعت نیز آنها هنوز امیدوار بودند که کسی به سراغ‌شان بیاید. حوالی نیمه‌شب بود که صدای فریادی را از طرف در بزرگ ویلا شنیدند. به سوی در دویدند تا آن را باز کنند. بیرون خانه چند ایرانی ریش‌نتراشیده و بسیار هـیجان‌زده

ایستاده بودند، که بیشترشان ناشناس بودند. این افراد پاکتی را به روزولت دادند، و وی با احتیاط آن را باز کرد. در داخل آن، دو فرمان کذایی قرار داشت که بهموقع به امضای اعلیحضرت همایونی رسیده بودند.

روزولت پس از در آغوش کشیدن شادمانهی دوستان جدیدش به این میاندیشید که اکنون با چه سرعتی باید به اقدام بپردازد. وقتی مأمورانش به او گفتند که یک تأخیر دیگر در کارها وجود خواهد داشت، ناراحت شد. پی برد که ایرانیان در دو روز آخر هفته، یعنی پنجشنبه و جمعه کار نمیکنند، چه رسد به سرنگونی یک دولت در این روزها؛ و پنجشنبه و جمعه نزدیک بود. وی با اکراه موافقت کرد که کودتا را تا شنبه شبِ ۲۴ مرداد به تعویق اندازد.

روزولت مطمئن از نقشهی خود، امّا کاملاً هشیار به این امر که گذر هر ساعت فرصت خیانت و شکست را افزایش میدهد، سه روزِ پردرد و عذاب را بهاتفاق رفقایش در کنار استخر ویلا سپری کرد. شنبه، دشوارترین روز بود، زیرا لحظهی حقیقت با سرعت بسیار نزدیک میشد. روزولت بعداً نوشت که در آن روز، زمان «آهستهتر از هروقت دیگری که تا آن هنگام در آن به سر برده بودیم،» میگذشت.

در آن وقت روزولت فرماندهی عملیات را به زیرزمینی در مجتمع سفارت آمریکا منتقل کرده بود. مأموران ایرانی وی کمتر او را میدیدند. امّا از هر زمان دیگر بیشتر سرگرم عملیات خرابکارانهی خود بودند. یک گزارش سیا دربارهی کودتا این اوضاع را بهخوبی تشریح میکند:

در همین حال کارزار روانی علیه مصدق به نقطهی اوج خود میرسید. مطبوعاتِ خریده شده، حملات همهجانبهای را علیه مصدق به راه انداخته بودند، در حالی که .... (نام شخص ـ حذف شده) تحت هدایت مرکز فرماندهی مشغول چاپ مطالبی بود که از دیدهی آن مرکز مفید به نظر میرسید، مأموران سیا توجه جدی خود را به برانگیختن رهبران مذهبی تهران معطوف کرده بودند و با پخش تبلیغات سیاه به نام حزب توده، آنها را به مجازات وحشیانه در صورت

مخالفت با مصدق تهدید می‌کردند؛ آنها را به‌نام حـزب تـوده تـلفنی تهدید می‌کردند. یکی از چند تهدید به بمب‌گذاری در خانه‌های این رهبران نیز به اجرا گذاشته شد.

این گفته که شاه از اقدام مستقیم به نـفع خـود حـمایت مـی‌کند، به‌سرعت از طریق «محفل تـوطئه‌ی سـرهنگ» کـه از طـرف مـرکز فرماندهی تغذیه می‌شد، در شهر انتشار یافت. زاهدی با مأمور ارشد مرکز، سرهنگ [حذف شده] دیدار کرد و او را به‌عنوان افسر رابط با آمریکایی‌ها و گزینه‌ی او برای نظارت بر برنامه‌ریزی ستاد عملیات برگزید... .

در ۲۳ مرداد، مرکز فرماندهی عملیات این پیام را فرستاد که پس از پایان تی‌پی آژاکس، با توجه به خزانه‌ی خالی کشور، دولت زاهدی نیاز مبرم به پول خواهد داشت. لذا پیشنهاد شد که مبلغ ۵ میلیون دلار در اختیار گذاشته شود و از سیا خواسته شد که این مبلغ را ساعاتی پس از پایان عملیات تأمین کند.

اکنون، بنا به گزارش سیا، «مرکز فرماندهی یا دفتر مرکزی، کار دیگری نداشت جز انتظار برای آغاز عملیات.» با تاریک شـدن هـوای تـهران در شب ۲۵ مرداد، روزولت سوار تاکسی هیلمن مینکس خود شد، علامت «درحال کار» را روشن کرد و به‌سوی خانه‌ی امنی که در آن حوالی واقع بود راند؛ در آن‌جا مأمورانش گرد هم آمده و منتظر دریافت خبر پیروزی بودند. آنان، ضـمن نوشیدن مشروب، آواز صفحه‌ای را که موسیقی متن نمایش‌های برادوی را پخش می‌کرد، دم می‌گرفتند. آهنگ مورد علاقه‌ی آنـها *"Luck Be a Lady Tonight"*، مـوسیقی مـتن نـمایش مـوزیکال *Guys and Dolls* (مـردان و زیبارویان) بود. آنها بر حسب عادت، این آهـنگ را بـه‌عنوان تـم رسـمی عملیات آژاکس انتخاب کرده بودند:

آنان تو را خانم بخت می‌خوانند، اما من شک دارم.
گاه یواشکی درمی‌روی که برازنده‌ی یک خانم نیست.

تو اکنون نزد منی و جام‌های زیادی را با هم خالی کرده‌ایم،
با این همه، پیش از این که شب تمام شود، شاید به من
حال بدی.
شاید هم ادب را فراموش کنی و این‌جا نمانی
در این حال، بهترین کاری که از دستم برمی‌آید دعاست:
بخت! امشب ما را دریاب!

روزولت درحالی‌که در اواخر شب به سفارت آمریکا بازمی‌گشت، در مسیر خود از اقامتگاه تیمسار ریاحی، فرمانده ستاد ارتش، گذشت. از این حُسن تصادف احساس خوبی به وی دست داد. اگر نقشه‌ی او بگیرد، تا چندساعت دیگر تیمسار ریاحی پشت میله‌های زندان خواهد بود.

افسری که وی برای بازداشت رئیس ستاد و نخست‌وزیر در آن شب انتخاب کرده بود، یعنی سرهنگ نصیری، برای این عملیات کمال مطلوب به نظر می‌رسید. نصیری به برتری قدرت سلطنت باور داشت و از مصدق بیزار بود. فرماندهیِ وی بر گارد شاهنشاهیِ ۷۰۰ نفره، منشأ قدرت چشم‌گیری برای او به شمار می‌آمد. ظاهراً، نصیری با توفیق در گرفتن آن فرمان‌های حیاتی در یک مقطع حیاتی، اطمینان‌پذیری خود را اثبات کرده بود.

با این حال، در شب ۲۴ مرداد، فکر نصیری درست کار نمی‌کرد. ساعت خیلی از ۱۱ گذشته بود که وی به خانه‌ی تیمسار ریاحی رسید، و آن را خالی یافت. هیچ‌گونه شکی به اوضاع نکرد و صرفاً به افراد خود فرمان داد تا حرکت‌شان را ادامه دهند و به اقامتگاه مصدق بروند. در این حال، یک ستون نظامی دیگر بدون آگاهی وی رهسپار آن‌جا بود. تیمسار ریاحی از کودتا مطلع شده و برای خنثی کردن آن، به محل اقامت مصدق نیرو اعزام کرده بود. هویت دقیق خبرچین هرگز معلوم نشد. بیشترِ حدسیات پیرامون افسرِ ارتشی دور می‌زد که به یک هسته‌ی مخفی کمونیستی تعلق داشت. احتمالاً تعداد خبرچین‌ها بیش از یکی بوده است. در نهایت، آن‌چه که روی داد دقیقاً همان چیزی بود که روزولت از هر اتفاق دیگری بیشتر از آن هراس داشت. مدت‌ها

بود که افراد زیادی از این طرح اطلاع داشتند. لو رفتن نقشه به هرحال اجتناب‌ناپذیر بود.

در آن ساعت‌های اضطراب‌آور حوالی نیمه‌شب، تهران ناگهان دستخوش توطئه و ضدتوطئه شد. برخی افسران شورشی به‌موقع از خیانت آگاه شدند و مأموریت خود را متوقف کردند. دیگران که نمی‌دانستند وجه‌المصالحه قرار گرفته‌اند، راه خود را ادامه دادند. گروهی مرکز تلفن بازار را تصرف کردند؛ گروهی دیگر، حسین فاطمی وزیر خارجه را بیدار کردند و او را کشان‌کشان و با پای برهنه و در حالی که بر سرش فریاد می‌کشیدند، با خود بردند.

آینده‌ی حکومت مشروطه در ایران به این وابسته بود که کدام ستون نظامی زودتر به خانه‌ی مصدق برسد. لحظاتی قبل از ساعت یک بامداد، ستون شورشی از خیابان کاخ به سوی بالا به حرکت درآمد، از چهارراه حشمت‌الدوله گذشت و توقف کرد. مصدق و همسرش در این جا و در یک آپارتمان کوچک، که بخشی از ساختمان بزرگ‌تری بود که از سالیان پیش به خانواده‌اش تعلق داشت، زندگی می‌کردند. دربِ بزرگ خانه بسته بود. سرهنگ نصیری از اتومبیل خارج شد تا ورود به ساختمان را خواستار شود. در دست او فرمان عزل مصدق از نخست‌وزیری، و پشت سرش چندین فوج سرباز قرار داشت.

سرهنگ نصیری بسیار دیر رسیده بود. لحظاتی پس از ظاهر شدن او در آستانه‌ی خانه‌ی مصدق، چند فرمانده نظامی وفادار به نخست‌وزیر از تاریکی به درآمدند. آنان وی را به داخل یک جیپ مشایعت کردند و به ستاد مرکزی ارتش بردند. در آن‌جا تیمسار ریاحی وی را خائن خواند و دستور داد که لباس نظامی او را برکنند، و روانه‌ی زندانش کنند. مردی که قرار بود مصدق را دستگیر کند اکنون خود به زندان افتاده بود.

روزولت، که نمی‌توانست از این اتفاقات باخبر باشد، در مرکز فرماندهی خود در سفارت امریکا چشم‌انتظار تلفن نصیری بود. تانک‌ها چندین‌بار غرش‌کنان از کنار سفارت گذشتند، امّا هرگز زنگ تلفنی به صدا درنیامد.

نگرانی روزولت با برآمـدن سپیدهدم شـدت یافت. رادیـو تـهران پـخش برنامههای خود را طبق وقت معمول در ساعت ۶ بامداد آغاز نکـرد. یک ساعت بعد، این رادیو کار خود را با پخش پر سر وصدای مارش نظامی شروع کرد و بهدنبال آن یک بیانیهی رسمی قرائت شد. روزولت فارسی صحبت نمیکرد اما زمانی که نام مصدق را از زبان گوینده شنید دامنهی هراساش بالا گرفت. سپس خود مصدق پشت میکروفن رادیو آمد و خبر پیروزی بـر کودتایی را که توسط شاه و «عمّال خارجی» سازماندهی شده بود، اعلام کرد.

شاه نیز که در ویلای کنار دریای خود مرعوب و ترسان پناه گرفته بود، خبر را از رادیو شنید و بهمحض این که فهمید چه اتفاقی افتاده، همسرش را بیدار کرد و به او گفت که وقتِ فرار است. آنها بهسرعت دو چمدان کوچک خود را بستند، هر تعداد لباسی را که میتوانستند با دست حمل کنند برداشتند و با چالاکی به سوی هواپیمای دوموتورهی بیچ کرافت شاه به راه افتادند. شاه که خود خلبانی تعلیمدیده بود، هواپیما را به پرواز درآورد و عازم بغداد شد. پس از ورود به آنجا، به سفیر آمریکا گفت: «میخواهد به دنبال کـار بگردد، چون خانوادهای بزرگ و امکاناتی بسیار اندک در خارج از ایران دارد.»

درحالی که شاه داشت فرار میکرد، واحدهای نظامی وفادار به دولت در نقاط مختلف شهر پخش میشدند. زندگی در شهر، شتابان به شرایط عادی بازمیگشت. چندتن از توطئه گران دستگیر، و بقیه پنهان شدند. برای دستگیری زاهدی جایزه تعیین شد. عمال سیا دیوانهوار به حریم حفاظتشدهی سفارت یا خانههای امن هجوم میبردند. جمعیت شادمان به خیابانها ریختند و شعار میدادند، «زنده باد ملت!» و «مصدق پیروز است!»

روزولت در مرکز فرماندهی خود در باغ سفارت امـریکا، احسـاسی «نزدیک به نومیدی» داشت. وی چارهای نداشت جز آن که پیامی به واشنگتن بفرستد و اطلاع دهد که کار بدجوری خراب شده است. جان والر، رئیس میز ایران در دفتر مرکزی سیا، این خبر را با ناخرسندی کامل دریافت کرد. والر

نگران جان عمّال خود بود، و از این‌رو پاسخی فوری برای روزولت فرستاد. از این پاسخ نسخه‌ی شناخته شده‌ای در دست نیست. به گفته‌ی یک منبع سیا، در این پاسخ به روزولت دستور داده شده بود که بلافاصله ایران را ترک کند، هرچند والر سال‌ها بعد گفت که این دستور از قطعیت چندانی بهره نداشت. وی به یاد آورد که پیام یاد شده از این قرار بوده است: «اگر در مخمصه افتاده‌ای، خارج شو تا کشته نشوی. وگرنه راهت را ادامه بده و هرکاری را که باید بکنی، بکن.»

اوضاع و احوال برای توطئه‌گران تیره و تار به نظر می‌رسید. آنان امتیاز غافلگیری را از کف داده بودند؛ چند مأمور کلیدی‌شان از صحنه خارج شده بود؛ نخست‌وزیر در آب‌نمک خوابانده‌ی آنها، تیمسار زاهدی، مخفی شده بود؛ شاه فرار کرده بود، و فاطمی، وزیر خارجه‌ی مصدق، پس از چندساعت بازداشت در چنگ شورشیان، آزاد شد و در سخنرانی‌هایش شاه را به‌خاطر همکاری با عمال خارجی سرزنش می‌کرد.

فاطمی در برابر جمعیت وفادار به مصدق پرخاش‌کنان می‌گفت: «ای خائن! آن لحظه‌ای که از رادیو خبر شکست توطئه‌ی اربابان خارجی‌ات را شنیدی، به نزدیک‌ترین کشوری که انگلیس در آن سفارت دارد، گریختی!»

عملیات آژاکس شکست خورد. رادیو تهران گزارش داد که اوضاع «کاملاً تحت کنترل» است، و در واقع همین‌طور هم به نظر می‌رسید. امواج این ضربه در سرتاسر ساختمان مرکزی سیا در واشنگتن بازتاب یافت. آن‌گاه به یکباره و در حوالی غروب آن روز، روزولت غیرمترقبه‌ترین پیام را گسیل کرد: وی تصمیم گرفته بود در تهران بماند و وارد آوردن ضربه‌ای دیگر به مصدق را تدارک ببیند. سیا او را فرستاده بود تا دولت ایران را سرنگون کند، و او هم مصمم بود که تا این کار را به انجام نرسانده آن جا را ترک نکند.

فصل ۲

تفو بر تو ای چرخ گردون، تفو

بقایای خیره کننده‌ی ویرانه‌های تخت‌جمشید که به‌نحو شگفتی در بیابان‌های جنوب ایران قامت افراشته، در جوار کوه‌هایی که به شکوه این بنا می‌افزایند، بر عظمتی که پارس واجد آن بود گواهی می‌دهند. این‌جا پایتخت تشریفاتی و معنوی یک امپراتوری وسیع بود که توسط کوروش، داریوش و خشایارشا ساخته شد. این‌ها غول‌هایی‌اند که نام‌شان هنوز در سرتاسر تاریخ طنین‌انداز است. تندیس‌های غول‌پیکر گاوهای نر بالدار از دروازه‌ی ملل، که شاهزادگان دولت‌های دست‌نشانده هرسال از آن می‌گذشتند تا رسم ادب و احترام را نسبت به اربابان پارسی خود به‌جای آورند، پاسداری می‌کنند. طول آپادانای بزرگ، یا تالار صدستون، که این شاه‌زادگان در آن‌جا کنار هم در برابر پیکر مرده‌ی فرمانروا زانو می‌زدند، به‌درازی یک زمین فوتبال است. پیِ سقف آن با ۳۶ ستون برج‌مانند تأمین می‌شد که برخی از آنها هنوز برپایند. دو ردیف پلکان عظیم که به تالار ختم می‌شود، با کنده کاری‌های ریز و ظریف تزیین شده که آیین سالیانه‌ی فرمانبرداری را تصویر می‌کنند؛ این مراسم در روز اول بهار (اعتدال بهاری) انجام می‌شد. امروزه، این‌ها تصویر زنده‌ای از چگونگی سیطره‌ی کامل امپراتوران پارس بر ثروتمندترین سرزمین‌های این کره‌ی خاکی، به دست می‌دهند.

کنده کاری‌ها نشان می‌دهند که حکام دولت‌های دست‌نشانده از پی هم، از مقابل رهبر عالی خود می‌گذرند، درحالی‌که هریک هدیه‌ای را به نشانه‌ی

برکت و ثروت سرزمین خود حمل می‌کند. باستان‌شناسان موفق شده‌اند هویت اکثر آنها را شناسایی کنند و اسامیِ فرهنگ آنها همانا یادآور غنای عصر باستان است. ایلامی‌های جنگجو، که در خاور رودخانه‌ی دجله زندگی می‌کردند، شیری را به‌مثابه‌ی مظهر درنده‌خویی خود هدیه می‌آورند. آراخوزیایی‌ها از آسیای مرکزی، شتر و پوست خزهای گران‌بها هدیه می‌کنند؛ ارمنی‌ها اسب و گلدانی با کنده کاری ظریف؛ حبشی‌ها یک زرافه و یک عاج فیل؛ سومالیایی‌ها آهو و ارابه‌ای؛ اهالی تراکیا، سپر و نیزه؛ و یونیان، طاقه‌های پارچه و بشقاب‌های سرامیکی. تازیان، شتری را به دنبال می‌کشند، آسوری‌ها گاوی نر و هندی‌ها الاغی که سبدی‌های بافته بار آن شده است. همه‌ی این پیشکشی‌ها در آستانه‌ی شاه شاهان، پادشاهی که حکومت‌اش قدرت پارس را به اقصی نقاط جهانِ شناخته شده‌ی آن روز گسترش می‌داد، قرار داده می‌شد.

بسیاری از کشورهای خاورمیانه مولوداتی مصنوعی‌اند. استعمارگران اروپایی در قرن نوزدهم یا بیستم، مرزهای ملی آنها را تعیین کردند، و این کار اغلب بدون توجه به تاریخ و سنت محلی آنها انجام گرفت. رهبران آنها ناچار بوده‌اند که با سرهم کردن اسطوره‌های خارجی، حسی ملّی‌گرایانه را در شهروندان خود القا کنند. در مورد ایران، عکس این‌ها صادق است. این سرزمین از کهن‌ترین کشورهای دنیا و وارث سنّتی است که به چندهزار سال پیش برمی‌گردد؛ دورانی که فاتحان بزرگ، حکومت خود را در سراسر قاره‌ها گستردند، شعرا و هنرمندان آثاری زیبا و بدیع آفریدند، و یکی از خارق‌العاده‌ترین سنت‌های مذهبی جهان در آن‌جا ریشه دواند و شکوفا شد. حتی در دوران جدید، که با دوره‌های طولانی هرج و مرج، سرکوب و رنج همراه بوده است، ایرانیان عمیقاً از میراث خود متأثر بوده‌اند.

درونمایه‌های ریشه‌داری تاریخ ایران را سرشار کرده و به وضعیت کنونی آن شکل بخشیده است. یکی از آنها تلاش مداوم و اغلب مذبوحانه‌ای است برای یافتن برنهادی بین اسلام، که تازیان فاتح در این سرزمین رواج دادند، و

میراث غنی اعصار پیش از اسلام؛ مضمون دیگر که از سنت مسلمانان شیعه ناشی می‌شود، عطش برای برخورداری از رهبری عادل است که از آن بهره‌ی کمی برده‌اند. سومین درونمایه، که آن نیز متأثر از باورهای شیعی است، دیدگاهی غم‌بار از حیات است که در یک حس شهادت‌طلبی و داشتن درد مشترک ریشه دارد. سرانجام این که، ایران از همان سپیده‌دم تاریخ برای مهاجمان خارجی یک هدف بوده، و قربانی شرایط جغرافیایی خود شده که آن را در مسیر یکی از مهم‌ترین گذرگاه‌های بازرگانی جهان و بر فراز اقیانوسی از نفت قرار داده است. از این‌رو، همواره در جهت یافتن راهی برای همزیستی با خارجیان قدرتمند، در تقلا بوده است. ترکیبی از همه‌ی این فشارها و موانع در میانه‌ی سده بیستم، به آفرینش و سپس نابودی چهره‌ای افراشته چون محمد مصدق انجامید.

مهاجران آسیای مرکزی و شبه‌قاره‌ی هند، حدود چهارهزار سال پیش به سرزمینی که اکنون ایران نام دارد وارد شدند؛ آنان تحت فشار مجموعه عواملی چون فقدان منابع، و قبایل غارتگر شمال و شرق به این مهاجرت دست زدند. آریایی‌ها، که اسم **ایران** از آنها گرفته شده، از جمله‌ی این مهاجران بودند. کورش، امپراتوری بود که این گروه‌های مهاجر را برای نخستین‌بار متحد کرد؛ وی یکی از استثنایی‌ترین الهام‌دهندگان تاریخ به شمار می‌آید و شخصیتی است که اولین‌بار ایده‌ی تشکیل امپراتوری را در منطقه‌ای پیش کشید که به پارس (بعداً فارس) مشهور شد.

کوروش، پس از رسیدن به قدرت در **۵۵۹** پیش از میلاد، کارزاری ماهرانه به راه انداخت که در پی آن بر سایر رهبران حاکم بر فلات گسترده‌ی ایران چیرگی یافت. بعضی‌ها را با فتوحات نظامی به تمکین واداشت، امّا بسیاری نیز با حربه‌ی تشویق و سازش به او پیوستند. امروزه، از فتوحات و نیز متانت نسبی وی در برخورد با اتباع‌اش، یاد می‌شود. او درک می‌کرد که این روش برای برپا داشتن یک امپراتوریِ بادوام به‌مراتب مطمئن‌تر است تا راه‌های معمول‌تری مثل ستمکاری، وحشت‌آفرینی و قتل‌عام.

در ۵۴۷ پیش از میلاد، کوروش وارد آسیای صغیر شد و سارد پایتخت افسانه‌ای لیدیا را تصرف کرد. ۷ سال بعد، بابل را که قدرت بزرگ منطقه‌ای دیگری بود، فتح کرد. چند دهه بعد، وی و جانشینانش، به پیروزی‌های بزرگ خود ادامه دادند؛ از جمله لشگرکشی خشایارشا با ۱۸۰ هزار سپاهی بـه مقدونیه، گذرگاه ترموپیل، و آتـن را مـی‌توان بـرشمرد. ایـن بـزرگ‌تـرین لشگرکشی‌ای بود که اروپا تا آن زمان به خود دیده بود. این دودمان، که به هخامنشیان معروف‌اند، بزرگ‌ترین امپراطوری زمـان خـود را بـه وجـود آوردند. در سال ۵۰۰ قبل از میلاد، مرزهای این امپراتوری مدیترانه شرقی و یونان تا ترکیه امروزی، لبنان، اسرائیل، مصر و لیبی، و به سمت خاور، سراسر قفقاز تا سواحل هند را در بر می‌گرفت. کوروش آن را پارس می‌نامید، چون از زادگاه خودش پارس برگرفته بود.

رویکرد روادارانه و جامع بـه زنـدگی و سـیاست، کـه هـخامنشیان بـه برخورداری از آن شهره بودند، بعضاً از پیوند آنها با آیین زرتشت ناشی شده که بنا بر آن، مسئولیت مقدس هر انسان عبارت است از فعالیت در راه برقراری عدالت اجتماعی بر روی زمین. زرتشتیان بر این باورند که بشـریت درگـیر مبارزه‌ای ابدی بین خیر و شر است. گفته می‌شود که دین آنها نخستین دینی بود که بنا بر آموزه‌های آن، انسان پس از مرگ مورد داوری قرار خواهد گرفت و روح هرکس تا ابد در بهشت یا دوزخ خواهد ماند. بنا بر احکام ایـن دیـن، پروردگار داوری خود را بر این اساس که شخص در دوران حیاتش چه مقدار پرهیزکار بوده انجام می‌دهد، و ملاک آن اندیشه، گفتار و کردار شـخص است. زرتشت پیامبر که بعدها اروپایی‌ها وی را با نام زاراتوسترا شناختند، در حوالی سده‌های دهم و هفتم پیش از میلاد، در جایی واقع در شمال غـربی ایران کنونی، می‌زیست و این کیش را پس از گذراندن یک رشته تأمـلات منجر به وحی الهی، تبلیغ می‌کرد و اشاعه می‌داد. زرتشتی‌گری بر تاریخ پارس تأثیر ژرفی نهاده و این نه‌تنها به دلیل بهره‌گیری کوروش از آن در کارزار متهورانه و موفقیت‌آمیز امپراتوری‌سازی، بلکه به دلیل تسخیر قلب و جان

بسیاری از مؤمنان، طی قرن‌های متمادی نیز بوده است.

دین زرتشت به مردم ایران آموخت که داشتن رهبری روشن‌بین از حقوق تفکیک‌ناپذیر شهروندان است و وظیفه‌ی اتباع نه صرفاً فرمانبرداری از پادشاهان عاقل، که نیز شوریدن علیه شاهان پلید است. رهبران، نماینده‌ی خداوند بر روی زمین محسوب می‌شوند، امّا تا زمانی که از **فـرّ ایـزدی** برخوردارند (که نوعی ودیعه‌ی الهی است که شاهان باید با رفتار شرافتمندانه به آن دست یابند)، سزاوار وفاداری و احترام‌اند. رهبران پارسی نسل در پی نسل برای نیایش به معابد زرتشتی می‌رفتند، که در آنها همواره آتش مقدس شعله‌ور بود. این آتش، نمادی از اهمیت هشیاری مـداوم در بـرابـر ظـلم و شرارت به شمار می‌آمد. کوروش و دیگر شاهان پس از وی، بین مـناطق مختلف امپراتوری وسیع خود با احداث جاده‌ها، پل‌ها، برقراری نظام پولی یکپارچه، نظام مالیاتی کارآمد و تأسیس نخستین خدمات پستی بـلندبُرد در جهان، پیوند برقرار می‌کردند. پایه‌های امپراتوری هخامنشی پس از آن کـه داریوش آخرین رهبر بزرگ پارس در نبرد تعیین‌کننده‌ی ماراتون در ۴۹۰ پیش از میلاد شکست خورد، دچار تزلزل شد، و ضربه‌ی مـرگبار نـهایی را اسکندر در سال ۳۳۴ پیش از میلاد وارد آورد که ایران را تصرف کرد و در یک هنگامه‌ی تاراج و ویرانگری، تخت جمشید را چپاول کرد و سوزاند.

۱۰ قرن پس از آن، طی دوره‌هایی از حکومت سه دودمان، ایرانیان حس نیرومند غرور و اصالت خود را بازپروردند و تعمیق بخشیدند. آنها با جذب و هضم آرا و اندیشه‌های سرزمین‌های پیرامون خود، به‌ویژه یونان، مصر و هند به شکل‌دهی مجدد این افکار پرداختند تا این اندیشه‌ها را در چارچوب آیین زرتشتی بگنجانند. در قرن سوم میلادی، ایرانی‌ها دوباره بر فراز قدرت‌های جهان قرار گرفتند و دوران شکوه و عظمت امپراتوران اولیه را با فتح انطاکیه، اورشلیم و اسکندریه، و هجوم به باروهای قسطنطنیه، بازیافتند. اما در سال ۶۲۶ میلادی، ارتش ایران از بیزانسی‌ها [رومی‌های شرقی] شکست خـورد، هرچند شکست بزرگ هنوز در راه بود. چندسال بعد، سپاهی از دل بیابان‌های

سترون شبه‌جزیره‌ی عربستان برآمد و رو به سوی ایران تاخت. این تازیان، نه‌فقط به سلاح‌های سنتی جنگ، بلکه به دینی جدید به نام اسلام، مجهز بودند.

اشغال ایران به دست تازیان، که از نگاه ایرانیان متمدن وحشیانی بیش نبودند، نقطه عطف تعیین‌کننده‌ای در تاریخ این کشور بود. سرنوشت ایران مشابه بسیاری از امپراتوری‌های دیگر رقم خورد. ارتش آن در اثر جنگ‌های طولانی فرسوده شده، رهبرانش از آن چه که روحانیون زرتشتی قلمرو روشنایی می‌خواندند، به قلمرو تاریکی فرو لغزیده، و خود روحانیون نیز از مردم جدا شده بودند. مردم در اثر مطالبه‌ی مالیات‌های دم‌افزون از جانب دربار آزمند، دستخوش فقر و بینوایی شدند. استبداد، قرارداد اجتماعی بین حاکم و محکوم را که آیین زرتشتی آن را اساس زندگی سازمان‌یافته می‌دانست، زیرا پا نهاد. هم از زاویه‌ی معیارهای سیاسی و هم از دید مذهبی، آخرین دودمان پیشا- اسلامی حاکم بر ایران، یعنی ساسانیان، حق حکومت کردن را از دست داد. منطق بی‌رحم تاریخ اراده‌ی خود را بر آن تحمیل کرد، به‌طوری که مغلوبِ مردمانی رو به اعتلا شد که به ایمانی پرشور به رهبران، آرمان، و کیش خود مجهز و مسلح بودند.

مرکز قدرت ساسانیان در تیسفون، پایتخت مجلّل و باشکوه میان‌رودان (بین‌النهرین)، واقع بود. تیسفون نه شهری با ستون‌های شاهانه از نوع تخت جمشید، که پایتختی غرق در وفور و فراوانی بود. قصر سلطنتیِ آن منزلگاه مجموعه‌ی شگفت‌انگیزی از جواهرات بود و تندیس‌هایی از طلا و نقره‌ی ناب در پیرامون آن جلوه‌نمایی می‌کردند. در بخش مرکزی آن، تالار بارعام غارمانند شاه قرار داشت، و در کف آن فرشی ابریشمین به‌اندازه‌ی بیش از سی‌متر مربع با طرح‌هایی از باغ و گل گسترده شده بود که بنا به تمثیل، نمایشگر ثروت و شوکت امپراتوری بود. در بافت آن، سنگ‌های یاقوت، مروارید و الماس به‌کار رفته بود که با نخ‌هایی از طلا به هم دوخته شده بودند. وقتی تازیان فاتح در سال ۶۳۸ میلادی به تیسفون رسیدند، کاخ را غارت کردند و آن فرش بی‌نظیر را به مکه فرستادند. در آن‌جا رهبران مسلمانان دستور قطعه

قطعه کردن آن را دادند که نشانه‌ی بی‌توجهی آنها به ثروت دنیوی بود. آنان خزاین بیشماری، از جمله کل کتابخانه سلطنتی را نابود کردند.[۱] در شرحی از این فتح و غارت، شاعر قرن دهم [میلادی] پارسی، فردوسی، از زبان یکی از فرماندهان ارتش ایران سوگمندانه می‌گوید:

ز شیر شتر خوردن و سوسمار　　عرب را به جایی رسیده است کار
که تاج کیانی کند آرزو　　تفو بر تو ای چرخ گردون، تفو

در قسمتی دیگر از این اثر حماسی، ***شاهنامه***، که حجم آن چهاربرابر ***ایلیاد*** هومر است و سرودنش **۳۵** سال به طول انجامید، فردوسی، به وصف رستم فرمانده‌ی ارتش پارس می‌پردازد که در سوگ شوربختی‌هایی که در راه است، می‌گوید:

همی گفت الا یا ردا خسروا　　بزرگا سترگا تن‌آور گوا
کجات آن بزرگی و آن دستگاه　　کجات آن همه فر و تخت و کلاه
کجات آن همه برز و بالا و تاج　　کجات آن همه یاره و تخت عاج
کجات آن همه مردی و زور و فر　　جهان را همی داشتی زیر پر
کجا آن شبستان و رامشگران　　کجا آن بر و بارگاه سران
کجا افسر و کاویانی درفش　　کجا آن همه تیغهای بنفش
کجا آن دلیران جنگ‌آوران　　کجا آن رد و موبد و مهتران
کجا آن همه بزم و ساز شکار　　کجا آن خرامیدن کارزار
کجا آن غلامان زرین‌کمر　　کجا آن همه رای و آیین و فر
کجا آن سرافراز جانوسپار　　که با تخت زر بود و با گوشوار
کجا آن همه لشکر و بوم و بر　　کجا آن سرافرازی و تخت زر
کجا آن سر خود و زرین زره　　ز گوهر فگنده گره بر گره
کجا آن سواران زرّین ستام　　که دشمن بدی تیغشان را نیام
کجا آن همه رازوان بخردی　　کجا آن همه فرهٔ ایزدی

۱. استاد مطهری، ردیه‌ای بر این ادعا در مقاله‌ی «کتاب‌سوزی در ایران و مصر» نگاشته است. (یادداشت ناشر)

کجا آن همه بخشش روز بزم | کجا آن همه کوشش روز رزم
کجا آن همه راهوار استران | عماری زرّین و فرمانبران
هیونان و بالا و پیل سپید | همه گشته از جان تو ناامید
کجا آن سخنها بشیرین زبان | کجا آن دل و رای و روشن‌روان
ز هر چیز تنها چرا ماندی | ز دفتر چنین روز کی خواندی

تا زمان حمله‌ی تازیان، ایرانیان در جذب و هضم فرهنگ‌های بیگانه از تجربه‌ی دیرپایی برخوردار بودند، و هر زمان که چنین می‌کردند، این فرهنگ‌ها را مطابق خواست و سلیقه‌ی خود شکل می‌دادند؛ اجزائی از آن را اخذ و در برابر بخش‌های دیگر مقاومت می‌کردند. ایرانیان در مقابل اسلام نیز چنین کردند. آنان راهی نداشتند جز آن که محمد(ص) را پیامبر خدا و قرآن را کلام خدا بشناسند و بپذیرند. امّا طی اعصار و قرون بعد، به تفسیری از اسلام دست یافتند که با اسلامِ فاتحین عرب به کلّی متفاوت بود. این تفسیر که تشیع نام دارد، بر پایه‌ی قرائت ویژه‌ای از تاریخ اسلام استوار و از تأثیر خلاقانه‌ی بهره‌گیری از اسلام برای تقویت و تحکیم باورهای دیرپای ایرانی برخوردار است.

امروزه، نزدیک به ۹۰ درصد از جمعیت یک میلیاردی مسلمانان جهان پیرو آیین تسنن‌اند. بقیه‌ی آنها عمدتاً شیعه هستند که بیشترین شمار آنها در ایران زندگی می‌کنند.

حماسه‌ی به آغوش مرگ رفتن امام حسین(ع) در راه آرمانی مقدس، روان جمعی ایرانیان را شکل داده است. دیدار از قم هنگام سوگواری در سالروز شهادت او، نظاره‌ی موجی از احساسات شدید است که درک آن برای خارجیان دشوار می‌نماید. جمع مردان و پسران سیاهپوش، در حالتی شبیه خلسه، به‌آهستگی به سوی دروازه‌ی آرامگاه اصلی [حضرت معصومه] حرکت می‌کنند، و در تمام این مدت، به خواندن مرثیه‌ی سوگواری برای سرنوشت حسین مشغولند و با زنجیرهای فلزی بر شانه و پشت خود می‌زنند، تا آن‌جا که از خون رنگین می‌شوند. در محوطه‌ی جلوی مساجد، روحانیان آن

داستان غم‌انگیز را با چنان عواطفی نقل و یادآوری می‌کنند، که کوتاه زمانی پس از آغاز سخنرانی، مؤمنان حاضر، از غم به سجده می‌افتند و به‌شکل غیرقابل‌کنترلی گریه سر می‌دهند که گویی همان موقع دچار تلخ‌ترین ضایعه‌ی شخصی شده‌اند. اصالت نفس‌گیر این صحنه، گواهی بر موفقیت شیعیان ایران در تدوین مجموعه‌ای از اعتقادات مذهبی بوده که در چارچوب سنت اسلامی، امّا مشخصاً بومی، است.

سنّی‌ها، به شهادت خشونت‌بار علی(ع) و حسین(ع) چندان اهمیت نمی‌دهند. اما از نظر شیعیان، که وجه تسمیه‌ی آنها عبارت **شیعه‌ی علی** یا «پیروان علی» است، این رویدادها فاجعه به شمار می‌آیند. از دیده‌ی آنها، علی(ع) و حسین(ع) نماینده‌ی معنویت عرفانی اسلام ناب و نیز از خود گذشتگی‌ای است که مسلمان حقیقی باید از آن طریق حیات خود را طی کند. در این دیدگاه، که در سنت زرتشتی‌گری ریشه دارد، این دو قهرمان علیه دستگاهی که فاسد شده، و لذا **فرّ** خود را از دست داده بود، شوریدند. اعتقاد بر این است که آنها خود را از وادی اهریمن جدا کردند، همچنان که هر انسان پرهیزکاری باید چنین کند. آنان، با انجام چنین کاری سرمشقی بر جای نهادند که هنوز هم ضمیر خودآگاه ایرانیان را شکل می‌دهد. آنها میراثی از تعصب و اراده، و حتی اشتیاقی مذهبی برای شیعیان بر جای گذاشتند، که شهادت را به دست دشمنان خداوند با آغوش باز پذیرا شوند. علی(ع) همچنان کامل‌ترین وجود و روشن‌بین‌ترین رهبری که تاکنون وجود داشته، به‌استثنای خود پیامبر (ص)، است. شیعیان هنوز هم به خواندن خطابه‌ها و حفظ کردن گفته‌ها و کلمات قصار وی می‌پردازند. حسین(ع) تبلور از خودگذشتگی است که سرنوشت گریزناپذیر همه‌ی کسانی محسوب می‌شود که به اسلام و انسانیت باور دارند و به آن عشق می‌ورزند. شهادت وی از نظر کلی، حتی از شهادت علی(ع) مهم‌تر قلمداد می‌شود، چرا که به دست سپاهیان دولتی و نه یک فرد متعصب، صورت گرفت. درک ژرفنای این احساسات برای فهم ایران امروزی ضروری است.

علی(ع) نخستین امام از دوازده امّام شیعیان، جانشینان مشروع پیامبر، است. امام دوازدهم، هنوز نوجوان بود که از این جهان غایب شد؛ امّا همچنان از مصایب آن آگاه است. در نزد شیعیان، وی هنوز زنده و جاوید است. آنان، وی را امام دوازدهم، امام غایب یا امام عصر، می‌شناسند، مقدس می‌شمارند، و بسیاری نیز همه‌روزه برای ظهور او دعا می‌کنند. آن‌گاه که بازگردد، مهدی موعود یا مسیحی خواهد بود که همه‌ی کژی‌ها را اصلاح و حاکمیت عدالت کامل را برقرار خواهد ساخت. تا آن زمان، وظیفه‌ی رهبران وقت است که وی و حقانیت‌اش را سرمشق خود قرار دهند. اگر در انجام چنین کاری موفق نشوند، نه‌فقط حقوق همه‌ی انسان‌ها که اراده‌ی پروردگار را نادیده گرفته‌اند. بنا بر نظر علامه طباطبایی: «امام از نهانگاه خود انسان‌ها را زیر نظر دارد و به‌رغم پنهان بودن از چشم مادی، با جان و روان انسان‌ها پیوند دارد. حضور و وجود وی همیشه ضروری است. حتی اگر زمان ظهور فیزیکی وی و بازسازی همه‌جانبه‌ای که او موجد آن خواهد بود، هنوز فرا نرسیده باشد.»

تأثیر ژرفی که این سنت بر روان ایرانیان شیعه دارد، باورهای آنها را در سطحی فراتر از نظریه‌هایی سنتی که مایکل م.ج. فیشرِ انسان‌شناس «یک درام ایمانی» می‌نامد، قرار داده است. آنان محمد(ص) را تقدیس می‌کنند، امّا کانون توجه‌شان بیشتر معطوف به علی(ع) و حسین(ع) است،، و آن چه را که فیشر «داستانی همه‌شمول و قابل بسط به سرتاسر تاریخ، هستی‌شناسی و مشکلات زندگی» می‌نامد، در بر می‌گیرد و آن را با «درام آیینی یا فیزیکی» تقویت می‌کند، «تا داستان را تجسم‌بخشد و سطح بالایی از سرمایه گذاری عاطفی را تأمین کند.» علی(ع) و حسین(ع) الگویی در اختیار آنها نهاده‌اند که نه‌فقط چگونه زیستن را به مؤمنان پرهیزکار می‌آموزد، بلکه چگونه مردن را نیز یادشان می‌دهد.

پس از پایان حیات دنیوی علی(ع) و حسین(ع) در قرن هفتم میلادی، امپراتوری عرب به اوج قدرت خود رسید، و سپس رو به افول نهاد. اعراب که بر ایران چیرگی یافته بودند، به‌تدریج در جمعیت آن سرزمین که همان موقع

هم آمیزه‌ای از ملیت‌ها بود، تحلیل می‌رفتند. با افول قدرت تازیان، شیعیان قدرت می‌گرفتند، و علت این امر بعضاً آن بود که هشدارهای آنها درباره‌ی فساد دودمان‌های دنیاپرست در اثر زیاده‌روی‌های فاتحان ترک سلجوقی و وحشیگری‌های سپاهیان چنگیزخان مغول که ایران را در پی تسخیر در سال ۱۲۲۰ به خاک و خون کشیدند، به بار نشست. آن‌گاه که توان مغولان رو به فتور نهاد، قدرت به دودمان انقلابی صفویان رسید*، که باورهای شیعی الهام‌بخش آن بود. رهبر صفویان، اسماعیل، شیعه‌ای جنگاور بود که لشگریان خود را با این شعار به جبهه‌ی نبرد می‌فرستاد: «ما مردان حسین‌ایم، دوران ما فرارسیده! ما جان‌نثران امام‌ایم. شیفتگان این مذهب؛ و عنوان‌مان شهید است!»

اسماعیل، پس از یک سلسله پیروزی‌هایی که با یاری شیعیان سرزمین‌های دیگر به دست آورد، در سال ۱۵۰۱ (میلادی) خود را شاه اعلام کرد. نخستین اقدام وی پس از رسیدن به تاج و تخت، اعلام تشیع به عنوان مذهب رسمی کشور بود. یک نقاشی مینیاتور مشهور، صحنه را به این شرح در پایین تابلو به وصف کشیده است: «روز جمعه شاه با حالتی مشعوف به مسجد جامع تبریز رفت و به واعظ که از بزرگان شیعه بود، دستور داد که به بالای منبر رود. شاه خود جلو رفت و در برابر منبر قرار گرفت، شمشیر امام زمان علیه‌السلام را برکشید و چون خورشید تابان بر جای ایستاد.»

این اقدام، که بسیار فراتر از آن بود که حرکتی مذهبی به‌شمار آید، مهم‌ترین گام به‌سوی تشکیل موجودیتی به نام ملت ایران بود. شاه‌اسماعیل از مذهب تشیع استفاده کرد تا امپراتوری‌ای بسازد که کرانه‌های آن ظرف ۱۰ سال پس از تاجگذاری‌اش، نه‌فقط شامل بخش اعظم ایران امروز می‌شد، بلکه از آسیای مرکزی تا بغداد و از قفقاز یخ‌زده تا شن‌زارهای داغ کناره‌های خلیج

---

* البته نویسنده‌ی محترم در این جا از ۲۰۰ سال ناقابل (دوران حکومت ایلخانیان، تیموریان و...) چشم پوشیده است. می‌دانیم که صفویان، بلافاصله پس از مغولان به قدرت نرسیدند. ـ م

فارس گسترده بود. طی دوران حکومت شاه‌اسماعیل، ایران کنونی نه‌فقط از لحاظ سیاسی، که از نظر معنوی نیز، پدید آمد. ایرانیان پیش از این نیز با ملاط یک جغرافیای در حال تغییر، یک زبان واحد، و یک حافظه‌ی جمعی واحد نسبت به گذشته‌ی پرشکوه‌شان با یکدیگر پیوند داشتند، امّا هیچ‌یک از این حلقه‌ها به قدرت برانگیزانندگی و شور وحدت‌بخش تشیع نمی‌رسید. ایرانیان با استقبال از این کیش، اسلام را پذیرا شدند امّا نه به آن شکلی که تازیان فاتحِ سُنی‌شان می‌خواستند. آنها شوریدند درحالی‌که وانمود می‌کردند تسلیم شده‌اند.

شاید مهم‌ترین مسئله این بود که ایرانیان نهادی را یافته بودند که سرانجام آنها را از سلطه و اقتدار دولت، دست‌کم در زمینه‌ی معنویات، رها کند. شاه اسماعیل و سایر رهبران صفویِ پیرو او، فکر می‌کردند می‌توانند تشیع را کنترل کنند و تا دویست سال بعد نیز چنین کردند. امّا یک اصل جدایی‌ناپذیر تشیع، مثل زرتشتی‌گری، این اصل اعتقادی است که زمام‌داران تا زمانی باید در قدرت باشند که عادل بمانند. این باور در نهایت، آن قدرت سیاسی و عاطفی لازم را به توده‌ی شیعی و، با تعمیم، به رهبران مذهبی‌شان داد تا رژیم‌های ناسوتی را سرنگون کنند.

ایرانیان، پیش از به قدرت رسیدن شاه اسماعیل، به اوج قله‌های بزرگ فرهنگی رسیده بودند. قرن‌ها پیش، در سده‌ی نهم میلادی، روشنفکرانشان جهان اسلام را در جستجوی خردمندترین فیلسوفان و آگاه‌ترین دانشمندان زیر پا نهاده و به مطالعه و ترجمه‌ی آثار افلاتون، ارسطو، ارشمیدس، اقلیدس، بطلمیوس و سایر متفکران یونانی همت گماشته بودند. هنرمندان، در عرصه‌ی معماری و هنرهای کاشی‌کاری، به جهش‌های چشم‌گیری دست‌زدند. هنرمندان مینیاتورکار ایرانی، سبک‌هایی بدیع آفریدند که دیگران از روی آنها نسخه‌برداری و تقلید می‌کردند اما هرگز استادان قسطنطنیه تا استپ‌های آسیای مرکزی با این تقلیدها نمی‌توانستند با آنها برابری کنند. شاعران چیره‌دست آثاری سرشار از شور و سرمستی می‌سرودند که هنوز هم در سراسر جهان

خوانده می‌شوند. بسیاری از آنها همچون عارف قرن سیزدهم (میلادی)، جلال‌الدین رومی، هرنوع تحجر و خشک‌اندیشی را مردود می‌شمارند:

مـن از اقـلیم بـالایم سـر عـالم نـمی‌دارم
نه از آبـم نـه از خـاکـم سـر عـالم نـمی‌دارم

اگر بالاست پر اختر و گر دریاست پر گـوهر
و گر صحراست پر عبهر سر آن هم نمی‌دارم

مرا گویی ظریفی کن دمی بـا مـا حـریفی کـن
مـرا گـفتـست لا تسکـن تـرا هـمدم نـمی‌دارم

مرا چون دایهٔ فضلش بشیر لطف پـروردهست
چو من مخمور آن شیرم سر زمزم نمی‌دارم

در آن شربت که جان سازد دل مشتاق جان بازد
خرد خواهد که دریا زد منش محرم نمی‌دارم

ز شـادیها چـو بـیزارم سـر غـم از کـجا دارم
بـغیر یـار دلدارم خـوش و خـرم نـمی‌دارم

پی آن خمر چون عندم شکم بر روزه می‌بندم
که من آن سرو آزادم که برگ غم نمی‌دارم

درافتادم در آب جو شدم شسته ز زنگ و بو
ز عشـق ذوق زخـم او سر مـرهم نمی‌دارم

جز این منهاج روز و شب بود عشاق را مذهب
که بر مسلک به‌زیر این کهن طارم نمی‌دارم

به باغ عشق مرغانند سـوی بـی سـویی پـران
مـن ایشـان را سلیمانم ولی خـاتم نـمی‌دارم

منم عیسی خوش خنده که شد عالم به من زنده
ولی نسبت ز حق دارم من از مریم نـمی‌دارم

ز عشق این حرف بشنیدم خموشی راه خود دیدم
بگو عشقا که من با دوست لا و لم نـمی‌دارم

این دستاوردهای فرهنگی به‌معنای آن بود که ایرانیان هنگامی که سرانجام به

وحدت سیاسی رسیدند با اتکا به قدرت خلاقه و نوآورانه و نیز توان نظامی و معنوی خود، هر آینه آماده بودند به عصر نوین گام بگذارند. آن شاه صفوی که الهام‌بخش آنها در دستیابی به برخی موفقیت‌های بزرگ شد، شاه عباس نام داشت که هنوز هم به‌عنوان یک قهرمان ستوده می‌شود. او بیش از ۴۰ سال از ۱۵۸۸ تا ۱۶۲۹ م، صاحب تاج و تخت این سرزمین بود. توفیق وی در متحد کردن مردم و القای حسی از سرنوشت مشترک در آنها، دست‌کم به همان عمقِ موفقیتِ معاصرانش، الیزابت اول در انگلستان و فیلیپ دوم در اسپانیا بود. وی به ساختن راه اقدام کرد که بازرگانان اروپایی را به شهرهای ایران کشاند، و کارگاه‌هایی برای تولید ابریشم، کاشی و دیگر محصولات موردنظر بازرگانان تأسیس کرد. دستگاه دیوانسالاری وی به گردآوری مالیات پرداخت، اجرای عدالت را تعمیم داد، و زندگی مردم را چنان سازماندهی کرد که از عـصر کوروش و داریوش در ۲۰۰۰ سال پیش به این سو سابقه نداشت.

شاه عباس نه‌تنها به‌خاطر تعهدش به آوردن بهترین نعمت‌های جهان بـه قلمرو خویش، بلکه از لحاظ تحمیل استبدادی بی‌رحمانه و عدم تحمل هرگونه چالش نسبت به حکومت مطلقه‌اش، با نمونه‌ی اولیه‌ی زمامداران ایـرانی همخوانی داشت. شکنجه و اعدام طی دوران حکومت او امری متداول بود. فرزندان ذکور خود را سال‌ها در داخل کاخ سلطنتی محبوس نگاه داشت، و درحالی‌که به آنها اجازه می‌داد از لذت مجالست با زنان صیغه‌ای برخوردار باشند، ایشان را از نعمت دسترسی به تعلیم و تربیت و آموزشی که آماده‌یشان می‌کرد تا مسئولیت رهبری را در آینده برعهده گیرند، محروم می‌کرد. شاید هم شاه عباس از شورش آنها علیه حکومت خود هراس داشت. به دستور وی بزرگ‌ترین پسر و دو پسر دیگرش را به قتل رساندند، و دو برادر و پدرش را نابینا کردند.

بزرگ‌ترین میراث مادی شاه عباس بـرای نسل‌های آیـنده، پـایتخت باشکوهش اصفهان بود که آن را به یکی از زیباترین شهرهای دنیا تبدل کرد. تا امروز هم، گنبدهای سر به فلک کشیده‌ی شاه‌نشین‌هایی با طراحی بسیار ظریف

و تالارهای نیایش با کاشی‌کاری‌های بی‌نظیر آن، بازدیدکنندگان را به شگفتی وامی‌دارد و بر حقانیت این باور نسل‌هایی از ایرانیان که می‌گفتند: **اصفهان نصف جهان،** صحه می‌گذارد. شاه عباس صنعتگران ارمنی را برای کمک به ساختن پایتخت خود، بازرگانان هلندی را برای بسط ارتباطات بازار بزرگ آن، و دیپلمات‌ها را برای ایجاد فضایی فراملیتی، از سراسر جهان به اصفهان آورد. نیم ملیون نفر در این شهر زندگی می‌کردند و فقط چند شهر در جهان یافت می‌شد که یارای رقابت با عظمت و شکوه آن را داشتند. با این همه، اصفهان نه‌فقط نماد نبوغ ایران به شمار می‌رفت، بلکه وجه تاریک حکومت شاه عباس را نیز به نمایش می‌گذاشت.

یک نویسنده‌ی معاصر در جایی نوشته است: «همه چیز، از کثرت تزییناتِ دکورهای لعابی مساجد تا استخرها و گلخانه‌های اطراف عمارت‌های سلطنتی، نشان از هنری دارد که نه‌فقط هدف از آن دلپذیری است، که خودِ آن با توان و اقتدار این حاکم تقویت می‌شد. در این جا به بهترین شکل با آمیزه‌ای غریب از بی‌رحمی و آزادی‌خواهی، وحشیگری و آزمودگی، شکوه و شهوت مواجه هستیم که تمدن ایرانی را ساخته است.»

با توجه به رفتار وحشیانه‌ی شاه عباس نسبت به جانشینان بالقوه‌ی خویش، جای عجب نیست که ایران پس از مرگ وی رو به ضعف و انحطاط نهاد و همسایگان شروع به دست‌اندازی و تجاوز به این سرزمین کردند. در سال ۱۷۲۲، قبایل افغان به ایران سرازیر شدند و آن را به اشغال درآوردند و حتی اصفهان را به خاک و خون کشیدند. افغان‌ها، سرانجام توسط آخرین رهبر تاریخی ایران، نادرشاه افشار، از این مرز و بوم رانده شدند. وی ترکی سنّی مذهب بود که تا دهلی پیش رفت و آن‌جا را به تصرف درآورد. یکی از گنجینه‌هایی که وی از دهلی به‌یغما به ایران آورد، تخت جواهرنشان طاووس بود، که به نماد سلطنت ایران تبدیل شد. نادر در سال ۱۷۴۷ در یک سوءقصد کشته شد و در پی یک سلسله جنگ قدرت که نزدیک به ۵۰ سال طول کشید، دودمان جدیدی، قاجاریه، به قدرت رسید.

قاجارها، که قبیله‌ای تُرک‌زبان مستقر در اطراف دریای خزر بودند، از اواخر قرن هجدهم تا سال ۱۹۲۵ بر ایران حکومت کردند. شاهان فاسد و کوته‌فکر آنها مسئولیت سنگینی در فقر و عقب‌ماندگی ایران داشتند. درحالی که بیشتر دنیا رو به تجدّد می‌گذاشت، ایرانِ تحت زمام‌داری قاجارها در جا زد. لرد کرزن، دولتمرد انگلیسی، در اواخر دوران قاجار نوشت: «در کشوری چنین عقب‌مانده در زمینه‌ی نهادهای قانونی، بسیار تُنُک‌مایه از نظر روش کار، مقررات و قراردادها، و بسیار متحجر و قالب‌بندی شده در سنت‌های بسیار کهن شرقی، نقش فرد مطابق انتظار عمدتاً تفوق می‌یابد. حکومت ایران کمی با اِعمال خودسرانه‌ی قدرت توسط مجموعه‌ای از واحدها و در سلسله‌مراتبی نزولی از شاه تا کدخدای یک روستای کوچک، فاصله دارد.»

اگر ایران در طول قرن نوزدهم توسط رژیمی مقتدر و پیشرفته اداره می‌شد، شاید قادر بود جاه‌طلبی‌های قدرت‌های خارجی را دفع کند. با این همه در هر صورتی فشار بسیار سنگینی به این سرزمین وارد می‌آمد. جغرافیا، ایران را در سر راه دو امپراتوری بزرگ دوران، بریتانیا و روسیه، قرار داده بود. وقتی انگلیسی‌ها به ایران می‌نگریستند، سرزمینی را می‌دیدند که در مسیر راه هند، ثروتمندترین و ارزشمندترین مستعمره‌ی آنها قرار داشت؛ روس‌ها به‌نوبه‌ی خود، امکان کنترل سرزمین بزرگی را در سرتاسر مرزهای جنوبیِ گسترده‌ی خود، بررسی می‌کردند. این حقیقت که ایران تحت حکومت شاهانی ضعیف و مشغول به خویشتن قرار داشت، مقاومت دو امپراتوری را در برابر وسوسه‌ی دست‌درازی به آن سست می‌کرد. و از این‌رو، هردو امپراتوری برای پر کردن خلأ ناشی از نادانی و بی‌خبری قاجارها، به ایران هجوم آوردند.

به نظر نمی‌رسید که شاهان قاجار از این که ایران تن به سرسپردگی بدهد نگران باشند؛ یا اگر هم می‌بودند، مصمم به استفاده از هر مزیتِ قابل دسترسی برای جلوگیری از سرنوشت ظاهراً اجتناب‌ناپذیر آن باشند. در آن چه که یک اشتباه محاسبه‌ی فاحش از کار درآمد، آنان فرض کردند که مردم ایران هر آن چه را که زمامداران‌شان بخواهند و بر آنان تحمیل کنند، می‌پذیرند. امّا

قاجارها با فساد خود، و بهویژه تمایلشان به فراهم آوردن زمینهی سلطهی قدرتهای خارجی بر ایران، از چشم مردم خود افتادند و در نهایت حق حکومت، یا **فرّ** خود را از دست دادند. ایرانیان، مسلح به این اصل شیعی که شهروندان عادی را محقّ به داشتن قدرت ذاتی سرنگون کردن استبداد میدارد، و به کمک آرمانهای دنیای جدید و نوظهور، بهروشی شوریدند که پیشینیانشان هرگز چنان کاری نکرده بودند. خواستههای آنها به همان شگفتی خود شورش بود: مُهر پایان نهادن بر سیطرهی قدرتهای خارجی بر کشور و [برپایی] مجلسی که بیانگر ارادهی مردم باشد. این، افراطیترین و ریشهای- ترین برنامهای بود که ایرانیان تاکنون در دستور کار خود قرار داده بودند، برنامهای که به سرنگونی دودمان قاجار انجامید و کل تاریخ بعدی ایران را رقم زد.

فصل ۳

آخرین قطره‌ی خون ملت

روزی از روزهای ماه دسامبر ۱۸۹۱ (آذرماه ۱۲۷۰)، دموکراسی در ایران طلوع کرد، و این زمانی بود که همسران شاه قلیان‌های خود را کنار نهادند و عهد کردند که دیگر دخانیات مصرف نکنند. این فداکاری، آسان نبود. مصرف تنباکو در زندگی زنان حرم سرگرمی عمده‌ای به شمار می‌آمد و کنیزان زیبا-روی همه‌روزه اوقات زیادی را درحالی‌که به پشتی‌های خود لم می‌دادنـد صرف دود کردن قلیان می‌کردند. آن‌ها با این تحریم، از قدرت شاه، این نهاد سلطنت مطلقه و نظام سلطنتی که در بیشتر نقاط دنیا حاکم بود، سرپیچی کردند.

آن زمان که زنان حرم این گام سرنوشت‌ساز را برداشتند، بیش از ۴۰ سال بود ناصرالدین شاه، همسرشان، بر تخت طاووس جا خوش کرده بود. وی، مثل دیگر شاهان قاجار، به زیاده‌روی‌هایش شهره بود. حرم او، کـه بیشتر اوقاتش را در آن‌جا می‌گذراند، توسعه یافته بود و ۱۶۰۰ زن عقدی، صیغه و خواجه‌گان را دربر می‌گرفت. وی، پدر صدها شاهزاده بود که همگی آزادانه به خزانه‌ی ملی دسترسی داشتند. ردیف جواهرات پرتلألو، کاخ‌هایش را مزّین می‌کرد. وقتی از تفریحات داخل کشور خسته و کسل می‌شد، در معیّت گروهی بزرگ از همراهان راه اروپا را در پیش می‌گرفت. وی می‌خواست که نه‌فقط شاهنشاه (شاه شاهان)، بلکه قبله‌ی عالم و فـرمانروای زمـین و زمـان، پنـاه مردمانش، نگهبان و چوپان گله، فاتح سرزمین‌ها و ظل‌الله، خطاب و نامیده شود. کسانی که از این کار خودداری می‌کردند، به چوب و فلکـ، و توپ بسته

می‌شدند؛ آنان را زنده به گور می‌کردند، و یا پیکرشان در میدان‌های عمومی زنده زنده سوزانده می‌شد.

ناصرالدین شاه، برای تأمین هزینه‌ی ریخت و پاش‌هایش، مشاغل دولتی را می‌فروخت، مالیات‌های ظالمانه بر مردم می‌بست و اموال تجار ثروتمند را مصادره می‌کرد. آن‌گاه که دیگر پولی برای دست‌اندازی باقی نماند، این فکر به سرش زد که با فروش میراث پدری به شرکت‌ها و دولت‌های خارجی پول فراهم کند. انگلیسی‌ها نخستین مشتریان وی بودند. مقامات انگلیسی نگران شورش‌های داخلی در هند و خواهان اتصال از طریق یک خط تلگراف بـه پست‌های فرماندهی خود بودند. در سال ۱۸۵۷ آنان امتیاز عبور این خط را از ایران خریداری کردند. هیئت‌های انگلیسی، فرانسوی و اتریشی نیز امتیازات مختلفی را به دست آوردند. یک بریتانیایی آلمانی‌تبار، بارون جولیوس دو رویتر، که شهرت خبرگزاری رویتر را نیز یدک می‌کشید، مهم‌ترین امتیاز را به دست آورد. در ۱۸۷۲، وی در ازای پـرداخت مبلغی ناچیز و وعـده‌ی پرداخت بهره‌ی مالکانه در آینده، حق انحصاری اداره‌ی صنایع کشـور، آبیاری زمین‌های کشاورزی، بهره‌برداری از منابع کانی، تأسیس و گسـترش خط‌آهن و واگن شهری، تأسیس بانک ملی و چاپ اسکناس ایران را به دست آورد. لرد کرزن، این اقدام را «کامل‌ترین و خارق‌العاده‌ترین شکل تسلیم کل امکانات صنعتی قلمرو یک پادشاهی به قدرت‌های خارجی، که هرگز حتی خواب کمتر از آن هم در طول تاریخ دیده نشده بود»، توصیف کرد.

بسیاری کسان، از اعطای این امتیاز فوق‌العاده یک‌جانبه‌ی رویتر برآشفتند. میهن‌دوستان ایرانی، که شمار آن‌ها هم آن موقع چشم‌گیر بود، طبعاً به خشـم آمدند. تجار و بازرگانان که امکانات و فرصت‌های خود را به‌ناگهان از دست رفته می‌دیدند، و روحانیان که می‌ترسیدند جایگاه و موقعیت آن‌ها در کشوری که کاملاً تحت سلطه‌ی منافع خارجیان درآمده، به مخاطره افتد، نیز هراسان شدند. روسیه، نیرومندترین همسایه‌ی ایران، از این که می‌دید یک کمپانی انگلیسی به چنان قدرتی در مرزهای جنوبی آن دست یافته، نگران شد. حتی

دولت بریتانیا که رویتر در مورد دریافت امتیاز یاد شده با آن مشورت نکرده بود، به عقلانیت این کار شک کرد. سرانجام، ناصرالدین شاه فهمید که از خطوط قرمز ممکن فراتر رفته، و کمتر از یک‌سال پس از اعطای امتیاز، آن را پس گرفت.

با همه‌ی این احوال، آزمندی شاه اجازه نمی‌داد که ایده‌ی فروش امتیازات فراموش شود. وی طی سه سال بعدی سه مورد امتیاز به کنسرسیوم‌های انگلیسی واگذار کرد. یکی از آنها، حقوق اکتشاف معادن کشور را خریداری کرد که زمان کوتاهی به رویتر تعلق گرفته بود؛ دیگری حق انحصاری تأسیس بانک را به دست آورد؛ و سومی حق انحصاری تجارت در کنار رودخانه‌ی کارون، تنها آب‌راه قابل کشتیرانی در ایران، را خرید. روسیه به این اقدام اعتراض کرد، امّا با فروش حق انحصاری شیلات شمال به تجار روسی از سوی شاه، کوتاه آمد. با این امتیاز و امتیازهایی دیگر، نظارت و کنترل بر ارزشمندترین سرمایه‌های کشور از دست ایرانیان خارج و به خارجیان سپرده شد. پولی که آنها به خزانه‌ی کشور واریز کردند، تا مدتی پاسخگوی خاصه‌خرجی‌های دربار شاه شد، امّا پس از مدتی ناگزیر ته‌کشید؛ و شاه با اخذ وام از بانک‌های انگلیسی و روسی، فقر را بیشتر توسعه می‌داد.

درحالی‌که ایران همچنان در ورطه‌ی فقر و وابستگی فرومی‌رفت، عطش تغییر و تحول در کام مردم ایران بیشتر می‌شد. بازارهای شهرهای بزرگ به بستری داغ برای اعتراضات تبدیل شدند. اصلاح‌گران مذهبی، فراماسون‌ها، و حتی سوسیالیست‌ها، شروع به پراکندن ایده‌های جدید و رادیکال کردند. اخبار مربوط به مبارزه برای رسیدن به حکومت مشروطه در اروپا و امپرا-توری عثمانی، اقشار باسواد و فرهیخته را برمی‌انگیخت. مقالات، کتاب‌ها، و جزوه‌های تهیج‌کننده توزیع و پخش می‌شدند.

ناصرالدین شاه که در دنیای خصوصی خود در دربار قاجار، از جهان بیرون منزوی مانده بود، از این نارضایتی روزافزون چندان خبر نداشت. وی، در ۱۸۹۱، امتیاز انحصار صنعت دخانیات را به مبلغ ۱۵ هزار پوند واگذار

کرد. طبق مفاد این قرارداد، هر کشاورزی که در ایران تنباکو می‌کاشت ملزم بود آن را به شرکت دخانیات امپراتوری بریتانیا بفروشد و هر مصرف‌کننده‌ای هم باید آن را از مغازه‌های خرده‌فروشی متعلق به شبکه‌ی فروش امپراتوری می‌خرید.

ایران در آن زمان، مثل امروز، کشوری کشاورزی و نیز مصرف‌کننده‌ی دخانیات بود. هزاران کشاورز فقیر در قطعات کوچک زمین خود تنباکو می‌کاشتند. و طبقه‌ای کامل از کشاورزان میانه‌حال به کارِ کاشت، داشت، برداشت و توزیع محصول اشتغال داشتند. این که یک محصول بومی را اکنون از مردم گرفته و به ابزاری برای منفعت انحصاری خارجیان تبدیل می‌کردند، اهانت بزرگی به مردم محسوب می‌شد. ائتلافی از روشنفکران، کشاورزان، تجار، و روحانیون،‌که پیشتر هرگز در ایران دیده نشده بود، تصمیم به مقاومت گرفت. رهبر عالی مذهبی کشور، میرزای شیرازی، از این اعتراضات پشتیبانی کرد. وی، در اقدامی کاملاً شورشگرانه فتوایی صادر کرد و طی آن اعلام داشت مادام که صنعت تنباکو در اختیار خارجیان باشد، کشیدن آن به‌منزله‌ی سرپیچی از امام زمان، «که خداوند ظهورش را تسریع فرماید»، خواهد بود. خبر مربوط به این فتوا به‌سرعت و از طریق خطوط تلگرافی که انگلیسی‌ها چنددهه پیش بر پا کرده بودند، به سراسر کشور رسید. تقریباً همه‌ی کسانی که خبر را شنیدند از آن اطاعت کردند. ناصرالدین شاه دچار بهت و ترس شد و سپس در اثر اتفاق نظر مخالفان از توان افتاد. وقتی همسرانش از کشیدن قلیان دست کشیدند، تشخیص داد که چاره‌ای جز ابطال امتیاز ندارد. برای تکمیل این حقارت، وی مجبور شد نیم ملیون پوند از یک بانک انگلیسی وام بگیرد تا خسارت وارد آمده به شرکت وابسته به امپراتوری را جبران کند.

وقتی مردم پی ببرند که جایگزینی در مقابل اطاعت کورکورانه وجود دارد، مسیر تاریخ تغییر می‌کند. چالش مارتین لوتر با مسیحیت حاکم، حمله به باستیل در انقلاب کبیر فرانسه، و واقعه‌ی چای بوستون[1]، چنان لحظاتی را در

---

۱. اشاره است به حمله‌ی شبانه‌ی مهاجرنشینان آمریکا در لباس بومیان در سال ۱۷۷۳ به

تاریخ رقم زده‌اند. برای ایران، آغاز پایان سلطنت مطلقه، با شورش تنباکو شکل گرفت؛ این واقعه مبشّر یک عصر نوین سیاسی بود. ایرانیان دیگر بی‌تفاوت نمی‌ماندند تا دودمان قاجار بر آنها ستم روا دارد و ثروت کشور را به خارجیان بفروشد.

ناصرالدین شاه تا چند سال پس از این واقعه نیز همچنان از وظایف سلطنتی و نیز واقعیت خود زندگی، دوری می‌جست. در ۱۸۹۶ (۱۲۷۵ شمسی)، هنگام بازگشت از زیارت حرم شاهزاده عبدالعظیم در ری، به او سوءقصد و کشته شد. افرادی معدود به سوگ وی نشستند. وی کشوری تحت سلطه‌ی بیگانگان، اشباع از بیکاران، دستخوش تورم لگام‌گسیخته و کمبود جدی مواد غذایی، از خود به ارث گذاشت. پسرش، مظفر میرزا، که به جای وی بر تخت طاووس نشست، به فریادهای نیازمندانه‌ی مردم اعتنایی نمی‌کرد و چنان در فساد و تباهی غرق بود که ایرانیان را به نفرت از قاجارها هدایت کرد. وی، به‌محض نشستن بر سریر قدرت عازم یک سفر پرخرج اروپایی شد که هزینه‌ی آن از محل اخذ وام از یک بانک روسی تأمین شد. مظفرالدین شاه، پس از مراجعت وام دیگری را، این‌بار از بانک‌های انگلیسی، گرفت و در مقابل، سهمی از درآمد گمرک را به آنها بخشید. ایرانیان نفرت‌زده، در مجامع عمومی شروع به تقبیح او کردند. وقتی که شاه با دستگیری چندتن از محرّکان واکنش نشان داد، شورش‌هایی ضدحکومتی تهران و سایر شهرها را فراگرفت.

مظفرالدین شاه به‌جای آن که تلاش کند تا مردم در کنارش گرد آیند، اقداماتی کرد که شعله‌ی خشم مردم فروزان‌تر شود. وی، در سال ۱۹۰۱ (۱۲۸۰ ش)، «حق ویژه و انحصاری اکتشاف، بهره‌برداری، توسعه، تجارت، حمل و فروش نفت [و]گاز طبیعی را به مدت ۶۰ سال»، به یک بانکدار مستقر در لندن به‌نام ویلیام ناکس دارسی واگذار کرد. این امتیاز یک دهه پیش از آن

سه کشتی انگلیسی چای، و ریختن محموله‌های این کشتی‌ها به دریا.-م.

صادر شد که دارسی موفق به اکتشاف نفت شود و حتی بسیار پیشتر از آن که امتیاز یاد شد به ابزاری عریان در سیاست امپراتوری‌مآبانه‌ی بریتانیا تبدیل شود. با این حال، مظفرالدین شاه با صِرف اعطای این امتیاز، تمام تاریخ بعدی ایران را رقم زد.

یک دهه پس از شورش تنباکو، دامنه‌ی آگاهی سیاسی ایرانیان به‌نحو چشم‌گیری رشد کرد. باور آنها به این که خداوند رهبران را ملزم به حکومت عادلانه کرده است، که یک اصل محوری آیین تشیع به شمار می‌آید، بسیاری را بر آن داشت که به سوی آرمان‌های حاکمیت ملی بروند که در جامعه جریان یافته بود. با طلوع قرن بیستم، برخی حتی به این فکر افتادند که خودِ اصل سلطنت را به زیر سوآل برند. انجمن‌های مخفی معتقد به عملیات‌براندازی در چندین شهر تشکیل شد. کتاب‌هایی درباره‌ی انقلاب فرانسه، از جمله کتاب‌هایی که از دانتون و روبسپیر ستایش کرده بودند، بین مشتاقان دست به دست می‌شد. حس برخورداری از امکانات بالقوه‌ی نامحدود، با رسیدن اخباری مبنی بر این که انگلیسی‌های شکست‌ناپذیر در جنگ با بوئرهای تازه به دوران رسیده در افریقای جنوبی شکست خورده‌اند، در جامعه قوت می‌گرفت. این حس، با انقلاب ۱۹۰۵ روسیه، ناشی از شکست نیروی دریایی روسیه از نیروی دریایی ژاپن و اجبار تزار نیکلای دوم به پذیرش مجلس، تقویت می‌شد. صحنه برای انقلاب در ایران آماده می‌شد. تنها زدن یک جرقه کافی بود که کشور را به آتش کشد.

آن جرقه در پاییز ۱۹۰۵ (۱۲۸۴ ش) زده شد، زمانی که گروه کوچکی از تجار در تهران بر اثر کشمکشی بر سر بهای قند با مأموران دولت، دستگیر شدند. این تاجرها به مجازات چوب و فلک محکوم شدند؛ تنبیهی مورد علاقه‌ی قاجارها که مچ پای قربانیان را می‌بستند و رو به هوا ثابت نگه می‌داشتند و بر کف پایشان شلاق می‌زدند. بازار در اعتراض به این عمل، منفجر شد. شورشیان ابتدا فقط برکناری حاکم تهران را می‌خواستند که دستور مجازات را صادر کرده بود. آنان سپس با درک قدرت روزافزون‌شان در

شورش، شروع به طرح درخواست کاهش مالیات‌ها کردند. سرانجام، طی یکی از جلسات توفانی خود، درخواستی حیرت‌آور را به خواسته‌های قبلی‌شان افزودند: «برای انجام اصلاحات در همه‌ی امور، ضروری است... که یک مجمع مشورتی ملی تأسیس شود. تا اجرای برابر قانون در همه‌ی نقاط ایران تضمین شود. به‌طوری که هیچ فرقی بین بلندپایگان و مردم عادی نباشد و همه بتوانند جبران مافات کنند.»

این درخواست، به‌زودی در رأس بقیه‌ی خواسته‌ها قرار گرفت. مظفرالدین شاه که می‌دید مردم در آستانه‌ی انقلاب‌اند، چاره‌ای جز پذیرش این فکر نداشت که ایران باید صاحب مجلس باشد. با این حال، حتی پس از موافقت هم شروع به طفره رفتن کرد و تا چندماه در جهت خواست مردم هیچ اقدامی نکرد. جنبش اعتراضی مجدداً سر برآورد و روحانیان مسلمان در این میان نقش رهبری یافتند. برخی به مرجعیت شیعه‌ی امام حسین متوسل شدند و تعهد کردند که از فقرا دفاع کنند، حتی اگر به بهای قرار دادن خود در معرض تیغ شیطان تمام شود، همچنان که وی چنین کرد. گروه‌های مردم تحت تأثیر و هیجان ناشی از این‌گونه خطابه‌ها در تابستان ۱۹۰۶ (۱۲۸۵) به خیابان‌ها ریختند. احساسات به نقطه‌ی غلیان می‌رسید، و چندصد تن از گروه‌های تندرو که در پی سازماندهی خود در محلی بودند که نیروهای دولتی نتوانند به آنها حمله کنند، تصمیم گرفتند در محوطه‌ای متعلق به سفارت‌خانه‌های خارجی **بست بنشینند.** برای این کار سفارت انگلیس را برگزیدند، که باغ و محوطه‌ای وسیع و ساختمان‌های بزرگی در اختیار داشت. قسمت اعظم کارکنان سفارت در تعطیلات تابستانی به سر می‌بردند. وزیر مختار سفارت به معترضان گفت که هرچند وی مایل است که آنها محل امن دیگری را بیابند، امّا «با احترام به آیین مرسوم در ایران و حق دیرپای **بست،** چنان‌چه به آنجا بیایند، وی برای اخراج آنها به زور متوسل نخواهد شد، و وسیله‌ی استفاده از زور را هم فراهم نخواهد کرد.» طی کوتاه زمانی، ۱۴ هزار ایرانی در باغ سفارت انگلیس گرد آمدند. آنها مطابق صنف و پیشه‌ی خود در چادرهایی جای داده شدند و در

پاتیل بزرگی در یک آشپزخانه‌ی عمومی برای آنها غذا تهیه می‌شد.

این تجمع، به‌سرعت به مکتبی تبدیل شد که در آن اصول دموکراسی هسته‌ی مرکزی برنامه‌ی کار را تشکیل می‌داد. هر روز، مقالات روزنامه‌های اصلاح‌طلب با صدای بلند برای جمعیت خوانده می‌شد، مبارزان و مبلّغان درباره‌ی پیشرفت اجتماع داد سخن می‌دادند و روشنفکران تحصیل‌کرده‌ی خارج آثار فیلسوفان اروپایی را ترجمه و شرح می‌کردند. شاه که از این وضع ناراضی، امّا هنوز شدت وحدت جنبش را درک نکرده بود، پیشنهاد کرد که شورایی تعیین شود، تا به استقرار نهاد عدلیه کمک کند. این پیشنهاد کاملاً همان چیزی نبود که مردم معترض را راضی کند. آنان مجلس یا پارلمانی با قدرت واقعی، و نه فقط یک شورای مشورتی، می‌خواستند.

مردم در بیانیه‌ای اعلام کردند: «قانون باید همان چیزی باشد که مجلس تصمیم می‌گیرد، و هیچ‌کس نباید به قوانین مجلس دست‌درازی کند.»

سرانجام شاه، هرچند با اکراه، موافقت خود را با خواست آنان اعلام کرد، با این شرط که قوانین مصوب مجلس، فقط پس از توشیح شاه قابل اجرا باشند. این، لحظه‌ای تاریخی و قابل مقایسه با امضای فرمان منشور بزرگ[1] در چندقرن پیش از آن در انگلستان، بود. یک دیپلمات انگلیسی حیرت خود را از این واقعه چنین به لندن گزارش کرد: «یک وجه قابل توجه این انقلاب ــ چرا که به یقین ارزش آن را دارد که انقلابش بنامیم ــ این است که روحانیت در این جا جانب پیشرفت و آزادی را گرفته است. نمونه‌ی این، به نظر من، تقریباً در تاریخ جهان یافت نمی‌شود. چرا که اگر اصلاحاتی که مردم با پایمردی برای آن مبارزه کرده‌اند به واقعیت بپیوندد، همه‌ی قدرت آن [روحانیت] از بین می‌رود.»

معترضان شادمان، با کسب موافقت توأم با اکراه شاه، از پناهگاه خود خارج، و دست به کار زمینه‌چینی برای استقرار آن‌چه که به باور خیلی‌ها ایران

---

۱. Magna Carta این منشور را اشراف انگلیسی به جان، پادشاه انگلیس، در ۱۲۱۵ میلادی تحمیل کردند که در آن حقوق و آزادی‌های آنها (و مردم) تصریح شده بود. ـ م

نوین می‌بود، شدند. آنان پیش‌نویس یک قانون اساسی را با الهـام از قـانون اساسی بلژیک، که مترقی‌ترین قانون اساسی در اروپا محسوب می‌شد، تهیه و تشکیل یک مجلس ۲۰۰ نفری را از طریق انتخابات سراسری پیشنهاد کردند. برخی اعضا به‌طور مستقیم، و دیگران از میان اصنافی چون بقال‌ها، آهنگران، چاپخانه‌داران، قصابان، ساعت‌سازان، حکیمان، خیاط‌ها و غیره، از هر صنف یک نفر، انتخاب می‌شدند. نخستین جلسه‌ی تـاریخی مـجلس در پانزدهم مهرماه ۱۲۸۵ خورشیدی (۷ اکتبر ۱۹۰۶) تشکیل شد. مجلس جـدید بـا مجموعه‌ای از دشواری‌ها روبه‌رو بود. شتابی که در طراحی نظام جدید به خرج داده شده بود و بی‌تجربگی کسانی که می‌خواستند به استقرار تشکیلات جدید حکومتی کمک کنند، به نـابسامانی انـجامید. بسیاری از نـمایندگان تحصیلاتی نداشتند، و در حالی که احزاب سیاسی هم وجود نداشتند، تشکیل فراکسیون‌های پارلمانی مقدور نبود. بحث پیرامون قانون اساسی با تزلزل و تردید پیش می‌رفت، زیرا هیچ‌کس با اطمینان کـامل نـمی‌دانست کـه قـوای حکومتی را چگونه باید تقسیم کرد. وضع باز هم وخیم‌تر شد. قانون اساسی را ناچار باشتاب می‌نوشتند، چون مظفرالدین شاه در بستر مرگ بود و پسرش محمدعلی به نفرت از دموکراسی شهرت داشت. سرانجام، قانون اساسی در ۹ دی ماه ۱۲۸۵ خورشیدی (۳۰ دسامبر ۱۹۰۶) تصویب شد و به امضای شاه رسید. به این ترتیب، ایران در مسیر راهی یکصد سـاله از پـیشرفت بسیار ناموزون به سوی دموکراسی قرار گرفت. یک هفته بـعد، مـظفرالدیـن شـاه درگذشت.

محمدعلی، شاه جدید، مجلس را به سخره مـی‌گرفت و بـه آن اعتنایی نداشت. چند نماینده خواستار شدند که وی در صورت ادامه‌ی مقاومت در برابر مجلس، خلع شود. سلطنت‌طلبان با تلخی و خشم واکنش نشان دادند و مجادلات خشن که اغلب در برخوردهای خیابانی منعکس می‌شد، تهران را به لرزه درآورد. جناح‌های منطقه‌ای و قـبیله‌ای، از طـریق رشـوه و تـرتیبات مفسده‌انگیز، دست به اعتراض می‌زدند که این خود موجب تضعیف شـدید

جنبش مشروطیت می‌شد. در ذهن مردم عادی واژه‌ی **مشروطیت** با آشوب و درگیری مترادف می‌شد.

بدترین اتفاق این بود که اتحاد لرزان بین روحانیون و اصلاح‌طلبان عرفی رو به گسست نهاد. ملایان که از جنبش اصلاح‌طلبی حمایت کرده بودند، از مطالبات نیروهای تندرو که به قول آنها «قانون پیامبر را برانداخته و قانونِ خودشان را به جای آن» برقرار کرده بودند، نگران و هراسان شدند. دربار قاجار از این نگرانی‌ها با زیرکی سود جست و بسیاری از ملایان را متقاعد می‌کرد که منافع واقعی خود را در همراهی با سلطنت بجویند. یکی از درباریان در نطقی خطاب به مجلس تأکید کرد: «معقولانه نیست که حکومت ایران مشروطه شود، چون در حکومت دموکراسی همه‌چیز آزاد است و در این مورد آزادی مذهب نیز باید وجود داشته باشد. افراد معینی بر آزادی مذهب پای‌فشاری می‌کنند، که بر خلاف منافع اسلام است.»

بسیاری از روحانیان در این بیم‌ها شریک بودند. زمانی که مجلس لایحه‌ای را در مورد قانونی کردن مدارس غیرمذهبی به بحث گذاشته بود، یکی پرسید: «آیا ورود به چنین مدارسی به محو اسلام منجر نخواهد شد؟ آیا دروس به زبان خارجی و خواندن شیمی و فیزیک "ایمان" دانش‌آموزان را تضعیف نخواهد کرد؟» دیگرانی بودند که خود اصل جنبش اصلاحی را به زیر سوآل می‌بردند: «با استفاده از دو واژه‌ی برانگیزنده‌ی عدالت و مشورت، آزادی‌خواهان برادران ما را فریب داده‌اند و آنها را وادار به پذیرش آرمان مشترک با کفار کرده‌اند... اسلام که کامل‌ترین و بی‌نقص‌ترین قوانین است، جهان را با عدالت و مشورت تسخیر کرد. حال چه شده که ما باید قانون عدالت خود را از پاریس، و طرح مشورت خود را از انگلستان بیاوریم؟»

این برخورد بین روحانیون و اصلاح‌طلبان عرفی در سرتاسر تاریخ جدید ایران طنین انداخته است. همچنان که یک برخورد دیگر در این دوران، بروز شکاف در درون خود کاست مذهبی بود. برخی روحانیان بر این باور بودند که مذهب متداول با ایده‌های جدید سازگار است، امّا دیگران این دو را در تضاد

می‌دیدند و جنبش اصلاحی را ترک کردند. این مجادله، تعارضات دیرپایی را در ایران منعکس می‌کرد: سنت در مقابل تجدد، مذهبی در مقابل عرفی، ایمان در مقابل خرد. به گفته‌ی یک تاریخدان، این تـعارض: «خـصلتِ ایـرانـيِ گشودگی و هضم فـرهنگ‌های جـدید را در بـرابـر ویـژگی مـحدودیت و سنت‌گرایی اسلامی» به نمایش گذاشت.

محمدعلی شاه با اطمینان از این که بـیشتر رهبران مـذهبی در کنارش هستند، یک کارزار وحشت‌آفرینی و خشونت را علیه مجلس آغاز کرد. در ژوئن ۱۹۰۸ (تیرماه ۱۲۸۷) مردان وی با جمع کردن گروهی از اشرار، آنها را برای غارت و چپاول به تهران فـرستادند. آنها فـریاد مـی‌زدند و شـعار می‌دادند: «ما طالب قرآنیم! مشروطه نمی‌خواهیم!» آنگاه شاه به هنگ قزاق نخبه‌ی خود فرمان داد که محل ساختمان مجلس را که نمایندگان در آن جلسه تشکیل داده بودند، به توپ ببندند و ویران کنند. ایرانیان در اعتراض به این حرکت در چند شهر قیام کردند و در جنگ‌های خیابانی که درگرفت، تعداد زیادی از مردم جان خود را از دست دادند. گاه چنین مـی‌نمود کـه جـنگ تمام‌عیار داخلی در راه است و در یک زمان، حتی شاه [که شکست خورده بود] در سفارت روسیه بست نشست.

هردو قدرت خارجی، بریتانیا و روسیه، که درصدد تسلط بر ایران بودند، به این نتیجه رسیدند که جنبش اصلاحی اکنون منافع آنها را تهدید می‌کند؛ از این رو شاه را تشویق به مقاومت می‌کردند. مجلس کماکان به کار خود ادامه می‌داد. یکی از مهم‌ترین اقداماتش، رأی بر استخدام یک بانکدار آمریکایی به‌نام مورگان شوستر، برای ریاست بر امور دارایی و مالیه بود. شوستر با انرژی پرشوری وارد ایران شد و دست به کار نابودسازی سیستم پیچیده و مفصل معافیت مالیاتی و معاملات پشت پرده زد که از طریق آن شرکت‌های انگلیسی و روسی، ایران را تاراج می‌کردند. دولت‌های هردو کشور از دولت ایران خواستند که وی را اخراج کند، و در پاییز ۱۹۱۱ (۱۲۹۰ ش) روس‌ها بـه ایران نیروی نظامی گسیل کردند تا خواسته‌شان را عملی کنند. وقتی مجلس از

اخراج شوستر سر باز زد، دربار شاه که از حضور سربازان خارجی بسیار روحیه گرفته بود، مجلس را تعطیل و بسیاری از نمایندگان را دستگیر کرد. انقلاب مشروطیت ایران با هیاهوی پنج ساله‌اش، که نخستین کوشش هماهنگ برای ادغام سنت ایرانی با دموکراسی مدرن بود، به پایان راه خود رسید.

تجربه‌ی این سال‌ها، روانشناسی جمعی ایران را عمیقاً تغییر داد. انقلاب مشروطیت، بر خلاف شورش تنباکو که هدف معینی چون برچیدن یک حکم خودسرانه را داشت، هدفش برقراری نظم اجتماعی و سیاسی کاملاً جدیدی بود. این انقلاب با مداخله‌ی قدرت‌های خارجی شکست خورد، امّا پیش از آن شالوده‌ی ایرانی آزاد و مردم‌سالار را بنیاد نهاد. یک قانون اساسی نوشته و تصویب شده بود و طبق مفاد آن انتخابات باید به‌صورت منظم برگزار می‌شد؛ یعنی، تبلیغات سیاسی انجام می‌گرفت و دست‌کم محلی برای بحث آزاد فراهم می‌آمد. طی سال‌های بعد، زمامداران ایران قادر بودند به خواسته‌های مردم بی‌اعتنایی کنند، آن را مردود شمارند و علیه آن اقدام کنند و شاید هم خواهند کرد، اما هرگز نتوانستند و نخواهند توانست این اعتقاد راسخ آن‌ها را از بین ببرند که مردم مستحق حقوقی‌اند که هیچ دولتی نمی‌تواند از آن‌ها بگیرد. درس‌هایی که آن‌ها طی این انفجارِ شور اصلاح‌طلبی فراگرفتند، انقلاب مسالمت‌آمیزی را شالوده‌ریزی کرد که محمد مصدق نیم‌قرن بعد به هدایت آن همت گماشت.

ایرانیان به این دلیل به زیر پرچم دموکراسی گرد آمدند، که بر این باور بودند که برقراری حکومت قانون در کشور، به آن‌ها کمک می‌کند تا از ورطه‌ی فقر بیرون آیند. آن‌ها همچنین خشم فزاینده‌ای نسبت به دو چیز داشتند: یکی دربار قاجار که نمونه‌ی شرارت آن در درجه‌ی اول، محمدعلی شاهِ مفتضح، و سپس پسر مهجورش احمد، بود که در سال ۱۲۸۸ ش (۱۹۰۹) در سن ۱۲ سالگی به سلطنت رسید. موضوع دیگر، نقش خفقان‌آور قدرت‌های خارجی ــ به‌ویژه انگلستان و روسیه ــ بود که ایران را به بند کشیده بودند.

طی انقلاب مشروطیت، اصلاح‌طلبان بارها تلاش کردند که ایـران را از مدار قدرت‌های خارجی بیرون آورند. در یک برهه، مجلس تا آنجا پیش رفت که پیشنهاد وام از سـوی بـانکداران روسی را رد کرد، و پس از آن به‌سرعت رأی به تأسیس یک بانک ملی با مدیریت ایرانیان داد. با این حال، این تلاش‌ها بی‌ثمر ماندند. ایران با ادامه‌ی فروش سرمایه‌های کشور توسط قاجارها، به ورطه‌ی فقر و مسکنت هولناک‌تری فرو افتاد.

در ۱۲۸۶ ش (۱۹۰۷)، بریتانیا و روسیه با امضای قراردادی ایران را بین خود تقسیم کردند؛ بریتانیایی‌ها استان‌های جنوبی و روس‌ها مناطق شـمالی کشور را تحت کنترل خودگرفتند. باریکه‌ای بین این دو منطقه بی‌طرف اعلام شد؛ یعنی، مادام که ایرانیان علیه منافع میهمانان قدرتمندشان اقدامی نکنـند می‌توانند در آن جا بمانند. دولت ایران نه‌تنها در این مورد طرف مشورت قرار نگرفت، بلکه فقط به او اطلاع داده شد که این ترتیبات با امضای قراردادی در سن پترزبورگ تحقق عملی یافته است. آن چه که مدت‌ها کنترل غیر رسمی ایران شمرده می‌شد، اکنون به تجزیه‌ی عملی کشور تبدیل شد، که پشتوانه‌ی آن حضور نظامی قوای روس و انگلیس بود. وقتی لایحه‌ی رسـمیت ایـن قرارداد برای تصویب به پارلمان انگلیس فرستاده شد، یکی از چنـد عـضو مخالف آن سوگمندانه گفت که این قرارداد ایران را «بین مـرگ و زنـدگی، تقسیم شدن، تجزیه‌ی تدریجی، و بی‌یار و یاور در پیش پای ما می‌افکند.»

با مشغول شدن روسیه به امر خطیر جنگ داخلی و انقلاب، نفوذ آن کشور در ایران رو به افول نهاد. بلشویک‌ها پس از به قـدرت رسیدن در ۱۹۱۷ (۱۲۹۶)، همه‌ی حقوق خود را در ایران کان لم یکن اعلام و تمام بدهی‌هایی را که ایران به روسیه تزاری داشت، باطل کردند. انگلیسی‌ها که اکنون در اوج قدرت امپراتوری خود بودند، به‌سرعت درصدد پر کردن خلأ قدرتی برآمدند که از غیبت روسیه پدید آمده بود. نفت کانون جدید توجه آنها بود. شرکت نفت تازه‌بنیاد انگلیس ـ پارس، که از امتیاز نفتی دارسی سر برآورد، شروع به استخراج مقادیر فراوانی نفت از اعماق خاک ایران کرده بـود. ویـنستون

چرچیل، استخراج این نفت را «جایزه‌ای از سوی سرزمین پریان، و فراتر از هیجان‌انگیزترین رؤیاها» برشمرد. انگلیسی‌ها با تشخیص ارزش بی‌حساب این منبع جدید، در ۱۹۱۹ (۱۲۹۸ ش) قرارداد سفت و سخت انگلیس ـ پارس را بر رژیم ناتوان احمدشاه تحمیل کردند، با این اطمینان که تصویب آن را با دادن رشوه به مذاکره کنندگان ایرانی تسجیل می‌بخشند. طبق مفاد این قرارداد، انگلیسی‌ها کنترل ارتش، خزانه، سیستم حمل ونقل و شبکه‌ی ارتباطات ایران را به دست می‌گرفتند؛ برای تحکیم قدرت خود، حکومت نظامی اعلام و شروع به حکومت با صدور فرمان می‌کردند. لرد کرزن که در مقام وزیر خارجه، از معماران اصلی این قرارداد بود، درباره‌ی ضرورت آن از این نظر که تبلور یک قرن سیاست انگلیس نسبت به ایران به‌شمار می‌رفت، چنین استدلال کرد:

> **اگر این پرسش مطرح است که چرا ما اصولاً باید چنین تعهدی را به گردن بگیریم و چرا ایران را نباید به حال خود رها کرد تا در تباهی عجیب و غریب خود بپوسد، پاسخ این است: موقعیت جغرافیایی آن، گستره‌ی منافع ما در این کشور، و امنیت آتی بخش شرقی امپراتوری ما، ایجاب می‌کند که ما اکنون ـ مثل هر زمان دیگری که طی ۵۰ سال اخیر امکان آن فراهم شده ـ خود را از آن چه که در ایران می‌گذرد جدا و محروم نکنیم. به‌علاوه، ما اکنون در آستانه‌ی پذیرش قیمومت بین‌النهرین هستیم که ما را با سرزمین‌های غربی آسیا هم‌مرز خواهد کرد. نمی‌توانیم اجازه دهیم که بین سرحدات امپراتوری هند و بلوچستان‌مان و مرزهای سرزمین‌های تحت قیومت‌مان، بستر داغی از سوءحکومت، دسیسه‌ی دشمن، هرج و مرج مالی و بی‌نظمی سیاسی موجودیت یابد. همچنین، اگر ایران به حال خود رها شود، دلایل زیادی برای ترس از اشغال آن توسط بلشویک‌ها از شمال وجود دارد. سرانجام، ما در گوشه‌ی جنوب غربی ایران سرمایه‌ی زیادی به‌صورت حوزه‌های نفتی، در تصرف داریم که به کار نیروی دریایی بریتانیا می‌آید و منافع مهمی را در این بخش از دنیا برای ما تأمین می‌کند.**

"قرارداد انگلیس و پارس" آخرین بازمانده‌های حاکمیت ایران را از بین برد، امّا در عین حال شور جدیدی در جنبش ملی‌گرایانه‌ی ایرانیان انداخت. میهن-پرستان ایران از ظهور نیروهای ضداستعماری در دیگر کشورها، از جمله چند کشور تحت سلطه‌ی انگلیس، الهام گرفتند. تندروها در استان‌های شمالی یک حزب کمونیست تشکیل دادند و پس از آن که نیروهای شوروی در ساحل خزر پیاده شدند و منطقه‌ی پیرامون آن را «**جمهوری شوروی سوسیالیستی ایران**» اعلام کردند، به نظر می‌رسید که دو قدرت بزرگ جهانی در داخل خاک ایران در آستانه‌ی جنگ با یکدیگر قرار گرفته‌اند. ملیون‌ها تن در بخش اعظم کشور در بدترین شرایطی که تا آن‌وقت هرگز سابقه نداشت، زندگی می‌کردند. جنبش‌های تجزیه‌طلبی در چند استان قدرت گرفته بودند و ایران در آستانه‌ی نابودی قرار داشت. از این‌رو، شرایط برای ظهور رهبری با جذبه فراهم آمد. در سال **۱۲۹۹** ش (**۱۹۲۱**) وی به درون آگاهی ملت چنگ زد، مردی خشن بر پشت اسب، به‌نام رضا.

وی که در نواحی دوردست کوهستان‌های البرز در نزدیکی مرز روسیه به دنیا آمده بود، خانه‌ی خود را در نوجوانی ترک کرد تا مطابق رسم خانوادگی حرفه‌ی نظامی‌گری را پیشه کند. به‌جای پیوستن به ارتش خصوصی یک خان محلی، تصمیم گرفت تا در هنگ قزاق ثبت‌نام کند، که تنها واحد نظامی مدرن، منضبط و با سلسله‌مراتب فرمان‌دهی در ایران به‌شمار می‌رفت. این هنگ به دست افسران روس که از سوی تزار به ایران اعزام شده بودند، شکل گرفت و اساساً به‌عنوان گارد خصوصی منافع خارجیان و شاهان قاجار و در خدمت آنها عمل می‌کرد. رضا، در قالب جوانی قرص و محکم در این هنگ ثبت‌نام کرد، امّا پس از کوتاه‌زمانی یونیفورمی دریافت کرد و پس از آن مراتب پیشرفت در صفوف نظامی را طی و به رضاخان تبدیل شد. وی بیش از ۱۹۰ سانتیمتر قامت داشت و جنگجویی باصلابت با شمشیرِ حمایل به کمر، همچنان که با مسلسل، بود و به‌خاطر شجاعتش بسیار تحسین می‌شد؛ رضاخان، با زبانی تلخ و مزاجی آتشین، در اثر بیماری آبله در کودکی، آبله‌رو بود، و این

سیمایی ترسناک به وی می‌داد.

رضا در دوران سربازی، این امکان را یافت تا به سراسر ایران سفر کند و بینوایی اکثر مردم را به چشم خود ببیند. وی در عملیات زیادی علیه قبایل، دسته‌ها و راهزنانی که بخش بزرگی از روستاها را در کنترل خود داشتند، شرکت کرد. یک دیپلمات انگلیسی در گزارش خودنوشت: «هر زمان که نیرویی به هر بخش از کشور فرستاده می‌شد تا راهزنان را گوشمالی دهد یا فتنه‌ای را فرو بنشاند، وی نیز در آن حضور داشت. رضا به‌زودی در نفرت مردمش از حکّام قاجار شریک شد. این امر وی را به ابزاری منطقی برای انگلیسی‌ها بدل کرد، که از معامله با سران دمدمی‌مزاج ایلات خسته شده و خواستار حکومت مرکزی قوی‌تر در ایران بودند. آنها، هنگ قزاق را ابزاری برای انجام این کار یافتند. به‌منظور کسب کنترل این هنگ و خلع افسران روس، دست به یک کودتا زدند و نخست‌وزیر شاه را عزل و گزینه‌ی خود را جایگزین وی کردند: این گزینه سید ضیا طباطبایی بود، و برای پشتوانه‌ی نظامی وی نیز به رضاخان متوسل شدند. وی نیز تمایل نشان داد. در غروب سوم اسفند ۱۲۹۹ (بیستم فوریه‌ی ۱۹۲۱)، رضاخان همراه با تعداد انگشت‌شماری افسر، با یک هنگ ۲۰۰۰ نفری قزاق به اطراف تهران رسید. وی نظامیان را با نطقی آتشین برانگیخت: «سربازان همراه! شما در راه دفاع از سرزمین پدری‌تان به هر فداکاری ممکن دست زدید... امّا باید اعتراف کنیم که وفاداری ما صرفاً در راه حفظ منافع معدودی خائن در پایتخت خرج شد... این آدم‌های بی‌ارزش همان عناصر خائنی‌اند که آخرین قطره‌ی خون این ملّت را مکیده‌اند.»

هیجان در اردو شدید بود، و رضا، که آدم با حوصله‌ای نبود، از فرصت استفاده کرد. سپیده‌دم روز بعد، نیروهایش وارد تهران شد و نخست‌وزیر و همه‌ی اعضای کابینه را دستگیر کردند. رضاخان از احمدشاه عیاش، دو چیز خواست: سید ضیا طباطبایی نخست‌وزیر و خود او فرمانده هنگ قزاق معرفی شوند. شاه نه اراده و نه وسیله‌ای برای مقاومت در اختیار داشت. کودتا، ظرف

چندساعت و تقریباً بدون هیچ‌گونه مقاومتی پیروز شد، که گواهی بر قدرت انگلیسی‌ها، ضعف دودمان رو به زوال قاجار، و اعتماد به نفس جسورانه‌ی رضاخان بود.

فوج‌های قزاق بلافاصله دست به کار آرام‌سازی کشور و سرکوب قوای مسلح ایلات و قبایل شدند. قدرت در دستان رضا جمع می‌شد. وی فقط سه ماه پس از کودتا، سیدضیا را برکنار و وادار به ترک کشور کرد. به‌زودی، خودِ شاه را نیز، به‌بهانه‌ی سفر موقتی برای درمان، به اروپا فرستاد. این سرباز جاه‌طلب به‌زودی نخست‌وزیر، فرمانده ارتش، و رهبر مؤثر دولت احیاشده‌ی ایران شد.

رضا خود را عنصری ملی‌گرا اعلام کرد، امّا قدرت پشتیبانان انگلیسی خود و دِین‌اش به آنها را تشخیص می‌داد و به‌رسمیت می‌شناخت. بنا بر نتایج پژوهشی درباره‌ی کودتای سوم اسفند: «تردیدی درباره‌ی دخالت افسران ارتش بریتانیا وجود ندارد... یک روز پیش از اشغال تهران، سیدضیا مبلغ ۲ هزار تومان به رضاخان داد و ۲۰ هزار تومان نیز بین هنگ ۲۰۰۰ نفره‌اش تقسیم کرد. هیچ ایرانی‌ای نمی‌توانست چنان مبلغ قابل‌ملاحظه‌ای را طی مدتی کوتاه فراهم کند.»

رضاخان با تحکیم مبانی قدرت خود، ناچار از انتخاب یک چارچوب سیاسی بود که در آن حکومت کند. وی با حرارت تمام اصلاح‌طلب ترک، کمال آتاتورک، را تحسین می‌کرد و برای مدتی او را الگوی خود قرار داده و قصد اعلام جمهوری و انتصاب خود به مقام رئیس جمهور را داشت. این ایده، اقشار مذهبی را که عمیقاً از اقدامات آتاتورک در برچیدن سلطان‌نشین و خلافت عثمانی یکه خورده بودند، به هراس انداخت. آنان اصرار می‌کردند که رضاخان سلطنت را حفظ کند و سرانجام نیز موافقت او را جلب کردند.

رضا، اگرچه تحصیل نکرده و کم‌سواد بود، امّا از سیاست به‌سبک ایرانی درک عمیقی داشت. چندسال پس از کودتا، دست به یک صحنه‌سازی زد که مطابق محاسبات دقیق وی شرایط را برای عروج او به رأس قدرت فراهم کرد.

وی، ظاهراً به‌بهانه‌ی انجام مکاشفه و مراقبه، از مناصب حکومتی دست کشید و به روستای کوچکی در حوالی تهران رفت. قبل از عزیمت، ترتیبی داده بود که از هر طرف در معرض بمباران مطالبات مردم برای بازگشت به قدرت قرار گیرد. رضا چندصباحی تظاهر به مقاومت کرد. امّا بعد همان‌طور که امیدوار بود، احمدشاهِ منفور، قصد خود را به بازگشت به کشور اعلام کرد. مجلس، که پس از درهم‌ریختگی و افتضاح بزرگ سال ۱۹۱۱ (۱۲۹۰) دوباره بازگشایی شده امّا هرگز نتوانسته بود قدرت واقعی خود را بازیابد، از چشم‌انداز رویارویی آن‌دو به هراس افتاد و در وحدتی شورشگرانه، مرگ دودمان قاجار را اعلام و تخت طاووس را به رضا پیشنهاد کرد. وی نیز در ۵ اردیبهشت ۱۳۰۵ (۲۵ آوریل ۱۹۲۶) آن را پذیرفت و خود را رضاشاه اعلام کرد. دودمان جدید را نیز پهلوی نامید که برگرفته از نام زبانی بود که ایرانیان پیش از آمدن اسلام به این سرزمین، به آن صحبت می‌کردند.

رضاشاه ابایی نداشت که در ظاهر انگلیسی‌ها را تقبیح کند، امّا وی و آنها منافع بنیادی مشترکی داشتند. وی همان مرد نیرومندی بود که انگلیسی‌ها به دنبالش بودند؛ چهره‌ای قابل‌اطمینان که با او می‌توانستند چانه بزنند و در صورت لزوم عزلش کنند. از نظر هارولد نیکلسن، دیپلمات تیزهوش انگلیسی: «ایران قدیم هرمی سست‌بنیاد بود که بر قاعده‌ی خود قرار داشت. ایران نوین، تقریباً به همان سست‌بنیادی است، امّا بر رأس‌اش قراردارد، از این‌رو سرنگونی آن به‌مراتب آسان‌تر است.»

برای رضا ناممکن بود که کشور خود را از مدار نفوذ قدرت‌های خارجی، به‌خصوص انگلیسی‌های بسیار قدرتمند، بیرون کشد؛ امّا پس از تحکیم مبانی قدرت خود، به‌تدریج نفوذ آنها را محدود کرد. وی هیچ وامی از وام‌دهندگان خارجی نپذیرفت. فروش اموال به غیرایرانیان را قدغن کرد. امتیاز بانک شاهنشاهی تحت کنترل انگلیسی‌ها در نشر اسکناس ایرانی را لغو و حتی مقامات وزارت خارجه‌ی خود را از حضور در میهمانی‌های سفارتخانه‌های خارجی منع کرد. وقتی انگلیسی‌ها اصرار کردند که وی به استخدام مهندسان

اروپایی برای ساختن راه‌آهن، که بزرگ‌ترین رؤیای او به‌شمار می‌آمد، اقدام کند، با این شرط موافقت کرد که مهندسان و خانواده‌هایشان پس از اتمام کار در زیر پل‌هایی که ساخته بودند، حین عبور نخستین قطار، بایستند.

مهار سرزمینی به گستره‌ی ایران توسط نیروی نظامی، مستلزم برخورداری از ارتش بزرگی بود. رضاشاه به‌جای آن، با روش وحشت‌آفرینی اراده‌ی خود را تحمیل می‌کرد. ماجراهایی حاکی از بی‌رحمی و شقاوت وی مردم را مرعوب و سپس ساکت و آرام کرد.

در سال ۱۳۱۴، رهبران مذهبی علیه فرمان کشف حجاب زنان از جانب وی و نیز فرمان پوشیدن کلاه لبه‌دار برای مردان (که مانع آن می‌شد تا هنگام نماز و سجده پیشانی خود را بر زمین قرار دهند) دست به اعتراض زدند. آنها چندصد تن از مؤمنان را در مسجد گوهرشاد مشهد مقدس به دور خود جمع کردند. به‌محض آن که رضاشاه از تجمع آنان باخبر شد، به سربازانش فرمان داد که به مسجد حمله و اجتماع‌کنندگان را تارومار کنند؛ بیش از ۲۰۰ نفر کشته شدند و پس از آن کسی به اصلاحات مذهبی وی معترض نشد.

رضاشاه بارها مشکلات کشور را با قاطعیت بی‌رحمانه‌ای حل وفصل کرد. گفته می‌شود یک‌بار طی سفری به همدان، به او خبر دادند که مردم در آن‌جا به گرسنگی افتاده‌اند، چون نانوایان آرد را احتکار می‌کنند تا قیمت‌ها را بالا ببرند. وی فرمان داد که نخستین نانوایی را که احتکار می‌کرد به درون تنور اندازند و او را زنده بسوزانند. روز بعد، نانوایی‌های سراسر شهر پر از نان ارزان‌قیمت شد.

بسیاری از ایرانیان از شنیدن چنین داستان‌هایی بیزار می‌شدند، امّا بسیاری دیگر با به خاطر آوردن این که کشورشان فقط در زمان حکومت یک رهبر قدرتمند شکوه خود را بازمی‌یابد، سکوت اختیار یا او را تحسین می‌کردند. هیچ‌کس نمی‌توانست دستاوردهای رضاشاه را انکار کند. وی کار خود را با پاک‌سازی دستجات راهزنی آغاز کرد، که بخش‌های زیادی از کشور را دستخوش وحشت و ناامنی کرده بودند. آن‌گاه دست به کار یک برنامه‌ی

بازسازی بزرگ شد که کشور را از خیابان‌ها، میدان‌ها، بزرگراه‌ها، کارخانه‌ها، بنادر، بیمارستان‌ها، ساختمان‌های دولتی، خطوط راه‌آهن و مدارس پسرانه و دخترانه‌ی جدید برخوردار کرد. او نخستین سیستم خدمات شهری و نخستین ارتش ملی را پس از قرن‌ها، به وجود آورد. سیستم اندازه‌گیری متری، تقویم جدید، استفاده از نام خانوادگی و دفاتر ازدواج و طلاق عرفی در زمان وی معمول و به اجرا گذاشته شد. وی که همیشه برای ریشخند سنت آماده بود، پوشش سنتی را محدود و از ورود کاروان‌های شتر به شهرها جلوگیری کرد. رضاشاه اقدام به تدوین قوانین حقوقی کرد و شبکه‌ای از دادگاه‌های عـرفی برای اِعمال آنها به وجود آورد. وی در ۱۳۱۴ اعلام کرد که دیگر نام **پارس** [Persia] را (که عمدتاً مورد استفاده‌ی خارجیان بود) به‌عنوان نام کشورش برنمی‌تابد، و بر اسم **ایران** که شهروندان‌اش با آن آشنا بودند، پافشاری کرد. وی با قاطعیت نوعی‌اش، دستور داد هر نامه‌ای را که با نام **پارس** به مقصد ایران می‌رسد، ناگشوده بازگردانند.

امّا رضاشاه با همه‌ی شور اصلاح‌طلبی‌اش، دگرگونی اجتماعی راستینی را در کشورش پدید نیاورد. تحت حکومت وی، روزنامه‌ها شـدیداً سانسور می‌شدند، فعالیت تشکیلات کارگری ممنوع بود و چهره‌های مخالف سرشناس کشته، محبوس یا مجبور به فرار شدند. وی، ایلات چادرنشین کشور را که بقایایی از گذشته می‌دانست که با زندگی نوین ناسازگارند، به‌اصطلاح تخته‌قاپو (ساکن) کرد که طی آن هزاران تن دستخوش رنج و نابودی شدند. تجارت [خارجی] در دست دولت و شمار معدودی از کارفرمایان سرسپرده تـمرکز یافت. شاه خود با گرفتن رشوه از شرکت‌های خارجی و اخاذی از رهبران ایلات، بسیار ثروتمند شد. زمین‌های زیادی را مصادره کرد، به‌طوری که در اوج قدرت خود به بزرگ‌ترین زمیندار کشور نیز تبدیل شد.

یکی از اعضای پارلمان انگلیس مشاهدات خود را از دوران زمامداری رضاشاه چنین بیان می‌کند: «رضاشاه همه‌ی دزدها و راهزنان را از بین برد، و به هم‌میهنان خود فهماند که از این به بعد فقط با یک دزد سـروکار خـواهنـد

داشت.» رضاشاه در سال ۱۳۱۳ به ترکیه سفر کرد تا با آتاتورک دیدار کند. این دو به‌خوبی با هم کنار آمدند؛ امّا همچنان‌که به بازدید از روستاهای ترکیه پرداختند رضاشاه با دیدن سرعت ترکیه در پیشرفت و رهسپاری‌اش به‌سوی تجدّد و عرفی‌گرایی، دچار افسردگی شد. وی، پس از مراجعت به وطن تصمیم گرفت تلاش‌های خود را برای دگرگون‌سازی جامعه‌ی ایران مضاعف کند و با اشتیاق تمام و بدون توجه به الگوهای اجتماعی دیرپا یا باورهای مذهبی جامعه، به پیش تاخت. وی که به کلی فاقد خصوصیات سیاستمداری و مهارت سیاسی آتاتورک بود، بخش بزرگی از جمعیت کشور را علیه خود برانگیخت.

رضاشاه شیفته‌ی جنبش‌های فاشیستی بود که طی دهه‌ی ۱۹۳۰ (۱۳۱۰) در اروپا سر برآوردند و به قدرت رسیدند. موسولینی، فرانکو، و هیتلر به نظر او گام در همان راهی نهادند که او برگزیده بود؛ یعنی، پاکسازی و متحد کردن ملت‌های ضعیف و غیرمنضبط. وی کارزاری ظالمانه را برای محو هویت اقلیت‌های قومی نظیر کُردها و آذری‌ها آغاز کرد و سازمانی برای ارشاد عمومی تأسیس کرد تا به ستایش از ایده‌ها و شخصیت او بپردازد. بالدور فن شیراخ، صدر جوانان هیتلری که در رأس هیئتی از بلندپایگان آلمان نازی از ایران بازدید کرد، با رضایت خاطر از اتحاد نوپدید آلمان ـ ایران سخن گفت. یکی از روزنامه‌های شاه نیز در مقاله‌ای نوشت: «هدف سترگ ملت آلمان بازیابی گذشته‌ی پرشکوه خود با ارتقای حس غرور ملی، برانگیختن نفرت به خارجیان و جلوگیری از دزدی و خیانت یهودیان و خارجیان است. هدف ما نیز به‌یقین همان است.»

رضاشاه، بعضاً به‌دلیل نیاز به یک دولت خارجی که در دشمنیِ فزاینده‌ی وی با انگلیس و شوروی سهیم باشد، با آرمان‌های آلمان هیتلری همدلی زیادی نشان می‌داد. وقتی جنگ جهانی دوم آغاز شد، وی سیاست بی‌طرفی اعلام کرد که به‌نحو آشکاری به سوی آلمان گرایش داشت. اجازه داد صدها مأمور آلمانی در ایران به کار بپردازند. بسیاری از آنها در صدد ایجاد شبکه‌های حمایتی در میان جنگ‌سالاران محلی برآمدند. رهبران غربی بیم

داشتند که نازی‌ها در حال برنامه‌ریزی برای استفاده از خاک ایران برای حمله به صفحات جنوبی اتحاد شوروی باشند که تلاش‌های جنگی متفقین را دچار زحمت و پیچیدگی زیاد می‌کرد. برای جلوگیری از این واقعه، نیروهای انگلیس و شوروی در سوّم شهریور ۱۳۲۰ وارد خاک ایران شدند. هواپیماهای آنها نوشته‌هایی را بر فراز تهران پخش کردند که در آن آمده بود: «بنا به تصمیم ما، آلمانی‌ها باید از ایران بروند، و اگر ایران آنها را اخراج نکند، ما خود این کار را خواهیم کرد.»

برخی ایرانیان باید این نعل وارونه‌ی دوکشور را در نمایاندن خود به‌عنوان دوست و حامی ایران درک کرده باشند. اما نمی‌توانستند کار چندانی علیه آن انجام دهند. ارتش ایران ظرف چند روز تسلیم شد. نیروهای متفقین پس از تصرف نقاط استراتژیک در سراسر کشور، خواستار آن شدند که رضاشاه روابط خود را با آلمان قطع کند و اجازه دهد که خود آنها (متفقین) از قلمرو کشورش آزادانه استفاده کنند. اگر او خود را تقریباً از همه‌ی بخش‌های جامعه منزوی نکرده و گروهی مشاور خردمند پیرامون خود نگه‌داشته و آنها را به‌طور نظام‌مندی تبعید نکرده و یا به قتل نرسانده بود، شاید می‌توانست در مقابل فشارها مقاومت کند. در عوض، خود را تنها یافت و رؤیاهایش بر اثر کوته‌نظری، فساد و خودخواهی بی‌حد ومرزش، تباه شدند.

رضاشاه مایل نبود با متفقین همکاری کند و آنها نیز به وی نیازی نداشتند و در **۲۵** شهریور ۱۳۲۰ وی را برکنار و تبعید کردند. روز بعد، محمدرضا، پسر ارشد و **۲۱** ساله‌اش، به‌عنوان جانشین وی سوگند یاد کرد. دیگر نامی از رضاشاه برده نشد و او سه سال بعد در ژوهانسبورگ درگذشت. اگرچه رضاشاه خود را الهام‌بخش تجدّد تصور می‌کرد، در عمل سنت **استبداد** یا حکومت مطلقه را که در قلب تاریخ ایران قرار دارد، تقویت و تحکیم کرد. اصلاحات وی مصنوعی بود و به‌دلیل بی‌رحمی در اِعمال آن، عمیقاً با مخالفت اتباعش روبه‌رو شد. وی اقدامی در راستای پیشرفت به سوی ایجاد حسی از کار جمعی و مشترک و مسئولیت مدنی، که راز موفقیت جوامع پیشرفته است،

به عمل نیاورد. تلاش او در رهایی ایران از نفوذ خارجی بر روی کاغذ قابل تحسین، امّا در عمل فاجعه‌بار بود. در نهایت، غریزه‌ی دیکتاتوری‌اش او را به سوی اتحاد با قدرت‌های فاشیستی کشاند و موجب سقوطاش شد. خروج وی، ایران را در دست قدرت‌های خارجی و یک شاه جوان ضعیف و سردرگم باقی نهاد. نظام سلطنتی یک‌بار دیگر از حل بحران مستمر توسعه و هویت ناتوان ماند. با پایان گرفتن جنگ جهانی دوم، ایرانیان نومیدانه در پی رهبری از نوع جدید برآمدند.

فصل ۴

موج نفت

سال‌ها حضور در بیابان‌های سراسر سنگلاخ ایران، آن‌جا که آبله بیداد می‌کرد، جنگ‌سالاران و راهزنان حکومت می‌کردند، آب در دسترس نبود، و دما هوا به ۴۸ درجه می‌رسید، کمتر کسی، جز جرج رِینولدز، را می‌توانست به دیوانگی یا حالتی بدتر از آن نکشاند. با این همه، رینولدز یکی از آن چهره‌های افسانه‌ای بود که سماجت و جسارتش مسیر تاریخ را تغییر داد. وی زمین‌شناسی خودآموخته و مهندس نفتی بود که چند مأموریت اکتشافی در جنگل‌های سوماترا [اندونزی] در کارنامه‌ی خود داشت. او طی نخستین دهه‌ی قرن بیستم، درحالی‌که دهه‌ی ششم عمر خود را می‌گذراند، بیابان‌های خشک و بایر ایران را در جستجوی نفت زیر پا نهاد. برای کمک به کشیدن گاریِ وسایل و تجهیزات خود، و نیز حفر چاه، یک گروه ناهماهنگ از چند حفار لهستانی و کانادایی، یک پزشک بی‌لیاقت و مضحک هندی، و چند ده تن از ایلیاتی‌ها راکه اصلاً نمی‌دانستند نفت چیست در اختیار داشت. رینولدز در نامه‌ای به وطن، با اظهار تأسف نوشت: «ناتوان‌تر از این گروه، کمتر دیده‌ام.»

وطن برای رینولدز لندن بود، آن‌جا که پشتیبان و حامی‌اش، ویلیام ناکس دارسی، ملیونر شیک‌پوش، بی‌صبرانه در انتظار اخبار خوب او بود. دارسی از اکتشافاتش در جستجوی طلا در استرالیا به ثروتی دست‌یافته، اما ناراضی بود. احساسش به وی می‌گفت که ثابت خواهد شد نفت از طلا ارزشمندتر است و

می‌دانست که ایران، به گفته‌ی یک زمین‌شناس که منطقه را پیمایش کرده بود، «بدون تردید منطقه‌ای نفت‌خیز» است. وی در سال ۱۲۸۰ خورشیدی (۱۹۱۰) قراردادی با شاه ایران، مظفرالدین، امضا کرد که طبق آن از حق انحصاری اکتشاف نفت در منطقه‌ی وسیعی از خاک ایران، وسیع‌تر از خاک تکزاس و کالیفرنیا بر روی‌هم، برخوردار شد. وی، برای به دست آوردن این امتیاز، مبلغ ۲۰ هزار پوند پول، معادل همان مقدار سهام شرکتش، و قول ۱۶ درصد از عواید آتی، به شاه ایران داد که کاردار انگلیس در تهران وی را از این بابت، «یک کودک سالمند» توصیف کرده بود.

دارسی، عضو برازنده و سبیل چخماقی **جمعیت شیرهای لندن** بود که به ریخت وپاش‌های پرهزینه مثل استخدام خواننده‌ی معروف، انریکو کاروسو، برای خواندن در میهمانی‌های خصوصی‌اش در قصر گراس وِنور اسکوئر، معروف بود؛ هرگز فکر رفتن به ایران را نکرد. در عوض، رینولدز را استخدام کرد و ماه پس از ماه و سال پس از سال، چک و صورت‌حساب امضا کرد تا این فعالیت مخاطره‌آمیز را پیش ببرد. در زمستان ۱۲۸۳ شمسی که رینولدز سرانجام به نفت رسید، روح دارسی به پرواز درآمد؛ امّا چندماه بعد با خشک شدن چاه یاد شده، درهم شکست. ثروت وی ذره ذره به پایان می‌رسید. سرانجام مجبور شد قسمت اعظم حقوق خود را به یک سندیکای مستقر در گلاسکو، یعنی شرکت نفت برمه، که از او ثروتمندتر بود، بفروشد.

سرمایه‌گذاران اسکاتلندی که مسئولیت این حرکت نفت‌یابی در ایران را بر عهده گرفته بودند، تشخیص دادند که تغییری دوران‌ساز در کار است تا چهره‌ی بریتانیا و جهان را دگرگون کند. موتورهای احتراق درون‌سوز به‌زودی انقلابی در همه‌ی جنبه‌های زندگی بشر پدید می‌آوردند و از این‌رو کنترل نفت که برای سوخت آنها ضروری است، کلید دروازه‌ی قدرت جهانی محسوب می‌شد. نفت [پیش‌تر] در پیرامون دریای خزر، هند شرقی هلند [اندونزی]، و ایالات متحده کشف شده بود؛ امّا نه انگلیس و نه هیچ‌یک از مستعمراتش، نه نفتی تولید کردند و نه نشانی از تولید آن به دست دادند. اگر

انگلیسی‌ها نمی‌توانستند در جایی نفت بیابند، دیگر قادر نبودند بر امواج دریاها و بسیاری چیزهای دیگر، حکم برانند.

تا سال ۱۲۸۷ شمسی، دارسی و شرکای اسکاتلندی‌اش بیش از نیم‌ملیون پوند در این چاهِ تا آن هنگام ویلِ قمار نفتی ایران ریخته و چیزی عایدشان نشده بود. سرانجام به این نتیجه رسیدند که این مأموریت اکتشافی را واگذارند و به جستجو در جاهای دیگر بپردازند. در آغاز ماه مه، تلگرافی برای رینولدز فرستادند و به او گفتند که پولشان ته‌کشیده و به او دستور دادند که «به کار پایان دهد، افراد را مرخص کند، هرچیزی که ارزش حمل به بندر و حمل با کشتی را ندارد نابود کند و به وطن بازگردد.»

رینولدز که سال‌ها در دشوارترین شرایط قابل‌تصور در این منطقه و در جستجوی گنجی که می‌دانست دنیا را دگرگون خواهد کرد، زحمت کشیده بود، باید از این خبر خردکننده نومید شده باشد. وی مذبوحانه و درحالی‌که می‌خواست هرچه‌قدر که می‌تواند زمان بخرد، به افرادش گفت که در چنین منطقه‌ی دورافتاده‌ای، پیام‌های تلگرافی قابل اعتماد نیستند. آنها باید به کار خود ادامه دهند تا این پیام با رسیدن نامه تأیید شود.

رینولدز در چادرش نزدیک پست مرزی در جنوب غرب ایران که مسجد سلیمان خوانده می‌شد خوابیده بود که در ساعت ۴ بامداد روز ۵ خرداد ۱۲۸۷، با صداهای نامفهوم و فریادهای هیجان‌انگیز از خواب بیدار شد. از جایش پرید و در عرض یک دشت سنگی شروع به دویدن کرد و در همین حال دید که نفت از یکی از دکل‌های حفاری تا ارتفاع زیاد فوران می‌کند. وی در یکی از آخرین تلاش‌هایش به حفاری در بزرگ‌ترین حوزه‌ی نفتی که آن موقع یافته بود، پرداخت.

طولی نکشید که رهبران بریتانیایی به گستره و پیامدهای چنین یافته‌ای واقف شدند. آنها، در پاییز ۱۲۸۷ (۱۹۰۸) ترتیبی دادند که گروهی از سرمایه‌گذاران با تشکیل یک شرکت جدید، شرکت نفت انگلیس و پارس، امتیاز دارسی را بخرند و کنترل اکتشاف و توسعه‌ی نفت در ایران را به دست

گیرند. ۵ سال بعد، بر اثر اصرار لرد اول دریانوردی بریتانیا، وینستون چرچیل، انگلستان ۲ ملیون پوند هزینه کرد تا ۵۱ درصد از سهام این کمپانی را خریداری کند. از آن لحظه به بعد، منافع بریتانیا و شرکت نفت انگلیس و پارس درهم‌تنیده و جدایی‌ناپذیر شد. چرچیل تأکید کرد: «تسلط بر شرکت، خود جایزه‌ی چنین قماری بود.»

طی چند سال اول این تجربه، شرکت یادشده چندین چاه حفر کرد و بیش از ۱۶۰ کیلومتر خط‌لوله کار گذاشت و ملیون‌ها بشکه نفت استخراج کرد. شبکه‌ای از ایستگاه‌های سوخت‌رسانی را در سراسر کشور انگلستان برپا کرد و به کشورهای سراسر اروپا و دورتر، استرالیا، نفت فروخت. تأثیرگذارترین کاری که صورت گرفت، شروع ساختمان آن‌چه که تا نیم قرن بزرگ‌ترین پالایشگاه نفت جهان به شمار می‌رفت، در جزیره‌ی متروک آبادان در ساحل خلیج فارس بود.

آبادان که در منتهی‌الیه شمال خلیج فارس واقع است، طی یک دوران هزارساله به‌آهستگی پا به عرصه‌ی وجود گذاشت. این شهر از گل ولای بر جای مانده از رودخانه‌هایی ساخته شد که به هم می‌پیوندند تا آبراه اروندرود را تشکیل دهند؛ نخستین مهندسی که شرکت به آن جا فرستاد، ر. ر. دیویدسونِ ۲۸ ساله بود.

در نامه‌ای که وی در ۱۹۰۹ (۱۲۸۸ ش) به وطن خود فرستاد، نوشت که آن‌جا مکانی سرشار از نور خورشید، گِل و حشرات، کاملاً مسطح و بدون حتا یک سنگ بزرگ‌تر از دست یک مرد، است. این جا همچنین، از جمله‌ی داغ‌ترین نقاط روی زمین است. با این حال، طی چندسال دیویدسون بیش از هزار ایلیاتی را به کار گرفت و به ساختن اسکله، قایق و بناهای آجری پرداخت: در آبادان یک نیروگاه، چندین مغازه و کارگاه، یک واحد تصفیه آب و حتی یک رشته خط‌آهن کوتاه ساخته شد. در ۱۲۹۰ خورشیدی، نخستین خط لوله از **حوزه‌های** نفتی، یعنی منطقه‌ی تولیدکننده‌ی نفت، ساخته و تکمیل گردید، و سال بعد نفت در آن جاری شد.

از مدت‌ها پیش، آبادان شهری پر جنب وجوش بود با بیش از یکصدهزار جمعیت که بیشترشان کارگران ایرانی صنایع نفت بودند. از باشگاه‌های خصوصی ایرانی که در آن پیشخدمت‌های یونیفورم‌پوش به مدیران انگلیسی خدمت می‌کردند، تا محله‌های درهم فشرده‌ی کارگران ایرانی، تا آب‌نماهایی که بر روی آن نوشته شده بود «ورود ایرانی ممنوع»، آبادان منطقه‌ای محصور و کلاسیکِ استعماری محسوب می‌شد. تقریباً همه‌ی تکنسین‌ها و کارگزاران، انگلیسی بودند و بسیاری از خانه‌های زیبا از مهتابی و چمنِ آراسته برخوردار بودند. آبادان برای آنها و خانواده‌هایشان مکانی دلخواه به شمار می‌آمد.

زندگی ده‌ها هزار کارگر ایرانی بسیار متفاوت بود. آنها در حلبی‌آبادها و خوابگاه‌های دالان‌مانند، با سیستم بهداشتی بسیار ابتدایی، زندگی می‌کردند. فروشگاه‌ها، سینماها، اتوبوس‌ها و دیگر امکانات دور از دسترس‌شان بود. با این همه، زندگی مشترکی را همراه با کارفرمایان انگلیسی‌شان در میان شبکه‌هایی از خط لوله‌های غول‌آسا، در جوار تانکرهای ذخیره‌ی عظیم و در سایه‌ی ستون‌های دودی که شب و روز از شعله‌های آتش به هوا می‌رفت، می‌گذراندند. هوا با وجود بخار ترکیب‌های گوگرد سنگین بود، و این امر پیوسته ثروت عظیمی را به یاد می‌آورد که از زمین ایران به جیب شرکت نفت انگلیس ـ پارس می‌ریخت.

هرگونه تردیدی درباره‌ی ارزش این منبع [انرژی] جدید، با تجربه‌ی جنگ جهانی اول که در آن به گفته‌ی لرد کرزن متفقین «سوار بر موج نفت در پیروزی شناور شدند»، برطرف شد. طی سال‌های پس از جنگ، مقدار نفتی که از آبادان جریان می‌یافت به‌تدریج افزایش یافت و از کمتر از ۳۰۰ هزار تن در سال ۱۲۹۳ شمسی به ۵ برابر این میزان در سال ۱۲۹۹ رسید. شرکت نفت انگلیس ـ پارس نخستین اولویت را به نیروی دریایی سلطنتی می‌داد که نفت را با تخفیفی گزاف به آن می‌فروخت. آن‌چه که باقی می‌ماند به صنایع و رانندگان در انگلستان، و سپس با افزایش عرضه، به دیگران در سراسر جهان فروخته می‌شد.

نفت می‌توانست شاهان قاجار را پولدار و قدرتمند کند. آنان، بدون کمک خارجیان، برای یافتن و استخراج ذخایر نفت امکاناتی در اختیار نداشتند، امّا با دورنگری بیشتری، می‌توانستند با شرکای بریتانیایی خود معامله‌ی بهتری انجام دهند. در عوض، حق آب و خاک خود را به‌قیمت ناچیزی فروختند. سهم بهره‌ی مالکانه‌ی ایران در ۱۹۲۰، که طبق قرارداد اولیه معادل ۱۶ درصد از سود خالص شرکت بود، به ۴۷ هزار پوند بالغ شد. احمدشاه آن را مائده‌ای آسمانی دانست، امّا این مبلغ در مقایسه با آن چه که به جیب شرکت می‌رفت، بسی ناچیز بود.

سال بعد، با سقوط دودمان قاجار و برآمدن رضاخان هم‌زمان بود. رضاخان با تحکیم قدرت خود، نگاهی حاکی از حقارت به شرکت انگلیس ـ پارس و قرارداد دارسی که دارایی عمده‌ی آن به شمار می‌رفت، پیدا کرد. منافع شرکت به سطوح نجومی می‌رسید و روشی که ۱۶ درصد بهره‌ی مالکانه‌ی ایران محاسبه می‌شد پرسش‌برانگیزتر می‌شد؛ شکاف بین شرایط زندگی کارکنان انگلیسی و ایرانی شرکت به‌تدریج بیشتر می‌شد. رضاشاه در ۱۳۰۷ به وزیران خود دستور داد به‌دنبال یک قرارداد جدید با شرایط عادلانه‌تر با شرکت بروند. انگلیسی‌ها حرکت او را جدی نگرفتند. به‌مدت چهار سال درخواست‌های او را با ترکیبی از جواب‌های سربالا و تأخیر نادیده می‌گرفتند. وقتی وی در حال سوز و گداز بود، بحران اقتصادی جهان گسترش یافته و ارزش بهره‌ی مالکانه‌ی پرداختی شرکت به ایران رو به کاهش نهاده بود. سرانجام و ناگزیر، رضاشاه از خشم منفجر شد. وی در یک جلسه‌ی هیئت وزیران در ۵ آذر ۱۳۱۱، وزرایش را به‌خاطر ناتوانی و شکست به باد دشنام گرفت و سپس خواستار ملاحظه‌ی پرونده‌ی مذاکرات چهارساله با شرکت شد. وقتی پرونده را نزدش آوردند، چند بدوبیراه دیگر به زبان راند و سپس کل پرونده را به درون بخاری شعله‌ور انداخت. روز بعد به شرکت نفت انگلیس و پارس اطلاع داد که قرارداد دارسی را باطل اعلام کرده است. این اقدام در صورت تحقق، به‌معنای پایان فعالیت‌های شرکت نفت انگلیس و پارس در

ایران و عملاً مرگ شرکت بود. مقامات انگلیسی ابتدا یکه خوردند، آنگاه خشمگین و سپس درمانده شدند. آنان به جامعه‌ی ملل متوسل شدند، که تنها پاسخ آن ضدحمله‌ی نمایندگان دولت ایران و ایراد این اتهام از جانب آنها بود که شرکت نفت انگلیس و پارس به‌طور سیستماتیک حساب‌سازی‌های دروغینی انجام داده و با تقلب، حقوق حقّه‌ی ایران را در شکل بهره‌ی مالکانه نپرداخته است. سر جان کادمن، رئیس هیئت مدیره‌ی شرکت پی‌برد که باید خود به‌طور مستقیم با رضاشاه که ۸ سال پیش در مراسم تاجگذاری‌اش شرکت کرده بود، مذاکره کند. کادمن به تهران پرواز کرد؛ برای این دو دوست قدیمی رسیدن به سازش فقط چند روز طول کشید. طبق مفاد این سازش، منطقه‌ی تحت قرارداد دارسی ۷۵ درصد کاهش می‌یافت و سهم تضمین شده‌ی بهره‌ی مالکانه‌ی ایران، سالانه به ۹۷۵ هزار پوند بالغ می‌شد و شرکت می‌پذیرفت که شرایط کار در آبادان را بهبود بخشد. در مقابل، رضاشاه امتیاز دارسی را که در ۱۳۴۰ (۱۹۶۱) منقضی می‌شد، به مدت ۳۲ سال دیگر تمدید کرد. همچنین شرکت متعهد شد که چون شاه واژه‌ی پارس را نمی‌پسندد، زان پس نام شرکت از شرکت نفت انگلیس ـ پارس به شرکت نفت انگلیس ـ ایران تغییر یابد. کادمن به دفتر مرکزی لندن پیام داد:

«شخصاً از نتیجه‌ی کار راضی‌ام. این قرار داد از هر جهت فصل تازه‌ای در روابط ما با پارس خواهد گشود.»

قرارداد ۱۹۳۳ (۱۳۱۴ ش)، موقعیت شرکت را برای باقی‌مانده‌ی ایام زمام‌داری رضاشاه تثبیت کرد. با این حال، ۸ سال بعد که انگلیسی‌ها رضاشاه را مجبور به کناره‌گیری کردند، درواقع رهبری را کنار نهادند که چندان قدرت داشت تا حاکمیت خود را با صدور فرمان بر یک ملت بی‌قرار تحمیل کند. نارضایتی نسبت به موقعیت ممتاز شرکت به‌تدریج طی سال‌های جنگ (دوّم جهانی) و همزمان با افزایش میزان استخراج نفت از ۶/۵ میلیون تن در سال ۱۹۴۱ (۱۳۲۰) به ۱۶/۵ میلیون تن در ۱۹۴۵ (۱۳۲۴)، بالاگرفت.

در ماه اسفند ۱۳۲۴ (مارس ۱۹۴۶)، کمتر از یک‌سال پس از پایان جنگ دوّم، کارگران آبادان دست به کاری زدند که هرگز در دوران رضاشاه خواب انجام آن را هم نمی‌دیدند: آنان اعتصاب کردند. کارگران با راهپیمایی در خیابان‌های پر از جمعیت، پارچه‌نوشته‌هایی بر دست و شعارهایی بر لب داشتند. آنها خواستار مسکن بهتر، نظام مراقبت بهداشتی کارآمدتر، و تعهد شرکت و کارفرمایان به پیروی از قوانین کار ایران شدند. انگلیسی‌ها که از تجربه‌ی درازمدّتی در چالش‌های برآمده از ناآرامی‌های بومیان داشتند، نه‌فقط از مذاکره خودداری کردند بلکه راه مقاومت فعالانه را در پیش گرفتند. آنان با عضوگیری از میان بومیان عرب و ایلات تجزیه‌طلب که در همان اطراف زندگی می‌کردند، سندیکایی پوشالی تشکیل دادند و آن را به‌مقابله با اعتصاب‌کنندگان فرستادند. درگیری خونینی پیش آمد، که ده‌ها کشته و بیش از یکصد زخمی بر جای گذاشت و شورش زمانی پایان گرفت که هیئت مدیره‌ی شرکت از روی ناچاری تعهد کرد به رعایت قوانین کار ایران تن دهد. اما آنها به این تعهد خود عمل نکردند و برای یادآوری قدرت خود به ایرانیان، ترتیبی دادند که دو رزمناو انگلیسی به انجام زرمایش‌های تهدیدآمیز در آب‌های مجاور آبادان و مقابل چشم کارگران، دست زنند. آنها، با این نمایش قدرت فکر کردند که بحران را حل کرده‌اند؛ امّا درواقع با این کارِ خود آتش خشم مردم را شعله‌ور کردند و یک گام دیگر به‌سوی ورطه‌ی تعارض‌های بی‌پایان برداشتند.

جنبش کارگری ایران تنها نهاد غیرفعالی نبود که پس از رفتن رضاشاه فعال شد؛ مجلس نیز چنین بود. [البته] مجلس هرگز از موجودیت نیفتاده بود. امّا رضاشاه اجازه‌ی فعالیت آزادانه به آن نمی‌داد. اکنون، مجلس که مثل همه‌ی مردم ایران از درگیری‌های آبادان خشمگین شده بود، شروع به تحکیم موقعیت خود کرد. در سال ۱۳۲۶، مجلس قانونی را به تصویب رساند که اعطای هرگونه امتیاز دیگر به شرکت‌های خارجی را ممنوع می‌کرد و از دولت می‌خواست که درباره‌ی امتیاز شرکت نفت انگلیس و ایران نیز دوباره به

مذاکره بپردازد. این قانون نخستین ضربه در یک نبرد طولانی بود که وارد می‌آمد و ایران را در مسیر رویارویی مصیبت‌بار با بریتانیا قرار داد. نماینده‌ای که این قانون را نوشت و از تصویب مجلس گذراند، یکی از ملی‌گرایان فعال در سال‌های آغازین قرن بیستم بود که با اجبار رضاشاه از سیاست کناره گرفته و ۲۰ سال در تبعید و گمنامی به‌سر برده بود. وی اکنون در مقام یک مدافع سرسخت منافع ایران به صحنه بازگشته بود. وی محمد مصدق نام داشت.

دو باور اساسی، آگاهی سیاسی مصدق را شکل می‌داد. نخست، ایمان پرشور وی به حکومت قانون بود، که از او یک دشمن خودکامگی، به‌ویژه در ارتباط با رضاشاه، ساخته بود. دوم، این اعتقاد بود که ایرانیان باید خود بر خویش حکومت کنند و تسلیم اراده‌ی خارجیان نشوند. این باور او را به الهه‌ی انتقام، مایه‌ی زحمت، و دشمن سازش‌ناپذیر شرکت ایران و انگلیس تبدیل کرد. در ایرانِ نیمه‌ی قرن بیستم، وی و شرکت نفت در جریان یک رویارویی حماسی مقابل هم قرار گرفتند. سرنوشت، بین آنها ارتباط برقرار کرده بود، به‌طوری‌که داستان یکی بدون شرح ماجرای دیگری، گفتنی نیست.

مصدق از لحظه‌ی تولد در ۲۹ اردیبهشت ۱۲۶۱ ش. از امتیازهایی برخوردار بود که شمار اندکی از هم میهنانش از آن برخوردار بودند. مادرش یکی از شاهزاده‌های قاجار و از خانواده‌ای بود که فرماندار، وزیر و سفیر در دامن خود پرورده بود. پدرش، مردی از یک طایفه‌ی متشخص آشتیانی، و بیش از ۲۰ سال وزیر مالیه‌ی ناصرالدین شاه بود. وی در حالی که پسرش هنوز کودکی بیش نبود، درگذشت؛ امّا مطابق رسم، محمد جوان به تحصیل حرفه‌ی پدرش پرداخت. او در نوجوانی و سن ۱۶ سالگی به نخستین مقام دولتی‌اش رسید، که شغل کم‌مسئولیتی نبود: وی سر ممیز مالیاتی خراسان شد. این مقام نه فقط وی را با پیچیدگی‌های مالیه‌ی عمومی، بلکه با فساد و هرج و مرجی که مثل خوره دودمان قاجار را به ورطه‌ی هلاک می‌رساند، نیز آشنا کرد. وی از هر نظر عملکرد درخشانی از خود نشان داد. شخصی که مصدق را پس از تصدی این

مقام ملاقات کرده، سن او را بیست و چند سال برآورد کرد. وی در یادداشت‌های خود چنین نوشت:

در میان اهل علم و خرد، نمونه‌ی او را نمی‌توان نادیده گرفت. وی با احترام، فروتنی، و نزاکت با مردم صحبت، رفتار و از آنها پذیرایی می‌کند؛ امّا بدون آن که آوازه و اعتبار خود را سست کند. ممکن است بعضاً با همکارانش، از جمله مقامات بلندپایه و مشاوران مالی، با درجه‌ای از بی‌اعتنایی و بی‌حرمتی رفتار کرده باشد، امّا در برخورد با مردم عادی احساسات گرم انسانی، نزاکت و افتادگی نشان می‌دهد. این مرد جوان و تأثیرگذار می‌رود تا یکی از بزرگان شود.

مصدق در یک دوران پرآشوب تاریخ ایران بالید. وی ۸ ساله بود که شورش تنباکو سر گرفت و با توجه به استثنایی و درگیر بودن خانواده‌اش در سیاست کلّی کشور، می‌توان فرض کرد که روند این شورش را به‌دقت دنبال می‌کرد. چندتن از بستگانش، از جمله دایی‌اش، شاهزاده فرمانفرمای پرصلابت، نقش مهمی در انقلاب مشروطه ایفا کردند. وقتی مبارزات انتخاباتی مجلس اوّل در ۱۲۸۵ خورشیدی آغاز شد، مصدق از اصفهان نامزد شد و توانست به‌عنوان نماینده انتخاب شود. امّا نتوانست به مجلس راه یابد چون هنوز به سن قانونی ۳۰ سالگی نرسیده بود. امّا کار حرفه‌ای سیاسی وی ادامه یافت.

مصدق در سال‌های آغازین فعالیت خود چیزی بیش از شالوده‌های یک چشم‌انداز سیاسی را بنا نهاد. وی ویژگی‌های احساسی خارق‌العاده‌ای نیز از خود نشان می‌داد. با اعتماد به نفسی بی‌پایان، به مبارزه‌ی بی‌امان در راه اصول اعتقادی خود هدایت می‌شد. امّا، وقتی با عدم استقبال دیگران روبه‌رو می‌شد، دوره‌های طولانی خاموشی و سکوت اختیار می‌کرد. برای اولین‌بار در ۱۲۸۸ (۱۹۰۹)، یعنی زمانی که محمدعلی شاه به مجلس یورش برد، به اتخاذ همان خط‌مشی رو آورد. مصدق به‌جای ایستادگی و مقاومت در کنار هم‌رزمان دموکرات خود، به این نتیجه رسید که ایران [هنوز] آماده‌ی [عصر] روشنگری نیست و از این رو کشور را ترک کرد. وی، مانند بسیاری از ایرانیان هم‌طبقه‌ی

خود، پاریس را مرکز تمدن دنیا می‌دانست. بنابراین رهسپار آن‌جا شد و در "مدرسه علوم سیاسی" آن دیار به تحصیل پرداخت.

مصدق در دوران اقامت در فرانسه، به بیماری‌هایی مبتلا شد که در تمام دوران حیات از شر آنها رهایی نیافت. هیچ‌کس دقیقاً نتوانست این بیماری‌ها را تشخیص دهد. امّا، به‌یقین واقعی بودند و گاه به گاه عود می‌کردند و موجب جراحت، خونریزی، ترشی معده و دیگر عوارض می‌شدند. در عین حال، این امراض پیامدهای عصبی نیز داشتند که به بروز حمله و از کارافتادگی جسمی می‌انجامیدند. این بیماری‌ها که نه علل صرفاً جسمی داشتند و نه علل روانی، به بخشی از شخصیت مصدق تبدیل شدند و آن را منعکس می‌کردند. وی نقش‌آفرین‌ترین دولتمردی بود که ایران تا آن زمان به خود دیده بود. گاهی احساسات چنان بر او چیره می‌شد که هنگام سخنرانی اشک از چشمانش فرو می‌ریخت و گاه از ضعف به حال مرگ می‌افتاد، که هم از هیجان عاطفی و هم از شرایط جسمی‌اش ناشی می‌شد. وقتی به چهره‌ای جهانی تبدیل شد، دشمنانش در پایتخت‌های خارجی این جنبه از شخصیت او را به ریشخند و تحقیر می‌گرفتند. اما در ایران، که قرن‌ها عملکرد مذهبی تشیع همه‌ی مردم را در معرض ژرفای هیجاناتی علنی و دسته‌جمعی قرار می‌داد که غربیان از آن سردرنمی‌آوردند، این رفتارها نه‌فقط مقبول، بلکه مورد ستایش واقع می‌شد، زیرا دلیلی بر اثبات این مدعا بود که وی چگونه درد و رنج کشورش را درک و خود را در آن سهیم می‌داند.

هجوم بیماری، مصدق را واداشت که تحصیلات خود را در فرانسه رها کند و پس از یک سال به ایران بازگردد. در ایران توانست مدتی استراحت کند و آرامش یابد، تا حدودی به این دلیل که حاکم عمیقاً مورد نفرت او، محمدعلی‌شاه، مجبور به ترک تاج و تخت شده بود. وی، پس از بهبودی به اروپا بازگشت و این‌بار به شهر نوشاتل سوییس رفت و به‌اتفاق همسر، سه فرزند کوچک و مادر محبوبش، در آن‌جا رحل اقامت افکند. مصدق در نوشاتل به دانشگاه رفت و در سال ۱۲۹۳ (۱۹۱۴)، موفق به دریافت دکترای

حقوق شد. وی نخستین ایرانی بود که توانست چنان مدرکی را از یک دانشگاه اروپایی بگیرد. آن‌گاه، تصمیم گرفت شهروندیِ دولت سوییس را درخواست کند؛ هرچند ابتدا می‌خواست به وطن بازگردد تا به تکمیل پژوهش‌های خود برای نوشتن کتابی درباره‌ی قوانین اسلامی بپردازد.

این‌بار، مصدق به کشوری بازگشت که در ورطه‌ی اختلافات دست وپا می‌زد. انقلاب مشروطیت طعم میوه‌ی مـمنوعه‌ی دمـوکراسی را بـه مـردم چشانده بود و آنها مشتاق سهم بیشتری از آن بودند. حکومت قاجار متزلزل شده و مهم‌ترین واقعه این بود که با آغاز جنگِ جهانی اول همه‌ی قطعیت‌های سیاسی زیر سوآل رفته و هر چیزی امکان‌پذیر شده بود. بریتانیا و روسیه، که با قرارداد ۱۹۰۷ عملاً ایران را بین خود تقسیم کرده بودند، هنوز قدرت واقعی را در دست داشتند. امّا خشم بسیاری از ایرانیان از نقش این دو، آنها را بـه طرفداری از آلمان قیصری کشاند. گروهی از روشنفکران که پیرامون حسن تقی‌زاده، از چهره‌های کلیدی انقلاب مشروطه، گرد آمده بودند، تا آن‌جا پیش رفتند که اقدام به برپایی «کمیته‌ی آزادی‌بخش» در برلین کردند که روزنامه‌ای تندرو منتشر می‌کرد، و هدف نهایی‌شان تسخیر قدرت در تهران بود. مصدق از این تحولات بسیار دلگرم شد و به‌جای بازگشت به سوییس، به مدرسه‌ی حقوق و علوم سیاسی تهران پیوست، که بعداً به نخستین دانشگاه مدرن ایران تبدیل شد. کتاب وی، *ایـران و قـراردادهـای کـاپیتولاسیون*، بـه ایـن بـحث می‌پرداخت که ایران می‌تواند یک سیستم حقوقی و سیاسی مدرن بـه‌سبک اروپا برقرار کند، به‌شرط آن که یک گام حیاتی بردارد. باید قانون بـه‌طور مساوی در همه‌جا و درباره‌ی همه کس از جمله خارجیان اعمال شود، و هیچ امتیاز ویژه‌ای به کسی داده نشود.

کمتر از یک سال پس از مراجعت مصدق به وطن، دایی‌اش فرمانفرما، که به مقام نخست وزیری رسیده بود، از او خواست که به کابینه‌ی او ملحق و وزیر مالیه شود. مصدق این دعوت را رد کرد، چون نمی‌خواست به قدرت‌یابی از طریق روابط خانوادگی متهم شود. در ۱۲۹۶، دچار عارضه‌ی آپاندیس شد و

در باکو تحت عمل جراحی قرار گرفت و حین گـذرانـدن دوره‌ی نـقاهت، پیشنهاد منصبی دیگر، این‌بار معاونت وزیر مالیه، را دریافت کرد. در این موقع دایی‌اش دیگر نخست‌وزیر نبود و با اصرار مادرش این مقام را پذیرفت. وی در این مـقام، بـا افشـای مـجموعه‌ای از فسـادها و پـافشاری بـر مـجازات خلافکاران، همکاران جدیدش را سخت ناراحت کرد و کمتر از دوسال در این مقام مانده بود، که از کار برکنار شد. یک بار دیگر به این نتیجه رسید که ایران آمادگی و شایستگی خدمات او را ندارد و به نوشاتل بازگشت. مصدق، همچنان که به‌دفعات در سرتاسر زندگی‌اش نشان داده بود، با این کارش بار دیگر نشان داد که فردی آرمان‌گرا، و نه مصلحت‌گرا، است و ترجیح می‌دهد در مبارزه بر سر یک آرمان مقدس مغلوب شود تا این که به سازشی تن دهد که از نظرش شرم‌آور بود.

مصدق در نوشاتل بود که خبر امضای قرارداد رسـوای ۱۹۱۹ ایـران و انگلیس را شنید، قراردادی که ایران را عملاً به موقعیت دست‌نشاندگی فـرو می‌کاهید. وی از این خبر برآشفت و هرکاری که می‌توانست در اعتراض به این قرارداد انجام داد. به قول یکی از زندگی‌نامه‌نویسان ایرانی:

> وی به گفت‌وگو و نامه‌نویسی با دیگر چهره‌های سرشناس ایرانی مقیم اروپا پرداخت. جزوه‌هایی انتشار داد و به جامعه‌ی ملل نامه نوشت و به این قرارداد اعتراض کرد. حتی به برن رفت، صرفاً با این هدف که تومار تهیه شده توسط کمیته‌ی مقاومت ملل را در ضدیت با قرارداد، امضا کند. خشم، نومیدی و تنهایی اعصاب او را فرسوده کرده بود، چرا که احتمال می‌رفت که همان‌طور که خودش ظن مـی‌برد، زیـر نـظر مأموران انگلیسی قرار داشته باشد. یکـی از آنـها در هـیئت یک زن «شیک‌پوش، زیبا و پرجنب وجوش» که در اتاق مجاور اتاق او به سر می‌برد، از بالکن اتاقش او را دعوت به شام کرد. امّا با پاسخ سـرد و مؤدبانه‌ی مصدق نومید شد.

مصدق از ناتوانی هم‌وطنانش در قیام و ابراز خشم محقّانه علیه قرارداد ایران ـ

انگلیس مبهوت شده بود. پس از چندماه به این نتیجه رسید که آرمان میهن‌ـ
دوستی ایرانیان برای همیشه از دست رفته و از این رو جـایی بـرای وی در
زادگاهش وجود ندارد. وی تصمیم قطعی گرفت که پرسش‌نامه‌ی مربوط بـه
شهروندیِ سوییس خود را پر کند و باقی روزهای زندگی‌اش را در آن‌جا به
کار وکالت بپردازد. امّا قوانین مهاجرت سوییس از زمانی کـه وی امکـان
مهاجرت را بررسی کرده بود، دشوارتر شده بود و از این رو تقاضانامه‌ی او به
تأخیر افتاد. این فکر به نظرش رسید کـه یک شـرکت واردات و صـادرات
تأسیس کند، و تصمیم گرفت برای کار به ایران برود و با بازرگانان ایران بـه
مذاکره بپردازد. به‌محض آن که پایش به خاک وطن رسید دوباره خود را
درگیر سیاست یافت. بر سر راهش به تهران از استان جنوبی فارس می‌گذشت؛
وقتی بزرگان محلی از حضور وی باخبر شدند، پیشنهاد پـولی هـنگفت و
حکومت استان را به او دادند. مصدق با والی‌گری فارس موافقت کرد امّا از
قبول پیشنهاد مالی خودداری و حتی بر خدمت بدون دستمزد پافشاری کرد.

رضاخان پس از به قدرت رسیدن در سال ۱۲۹۹ (۱۹۲۱)، سعی کرد از
استعدادهای آشکار مصدق بهره گیرد. همکاری آنها کوتاه و نامیمون بود.
مصدق ابتدا وزیر دارایی شد، مقامی که کاملاً واجد شرایط تصّدی آن بود.
امّا، پس از شروع به کار یک کارزار ضدفساد به راه انداخت که منافع رضاخان
و دوستانش را تهدید می‌کرد؛ از این‌رو وادار به استعفا شد. سپس به حکومت
آذربایجان منصوب شد که شوروی‌ها در آن جا به یک جنبش تجزیه‌طلبی
دامن می‌زدند؛ او از این مقام نیز کنار کشید چون رضاخان از تـفویض
فرماندهی نیروهای مستقر در آن‌جا به وی خودداری کرد. آنگاه چندماهی
وزیر خارجه شد و سرانجام به این نتیجه رسید که رضاخان، نه با آرمان‌های
دموکراتیک او و نه مرام ضـدامپریالیستی‌اش، وجه مشترکی نـدارد. پس
وزارت خارجه را رها و خود را نامزد نمایندگی مجلس کرد و به‌آسانی نیز
انتخاب شد. وی اکنون به یک عضو آزاد جامعه تبدیل شده بود، و به‌زودی
به‌عنوان یکی از تندروترین مخالفان رضاخان قد برافراشت.

زمانی که مصدق در سال ۱۳۰۳ به مجلس پای نهاد، سیاستمداری تمام‌عیار بود. وی به درک عمیقی از شرایط کشورش، نظام سیاسی آن، و بالاتر از همه، عقب‌ماندگی ایران، که آن را عمدتاً به سیاست تجاوز و چپاول جنگ‌سالاران خارجی نسبت می‌داد، دست یافته بود. با این حال، به‌هیچ‌وجه عضوی از تشکیلات سیاسی یا غیرسیاسی کشور نبود. بسیاری از ایرانیان ثروتمند و متنفذ، وی را خائن به طبقه‌ی خود می‌دانستند، چون بر این عقیده پافشاری می‌کرد که آنها را در چارچوب قانون داوری کند. حتی برخی از طرفدارانش، از اعتماد به نفس پردامنه‌ی او که اغلب منجر به آن می‌شد که منتقدان خود را به‌عنوان یاغی یا احمق طرد کند، عصبانی بودند.

برآمدن مصدق، به‌مانند شخصیت خود وی و به همان اندازه، غیرعادی بود. قامتش بلند، امّا شانه‌هایش افتاده بود، گویی باری سنگین را به دوش می‌کشد، و تصویر مرد محکومی را تداعی می‌کرد که صبورانه به سوی چوبه‌ی دار می‌رود. صورتش کشیده و چشمانش غم‌زده بود و بینی دراز و بسیار بارزش، که دشمنانش گاهی آن را به منقار کرکس تشبیه می‌کردند، شاخص بود. پوستی نازک، سفید، و رنگ پریده داشت. با همه‌ی این احوال، با عزمی در زندگی‌اش حرکت می‌کرد که بسیاری از هم‌میهنانش او را الهام‌بخش می‌یافتند؛ وی به‌لحاظ هوش و تحصیلات، تقریباً از همه‌ی آنها برتر بود؛ یک نقطه ضعف برای سیاستمدار در برخی کشورها، اما نه در ایران، که در آن‌جا کسانی که فاقد حیات فکری‌اند، همیشه آنها را که از این موهبت برخوردارند، تحسین می‌کنند. ورود مصدق به مجلس، آغازگر مرحله‌ی نوینی در حیات حرفه‌ای جالب توجه او بود؛ همچنان که یکی از عموزاده‌هایش، در خاطرات خود به یاد می‌آورد:

> مصدق با آن چشمان افتاده، که به چشمان سگ شکاری شباهت می‌برد، و پیشانی بلند اشراف مآبانه، به نظر نمی‌آمد کسی باشد که ملت را تکان دهد... از نظر او مجلس تنها بلندگوی مردم ایران به‌شمار می‌رفت. فارغ از آن که انتخابات مجلس چه‌قدر با تقلب همراه و

اعضای آن چه‌قدر فاسد باشند، تنها دستگاهی بود که قدرت آن نه به نفوذ خارجی یا دربار [سلطنتی]، بلکه به اقتدار قانون اساسی متکی بود. مجلس به تریبون سخنرانی وی تبدیل شد. او که به‌دفعات از طرف مردم تهران به نمایندگی مجلس انتخاب شده بود، از آن برای تقبیح انگلیسی‌ها و روس‌ها، و بعداً آمریکایی‌ها، استفاده کرد. وقتی گفت: «ایرانی خود بهترین کسی است که می‌تواند خانه‌ی خود را اداره کند»، نه‌فقط از یک باور، که از یک خط‌مشی صحبت می‌کرد که قصد داشت با عزمی خلل‌ـناپذیر آن را دنبال کند. تا زمانی که عکس‌اش بر روی جلد مجله‌ی **تایم** ظاهر شده و توانست بنیادهای تشکیلات نفتی جهان را به لرزه درآورد.

اگرچه مصدق قهرمان حق تعیین سرنوشت ملت ایران بود، ایمان چندانی به همکاران نماینده‌اش نداشت و کمتر کسی از تازیانه‌ی زبان وی مصون ماند. او آنها را به ترسویی، فقدان حس ابتکار، و بدتر از آن، نداشتن حس میهن‌دوستی، متهم می‌کرد. اعتراضات وی از پشت تریبون مجلس هم هراس‌آفرین و هم نمایشی بود. درحالی‌که بی‌مهابا به مسائل اشاره‌هایی می‌کرد، ناخودآگاه اشک‌های معروفش را که هنگام عصبانیت یا خشم سرازیر می‌شد، با دست از صورت می‌سترد. شنوندگان را با حقانیت یک کشیش که همراه با قربانیانش رنج می‌بَرَد، حتی زمانی که آنها را افشا می‌کند، به‌استهزا می‌گرفت. وی که متشخص، بسیار عاطفی و به‌اعتبار هر ذره از وجودش اشراف‌زاده بود، با چنان تمامیتی به کشور خود باور داشت که گفته‌هایش را مردم عادی در خارج از مجلس با جان می‌نیوشیدند. مصدق نخستین رهبر واقعی مردم ایران بود و خود نیز این را می‌دانست.

اگر ایران فقط با مشکلات داخلی روبه‌رو بود، باز هم نام مصدق، فقط به‌خاطر حمایت قاطعانه‌ی او از اصلاحات و نوسازی جامعه، در یادها می‌ماند. با این حال، دشواری عمده‌ی کشور حول رابطه‌ی آن با قدرت‌های خارجی، به‌ویژه بریتانیا و مشخصاً شرکت نفت انگلیس و ایران، دور می‌زد. بسیاری از ایرانیان در برابر اراده‌ی این قدرت‌ها سپر انداختند، امّا مصدق هرگز کوتاه نیامد.

مصدق در خلال چندماهِ نخستِ حضور خود در مجلس، غالباً به پا می‌خاست تا صحبت کند. وی به موضوع‌های مختلفی، از فساد نظامیان گرفته تا ضرورت تأسیس صنایع جدید در ایران، می‌پرداخت؛ امّا مباحث عمده و کلیدی سخنان وی، دموکراسی و خود ـ اتکایی بود: «اگر رفاه و کامیابی کشور از طریق کمک کشورهای دیگر سودی برای مردم آن داشت، هر ملتی از خارجیان دعوت می‌کرد تا به وطنش بیایند. اگر استیلا و انقیاد سودمند بود، هیچ کشور تحت انقیادی با توسل به جنگ‌های خونین و تحمّل خسارت‌های سنگین، برای آزادی خود تلاش نمی‌کرد.»

در ۷ آبان ۱۳۰۴، یکی از مهم‌ترین و تأثیرگذارترین طرح‌هایی که تا آن وقت مورد بررسی قرارگرفته بود، در صحن علنی مجلس مطرح شد. این طرح از سوی طرفداران رضاخان تقدیم شده بود، که طی آن خواستار انقراض حکومت دودمان قاجاریه و به تخت سلطنت نشستن او بودند. مصدق به وحشت افتاد. وقتی که نوبت به سخنرانی او رسید، دیگرِ نمایندگان خاموش شدند. وی نطق خود را با نشان دادن یک جلد قرآن آغاز کرد و از همه خواست که از جایگاه خود بلند شوند و با این کار گواهی دهند که برای دفاع از نظام مشروطیت سوگند یاد کرده‌اند. همه چنین کردند. آن‌گاه مصدق در طولانی‌ترین و احساساتی‌ترین سخنرانی روز، از دستاوردهای رضاخان تجلیل کرد، امّا گفت که اگر وی می‌خواهد بر کشور حکومت کند، باید نخست‌وزیر شود، نه شاه. تمرکز قدرت سلطنتی و اجرایی و اداری در دست یک تن «ارتجاع محض و استبداد محض» به وجود خواهد آورد، نظامی به‌غایت نابهنجار که «حتی در زنگبار هم وجود ندارد.» مصدق، به‌تلویح نسبت به گرایش‌های اقتدارطلبانه‌ی رضاخان هشدار داد و پیش‌بینی کرد که ارتقای وی به مقام شاهی، به‌معنای بازگرداندن کشور به حکومت مطلقه خواهد بود.

وی گفت: «آیا مردم به‌خاطر رسیدن به دیکتاتوری جان خود را در انقلاب مشروطیت فدا کردند؟ اگر سر مرا ببرید و بدنم را تکه‌تکه کنید، هرگز با این تصمیم موافقت نخواهم کرد.»

مصدق هیچ توهمی نداشت که می‌تواند رضاخان را از شاه شدن بازدارد. رضاخان در کشوری که در آستانه‌ی نابودی و انقراض قرار داشت، قدرتی رو به اعتلا بود، و فقط دو روز پس از نطق آتشین مصدق، مجلس این حقیقت را به‌رسمیت شناخت و با سلطنت وی موافقت کرد. رضاخان، در مراسم تاج‌گذاری، تاجِ مزّین به پر و جواهرنشان را با دست خود بر سرش گذاشت، همچنان که ناپلئون چنین کرده بود، تا نمادی از عزم وی در برقراری حکومتِ دلخواهش باشد. وی برای چندماهی به‌تنهایی حکومت کرد و پس از تحکیم قدرت خویش، نخست‌وزیری انتخاب کرد و به او دستور داد که پست وزارت خارجه را به مصدق پیشنهاد کند. این اقدامی زیرکانه بود. مصدق پایگاهی مردمی و کارنامه‌ی ملی‌گرایانه‌ی بی‌خدشه‌ای داشت، که می‌توانست به‌خوبی در خدمت رژیم جدید عمل کند. با این حال، مصدق کسی را شگفت‌زده نکرد و پیشنهاد وزارت را رد کرد. وی از موقعیت یک عضو آزاد جامعه برخوردار بود و بدون تردید تشخیص می‌داد که نفرتش از دیکتاتوری به‌زودی او را به مخالفت با شاه جدید می‌کشاند. مصدق که صِرف خودداری از قبول پیشنهاد راضی‌اش نکرده بود، پس از تشکیل کابینه به تقبیح آن پرداخت و در نطق خود دو تن از وزرا را به‌خاطر نقش‌شان در مذاکره با شرکت نفت انگلیس ـ پارس، خائن خواند.

طی ماه‌های بعد، رضاشاه چندبار دیگر به مصدق نزدیک شد و پیشنهاد مشاغل بلندمرتبه‌ای، از جمله وزارت و حتی نخست‌وزیری را به او داد. مصدق به همه‌ی آنها پاسخ رد داد. پس از آن‌که یک بار دیگر در پایان سال ۱۳۰۵ به نمایندگی مجلس انتخاب شد، تا آن‌جا پیش رفت که از انجام مراسم سوگند رسمی سر باز زد زیرا در بخشی از آن باید به وفاداری و احترام به شاه سوگند یاد می‌کرد. به این ترتیب، وی با این کار از تصاحب کرسی خود در مجلس محروم می‌شد، امّا با توجه به قدرت حضور و نیروی اراده‌اش، کسی وی را به چالش نطلبید.

نقش مجلس نیز مانند هر نهاد دیگری در ایران، به‌زودی به نقش یک ماشین

امضای رضاشاه فروکاسته شد. وی احزاب سیاسی را غیرقانونی اعلام و رهبران آنها را از فعالیت رسمی محروم کرد. وقتی که این کارزار سرکوب‌گرانه آغاز شد، تردیدی وجود نداشت که مصدق به‌زودی از جمله قربانیان آن خواهد بود. با نزدیک شدن انتخابات سال ۱۳۰۷، رضاشاه دستور داد که شمارش رأی به گونه‌ای باشد که مخالفان وی برنده نشوند. مصدق از جمله‌ی بازندگان بود. به نظر می‌آمد که زندگی سیاسی او در ۴۵ سالگی به پایان رسیده باشد. چند راه محتمل در مقابل دولتمرد معزول قرار داشت. می‌توانست موضع مخالف خود را نسبت به رضاشاه نرم‌تر و در چارچوب رژیم فعالیت کند؛ اما با توجه به اصول‌گرایی وی، این کار ناممکن بود. می‌توانست در برابر رژیم سرپیچی نشان دهد و کارزاری مخرب و براندازانه را آغاز کند، که ممکن بود در این راه جان بگذارد. حتی چندتن از متحدان قدیمی رضاشاه، آن‌گاه که وفاداری‌شان محل تردید قرار گرفت، به چنان سرنوشتی دچار آمدند. تنها راه باقی‌مانده، نه‌فقط بهترین راه به‌لحاظ زمانی بود، بلکه با شخصیت مصدق نیز هم‌خوانی داشت. وی به یک‌باره از انظار عمومی ناپدید شد، به ملک خود در احمدآباد، واقع در ۹۰ کیلومتری غرب تهران، رفت و اوقات خود را صرف مطالعه و زراعت تجربی کرد. نام او از مطبوعات و گفتمان عمومی حذف شد. با افزایش قدرت رضا شاه، تصویر مصدق رنگ باخت و سپس تقریباً ناپدید شد. بیشتر ایرانیان بر این گمان شدند که دوران او به سر رسیده است. خود او نیز بر این باور بود.

مصدق، چندسال پس از تبعید خود خواسته، که بر اثر فشار ناشی از انزوا دچار کاهش وزن، و به‌واسطه‌ی خبر تمدید دوباره‌ی قرارداد نفتی ایران ـ انگلیس توسط رضاشاه، بهت‌زده شده بود، در بستر بیماری افتاد. وی به چنان خونریزی دهانی دچار شده بود که در ۱۳۱۵ به آلمان سفر کرد تا خود را به پزشکان متخصص نشان دهد. آنها هیچ علتی برای این بیماری نیافتند. با این حال، حتی در حالت بیماری و ضعف نیز رضاشاه از او می‌ترسید. روزی در سال ۱۳۱۹، سربازان به خانه‌ی وی در احمدآباد رفتند. آنجا را در جستجوی

مدرکی که حاکی از اقدامات خرابکارانه‌ی وی باشد زیر و رو کردند و سپس به‌رغم پیدا نکردن چیزی، خودش را دستگیر کردند. در ژاندارمری محل، با خشم به رئیس آنجا اعتراض کرد و به نقل قانونی پرداخت که مقرر می‌داشت زندانی باید ظرف ۲۴ ساعت از مورد اتهام خود مطلع شود. رئیس پاسخ داد که تنها قانونی که می‌شناسد اراده‌ی رضاشاه است و هم او دستور داده که مصدق بدون هیچ اتهامی برای مدت نامعلومی زندانی شود. این سخن، مصدق را به اوج خشم رساند. او را کشان کشان به درون اتومبیلی بردند که منتظر انتقال وی به زندان بود. در راه، مقدار زیادی قرص مسکن مصرف کرد، ظاهراً به‌منظور خودکشی، اما فقط به حال بیهوشی افتاد. در سلول زندان نشانه‌هایی از آن حالتی بروز داد که زندانبانش «هیستری ادواری» نامید، به‌طوری که سعی کرد با استفاده از تیغ صورت‌تراشی خودکشی کند و زمانی نیز دست به اعتصاب غذا زد. پس از چند ماه، به میانجی‌گری ارنست پرون، یکی از دوستان سوئیسی شاه که زمانی در بیمارستان تحت تولیت مادر مصدق [بیمارستان نجمیه] بستری و درمان شده بود، از زندان بیرون آمد و اجازه یافت در احمدآباد، تحت بازداشت خانگی، دوران بازداشت خود را سپری کند.

مصدق به مدت ۲۰ سال، که بخشی از آن در حال فعالیت سیاسی و بقیه‌اش در تبعید و گمنامی گذشت، رضاشاه و رژیمش را دشمن بزرگ ایران می‌دانست. سپس، ناگهان رضاشاه برکنار شد. این اتفاق همه‌چیز را، هم برای ملت و هم مصدق، تغییر داد. انتخابات سال ۱۳۲۲، نخستین انتخابات آزاد طی سال‌های طولانی اخیر بود. مصدق از تبعیدگاه خود بیرون آمد، به مبارزه برای کسب کرسی قدیمی خود در مجلس روی آورد و با آرایی بالاتر از هر کاندیدای دیگر انتخاب و وکیل اوّل تهران شد. امّا، با وجود این که دشمن قدیمی وی از تخت به زیر افکنده شده بود، دشمنی جدید و به‌مراتب نیرومندتر بر سر راه او و ایران قرار گرفت. انگلیسی‌ها و به‌ویژه شرکت نفت انگلیس و ایران، بیش از هر زمان دیگر بر کشور تسلط یافته بودند. اکنون مصدق نگاه خود را متوجه آنها می‌کرد.

فصل ۵

فرمان‌های ارباب

در اواخر دهه‌ی ۱۳۳۰، در حالی که ایران بر اثر شورش جدایی‌طلبان و سیاست‌های خون‌آشامانه‌ی شرکت نفت انگلیس ـ ایران، در آستانه‌ی فروپاشی و گسیختگی بود، محمدرضاشاه جوان توجه خود را بر اتومبیل‌های اسپرت، اسب‌های مسابقه و زنان خوبروی متمرکز کرده بود. او یک پای ثابت میهمانی‌های بین‌المللی شده بود. به کلوب‌های شبانه‌ی لندن رفت و آمد می‌کرد و یک رشته روابط پنهانی با ستارگان دست دوم سینما، مثل ایوان دوکارلو، جین تیرنی، و سیلوانا مانگانو، داشت. وی چندبار سعی کرد از طریق سرکوب و رأی‌سازی در انتخابات موقعیت متزلزل خود را تحکیم بخشد، امّا با این کارها فقط خود را در معرض ریشخند مردم قرار داد. روزنامه‌ها او را پادوی انگلیسی‌ها می‌نامیدند؛ اجتماعات عمومی برای محکوم کردنش برپا می‌شد؛ با این حال، وی خوشباورانه از نفرت بسیاری از مردم نسبت به خودش بی‌اطلاع بود و وقتی هم که در مراسم جشنی در دانشگاه حضور یافته بود، احساس خطری نمی‌کرد.

در آن روزِ **۱۵** بهمن ۱۳۲۷، برف می‌بارید. شاه تازه از اتومبیل پیاده شده بود و به طرف پلکان ورودی دانشگاه می‌رفت که مرد جوانی در هیئت یک عکاس به او نزدیک شد و اسلحه‌ی کمری خود را بیرون کشید و شروع به تیراندازی به طرف او کرد. فاصله‌ی بین آن دو کمتر از **۲** متر بود، امّا ضارب نشان داد که در هدف‌گیری بسیار ضعیف است. سه گلوله‌ی نخست فقط به کلاه نظامی شاه اصابت کرد. در یک واکنش غیرارادی، شاه به

سمت او برگشت و در این حین گلوله‌ی چهارم گونه‌ی سمت راست او را درید. محافظان، افسران ارتش و مأموران پلیس، که ظاهراً ارزشی برای نجات جان شاه قایل نبودند، هریک به گوشه‌ای گریخته و پناه گرفته بودند و آن دو لحظاتی در برابر هم تنها ماندند. با شلیک گلوله پنجم شاه جاخالی داده و گلوله شانه‌اش را زخمی کرد. ضارب با تنها گلوله‌ای که در خشاب باقی مانده بود سینه‌ی پادشاه را هدف گرفت و ماشه را چکاند. فقط صدای تق آهسته‌ای به گوش رسید. آخرین گلوله در خشاب گیر کرده بود. با رفع شدن خطر، مأموران امنیتی به روی ضارب پریدند و با سلاح سرد و گرم خود او را کشتند. محمدرضاشاه که در آن زمان ۲۹ ساله بود، ظرف چنددقیقه بهبود یافت، وی که هنوز به‌سختی نفس می‌کشید، اعلام کرد که با الطاف الهی نجات پیدا کرده است. شاید به این گفته‌ی خود ایمان داشت؛ روز بعد یونیفورم خون‌آلودش را به باشگاه افسران فرستاد و دستور داد که آن را به نمایش بگذارند. چندی بعد، تصمیم گرفت مثل پدرش اراده‌ی خود را بر ایران تحمیل کند.

در سال ۱۳۲۰ که رضاشاه از قدرت برکنار شد، ایران به عصر نوینی گام نهاده بود. بسیاری از اتباع سابق وی از عزلش هیجان‌زده شدند. از جمله هزاران خانوار ایلیاتی که بلافاصله قرارگاه‌های فلاکت‌بار خود را که در آنها تخته‌قاپو شده بودند، ترک کرده و به مناطق کوهستانی نیاکان و زندگی بَدَوی خویش بازگشتند. دیگران، حتی برخی از آنها که از حکومت خشن وی آسیب دیده بودند، بیم داشتند که تنها سپر دفاعی کشور در مقابل هرج‌و‌مرج، و حاکمیت خارجی‌ها را از دست داده باشند. بیشتر مردم آمیزه‌ای از حس آسودگی و نگرانی داشتند؛ از همان گونه احساسی که به بچه مدرسه‌ای‌های شیطان، به‌خاطر بیماری ناگهانی یک آموزگار سخت‌گیر دست می‌دهد. روزنامه‌ها، احزاب سیاسی، اتحادیه‌های کارگری و بنگاه‌های بازرگانی رونق گرفتند، همچنان‌که دارودسته‌های جنایتکار نیز احیا شدند. هراس از قدرت که رضاشاه در دل مردم کاشته بود، ناگهان رخت بربست. وقتی که یک زن طبقه‌ی ممتاز، راننده‌اش را که به‌اشتباه وارد خیابان یک‌طرفه‌ای شده بود بازخواست

کرد، راننده پاسخ داد: «ای بابا! دیگه ایرادی نداره چون رضاشاه رفته.»

انگلیسی‌ها پس از این که آن مرد قدرتمندِ هراسیده را از کار بر کنار کردند، ابتدا به فکر افتادند دودمان بی‌اعتبار شده‌ی قاجار را بازگردانند. فقط وقتی از این فکر دست کشیدند و به پادشاهی محمدرضا تن دادند، که فهمیدند وارث تاج و تخت قاجار [محمدحسن میرزا] که در لندن زندگی می‌کرد، نمی‌تواند به زبان فارسی صحبت کند. آنان بلافاصله پس از تاج‌گذاری، محمدرضا را واداشتند که محمدعلی فروغی، دولتمردی متمایل به انگلستان را به نخست‌وزیری برگزینند. آنان از طریق وی عملاً بر ایران حکومت می‌کردند. انگلیسی‌ها برای تحکیم قدرت خود فرمول قدیمی تقسیم ایران به سه بخش را احیا کردند. شمال ایران تحت کنترل نیروهای شوروی بود، درحالی‌که انگلیسی‌ها استان‌های جنوبی را که شامل حوزه‌های نفتی و پالایشگاه آبادان و راه زمینی به هند می‌شد، زیر سلطه گرفته بودند. ایرانیان اجازه پیدا می‌کردند تا بر تهران و بقیه‌ی بخش‌های میانی کشور، زیر نگاه مراقب اشغالگران، حکومت کنند.

متفقین در خلال جنگ دوّم جهانی، نه‌فقط با استخراج مقادیر عظیم نفت، بلکه با ایجاد چند پایگاه بزرگ سوخت‌رسانی برای آغاز عملیات نظامی در سرتاسر خاورمیانه و شمال افریقا، نهایت استفاده را از ایران کردند. با این حال، ایرانیان عادی شاهد سقوط شرایط زندگی خود بودند. مقادیر زیادی غذا از مصارف غیرنظامی به نظامی اختصاص یافت. کامیون‌ها و راه‌آهن کشور عمدتاً برای اهداف نظامی به‌کار گرفته می‌شد. قیمت‌ها بالا می‌رفت و سوداگران کارشان بالا می‌گرفت. با کاهش فعالیت‌های کشاورزی، بسیاری از مردم گرسنه ماندند. فروغی که هدف خشم عمومی قرار گرفته بود، برکنار شد. امّا جانشینان وی نیز بهتر نبودند.

مادام که جنگ ادامه داشت و ایران تحت اشغال نظامی بود، مخالفت‌ها خاموش ماند. با این حال، زندگی سیاسی به آهستگی از سر گرفته می‌شد. همه درک می‌کردند که جنگ و اشغال نظامی موقتی است و با پایان گرفتن آن،

کشور جدیدی خواهند ساخت.

نه محمدرضاشاه جوان و نه نخست‌وزیران گوناگون وی، هیچ‌کدام به جلب حمایت عمومی در طول دهه‌ی ۱۳۲۰ توفیق نیافتند. تنها چهره‌ی موفق، یک نظامی آمریکایی پر طمطراق به‌نام ژنرال نورمن شوارتسکف بود که در سال ۱۳۲۱ در رأس یک هیئت نظامی وارد ایران شد. وی از فارغ‌التحصیلان دانشگاه نظامی وست پوینت، و مدتی رئیس پلیس ایالت نیوجرزی بود. هنگامی که ریاست تحقیقات پیرامون آدم‌ربایی لیندبرگ را بر عهده گرفت، به چهره‌ی مشهوری بدل شد. سپس، چندسال به یک گروه نمایش رادیویی به نام *Gang busters* پیوست. با درگرفتن جنگ جهانی دوّم، دوباره به ارتش پیوست و به ایران فرستاده شد. فرماندهی متفقین وی را مأمور دگرگون‌سازی نیروی ژاندارمری ژنده‌پوش کشور و تبدیل آن به یک واحد کارکشته نظامی کرد، و او این وظیفه را با شوق و ذوق بر عهده گرفت. وی به مدت ۶ سال، از جمله دوره‌های دشواری که طی آن شورش برای نان و دیگر اعتراضات کشور را به لرزه درآورد، به‌همراه نیروی ژاندارمری شاهنشاهی، هرجا که مشکلی پیش می‌آمد حضور می‌یافت؛ در همان حال، بی‌سروصدا یک جوخه‌ی امنیتی مخفی را آموزش می‌داد که بلای جان چپ‌گرایان و دیگر مخالفان شد. وی از طرف بسیاری از ایرانیان، به‌چشم یک چهره‌ی انتقامجوی خوفناک که دستورهای شاه را در اقصی نقاط کشور اجرا می‌کند، دیده می‌شد. در یک چرخش جالب توجه تاریخی، پسر او، ژنرال هـ. نورمن شوارتسکف پسر، به‌عنوان فرمانده عملیات طوفان صحرا در سال‌های ۱۹۹۰-۱۹۹۱ به منطقه بازگشت و تأثیری دیرپای بر تاریخ منطقه بر جای گذاشت.

□ □ □

ایرانیان در نیمه‌ی قرن بیستم به‌دنبال راه‌حل‌های جدید برای مشکلات قدیمی فقر و واپس‌ماندگی خود می‌گشتند و مثل همتایانشان در سایر کشورها، برخی نیز به استقبال ایدئولوژی نوپدید کمونیسم رفتند. طی دهه‌ی ۱۳۱۰، رضاشاه

چندین استاد دانشگاه چپ‌گرا را که فعالیت سیاسی داشتند به زندان انداخته بود، و آنها بیشتر اوقات خود را پشت میله‌های زندان، به بحث سیاسی می‌گذراندند. آنان، پس از برکناری رضاشاه و آزادی از زندان، به گروه پنجاه و سه نفر مشهور شدند و تعدادی از آنها در پی تدوین یک برنامه‌ی سیاسی جدید برآمدند. برخی از آنها در قالب گروه نامنسجمی از آزادی‌خواهان، اصلاح‌طلبان و فعالان اجتماعی به هم پیوستند و نخستین حزب سیاسی واقعی ایران، حزب توده، را تشکیل دادند. در کنگره‌ی مؤسسان حزب که در ۱۳۲۰ برگزار شد، یک برنامه‌ی ترقی‌خواهانه به تصویب رسید که بر پایه‌ی این اصل شکل گرفته بود که دولت باید از مردم عادی در مقابل بهره‌کشی ثروتمندان حمایت کند. در این برنامه همچنین از اصلاحات همه‌جانبه، و نه انقلاب و حکومت تک‌حزبی، پشتیبانی شده بود. این حزب با اعضای جوان، میهن-دوست و آرمان‌گرای خود جنبش نویدبخشی به نظر می‌رسید. انگلیسی‌ها فعالیت آن را مجاز می‌دانستند و کمیسرهای شوروی که از حضور کمونیست‌ها در صفوف آن خرسند بودند، فعالانه از آن حمایت می‌کردند.

حزب توده برای مدتی به‌عنوان حزب تجدّد و اروپایی‌گری رشد کرد و بالید. با این حال، جناح طرفدار شوروی آن نیرومندتر شد و بالاخره در ۱۳۲۳ کنترل حزب را به دست گرفت. به این ترتیب، حزب توده کاملاً به ایدئولوژی مارکسیسم گرایید و یک کارزار فشرده‌ی سازماندهی تهیدستان شهری را آغاز کرد. حزب یادشده آن‌چنان در این کار موفق شد که در روز اول ماه مه ۱۹۴۶ (یازدهم اردیبهشت ۱۳۲۵)، توانست خیابان‌های تهران و آبادان را با ده‌ها هزار تظاهرکننده‌ی پرشور انباشته کند. چندتن از رهبران آن در انتخابات مجلس پیروز شدند و تا آن جا پیش رفتند که با تصویب قوانین مربوط به محدود کردن کار کودکان، ۴۸ ساعت کار هفتگی، مرخصی زایمان و تثبیت حداقل دستمزد، آرای خود را بر کرسی نشاندند.

قدرت روزافزون حزب توده، شوروی‌ها را وسوسه کرد تا دست به اقدام جسورانه‌ای علیه ایران بزنند. طی جنگ جهانی دوم، سه قدرت متفق، توافق

کرده بودند که ۶ ماه پس از پایان درگیری‌ها، نیروهای اشغالگر خود را از ایران خارج کنند. امّا وقتی ضرب‌الاجل فوق در اوایل **۱۳۲۵** سرآمد، استالین به آن بی‌اعتنایی کرد. وی با ذکر وجود تهدیدهای مبهم علیه امنیت شوروی، اعلام کرد که نیروهای شوروی در استان شمالی، آذربایجان، باقی می‌مانند. زمانی که فعالان نزدیک یا وابسته به حزب توده در آن جا یک جمهوری خلقی آذربایجان اعلام کردند، وی به نیروهایش دستور داد که از ورود نیروهای ایران به آن استان و استقرار دوباره‌ی حاکمیت دولت، جلوگیری کنند. به‌زودی یک گروه شبه‌نظامی محلی پدید آمد که به سلاح‌های ساخت مسکو مجهز بود. برای مدتی چنین می‌نمود که آذربایجان احتمالاً از خاک ایرن جدا و به اتحاد شوروی ملحق می‌شود، یا به‌عنوان سکوی پرش آن علیه ترکیه به‌کار گرفته می‌شود. امّا آذربایجانی‌ها دوران رضاشاه را به یاد داشتند و با توجه به چشم‌انداز ظهور یک دیکتاتوری دیگر، به پا خاستند. احمد قوام نخست‌وزیر وقت، که دولتمردی فوق‌العاده زیرک بود، به مسکو رفت و استالین را تشویق کرد که خود را از آستانه‌ی رویارویی عقب بکشد. استالین نیروهای خود را عقب کشید، و هم‌زمان نیروهای ارتش ایران و ژاندارم‌های ژنرال شوارتسکف وارد تبریز، مرکز استان، شدند. به این ترتیب، جمهوری خلق آذربایجان به تاریخ پیوست و آذری‌های شادمان، خوشحالی خود را با اعدام خودسرانه‌ی همه‌ی رهبران حزب دموکرات که به جنگ‌شان افتاده بودند، جشن گرفتند.

محمدرضاشاه از حزب توده که تمایلات شدید ضدسلطنتی داشت، به‌حق بیمناک بود. امّا تا چند سال پس از واقعه‌ی آذربایجان موقعیتی برای اقدام علیه آن نیافت. پس از سوءقصد نافرجام به جانش در ۱۳۲۷، بهانه‌ی لازم را پیدا کرد. به‌رغم همه‌ی نشانه‌ها و مدارکی که حاکی از آن بود که ضارب یک متعصب مذهبی است، شاه اعتنایی به آنها نشان نداد و حزب توده را متهم به سازماندهی توطئه سوءقصد کرد. فعالیت‌های حزب توده ممنوع شد و شماری از رهبران آن به زندان افتادند. شاه با استفاده از حس همدردی عمومی که در

اثر سوءقصد به جان او ایجاد شده بود، گام‌های دیگری برای تحکیم قدرت خود برداشت. وی دستور تشکیل مجلس دوّمی، به‌نام سنا، را صادر کرد که طبق قانون اساسی ۱۹۰۶ تأسیس آن پیش‌بینی و مجاز شده بود. وی به آن ماده قانونی نظر داشت که به او اختیار انتصاب نیمی از اعضای این مجلس را داده بود. آن‌گاه مجلس شورای ملی را متقاعد کرد تا طرحی را تصویب کند که به او اجازه می‌داد هردو مجلس را منحل و برگزاری انتخابات جدیدی را اعلام کند. سرانجام، شاید مهم‌ترین گام، موافقت مجلس با تغییر شیوه‌ی انتخاب نخست‌وزیر بود. طبق قانون اساسی، مجلس نخست‌وزیر را انتخاب و شاه وی را تأیید می‌کرد. اکنون روال برعکس می‌شد. و این شاه بود که نخست‌وزیر را انتخاب و مجلس به تأیید یا رد آن می‌پرداخت.

محمدرضا شاه همه‌ی این گام‌ها را با توصیه‌ی محرمانه و حمایت انگلیسی‌ها برداشت. مقامات انگلیسی سال‌ها بود که این موضوع را خیلی منطقی می‌دانستند که چون منافع تجاری حیاتی در ایران دارند، باید حکومت این سرزمین باثبات و دوست بریتانیا باشد. وی بدون رضایت انگلیسی‌ها قادر نبود به سلطنت برسد و به‌خوبی می‌فهمید که به آنها مدیون است. وقتی اعتراضات خشونت‌آمیز در پالایشگاه آبادان در سال ۱۳۲۵ شکل گرفت، آنها نیز درصدد وصول مطالبات خود برآمدند.

ناآرامی‌ها و آشوب‌هایی که آبادان را تکان داد، نظر بسیاری از ایرانیان را به آرمان کارگران جلب کرد. این گرایش بعضاً به‌دلیل همدردی غریزی، امّا بیشتر به‌خاطر شرایط بسیار نابرابر و ناگواری نیز بود که شرکت نفت انگلیس و ایران تحت آن عمل می‌کرد. مثلاً، در ۱۳۲۶، گزارش مالی شرکت از یک سود خالص، با کسر مالیات، ۴۰ ملیون پوندی ــ معادل ۱۱۲ ملیون دلار ــ حکایت می‌کرد؛ این در حالی بود که سهم ایران فقط به ۷ ملیون پوند بالغ می‌شد. بدتر از آن این که، شرکت هرگز به تعهد خود در قرارداد ۱۹۳۳ با رضاشاه، مبنی بر پرداخت حقوق بیشتر به کارگران و فراهم آوردن شرایط پیشرفت کاری آنها، عمل نکرد، همچنان که مدرسه، بیمارستان، جاده و

خطوط تلفنی را که وعده داده بود، نساخت. منوچهر فرمانفرمائیان که در ۱۳۲۸ مدیر انستیتوی نفت ایران شد، از مشاهدات اسفناک خود در آبادان چنین یاد می‌کند:

> دستمزدها ۵۰ سنت در روز بود. هیچ‌گونه حقوق مرخصی، مرخصی بیماری و پرداخت‌های جبرانی برای از کارافتادگی، در کار نبود. کارگران در محله‌ی فقیرنشینی به نام کاغذآباد، بدون آب لوله‌کشی و برق، تجملاتی مثل یخچال یا پنکه به کنار، زندگی می‌کردند. در فصل زمستان، زمین از آب پر و تبدیل به دریاچه‌ای کم‌عمق می‌شد. گل ولای شهر تا زیر زانو می‌رسید و قایق‌های کوچک برای حمل مسافر به موازات جاده‌ها در حرکت بودند. وقتی ریزش باران متوقف می‌شد، ابری از مگس‌های گزنده با بال‌های کوچک، از روی آب‌های راکد برمی‌خاست تا سوراخ‌های بینی را پر کند، و انبوهی از آنها به‌صورت پُشته‌های سیاه در دور و بر ظروف آش‌پزی جمع می‌شدند و هواکش‌های پالایشگاه را با تراوش چسبی چربی‌مانند از کار می‌انداختند.
>
> تابستان اوضاع بدتر بود، و بدون پیش‌درآمد بهار به‌ناگهان فرا می‌رسید. گرمای آن‌جا، سوزان و بدترین گرمایی بود که تاکنون تجربه کرده بودم ــ شرجی و بدون تغییر ــ و در همان حال باد و طوفان شن، گرمای داغ بیابان را همچون کوره‌ای دمان به سر و صورت آدم‌ها می‌کوبید. خانه‌های کاغذآباد، که از بشگه‌های زنگ‌زده سرهم‌بندی و با چکش صاف شده‌بودند به کوره‌هایی با گرمای طاقت‌فرسا تبدیل می‌شدند... از هر شکافی، بوی تعفن و گند نفت حاوی ترکیب‌های گوگرد می‌آمد، که این واقعیت تلخ را به یادها می‌آورد که هر روز ۲۰ هزار بشگه و سالانه یک ملیون تن نفت، بدون هیچ ملاحظه و حساب و کتابی، برای عملیات پالایشگاه مصرف می‌شود و شرکت هرگز یک سنت هم بابت آن به دولت ایران نمی‌پردازد.

در نزد مدیران شرکت نفت انگلیس و ایران که با پیراهن‌های زرد

کتانی اتوکشیده‌شان در دفاتر مجهز به تهویه‌مطبوع می‌نشستند، کارگران، طفیلی‌های بی‌چهره‌ای بیش نبودند. در بخش انگلیسی‌نشین آبادان، چمنزار، باغ‌های گل‌سرخ، زمین تنیس، استخر شنا و باشگاه‌های مختلف فراهم آمده بود. اما، در کاغذآباد هیچ‌چیز ــ نه یک قهوه‌خانه، نه حمام و نه حتی یک اصله درخت ــ وجود نداشت. در این جا حوض آب‌نما و میدان مرکزیِ با سایه‌بان، که بخشی از هر شهر ایرانی را، فارغ از آن که چه‌قدر فقیر یا خشک باشد، تشکیل می‌دهد، به چشم نمی‌خورد. کوچه‌های ناهموار آن مرکز تجمع موش‌ها بودند. بقال محل درحالی‌که در بشکه‌ای از آب می‌نشست تا از گرمای هوا در امان باشد، اجناس خود را می‌فروخت. فقط مسجد فرسوده‌ی خشت و گلی، واقع در بخش قدیمی شهر، امید را در شکل معجزه‌ای الهی در دل مردم نگاه می‌داشت.

شرکت نفت انگلیس ـ ایران با مدیریت سر ویلیام فریزر، فردی اسکاتلندی و شهره به سرسختی که از هر ایده‌ی سازشی نفرت داشت، هرگونه درخواست اصلاحی را رد می‌کرد. درک ستیزه‌جویی فریزر و دولت انگلیس بسیار آسان بود. بریتانیا عمدتاً به این دلیل یک قدرت جهانی شد، که به بهره‌برداری از منابع طبیعی کشورهای تحت سلطه‌ی خود توفیق یافت. بیش از نیمی از منافع شرکت نفت انگلیس و ایران مستقیماً به جیب دولت انگلیس می‌رفت که مالک ۵۱ درصد سهام شرکت بود. شرکت، سالانه ملیون‌ها پوند دیگر نیز به‌عنوان مالیات به خزانه‌ی دولت می‌پرداخت و نفت موردنیاز نیروی دریایی امپراتوری را هم به‌قیمتی پایین‌تر از قیمت جهانی تأمین می‌کرد. ارنست بوین، وزیر خارجه‌ی انگلیس، اغراق نمی‌کرد وقتی که گفت بدون نفت ایران: «امیدی نداریم که بتوانیم به آن سطح از زندگی که موردنظر ما در بریتانیاست، دست یابیم.»

البته، ایرانیان مشکل می‌دیدند که با این خواست وزیر انگلیسی همدلی نشان دهند. نمایندگان مجلس آغاز کردند به طرح درخواست از شرکت برای

دادن امتیاز بیشتر به ایران، و در ۱۳۲۸، ده‌تن از آنها تا آن‌جا پیش رفتند که طرحی را برای لغو امتیاز [اولیه] تقدیم مجلس کردند. فشار آنها و خطر قریب‌الوقوع از سرگرفته شدن خشونت‌ها در آبادان، شدیدتر از آن بود که انگلیسی‌ها آن را نادیده بگیرند. آنها برای مشروعیت بخشیدن به خود به چارچوب جدیدی نیاز داشتند.

سه ماه بعد از حادثه‌ی سوءقصد به جان شاه، فریزر وارد تهران شد تا پیشنهاد خود را ارائه کند. قرارداد پیشنهادی وی به قرارداد الحاقی معروف شد، زیرا به‌قصد تکمیل قرارداد ۱۳۱۲ که با رضاشاه امضا شده بود، عرضه شد. در این پیشنهاد، چند امتیازی برای ایران درنظرگرفته بودند: تضمین این که کل پرداخت‌های بهره‌ی مالکانه شرکت به ایران در سال از مبلغ چهارملیون پوند کمتر نشود؛ مساحت نواحی مُجاز برای حفاری کاهش می‌یافت؛ و برای آموزش شمار بیشتری از ایرانیان برای تصدی پست‌های اداری قول‌هایی داده می‌شد. با این حال، در این پیشنهاد نقشی برای ایران در مدیریت شرکت و یا حق حسابرسی دفاتر شرکت، در نظر گرفته نشده بود. نخست‌وزیر ایران این پیشنهاد را به‌عنوان پایه‌ای برای مذاکرات بیشتر تلقی کرد و از فریزر دعوت کرد تا با گفت وگو اختلافات را حل کنند. فریزر دعوت او را رد کرد، پیشنهاد خود را نهایی خواند و سوار بر هواپیمای اختصاصی، به لندن بازگشت.

عباسقلی گلشائیان، وزیر دارایی ایران، پس از خروج توفانی فریزر از تهران سوگمندانه گفت: «انگلیسی‌ها تمام دنیا را می‌خواهند.» اما محمدرضا شاه، که می‌دانست باید کاری را که انگلیسی‌ها می‌خواهند انجام دهد، به کابینه دستور داد که قرارداد الحاقی را بپذیرد و کابینه نیز در ۲۶ تیرماه ۱۳۲۸ این فرمان را اجابت کرد. اما قرارداد برای اجرایی شدن باید به تصویب مجلس، که از کنترل شاه خارج بود، می‌رسید.

بسیاری از نمایندگان مجلس آشکارا و حتی پیش از پذیرش قرارداد الحاقی در دولت، آن را به باد انتقاد گرفتند. بقیه نیز بعداً علیه آن موضع گرفتند؛ و این زمانی بود که گلشائیان وزیر دارایی که بنا بر موقعیت‌اش باید

نوکر وفادار بریتانیا می‌بود، گزارشی ۵۰ صفحه‌ای به مجلس ارائه داد که ژیلبر ژیدل، یک استاد سرشناس حقوق بین‌المللی در دانشگاه پاریس، به سفارش او تهیه کرده و در آن به‌طور مستند تقلب‌ها و ترفندهای حسابداری شرکت نفت انگلیس و ایران را برای کلاهبرداری مبلغ هنگفتی از ثروت ایران نشان داده بود. یکی از نمایندگان، عباس اسکندری، از کوره در رفت و نطقی پرشور ایراد کرد و ضمن تقبیح قرارداد، نطق‌اش را با خواسته‌ای تمام کرد که شاید خود نیز نمی‌دانست چه آثاری بر آن مترتب خواهد شد. اسکندری درخواست کرد که شرکت منافع حاصله را، همان‌گونه که شرکت‌های امریکایی در چند کشور عمل می‌کنند، به نسبت ۵۰-۵۰ تقسیم کند. وی هشدار داد که اگر شرکت از این کار خودداری کند، ایران «صنعت نفت را ملی خواهد کرد و خود امور استخراج نفت خام را بر عهده خواهد گرفت.»

دوره‌ی مجلس رو به اتمام و انتخابات در راه بود؛ بسیاری از نمایندگان نمی‌خواستند با رأی منفی به قرارداد الحاقی شاه را خشمگین کنند، امّا با توجه به برانگیختگی شدید افکار عمومی، به دشواری می‌توانستند به نفع آن رأی دهند. در عوض، تصمیم گرفتند به دفع‌الوقت بپردازند. صحن تالار مجلس چهار روز تمام، از پژواک اعلام مخالفت‌ها و محکومیت‌های نمایندگان هم نسبت به قرارداد و هم نابکاریِ گسترده‌ی این زال پیر (انگلیس) آکنده شد. سرانجام، دوره‌ی مجلس به پایان رسید و کار رسیدگی به قرارداد الحاقی به مجلس بعدی واگذار شد.

محمدرضا شاه از سیر رویدادها راضی نبود و از این‌رو به هرکار لازمی دست زد تا مجلس بعدی را قطعاً گوش به فرمان خود کند. وی، برای این کار از روش‌های گوناگونی، از جذب و فعال کردن نامزدهای سلطنت‌طلب گرفته تا پخش رشوه و تقلّب‌های فاحش انتخاباتی، بهره گرفت و توانست انتخابات را با پیروزی نمایندگان سرسپرده‌ی خود، به انجام رساند. با این حال، فرض او که می‌تواند رأی‌دهندگان را با تقلب به سوی خود جلب کند، همچنان که پدرش کرد، کاملاً اشتباه از کار درآمد. ایرانیان تشنه‌ی دموکراسی بودند و دیگر

نمی‌شد آنها را با وحشت‌افکنی بـه سکـوت واداشت. در چنـدین شـهر در اعتراض به انتخابات ناآرامی و شورش به راه افتاد. ابراز خشم در تهران بـه نیرومندترین شکل خود بروز کرد؛ در این شهر، نامزدهای ملی‌گرا بـه‌رهبری مصدقِ بسیار محبوب، در انتخابات بازنده اعلام شدند.

مصدق با صدور بیانیه‌ای از همه‌ی کسانی که به انتخابات منصفانه بـاور دارند دعوت کرد که در روز ۲۱ مهر در برابر منزل وی جمع شوند؛ هزاران نفر در این گردهم آیی شرکت کردند و او پیشاپیش آنها در خیابان به راه افتاد و جمعیت را به مقابل کاخ سلطنتی کشاند. وقتی آنها به دروازه‌ی کاخ رسیدند، وی رو به جمعیت کرد و با ایراد یک نطق آتشین، اعلام کرد که از آن جا تکان نخواهد خورد مگر آن که شاه با برگزاری انتخابات جدید موافقت کند. مصدق به وعده‌ی خود عمل کرد. مدت ۳ روز و ۳ شب وی و چند ده تن از همفکران آزادی‌خواهش بر روی چمن کاخ به تحصن نشستند. سرانجام، شاه که دست‌اندر کار سفر به آمریکا بود و نمی‌خواست در آن جا شرمنده شود، تسلیم شد.

شاه با انتخاب ایالات متحده به عنوان مقصد سفر خود، ظهور یک قدرت جدید جهانی را به رسمیت می‌شناخت، کشوری که اراده‌ی آن تاریخ ایران را بیش از آن چه که در آن زمان تصور می‌رفت، به‌نحو تعیین‌کننده‌ای شکل داد. ترومن رئیس جمهور آمریکا، امیدوار بود که از این سفر، که چند هفته از ماه‌های نوامبر و دسامبر ۱۹۴۹ (پاییز ۱۳۲۸) به طول انجامید، بهره گیرد و پادشاه جوان را متقاعد کند حدّاکثرِ همّ خود را مصروف بهبود شرایط زندگی روزمره ی مردم خود کند. او خود به این نتیجه رسیده بود که فقط اصلاحات اجتماعی، و نه قدرت نظامی، است که می‌تواند ایران را از کمند کمونیسم دور نگهدارد.

ترومن، هواپیمای شخصی خود، **ایندپندنس**، را به ایران فرستاد تا شاه را به واشنگتن بیاورد و پس از ورود نیز او را در ساختمان بِلِر اسکان داد. شاه، سپس به نیویورک رفت و در آن جا در موزه‌ی هنرهای متروپولیتن مقدمش گرامی داشته شد، و سپس به جاهای دیگری که مورد توجه همه‌ی خارجیان

قرار نمی‌گرفت، مثل کنتاکی، آیداهو، آریزونا و اوهایو، عازم شد. شرکت‌هایی از قبیل لاکهید و جنرال موتورز، میهمانی‌های شام باشکوهی به‌افتخار او ترتیب دادند. وزارت خارجه ترتیبی داد که از او در دانشگاه پرینستون و دانشگاه میشیگان تجلیل به عمل آید. وی، همچنین در یک مسابقه‌ی فوتبال [آمریکایی] بین دانشگاه‌های جرج تاون و جرج واشنگتن حضور یافت، و پیش از آغاز بازی عنوان افتخاری سرگروه تیم جرج واشنگتن را دریافت کرد. در دانشگاه نظامی وست پوینت و آناپولیس از وی با شلیک ۲۱ گلوله توپ استقبال شد.

با این حال، دیدارهای شاه در پشت درهای بسته، به‌خوبی پیش نرفت. وی در ملاقات با ترومن، دین اچِسُن وزیر خارجه، و ژنرال اومار برادلی، رئیس ستاد ارتش، به‌دفعات تأکید کرد که بیشترین نیاز ایران، ارتش بزرگ‌تر و سلاح بیشتر است. وی خواستار تانک، سلاح ضدتانک، نفربر نظامی و مقادیر انبوهی مهمات، و نیز پول برای پرداخت به ده‌ها هزار سرباز اضافی و آموزش پیشرفته برای سپاه شدیداً گسترش یافته‌ی افسران شد. ساده‌دلی وی قابل درک بود. طبق قانون اساسی ایران، ارتش زیر نظر وی بود، امّا نه چیزی بیش از آن. لذا یک ارتش نیرومند کلید قدرت شخصی او به‌شمار می‌رفت. وقتی میزبانان وی سعی می‌کردند رشته‌ی مذاکرات را به موضوع نیازهای اجتماعی برگردانند، وی به این مسائل علاقه نشان نمی‌داد. اچِسُن به او هشدار داد تا به آن چه که در چین گذشت توجه نشان دهد. در آن‌جا نیز چیانکای شک رهبر ملی‌گرا برتری نظامی شکننده‌ای داشت، امّا در برابر کمونیست‌های ژنده‌پوش و بی‌سروپا شکست خورد، زیرا فقط در پی «یک راه‌حل نظامی محض» بود. طرفین به یک تفاهم متقابل دست نیافتند. در پایان، ترومن میهمان خود را بدون اجابت کمک نظامیِ درخواستی او به کشورش بازگرداند. بیانیه‌ی مشترکی که هنگام خروج شاه منتشر شد فقط می‌گفت که ایالات متحده درخواست کمک نظامی وی را «در خاطر» خواهد داشت.

شاه پس از شکست در متقاعدکردن آمریکایی‌ها به پرداخت پول برای

افزایش توان نظامی ارتش ایران، که مشتاقانه‌ترین خواست وی به شمار می‌آمد، در حالی به ایران بازگشت که دشمنانش سازمان‌یافته‌تر از همیشه شده بودند. موافقت او با لغو انتخابات سرشار از تقلب مجلس، محدودیت‌های قدرت وی را بروز داد. این اقدام، آثار به‌مراتب گسترده‌تری را نیز بر جای نهاد. بیست تن از معترضان پیروزمند، پس از ترک محوطه‌ی کاخ در پی تحصن موفقیت‌آمیزشان، در خانه‌ی مصدق ملاقات کردند و به یک تصمیم تاریخی رسیدند. آنان تصمیم گرفتند تا با تشکیل ائتلاف نوینی از احزاب سیاسی، اتحادیه‌های کارگری، گروه‌های مدنی و دیگر سازمان‌های سیاسی با هدف تحکیم دموکراسی و محدود کردن قدرت خارجیان در ایران، پیروزی خود را گسترش دهند. این ائتلاف را **جبهه‌ی ملی** نام نهادند و به‌اتفاق آرا مصدق را به‌عنوان رهبر آن برگزیدند. اکنون این بزرگ‌مرد ۶۷ ساله با حمایت یک سازمان رسمی و افکار عمومی برانگیخته به سود او، همه‌ی ابزار مورد نیاز را برای چالش بی‌امان نظم سیاسی، در اختیار داشت.

مصدق و شش بنیان‌گذار دیگر جبهه‌ی ملی در انتخابات جدیدی که بر شاه تحمیل کرده بودند، به پیروزی رسیدند. پیروزی آنها نشان از ورود عنصری جدید در سیاست ایران داشت: یک جمعیت سازمان‌یافته و پیچیده و قوام یافته در کوره‌ی شور ملی‌گرایی و پشت‌گرم به حمایت گسترده‌ی عمومی. ظهور آن مانعی مهم در برابر هدف فوری شاه، همان تصویب قرارداد الحاقی و نیز پروژه‌ی درازمدت‌تر استقرار مجدد قدرت سلطنت، به شمار می‌رفت. دو نگرش متضاد به آینده‌ی ایران اکنون در تعارضی شدیدتر از همیشه، در مقابل هم قرار گرفتند.

شاه، نخست‌وزیران ضعیف را ترجیح می‌داد، چون می‌توانست نظر آنها را مطابق تمایل خود بگرداند. اما در آغاز سال ۱۳۲۹، وی و انگلیسی‌ها به نخست‌وزیری قوی نیاز داشتند تا مجلس را به تصویب قرارداد الحاقی وادار کند. اولین گزینه‌ی او محمد ساعد بود، که آشکارا نسبت به قرارداد بی‌علاقه‌گی نشان می‌داد و حتی از ارائه‌ی آن به مجلس برای رأی‌گیری

خودداری کرد. شاه، پس از دو ماه علی منصور را که از چهره‌های قوی‌تر طرفدار انگلیس بود، به‌جای ساعد به نخست‌وزیری برگمارد. امّا منصور نیز نشان داد که علاقه‌ای به جنگیدن برای قرارداد ندارد. انگلیسی‌ها بی‌حوصله شده بودند. آنان در ماه فروردین سفیر جدیدی به‌نام سر فرانسیس شِپرد به تهران فرستادند که تجربه‌ی دیپلماتیک خود را در کشورهای تحت سلطه‌ی دیکتاتورها یا قدرت‌های خارجی، مثل السالوادر، هائیتی، پرو، کنگوی بلژیک و هند شرقی هلند (اندونزی)، به دست آورده بود. شپرد در یکی از نخستین گزارش‌هایش به وزارت خارجه، اظهار داشت که گرچه شاه به منصور فرمان داده که «قرارداد الحاقی را هرچه زودتر از تصویب مجلس بگذراند»، منصور «ظاهراً قصد اجرای فرمان‌های ارباب را ندارد».

دیری نپایید که هم وزارت خارجه و هم شرکت نفت انگلیس و ایران دریافتند منصور آدم مورد نظر آنها نیست. آنها نخست‌وزیر چغرتری می‌خواستند. نامزد موردعلاقه‌ی آنها، نه یک غیرنظامی بنا به سنت ایران، که تیمسار رزم‌آرا بود. وی یکی از معتمدترین افسران ژنرال شوارتسکف محسوب می‌شد، و در آن وقت به ریاست ستاد ارتش رسیده بود. فقط مردی با عزم آهنین او، به باور آنها، چندان قدرت خواهد داشت که بتواند مصدق و جبهه‌ی ملی را مغلوب اراده‌ی خود کند.

در ۳۰ خرداد مجلس به برپایی یک کمیته‌ی ۱۸ نفره برای بررسی قرارداد الحاقی، رأی داد. انگلیسی‌ها این اقدام را سرپیچی نامیدند و به شاه توصیه کردند که باید واکنش نشان دهد و با خلع منصور، رزم‌آرا را به‌عنوان جانشین او تعیین کند. شاه نمی‌توانست این توصیه را نادیده بگیرد.

قامت باریک و لبخند خاضعانه‌ی رزم‌آرا، ظاهری غلط‌انداز بر باطن پرانرژی، هوشمند و جاه‌طلب او کشیده بود. وی سربازی به تمام معنا حرفه‌ای، ۴۷ ساله و مشهور به بی‌رحمی و خونسردی بود. مثل بسیاری از افسران ایرانی، از فرصت‌های معطوف به فساد مالی بسیاری استفاده کرده، امّا مردی با استعداد و بی‌خدشه بود. قهرمان موردعلاقه‌اش رضاشاه بود که وی هم مثل او اعتقاد

داشت که ایران فقط تحت حکومت یک مستبد خشن و بی‌گذشت می‌تواند به عظمت دست پیدا کند. امّا رزم‌آرا، بر خلاف رضاشاه، انسانی چند وجهی و پیچیده، تحصیل‌کرده‌ی آکادمی نظامی فرانسه و کاملاً آگاه به اهمیت فرو- کشاندن خشم خارجیان بود. او با کسب حمایت آنها به قدرت رسید. وی به انگلیسی‌ها قول تصویب سریع قرارداد الحاقی؛ به روس‌ها وعده‌ی آزادی رهبران زندانی شده‌ی حزب توده پس از سوءقصد به جان محمدرضاشاه؛ و به آمریکایی‌ها که به‌تدریج به مسائل خاورمیانه علاقه نشان می‌دادند، یک گوش شنوا و حمایت از جنگ صلیبی و ضدکمونیستی آنها را نوید داد.

مجلس در اواخر تیرماه ۱۳۲۹ به بحث پیرامون انتخاب رزم‌آرا پرداخت. کسی حیرت نکرد وقتی که مصدق طی یک نطق گزنده وی را تقبیح کرد و یک ابزار دست قدرت‌های خارجی و دیکتاتوریِ در حالت تکوین خواند. همچنان کسی هم غافلگیر نشد زمانی که پس از پایان سخنان نمایندگان، وی با اکثریت قابل- ملاحظه‌ای از مجلس رأی اعتماد گرفت. وی از قدرت خود استفاده و به فعالیت‌های انتخاباتی نیمی از نمایندگان کمک کرده بود، و اکنون زمان تسویه‌ی دیون فرارسیده بود.

رزم‌آرا با اعتقاد به این که سرنوشت او را برگزیده تا ایران را در راه عظمت رهبری کند، نخست‌وزیر شد. مصدق نیز همین عقیده را درباره‌ی خود داشت. همچنان که شاه بر این باور بود. فقط یکی از این سه می‌توانست از رویارویی روزهای آتی پیروز بیرون آید.

نخستین روزهای رزم‌آرا در مقام صدارت، طی تابستان ۱۳۲۹، مردان کم‌ظرفیت‌تر از او را دلسرد می‌کرد. ورود سفیر جدید آمریکا، هنری گریدی، به آشوب‌هایی دامن زد که در طی آنها چندتن کشته شدند. کسی با شخص گریدی مخالفتی نداشت. امّا مردم ایران که گرایش‌های سیاسی یافته بودند، چنان از مداخله‌ی خارجیان در امور کشور خود خشمگین بودند که صرف آمدن یک سفیر جدید کافی بود که هزاران تن را به خیابان‌ها کشاند. رزم‌آرا

ناگزیر بود این ناسیونالیسم رو به اعتلا را در طرح راهبرد سیاسی خود منظور کند. وی به حامیان انگلیسی خود گفت که فقط به‌شرطی می‌تواند قرارداد الحاقی را از تصویب مجلس بگذراند که شرکت در آن تجدیدنظر به عمل آورد. وی پیشنهاد کرد که با موافقت کردن شرکت با حسابرسی دفاترش توسط ایرانی‌ها، آموزش ایرانیان برای در اختیار گرفتن مقام‌های مدیریتی، و دادن پیش‌پرداخت بابت سهم بهره‌ی مالکانه‌ی ایران، به‌نشانه‌ی حمایت از توسعه‌ی ملی، وی می‌تواند قرارداد را به دهان ایرانی‌ها شیرین‌تر کند. این حرکت هوشمندانه بود و شرکت با پذیرش آن می‌توانست به‌خوبی جبهه‌ی ملی را میخکوب و موقعیت خود را برای سال‌های آینده تثبیت کند. امّا، برخلاف انتظار و تمایل رزم‌آرا، انگلیسی‌ها پیشنهاد وی را یک‌جا رد کردند. شپردِ سفیر به او گفت که پیشنهاد شرکت نهایی‌شده است و تنها دهان‌شیرین‌کُنی که شرکت می‌پذیرد «درمان مجّانی برخی از نمایندگان بسیار عصبی مجلس است که به مخالفت با قرارداد الحاقی ادامه می‌دهند.» بریتانیا، ناتوان از درک به‌سر آمدن عصر استعمار و این که فقط در صورت هم‌گامی با ملی‌گراییِ رو به اعتلا درکشورهای مستعمره می‌تواند قدرت جهانی خود را حفظ کند، یک فرصت تاریخی را از دست داد.

رزم‌آرا چاره‌ای نداشت جز آن که خود را با خواسته‌های شاه، وزارت خارجه‌ی بریتانیا، و شرکت نفت انگلیس و ایران هم‌ساز کند. وی چهره‌ای مشهور به هواداری از انگلیس را به وزارت دارایی کابینه‌ی خود برگماشت و کارزار تصویب قرارداد الحاقی را از سر گرفت. یکی از متحدان کلیدی وی، چهره‌ی سرشناسی در رادیو به نام بهرام شاهرخ بود که به‌عنوان یک تبلیغاتچی آلمان نازی به شهرت رسیده بود. وی در اوایل دهه ۱۳۲۰ سرپرست بخش فارسی رادیو برلین بود و گزارش‌های پرشور او همه‌روزه ایرانیان را از پیروزی‌های دول محور و روابط شکوهمند آتی ایران و آلمان آگاه می‌کرد. گزارش‌های وی از نیش و کنایه‌های ضدانگلیسی سرشار بود و همانا، نفرت از امپریالیسم بریتانیا را در سراسر ایران می‌پراکند. با تغییر مسیر جنگ، بهرام

به‌شکل اسرارآمیزی شغل خود را از دست داد. برخی مأموران امنیتی نازی به او گمان جاسوسی برای بریتانیا را می‌بردند. بهرام زمانی نه‌چندان طولانی پس از این واقعه، و در مقابل حیرت شنوندگانش، در رادیو تهران حضور یافت و به ارائه‌ی تفسیرهای سیاسی کاملاً هوادار انگلیسی‌ها پرداخت. رزم‌آرا او را مدیر «رادیو و تبلیغات» کابینه خود کرد، و بهرام با همان شدت و حدّتی که یک دهه پیش از آرمان نازی‌ها سخن می‌گفت، به دفاع از قرارداد الحاقی همت گماشت. وی علاوه بر پخش گزارش‌های پرشور خود، به شرکت کمک می‌کرد تا ستون‌نویسان و اعضای تحریریه‌ی روزنامه‌های کشور را شناسایی، و آنها را به سرسپردگی و قبول رشوه ترغیب و وادار کنند.

در این هنگام، مجلس اعضای کمیسیون نفت خود را برگزیده بود. البته، مصدق در میان آنها بود و در نخستین جلسه‌ی کمیسیون به ریاست آن انتخاب شد. کمیسیون هفته‌ای دوبار جلسه تشکیل می‌داد. بسیاری از اعضای آن بیشتر از شرکت، علاقه‌ای به سازش نشان نمی‌دادند. منوچهر فرمانفرمائیان، مدیر انستیتوی نفت، که در بسیاری از این جلسات حضور داشت، بعدها نوشت:

> کمیسیون ظاهراً برای تحقیق درباره‌ی قرارداد الحاقی و یافتن زمینه‌هایی برای توافق بود، امّا به‌ندرت جنبه‌های فنی و اقتصادی قرارداد مطرح می‌شد. نمایندگان در مورد مسائل نفت کاملاً توجیه نبودند و فقط تا آن‌جا که به سیاست مربوط می‌شد به آن علاقه نشان می‌دادند. در عوض، به هزینه‌های انسانی توجه نشان می‌دادند... مصدق بر جلسات تسلط داشت. او تقریباً همه‌چیز را با طعنه و ریشخند مورد انتقاد قرار می‌داد، شیوه‌ای که وی طی ۲۵ سال اخیر جز آن به کار نگرفته بود. در این روش کار به مرحله‌ی استادی رسیده بود... مصدق اهمیتی به دلار و سنت یا شمار بشگه‌های نفت در روز، نمی‌داد. حاکمیت ایران از سوی شرکتی زیر سوآل رفته بود که جان ایرانیان را فدای منافع انگلیسی‌ها می‌کرد. این چیزی بود که خشم او را نسبت به تمایل دولت به سازش افزون می‌کرد ــ و همین [حقیقت] بود که بدون هیچ ابهامی او را مصمم به اخراج شرکت نفت انگلیس ــ ایران می‌کرد.

با پایین آمدن دمای هوای تهران در فصل پاییز، حرارت افکار عمومی به‌تدریج بالا می‌رفت. انگلیسی‌ها با رد هرگونه سازش، توانسته بودند جبهه‌ی وسیعی از جمعیت با افکار فعال سیاسی را علیه خود بسیج کنند. آنها حتی گروه‌های مذهبی را که متعهد به قانون اسلام بودند به ائتلاف با مصدق و سایر لیبرال‌های غیرمذهبی سوق دادند. چند روحانی، از جمله روح‌الله خمینی جوان، که ۳۰ سال بعد رهبر عالی کشور شد، از پیوستن به این ائتلاف سر باز زدند چون بر این باور بودند که مصدق و متحدانش اسلام را رها کرده‌اند. با این حال، بیشترِ آنها وارد یک ائتلاف تاکتیکی با جبهه‌ی ملی شدند. متنفذترین آنها، آیت‌الله ابوالقاسم کاشانی، روحانی پرطمطراق و پرشوری بود که هرگز عالِم مذهبی بزرگی به حساب نمی‌آمد. امّا، وی به چهره‌ای مهم در جنبش ضدامپریالیستی ایران تبدیل شد. پدر کاشانی در جنگ با انگلیسی‌ها در منطقه‌ی بین‌النهرین (عراق کنونی) طی جنگ جهانی اول، کشته شده بود و خود وی نیز هنگام اشغال ایران توسط متفقین در جنگ جهانی دوم، به زندان انگلیسی‌ها افتاده بود. کاشانی پس از آزادی، به‌سرعت به‌عنوان یک رهبر مجرب سیاسیِ فتنه‌انگیز چهره نمود. محمدرضاشاه پس از سوءقصد نافرجام سال ۱۳۲۷، تلاش کرد او را با تبعید به سکوت وادارد. امّا وی از بیروت نیز به فعالیت سیاسی پرداخت و همان‌جا بود که به نمایندگی مجلس انتخاب شد. فشار مردم شاه را مجبور کرد تا او را بازگرداند، و صدها هزار تن به استقبال او شتافتند. کاشانی در سخنرانی مقابل جمعیت انبوه، از مصدق و جبهه‌ی ملی به‌عنوان صادق‌ترین میهن‌پرستان تجلیل کرد.

کاشانی شدیداً ضدغربی بود. از افکار آزادی‌خواهانه [لیبرالی] نفرت داشت و بر این باور بود که مسلمانان فقط تا جایی باید از قوانین عرفی پیروی کنند که با سنت حقوقی اسلامی موسوم به شریعت سازگار باشند.

ملی‌گرایی وی فقط قلمرو محدودی را شامل می‌شد. خواستار آن بود که ایرانیان امور خود را اداره کنند، اما بر این گمان بود که زمانی که کفار رانده شدند، ایران عضوی از جامعه‌ی مشترک‌المنافع مسلمانان خواهد شد و به

چالش با بلوک غرب و کمونیست، هردو، برخواهد خاست. با این حال، همچون ملاهایی که نیم‌قرن پیش از انقلاب مشروطیت حمایت کرده بودند، وی کارزار ضدانگلیسی را یک وظیفه‌ی مقدّس می‌دانست، و در تعقیب این وظیفه با سیاست درآمیخت، جناح خود را در مجلس تشکیل داد و با تلاش خستگی ناپذیری به بسیج توده‌ها پیرامون آرمان مصدق پرداخت. وی در یکی از گردهم‌آیی‌ها فریادکنان گفت: «اسلام به پیروانش هشدار می‌دهد که به نوع خارجی گردن ننهند.»

با حضور این قدیسِ محاسن‌دار در کنار مصدقِ اشراف‌زاده و تحصیل‌کرده‌ی سوئیس که برکوره‌ی آتش ضدانگلیسی می‌دمیدند، نظر مجلس به‌میزان زیادی به مخالفت با تصویب قرارداد الحاقی متمایل شد. رزم‌آرا تلاش کرد با حضور در مجلس در ماه مهر، مجلس را به تأیید قرارداد تشویق کند، امّا با توفانی از دشنام و ناسزا از تریبون به زیر آمد. پس از آن که وی در جای خود قرار گرفت یک‌دوجین نماینده برای پاسخ‌گویی به پا خاستند. آنان، جملگی شرکت را هیولایی متجاوز و رزم‌آرا را پادوی آن خواندند. مصدق پرشورترین سخنران بود. وی قرارداد الحاقی را به باد انتقاد گرفت و آن را ابزار اسارت و بندگی دانست و سپس در یک جمع‌بندی برانگیزنده به‌شیوه‌ای احساساتی رو به رزم‌آرا کرد و گفت: «اگر از این قرارداد حمایت کنید، برای خود بی‌آبرویی خواهید خرید، که هرگز نمی‌توانید آن را از سابقه‌ی خود پاک کنید.»

در ۴ آذر، مصدق قرارداد الحاقی را در کمیسیون نفت مجلس به رأی گذاشت. کمیسیون طبق معمول در اتاق پشتی تالار مجلس تشکیل می‌شد، و از پنجره‌ی آن، درخشش خورشید بر محوطه‌ی پوشیده از برف صحن بیرون مجلس چشم را می‌زد. مصدق و چهار عضو کمیسیون که از جبهه ملی بودند، پیشنهاد رادیکال ملی کردن شرکت را ارائه دادند، امّا بقیه‌ی اعضا آمادگی چنین اقدام تندی را نداشتند، اگرچه در مورد اصل موضوع مخالفتی به عمل نیامد. کمیسیون به‌اتفاق آرا توصیه کرد که مجلس قرارداد را رد کند.

اکنون سیر رویدادها می‌رفت که ابعاد جدیدی پیدا کند؛ سیاست ایرانی به

قلمروی تعریف نشده وارد می‌شد و دستی وجود نداشت که سکان کشتی سیاست کشور را به کف گیرد. هر روز قطب‌بندی سیاسی شدیدتر و بارزتر می‌شد. هیچ جناحی به حسن‌نیت جناح دیگر باور نداشت و گفتمان سیاسی انباشته از ناسزا و آتش‌باری شده بود.

در اوایل دی ماه، اخباری به تهران رسید مبنی بر این که شرکت نفت عربی ـ آمریکایی، موسوم به آرامکو قرارداد جدیدی بر پایه‌ی سهم **۵۰ـ۵۰** با عربستان سعودی امضا کرده است. سفیر بریتانیا در تهران بلافاصله پیامی به لندن فرستاد و طی آن اصرار کرد که شرکت ایران ـ انگلیس پیشنهاد مشابهی ارائه کند. هم وزارت خارجه و هم شرکت، این نظر را رد کردند. آنها با این کار مجالی دیگر را برای حل و فصل این بحران مهیب پیش از وارد شدن آن به مرحله‌ی فاجعه، از دست دادند. مدیر شرکت در تهران، ی. ج. د. نورت کرافت، به دفتر مرکزی توصیه کرد که «اهمیت چندانی» به این جنبش ناسیو-نالیستی ندهند.

موضع بریتانیا چنان از واقعیت به دور بود که مصطفی فاتح، دستیار نورت کرافت و بلندپایه‌ترین عضو ایرانی شرکت که چنددهه خادم وفادار آن بود، خود را مجبور به اعتراض دید. وی یک نامه‌ی پراحساس **۲۳** صفحه‌ای به ادوارد الکینگتون عضو هیئت مدیره‌ی شرکت نوشت، که او را از هنگامی که به مأموریت تهران فرستاده شده بود می‌شناخت. این نامه هشداری گویا بود مبنی بر این که شرکت باید «ناسیونالیسم و آگاهی سیاسی رو به اعتلای مردم آسیا» را به‌رسمیت بشناسد و «گستره‌ی آینده‌نگری، تحمل دیدگاه‌های دیگران، و تفکر روشن خود را برای پرهیز از فاجعه» نشان دهد. وی اتحاد شرکت با «طبقات حاکم فاسد» و «دیوانسالاری زالو صفت» را «فاجعه‌بار، منسوخ و ناکارآمد» توصیف کرد. فاتح گفت هنوز هم تأیید نهایی قرارداد الحاقی در مجلس امکان‌پذیر است، به‌شرط آن که شرکت در متن آن تجدیدنظر و سهم طرفین را **۵۰ـ۵۰**، و دوره‌ی قرارداد را کوتاه‌تر کند. در غیراین‌صورت قرارداد محکوم به نابودی است، زیرا سیاست‌های شرکت «عناصر آزادی‌خواه

و اقشار مترقی را از بریتانیا دور کرده است». فریادِ وی که از اعـماق دلش برمی‌آمد ناشنیده ماند. یک دیپلمات که الکینگتون نامه‌ی فاتح را به او نشان داده بود، با تحقیر گفت که وی «دیگر مورد اعتماد نیست.»

اکنون دیگر رویارویی اجتناب‌ناپذیر می‌نمود و چشم‌انداز آن ملی‌گرایان ایران را که بر این باور بودند تاریخ سرانجام این موقعیت را در اختیار آنها قرار داده تا کشور خود را از چنگ امپریالیست‌های انگلیسی بیرون کشند هیجان‌زده کرده بود. آنان در دی ماه **۱۳۲۹**، مـردم را بـه یک تـظاهرات فراخواندند تا کارزاری توده‌ای با هدف پیش‌برد امر ملی کردن شرکت نفت انگلیس و ایران، به راه اندازند. جمعیت انبوهی گرد آمد. نخستین سخنرانان از جبهه‌ی ملی بودند و هربار با طرح مسئله‌ی موردنظر، از جانب جمعیت تأیید و تشویق می‌شدند. این فقط آغاز کار بود. پس از آن که سیاستمداران به سخنان خود پایان دادند، ملایان به نوبت پشت تریبون رفته و اعلام کردند کـه هـر مسلمان معتقدی وظیفه‌ی مقدس حمایت از ملی شدن نفت را بر دوش دارد. آخرین نفر، به خواندن **فتوایی** پرداخت که می‌گفت خود پیغمبر اسلام، از محل خود در بهشت، دولت رزم‌آرا را بـه‌خاطر فـروختن حـقوق مـادرزاد ایرانیان به کفار خارجی، تقبیح کرده است. نه عرف‌گرایان جبهه‌ی ملی و نه بنیادگرایان مذهبیِ پیرو آیت‌الله کاشانی، از این ائتلاف دل خوشی نداشتند. امّـا اخـتلافات عـمیق خـود را بـه‌خاطر یک آرمـان بـزرگ کـنار نـهاده بودند. رزم‌آرای بیچاره، اکنون در موقعیت محالی قرار گرفته بود. توده‌های مردم مدت‌ها بود که به این نتیجه رسیده بودند که وی در بهترین حالت یک دست‌نشانده‌ی بریتانیا و در بدترین وضع یک خائن است. رزم‌آرا در پاسخ به این حملات، به‌دفعات تأکید کرد که اعتراض‌کـنندگان، در درون و بـیرون مجلس، یک رؤیای احمقانه را در سر می‌پرورانند، و منافع کشـور ایـجاب می‌کند که با انگلیسی‌ها سازش شود. امّا به‌رغم تلاش تب‌آلود وی در نجات منافع بریتانیا، نه شرکت و نه وزارت خارجـه، کـوچک‌ترین حـمایتی از او نکردند. سفیر بریتانیا، شِپرد، تا آن جا پیش رفت که نامه‌ای برای او فرستاد و به

او توصیه کرد که «موضع محکمی» علیه نمک‌نشناسانی که «خدمات بی‌شمار مردم بریتانیا به بشریت در سال‌های اخیر» را قدر نمی‌دانند، اختیار کند.

رزم‌آرا، با شجاعت سربازمنشانه‌ی خود به کار ادامه می‌داد. در روز ۱۳ اسفند در برابر کمیسیون نفت مصدق ظاهر شد و یک بار دیگر مخالفت خود را با تفکر ملی کردن نفت بیان کرد. وی گفت، این اقدامی غیرقانونی است که انگلیسی‌ها را به تلافی‌جویی پیش‌بینی‌ناپذیری می‌کشاند و اقتصاد ایران را نابود می‌کند. آن شب، شپرد پیامی به لندن فرستاد حاکی از این که خود وی «متن» سخنرانی رزم‌آرا را نوشته است.

سوءظن ایرانیان بیشتر شد، و لذا با اعتراضات و تظاهرات بیشتری واکنش نشان دادند. در تجمع ۱۷ اسفند، فراخوان به ملی کردن نفت جای خود را به شعارهای «مرگ بر انگلیس!» داد. وقت رزم‌آرا دیگر تمام شده بود. حتی شاه این را می‌دانست، و در خفا از سیاستمداران با گرایشات مختلف می‌پرسید که چه کسی را به‌عنوان نخست‌وزیر جدید پیشنهاد می‌کنند. و همه پاسخ مشابهی می‌دادند: مصدق.

همگان پی برده بودند که رزم‌آرا به پایان راه خود رسیده است، امّا معدودی پیش‌بینی می‌کردند که دفتر کار او چنین خشونت‌بار بسته شود. در همان روزی که هزاران تظاهرکننده در تهران جمع شدند تا فریاد نفرت خود را نثار بریتانیا کنند، رزم‌آرا و یکی از دوستان شاه به نام اسدالله علم به مسجد مجد واقع در خیابان سپه رفتند تا در مراسم روضه‌خوانی دربار شرکت کنند. در این میان، مرد جوانی با یک تپانچه از صف جمعیت جدا شد و به‌سوی او آتش گشود. رزم‌آرا به زمین افتاد و جان سپرد. مأموران پلیس ضارب را دستگیر کردند. وی نجّاری به نام خلیل طهماسبی و عضو گروه مذهبی فدائیان اسلام بود. او به بازجویان گفت: «اگر خدمت کوچکی کرده باشم، به کمک خدای بزرگ بود تا ملت مسلمان و محروم ایران را از بندگی و اسارت خارجی نجات دهم.» چگونگی جریان ترور رزم‌آرا هرگز روشن نشد. مدارک به دست آمده حکایت از آن داشت که گلوله‌ای که رزم‌آرا را کشت، نه

از تپانچه‌ی طهماسبی که از سوی سربازی شلیک شد که به‌دستور شاه با اعضای محفل مخفی وی در ارتباط بود، و اسدالله علم وی را به آن قرار مرگبار برد. سال‌ها بعد، یک سرهنگ بازنشسته‌ی ارتش ایران در خاطراتش نوشت که گلوله‌ی مرگبار از یک اسلحه‌ی کلت کمری شلیک شد که فقط در دسترس نظامیان بود. وی ادعا کرد که :«یک گروهبان ارتش در پوشش غیر ـ نظامی، برای این کار انتخاب شد. به او گفته شده بود که در لحظه‌ی شروع تیراندازی طهماسبی، رزم‌آرا را با یک کلت کمری بکُشد... کسانی که زخم‌های بدن رزم‌آرا را معاینه کرده بودند تردیدی نداشتند که وی با گلوله‌ی یک کُلت، و نه یک سلاح ضعیف، کشته شده است.»

رزم‌آرا آخرین امید برای رسیدن به یک سازش به‌شمار می‌رفت. آرمان او حتی پیش از سوءقصد شکست‌خورده بود و فردای روزی که گلوله‌های مرگبار شلیک شدند، کمیسیون نفت مصدق گام سرنوشت‌ساز را به‌سوی مقصدی برداشت که در پیش گرفته بود. کمیسیون به اتفاق آرا توصیه کرد که مجلس شرکت نفت انگلیس ـ ایران را ملی اعلام کند.

روز بعد، هزاران تن در یک گردهم‌آیی پرشور و نشاط شرکت کردند تا به سخنان آیت‌الله کاشانی گوش فرادهند؛ وی طی سخنانش به ستایش از رأی کمیسیون پرداخت و اقدام سریع مجلس را خواستار شد. اکنون هیچ مقام رسمی نمی‌توانست بدون بیم از برانگیختن خشم توده‌ها یا حتی واکنشی بدتر از آن، با ملی شدن نفت مخالفت کند. حتی، نخست‌وزیر تازه انتخاب شده، حسین علا، که دیپلماتی تحصیل‌کرده‌ی بریتانیا بود و دشواری‌های متعاقب ملی شدن نفت را درک می‌کرد، جرئت نکرد علیه آن سخن بگوید.

در سفارت انگلیس، شپرد هنوز بر این باور بود که از اقبال واگرداندن سیل برخوردار است. وی کارزاری را آغاز کرد تا نمایندگان مجلس را تشویق به ماندن در منزل در روز رأی‌گیری کند و از این رو جلسه مجلس را از حد نصاب بیندازد. ابتدا پیامی برای شاه فرستاد و از او مصرّانه خواست تا «از همه‌ی نفوذ خود استفاده کند» و نمایندگان محافظه‌کار و سلطنت‌طلب مجلس

را جلب کند. آن‌گاه با علا، نخست‌وزیر، دیدار کرد و با تندی به او گفت که قانوناً عملیات شرکت را نمی‌شود با یک اقدام حقوقی مثل ملّی کردن، متوقف کرد. هرچند وی برای اولین‌بار اشاره کرد که شرکت ممکن است اکنون آماده باشد تا ایده‌ی تقسیم ۵۰-۵۰ منافع را موردنظر قرار دهد. علا در پاسخ گفت: «ترتیبات ۵۰-۵۰ ممکن بود چندی پیش پذیرفته شود، امّا اکنون چیزی بیشتر موردنیاز است.»

در روز ۲۵ اسفند، مجلس برای رأی‌گیری تاریخی خود تشکیل جلسه داد. ۹۶ نماینده، از جمله چندتن از آنها که به شاه قول غیبت داده بودند، در مجلس حضور به‌هم رساندند، و همه به نفع ملی شدن نفت رأی دادند. ۵ روز بعد، مجلسِ عمدتاً تشریفاتی سنا نیز که فقط چند سال قبل از آن پا به عرصه‌ی وجود نهاده و نیمی از اعضای آن منصوب شاه بودند، به‌اتفاق آرا موافقت خود را با تصویب این لایحه اعلام کرد.

مصدق اکنون به قهرمانی با ابعاد حماسی تبدیل شده بود، که حتی نمی‌توانست بدون آن که مورد هجوم تحسین‌کنندگانش واقع شود، به کوچه و خیابان گام بگذارد. رهبران ایلات در قلب کشور پیروزی وی را جشن گرفتند. آیت‌الله کاشانی به بزرگداشت او پرداخت و وی را در ردیف چهره‌های رهایی‌بخش چون کوروش و داریوش دانست. حتی حزب کمونیست توده به روی او آغوش گشود. تا چندهفته بعد نیز، مجلس همه‌ی طرح‌های او را با اکثریت قاطع به تصویب رساند. وی چنان به‌روشنی به شخصیت زمان تبدیل شده بود که نخست‌وزیر علا، دلیلی برای ماندن در این مقام ندید و در اواخر اردیبهشت استعفا داد.

با این حال، دولت بریتانیا قصد تسلیم نداشت. تصمیم دولت با استعفای بوین، وزیر خارجه، به‌دلایل پزشکی، که تا اندازه‌ای با ایران هم‌نوایی نشان داده بود، و جایگزینی‌اش با هربرت موریسون، سخت‌تر شد. موریسون که به‌هیچ‌وجه برای این مقام آمادگی نداشت، ۳۰ سال بود که به صفوف حزب

کارگر پیوسته و در آن بالیده بود، و هرگز ادعای تخصص در مسائل جهانی نداشت. غرورانگیزترین دستاوردهای وی ساختن پل جدید واترلو و بازسازی سامانه‌ی ترانزیت لندن بود. وی چالش برآمده از ایران را موضوع ساده‌ی شورش یک مشت بومی نادان علیه نیروهای متمدن تلقی می‌کرد و در یکی از نخستین اظهارنظرهای عمومی‌اش در مقام وزیر خارجه، نیروهای بریتانیا را فراخواند تا به سوی ایران به حرکت درآیند و: «آماده باشند تا در صورت لزوم حوزه‌های نفتی ایران را اشغال کنند.»

بنا به اصرار موریسون، سیاست‌گذاران بلندپایه‌ی وزارت خارجه، دریاداری، بانک انگلستان و وزارت سوخت و نیرو گرد آمدند تا یک «کمیته‌ی کاری ایران» تشکیل دهند. این نهاد چند مطالعه‌ی پژوهشی را بنا به سفارش انجام داد تا به‌عنوان پس‌زمینه‌ی برخورد با ایران، مورد استفاده قرار گیرد. از جمله‌ی آنها پژوهشی درباره‌ی روان‌شناسی ایرانیان بود که یک دیپلمات انگلیسی آن را نوشته و طی آن تأکید کرده بود که ایرانی معمولی متأثر از:

> عدم صداقتی بیشرمانه، دیدگاهی تقدیرگرایانه، [و] بی‌تفاوتی به رنج و حرمان است... ایرانی معمولی بی‌مصرف، بی‌اخلاق، مشتاق به قول دادن چیزی که می‌داند ناتوان، یا فاقد قصد، انجام آن است، گرفتار مسامحه و دفع‌الوقت، فاقد ثبات قدم و پشتکار و انرژی، امّا پذیرا و پاسخگوی نظم است. بالاتر از همه، وی دسیسه‌باز و آماده‌ی کلی‌بافی و بی‌صداقتی، هرزمان که منافعی برای او متصور باشد، است. اگرچه وی دروغگویی موفق است، انتظار باورپذیری ندارد. وی به‌راحتی معلوماتی سطحی از مسائل فنی به دست می‌آورد و خود را با این باور می‌فریبد که به عمق مسئله دست یافته است.

البته، معامله با چنین مردمی بر پایه‌ای برابر یا محترمانه بی‌معنا خواهد بود. وزارت خارجه راهبردی سه بخشی برای مهار کردن آنها تدوین کرد. نخست، محمدرضاشاه باید ترغیب به انحلال مجلس شود. دوم، وی باید سیدضیا را که

چهره‌ای سالمند و موردنظر بریتانیا بود و ۳۰ سال قبل از آن به رضاشاه کمک کرد که به قدرت برسد، به نخست وزیری منصوب کند. سوم، باید از دولت ترومن در واشنگتن مصرانه درخواست شود که «دست‌کم مخالفت یا انحرافی از دیدگاه موردنظر ما نشان ندهد.» شرکت نفت انگلیس ـ ایران با تدوین این خط‌مشی، تصمیم به ابراز قاطعیت گرفت و این کار را با کاستن از کمک هزینه‌ی پرداختی به کارگران ایرانی آغاز کرد. هزاران کارگر در اعتراض دست از کار کشیدند.

پس از کوتاه زمانی، بریتانیا شروع به اعزام کشتی‌های جنگی به آب‌های ساحلی آبادان کرد. تا واسط آوریل، سه ناو محافظ و دو رزمناو در آب‌های مقابل پالایشگاه به گشت زدن پرداخته بودند. این اقدامات تنش‌ها را باز هم افزایش داد. کارگران شرکت نفت با نافرمانی به خیابان‌های خاک‌آلود ریختند و به‌دنبال یک رشته درگیری، شش ایرانی، دو کارگر انگلیسی و یک دریانورد انگلیسی کشته شدند. برخی از ایرانیان به این نتیجه رسیدند که انگلیسی‌ها دست به یک کارزار تحریک‌آمیز عمدی زده‌اند تا بهانه‌ی لازم برای دخالت نظامی را به چنگ آورند.

سفیر بریتانیا معتقد بود که در صورت انتخاب یک نخست‌وزیر کاملاً طرفدار انگلیس، می‌تواند اوضاع را تحت کنترل درآورد. وی از شاه مصرّانه خواست که سیدضیا را به مجلس معرفی کند و او نیز اقتدا کرد. مجلس، تاریخ ۱۸ اردیبهشت را برای رأی‌گیری درمورد نخست‌وزیر جدید تعیین کرد. صبح آن روز، شپرد بیانیه‌ای صادر و در آن تأکید کرد که دولت اعلیحضرت پادشاه بریتانیا هیچ مذاکره‌ای زیر سایه‌ی تهدید به ملی کردن انجام نخواهد داد. با این نمایش قدرت و قرار گرفتن دوستش سیدضیا در رأس دولت، به حساب وی رویدادها در مسیر متفاوتی جریان می‌یافتند. این، سناریویی بسیار غیرواقع‌بینانه بود و یک‌بار دیگر نشان داد که انگلیسی‌ها چه‌قدر در محاسبه‌ی شرایط ایران راه خطا می‌پیمودند.

با این حال، حتی پرشورترین ملی‌گرایان نیز نمی‌توانستند پیش‌بینی کنند که

در جلسه‌ی بحث انتخاب سیدضیا چه اتفاقی می‌افتد. البته همه‌ی چشم‌ها متوجه‌ی مصدق، قهرمان زمانه بود. همه از وی انتظار داشتند که رهبری مخالفت با انگلیسی‌ها و نوکران خائن‌شان را با استفاده از نطق‌های آتشین و ویرانگر بر عهده بگیرد. امّا وقتی که رئیس مجلس پرسید چه کسی می‌خواهد رشته‌ی کلام را به دست گیرد، مصدق آرام و بدون هیچ صحبتی بر جای خود نشست. به‌جای وی یک نماینده‌ی دست‌راستی سرشناس به نام جمال امامی که حقوق‌بگیر انگلیسی‌ها بود، بحث را آغاز کرد. امامی حتی نامی از سیدضیا نبرد، در عوض مصدق را به باد حمله گرفت و او را به‌خاطر این‌که مجلس را با ایرادات مداوم خود به بی‌تحرکی کشانده و کشور را در وضعیت فلج قرار داده مورد انتقاد شدید قرار داد. امامی با تمسخر و تحقیر گفت، اگر پیرمرد می‌خواهد به چالش واقعی برخیزد بهتر است خود نخست‌وزیر شود و ببیند که این کار چه‌قدر دشوار است. مصدق، پیش‌تر چندین‌بار پیشنهاد تصدی نخست‌وزیری را رد کرده بود و امامی گفت که دلیل آن را می‌داند: مصدق یکی از آن ورّاج‌های بی‌مسئولیت است که عاشق سخنرانی درباره‌ی اشتباهات و خطاهای دیگران است و هیچ چیز مثبتی در چنته ندارد.

با پایان سخنان امامی سکوت بر صحن مجلس مستولی شد. مصدق لحظاتی طولانی منتظر ماند و سپس از جای خود برخاست. در حالی که آهسته و با متانت سخن می‌گفت اظهار داشت که از این پیشنهاد مفتخر و خرسند است و آن را در کمال تواضع می‌پذیرد. همه، و بیش از همه امامی، مبهوت برجای خود میخکوب شدند. ضربه‌ی وارد آمده به‌زودی موجب بروز هیاهو و غوغا شد. یک طرح رسمی برای انتخاب مصدق به نخست‌وزیری پیشنهاد و رئیس جلسه خواستار رأی‌گیری فوری شد، که با احتساب ۷۹ به ۱۲ از تصویب نمایندگان گذشت.

مصدق با احساس قدرتی که در آن لحظه داشت، گفت که فقط در صورتی پیشنهاد نخست‌وزیری را می‌پذیرد که مجلس به برنامه‌ی وی برای اجرای اصل ملی کردن شرکت نفت انگلیس ـ ایران رأی دهد. طبق مفاد این برنامه یا طرح،

کمیته‌ای از مجلس به حسابرسی دفاتر مالی شرکت می‌پرداخت، دعاوی طرفین را برای تعیین غرامت ارزیابی می‌کرد، شروع به اعزام ایرانیان به خارج برای فراگیری مهارت‌های لازم برای اداره‌ی صنعت نفت، و تدوین مقرراتی برای تشکیل شرکت ملی نفت ایران می‌کرد. مجلس این برنامه را در بعدازظهر همان روز به‌اتفاق آرا تصویب کرد.

چیزی که تصور آن نیز نمی‌رفت، اکنون اتفاق افتاده بود. مصدق، نماد ملی‌گرایی ایرانی و مقاومت در برابر قدرت سلطنت، به یک‌باره در اوج قدرت قرار گرفت. این لحظه‌ای برای سرخوشی و هیجان، امّا همچنین ناپایداری ژرف بود. همه می‌دانستند و درک می‌کردند که مصاف غول‌ها نزدیک است. هیچ‌کس جرئت نداشت حدس بزند که این رویداد چه معنایی برای ایران و بقیه‌ی جهان دارد.

فصل ۶

دشمنان ناپیدا در همه‌جا

در روز ۵ تیر ۱۳۲۹ ملیون‌ها ایرانی و آمریکایی با نگرانی به دور رادیوهای خود جمع شده بودند. همه می‌دانستند که به‌زودی خبرهایی می‌شنوند که ممکن است زندگی آنها را برای همیشه تغییر دهد. بیشترِ آنها عبوس و هراسان بودند. با این همه، بحرانی که ایران را درمی‌نوردید ارتباطی با آن چه‌که یک‌باره گریبان ایالات متحده را گرفته بود، نداشت.

آن روز در ایران، شاه اعلام کرده بود که تیمسار حاجی علی رزم‌آرا، فرمانده بدفرجام ارتش، را به عنوان نخست‌وزیر معرفی می‌کند. مردم در فروشگاه‌ها، کارخانه‌ها و قهوه‌خانه‌ها از هم می‌پرسیدند که معنای این حرکت چیست. آیا رزم‌آرا قادر خواهد بود در آخرین لحظه با انگلیسی‌ها به یک توافق دست یابد؟ وگرنه، چه اتفاقی خواهد افتاد؟ آیا ممکن است نیروهای انگلیسی ایران را اشغال کنند؟ آیا انقلابی در راه خواهد بود؟ آیا کشور روی به رستگاری و رهایی دارد یا فاجعه؟

آمریکایی‌ها دل‌مشغول اخبار بسیار متفاوتی بودند. نیروهای کمونیست به‌تازگی از مدار ۳۸ درجه در کره گذشته و به‌سرعت رو به جنوب در حرکت بودند. شورای امنیت سازمان ملل در یک جلسه اضطراری به مهاجمان هشدار داد که اگر عقب‌نشینی نکنند، عملیات جنگی آغاز خواهد شد. از آنجا که هردو ابرقدرت جهانی از زرادخانه هسته‌ای برخوردار بودند، بسیاری از آمریکایی‌ها از رویارویی قطعی طرفین هراس داشتند.

شکاف عظیمی که بین دل‌مشغولی ایـرانیـان و آمـریکـایی‌ها در آن روز تیرماه وجود داشت، بازتاب دغدغه‌هایی بود که گریبان کشورهای‌شان را در آستانه‌ی ورود به نیمه‌ی دوم قرن بیستم گرفته بود. ایرانیان بـه سـوی یـک مواجهه‌ی هیجان‌انگیز امّا هولناک با بریتانیای کبیر و شرکت نفتی آن گـام برمی‌داشتند، و آمریکایی‌ها با چشم‌اندازی نه‌چندان بهتر روبه‌رو بودند. جنگ در کره دلیلی بر اثبات این واقعیت بود که کشورشان اکنون درگیر مبارزه‌ای جهانی با دشمنی هولناک شده است.

به جهاتی که هیچ‌یک از دو ملت هنوز درک نمی‌کردند، این دو بحران سرانجام به یک بحران تبدیل شد. ایالات متحده که در معرض چالشی قرار گرفته بود که بیشتر آمریکایی‌ها آن را پیش‌روی بـی‌وقفه‌ی کـمونیست‌ها می‌پنداشتند، به‌تدریج این دیدگاه را کنار می‌نهاد که ایران کشوری با تاریخ منحصربه‌فرد و درگیر در یک چالش سیـاسی مـنحصربه‌فرد است. بـه ایـن ترتیب، رویارویی آن با بریتانیا مشمول منازعه‌ی شرق و غرب شد.

طی این دوران احساس هراسی ژرف، به‌ویژه ترس از محاصره، شعور و آگاهی آمریکایی را شکل می‌داد. رهبران متفقین که دوماه پس از پایان جنگ جهانی دوم در پوتسدام ملاقات کرده بودند، تعهد کـردند کـه «بـر بـنیادی دموکراتیک و مسالمت‌آمیز همکاری کنند.» امّا در پشت عبارات بلندنظرانه، سوءظن و بی‌اعتمادی عمیقی نهفته بود. قدرت شوروی قبلاً لیتوانی، لتونی و استونی را تحت کنترل خود درآورده بود. دولت‌های کمونیستی در بلغارستان و رومانی در ۱۹۴۶ (۱۳۲۵)، مجارستان و لهستان در ۱۹۴۷ (۱۳۲۶)، و چکسلواکی در ۱۹۴۸ (۱۳۲۷) به ملت‌های‌شان تـحمیل شـده بـودند. حکومت‌های آلبانی و یوگسلاوی نیز کمونیستی شد. کمونیست‌های یونان به تلاش خشونت‌باری برای رسیدن به قدرت دست زده‌بودند و سربازان شوروی راه‌های زمینی به برلین را به مدت ۱۶ ماه بستند. در ۱۹۴۹، اتحاد شوروی با موفقیت سلاح هسته‌ای خود را آزمایش کرد. در همان سال، نیروهای طرفدار غرب در چین جنگ داخلی را به کمونیست‌های طـرفدار مـائو تسـه‌تونگ

باختند. در واشنگتن، به نظر می‌رسید که دشمنان در همه‌جا در حال پیشرفت‌اند.

ترومن، رئیس جمهور، در واکنش به شرایط رو به تغییر بین‌المللی، سازمان اطلاعات مرکزی (سیا) را در ۱۹۴۷ تأسیس کرد. حوزه‌ی عمل آن که از ابتدا مبهم و شامل «اقدامات و وظایف مرتبط با اطلاعات تأثیرگذار بر امنیت ملی» بود، یک‌سال بعد گسترش یافت و «خرابکاری، ضدخرابکاری، تخریب و اقدامات معطوف به جابه‌جایی و تخلیه... براندازی [و] کمک به جنبش‌های مقاومت زیرزمینی، و حمایت از عناصر بومی ضدکمونیست در کشورهای مورد تهدید جهان آزاد» را در بر گرفت. در ژانویه‌ی ۱۹۵۰ (دی ماه ۱۳۲۸) شورای امنیت ملی سندی مقدماتی، موسوم به NSC-68 ، ارائه کرد که در آن بر ضرورت مقابله‌ی ایالات متحده با جنبش‌های کمونیستی، نه‌فقط در مناطق دارای منافع امنیتی حیاتی برای آن کشور، بلکه در هرجایی که این جنبش‌ها سر بردارند، تأکید شده بود.

در پایان این سند نتیجه‌گیری شده بود که: «حمله به نهادها و مؤسسات آزاد اکنون ابعادی جهانی یافته و در شرایط قطب‌بندی کنونی قدرت، شکست آنها در هر نقطه به‌منزله‌ی شکست در همه‌جاست.»

جنگ سرد، ایالات متحده را به نقطه‌ای کشاند که نه‌فقط بر قدرت دشمنان، که بر اهمیت حیاتی دوستانش نیز اذعان کند. در ۱۹۴۹ (۱۳۲۸)، ایالات متحده یازده کشور از این دوستان را در قالب یک اتحاد نظامی قدرتمند، سازمان پیمان آتلانتیک شمالی (ناتو)، گرد آورد. همبستگی بین ایالات متحده و بریتانیا، شالوده‌ی این اتحاد جدید به‌شمار می‌آمد، و اختلافاتی از نوع چگونگی برخورد با کشورهایی مثل ایران، نمی‌توانست موجب تضعیف آن شود.

ترومن از جمله‌ی خیل کسانی بود که اعتقاد داشتند اتحاد شوروی مایل به کشاندن ایران به‌سوی خود است؛ فردای روزی که کره شمالی، تهاجم خود را به کره جنوبی آغاز کرد، وی به یکی از دستیارانش گفت که کره تنها جایی

نیست که او را نگران می‌کند. آن‌گاه به سوی کره‌ای جغرافیایی که در کنار میزش در دفتر بیضی‌شکل قرار داشت نزدیک شد و انگشت اشاره‌ی خود را بر نقشه‌ی ایران نهاد و گفت: «این‌جا نقطه‌ای است که اگر مراقب نباشیم، برای ما گرفتاری ایجاد خواهد کرد.»

بریتانیا و روسیه به‌مدت بیش از یک قرن حاکمیت ایران را پایمال کرده بودند و بسیاری از ایرانیان طبیعتاً از هردوی آنها نفرت داشتند. امّا مردم در مورد ایالات متحده احساسات توأم با ستایشی نشان می‌دادند و معدود آمریکاییانی که می‌شناختند، سخاوتمند و فداکار، بی‌علاقه به ثروت و قدرت، و خواهان کمک به ایران، جلوه می‌کردند.

شناخته‌شده‌ترین آمریکایی برای ایرانیان، معلم مدرسه‌ای جوان به نام هاوارد باسکرویل بود که در ۱۹۰۹ (۱۲۸۸) هنگام جنگ در کنار دوستان ایرانی‌اش در انقلاب مشروطیت کشته شده بود. وی را همچون یک شهید غسل دادند و به خاک سپردند و به «لافایِت آمریکایی[1]» مشهور شد. بسیاری از مردم، فداکاری او را دلیلی بر تحسین‌برانگیز بودن آمریکایی‌ها در مقایسه با سایر خارجی‌ها می‌دانستند.

در همان زمانی که باسکرویل با گلوله‌ی سلطنت‌طلبان به خاک افتاد، یک معلّم آمریکایی دوراندیش به‌نام ساموئل جردن، یک دوره اقامت ۴۳ ساله را در تهران می‌گذراند. کالج البرز او، از جمله‌ی نخستین دبیرستان‌های مدرن در ایران به‌شمار می‌آمد، و هزاران فارغ‌التحصیل این مدرسه در آینده حیات اجتماعی [مدرن] ایران را شکل دادند. هیئت مذهبی وابسته به کلیسای پرزبیتاری که جردن برای آن فعالیت می‌کرد، یک بیمارستان و یکی از معدود مدارس دخترانه‌ی کشور را اداره می‌کرد. یکی از فارغ‌التحصیلان

۱. Lafayette. از رهبران انقلاب فرانسه که در جنگ‌های استقلال آمریکا نیز شرکت داشت و پس از پیروزی به شهروندی افتخاری ایالات متحده رسید و به انقلابیِ دوقاره معروف شد.

البرز سال‌ها بعد نوشت: «تقریباً همه نگاه و احساسات تحسین‌آمیزی به آمریکایی‌ها داشتند. کمک آمها به بهبود و ــ چنان‌که احساس می‌شد ــ بازیابی عزّت کشور فقیر و بحران‌زده‌ی ما از شمار اندک آنها بسیار فراتر می‌رفت... آنها بدون آن‌که تلاشی در اجبار ما به شیوه‌ی زندگی خود یا تغییر مذهب‌مان کنند، زبان فارسی را آموختند و شروع به تأسیس مدارس، بیمارستان و داروخانه در سراسر ایران کردند.»

فداکاری این مردان و زنان نمونه، تنها دلیل برای خیل ایرانیان تحسین کننده‌ی ایالات متحده نبود. مقامات رسمی آمریکا نیز در دفاع از ایران سخن می‌گفتند، به‌طوری که قرارداد ۱۹۱۹ انگلیس ـ ایران را، که بر اساس آن بریتانیا بر ایران سیطره‌ی استعماری می‌یافت، شدیداً به باد انتقاد گرفتند. در همان سال، رئیس جمهور آمریکا، وودرو ویلسون، تنها رهبر جهان در کنفرانس ورسای بود که از دعاوی بی‌حاصل ایران برای دریافت غرامت از بریتانیا و روسیه به‌خاطر خسارات ناشی از حضور نیروهای‌شان در جنگ جهانی اول، حمایت کرده بود. در اواسط دهه‌ی ۱۳۰۰ (۱۹۲۰)، یکی از نمایندگان سیاسی آمریکا در تهران گزارش داد که «ایرانی‌ها، از همه‌ی اقشار، هنوز اعتماد بی‌حدّی به آمریکا دارند.»

تا آغاز جنگ جهانی دوم، ایالات متحده سیاست فعّالی در قبال ایران اتخاذ نکرده بود. امّا، پس از جنگ، قدرت آمریکا به اقصیٰ نقاط جهان گسترش می‌یافت. نقش حیاتی نفت در پیروزی متفقین، سیاست‌گذاران واشنگتن را بر آن داشت که توجه خود را به‌ویژه به خاورمیانه معطوف گردانند و منافع آنها با تشدید جنگ سرد آشکارتر و بارزتر شد. دین اچِسُن. چهره‌ی برجسته‌ی تاریخ دیپلماسی آمریکا، در این دوران سیاست آمریکا در قبال ایران را هدایت می‌کرد. اچِسُن، با نیروهای ملّی‌گرای جهان سوم همدلی نشان می‌داد. پیکر تکیده، لباس راه راه، کلاه لبه باریک، و سبیل خوش‌نقش او نشان از اشراف‌زادگی کامل‌اش داشت، هرچند وی در حقیقت در خانواده‌ای ثروتمند زاده نشده بود. اچِسُن در جوانی جمهوری‌خواه بود و تئودور

روزولت را تحسین می‌کرد. بعداً به دموکرات‌ها پیوست و در دولت فرانکلین روزولت به خدمت مشغول شد. ترومن او را به روحیه‌ی خود نزدیک یافت و پس از پیروزی در انتخابات سال ۱۹۴۸ (۱۳۲۷)، وی را وزیر خارجه‌ی خود کرد. هردو نفرشان مصمم بودند که به مردم کشورهای فقیر نشان دهند ایالات متحده دوست حقیقی آنهاست، و نه اتحاد شوروی.

اچِسُن کمی بعد از این انتخاب، یک تکزاسی پرانرژی و لیبرال‌منش به‌نام جرج مک‌گی را به‌عنوان دستیار خود در امور خاور نزدیک، آسیای جنوبی و آفریقا برگزید. مک‌گی فقط ۳۸ ساله بود که این مقام مهمّ و مؤثر را پذیرفت. وی در دانشگاه اوکلاهما زمین‌شناسی خوانده و تا آن جا پیش رفته بود که به گرفتن بورسیه‌ی رودس در آکسفورد موفق شد. پس از پایان تحصیلات، شرکت نفت انگلیس و ایران شغل کارشناس ژئوفیزیک در ایران را به او پیشنهاد کرد. امّا وی این پیشنهاد را رد کرده به ایالات متحده بازگشت و شرکت نفت خود را تأسیس کرد. موفقیت در کار، او را چندان ثروتمند کرده بود که به وی امکان داد بدون دریافت حقوق در وزارت خارجه مشغول به‌کار شود. با این حال، سابقه‌ی او در صنعت نفت برخی از کارشناسان وزارت خارجه‌ی بریتانیا را نسبت به وی بی‌اعتماد کرد. بدگمانی آنها به وی از این بابت بود که تصور می‌کردند وی برای تضعیف شرکت نفت انگلیس و ایران به‌سود شرکت‌های نفتی آمریکایی (که شاید منافع پنهان خودش در برخی از آنها ملحوظ بود) تلاش می‌کند.

مک‌گی در بسیاری از جلسات ملاقات محمدرضاشاه با مقامات آمریکایی، طی دیدارش از واشنگتن در پاییز سال ۱۳۲۸، شرکت داشت و از جاه‌طلبی‌های نظامی «بلندپروازانه و غیرواقع‌بینانه»ی شاه جوان شانه خالی کرد. کوتاه زمانی پس از این ملاقات، مقامات شرکت نفت انگلیس و ایران را به جلسه‌ای دعوت کرد و به آنها گفت که تازه‌ترین گزارش سالانه‌ی شرکت را خوانده و تحت تأثیر میزان سود هنگفت آنها قرار گرفته است. وی به آنها گفت شاید زمان آن فرارسیده باشد که شرکت این ثروت را به‌نحو عادلانه‌تری

با ایران تقسیم کند. میهمانان وی این فکر را به ریشخند گرفتند و یکی از آنها تا آن‌جا پیش رفت که گفت اگر شرکت در مقابل مطالبات ایران کوتاه بیاید به‌زودی «چیزی در قلک» نخواهد ماند.

دامنه‌ی این جدل طی ماه‌های بعد گسترش یافت. مک‌گی به دفعات به مدیران شرکت هشدار داد که اگر خواهان نجات رزم‌آرا و متقاعد کردن مجلس به تصویب قرارداد الحاقی هستند، باید امتیاز بدهند. در یک برهه که از سماجت شرکت در ندادن سهم بیشتر به ایران برآشفته بود، از کارشناس نفتی وزارت خارجه، ریچارد فانکهاوزر، خواست که گزارشی درباره‌ی عملیات شرکت برای وی تهیه کند. در این گزارش نتیجه گیری شده بود که شرکت نفت انگلیس و ایران شرکتی «فوق‌العاده سودده» است که نفت خود را بین ۱۰ تا ۳۰ برابر هزینه‌ی تولیدش می‌فروشد و رفتار متکبرانه‌ی آن موجب «نفرت واقعی در ایران» شده است.

مک‌گی که عمیقاً نگران چیزی بود که آن را فاجعه‌ای مهیب تلقی می‌کرد، تصمیم گرفت به لندن پرواز کند تا شخصاً موضع خود را پیش ببرد. وی در سپتامبر ۱۹۵۰ (شهریور ۱۳۲۹) به لندن وارد و با استقبال سرد مقام‌های دولت بریتانیا مواجه شد. مقامات ارشد دولت انگلیس و شرکت، درخواست‌های وی را برای سازش قاطعانه رد کردند. آنان به وی گفتند که شرکت، ایرانیان بیشتری را برای مشاغل کنترلی آموزش نخواهد داد، دفاتر خود را به روی حسابرسان ایرانی نخواهد گشود، و پول بیشتری بابت نفت ایران به آن دولت نخواهد پرداخت. سِر ویلیام فریزر، رئیس هیئت مدیره‌ی شرکت گفت: «هرگاه یک پِنی بیشتر بدهیم، شرکت ورشکست می‌شود.» این فقره دروغگویی حیرت‌انگیز، مک‌گی را متقاعد کرد که مذاکره‌ی بیشتر فایده‌ای ندارد. وسایل خود را جمع کرد و به آمریکا بازگشت. مقامات انگلیسی، که در سراشیبی توسعه‌یافته‌ترین سنت استعماری قرار گرفته بودند، از دیدن خودداری دولت ترومن از موافقت با این که بریتانیا باید از کاری که در کشورهای خارجی انجام داده بهره ببرد، عاجز بودند. آن‌چه که از نظر آمریکایی‌ها ـــ و حتی

بیشتر از آنها، ایرانیان ــ امپریالیسمِ چپاول‌گرانه بود، نزد انگلیسی‌ها امری عادی به نظر می‌رسید. آنها اصرار داشتند که با کارشان در ایران خدمت بزرگی به جهان می‌کنند؛ همچنان که سر دونالد فرگوسن، معاونت دائمی وزارتخانه‌ی سوخت و نیرو در یادداشتی خاطرنشان کرد:

> این جسارت عمل، مهارت و تلاش بریتانیا بود که نفت را در زیر خاک ایران کشف کرد، آن را استخراج کرد، و پالایشگاه ساخت، بازار برای فروش نفت ایران در ۳۰ یا ۴۰ کشور به وجود آورد؛ اسکله و بارانداز و تانکر ذخیره و تلمبه، جاده، و تانکرِ ریلی و سایر تأسیسات توزیع، و نیز ناوگان عظیمی از نفت‌کش‌ها ساخت؛ این کارها در شرایطی انجام گرفت که راه ساده‌ای برای بیرون بردن نفت ایران در رقابت با صنعت نفت به‌مراتب عظیم‌تر آمریکا وجود نداشت. دولت و مردم ایران هیچ کدام از این کارها را نمی‌توانستند انجام دهند و انجام هم نمی‌دادند.

شکاف بین دیدگاه‌های آمریکا و بریتانیا در مورد بحران رو به گسترش ایران، روشن‌ترین نماد خود را در هیئت سفرای جدید دو کشور یافت که در ۱۹۵۰ (۱۳۲۹) به تهران فرستاده شدند. هنری گریدیِ آمریکایی، اقتصاددانی با تجربه‌ی دست‌اوّل از یونان و هند بود؛ دو کشوری که سیاست‌شان با ناسیونالیسم عجین شده بود. گریدی بر این باور بود که اگر ایالات متحده با نیروهای ملی‌گرای کشورهای در حال توسعه متحد نشود، این نیروها به مارکسیسم و اتحاد شوروی می‌گروند. وی یک ضدکمونیست دوآتشه، و به همان نسبت ضدامپریالیست بود.

گریدی، هم به‌لحاظ سیاست و هم خلق و خو، در نقطه‌ی مقابل همتای انگلیسی‌اش در تهران، سرِ فرانسیس شپردِ آتشین مزاج، قرار داشت. گزارش‌هایی که این دو سفیر به پایتخت‌های متبوع خود می‌فرستادند، چندان متفاوت بود که به‌دشواری نشان از مواضع دو کشور هم‌پیمان داشتند؛ گریدی کشوری فقرزده را ترسیم می‌کرد که مدت‌های مدید زیر یوغ استعمار انگلیس قرار داشته، قدرتی که خون حیات‌بخش آن را مکیده و شاهِ مفلوک را به نوکر

خود تبدیل کرده است. امّا، شپرد شرکت نفت انگلیس و ایران را شرکتی خردمند، معقول و با رفتاری پدرانه می‌دانست که چیزی جز خیر و نیکی برای ایران به بار نیاورده است. او فایده‌ای در بحث با ایرانیان ناسپاس ــ یا دیپلمات‌های فضول آمریکایی ــ که باور دیگری داشتند، نمی‌دید.

در بهمن ۱۳۲۹، جرج مک‌گی همه‌ی دیپلمات‌های آمریکایی را به نشستی در استانبول فراخواند. یکی از موارد دستور جلسه اختلاف‌نظر بین ایالات متحده و بریتانیا بر سر مسئله‌ی ایران بود. دیپلمات‌های حاضر به این جمع‌بندی رسیدند که سرسختی شرکت انگلیس و ایران: «یکی از بزرگ‌ترین هزینه‌های سیاسی است که بر منافع ایالات متحده ـ بریتانیای کبیر در خاورمیانه، تأثیر می‌گذارد.» آنها طی یک یادداشت محرمانه اعلام کردند: «سیاست‌های ارتجاعی و منسوخ» شرکت نه‌فقط شرایطی به‌غایت انفجاری پیش می‌آورد، بلکه «نقطه‌ضعفی در مبارزه با کمونیسم در ایران» به شمار می‌رود. این توافق، هدایت‌گر سیاست آمریکا در سراسر دوران حکومت ترومن بود.

دامنه‌ی بحران ایران طی چندهفته‌ی بعدی گسترش یافت. رزم‌آرا در ۱۷ اسفند ترور شد و در ۲۵ اسفند، مجلس رأی تاریخی خود را صادر کرد و «اصل ملی شدن صنعت نفت در سراسر کشور را پذیرفت.» برخی از نمایندگان بر این باور بودند که انگلیسی‌ها راهی برای کنار آمدن با این رأی پیدا می‌کنند، چرا که پارلمان انگلیس خود اخیراً صنایع کلیدی کشور را ملی اعلام کرده بود. پس از این رأی پارلمان انگلیس، ارنست بوین وزیر خارجه‌ی وقت، ماتم گرفته بود که «حال من چه استدلالی را در مقابل هرکسی که مدعی برخورداری از حق ملی کردن منابع کشور خود است، دارم؟ ما همین کار را این‌جا به‌دست خودمان در مورد صنایع زغال‌سنگ، برق، راه‌آهن، حمل ونقل و فولاد خود انجام می‌دهیم.» امّا در زمان انفجار بحران در ایران، بوین دیگر وزیر خارجه نبود و کسانی که در دولت انگلیس باقی ماندند، به این اتفاق نظر رسیدند که اگرچه ملی کردن در داخل کشور ممکن است راه عاقلانه‌ای باشد، امّا در

خارج مورد تأیید نیست.

بلافاصله پس از رأی مجلس به ملی شدن نفت، مک‌گی به تهران آمد. وی در ۲۷ اسفند وارد شد و شپردِ سفیر را در وضعی نامطبوع یافت. شپرد این رأی را ناشی از قصور آمریکایی‌ها، به‌ویژه شرکت آرامکو، می‌دانست. شپرد گلایه کرد که اعلام آرامکو مبنی بر تقسیم منافع شرکت با دولت عربستان بر پایه‌ی ۵۰-۵۰، در مواضع مذاکراتی بریتانیا «گره» انداخت. مک‌گی در پاسخ گفت که او ماه‌ها پیش به شرکت ایران و انگلیس هشدار داده بود که تحقق پایه‌ی ۵۰-۵۰ تقسیم منافع قریب‌الوقوع است و اضافه کرد که شرکت خود مقصر است که «بسیار انعطاف‌ناپذیر و بسیار کند در درک شرایط جدید ایران که رویکرد جدیدی را می‌طلبد، عمل کرده است.»

مک‌گی در آن شب با شاه نیز دیدار کرد. ملاقات آن‌ها همان‌طور که مک‌گی بعداً نوشت، بسی آزاردهنده بود:

من نزدیک به یک سال و نیم پیش، شاه را هنگام دیدار رسمی پر سر و صدایش از واشنگتن دیده بودم، وی در آن زمان جوانی مغرور، و شق و رق بود، که اصرار داشت درخواست‌هایش جدی گرفته شوند. وقتی او را در اتاق نیمه‌تاریک پذیرایی دیدم، بر روی مبل راحتی لمیده بود. وی را انسانی افسرده و تقریباً درهم شکسته یافتم. حس کردم از این که به خودش هم سوءقصد شود، هراسان است. آیا وی به این موضوع می‌اندیشید که با حمایت ما می‌تواند مانع ملی شدن [نفت] شود؟

شاه گفت که نمی‌تواند چنین کاری کند و از ما خواهش کرد که از او چنین تقاضایی نکنیم. حتی نمی‌توانست یک دولت تشکیل دهد. همه می‌ترسیدند. دشمنان ناپیدا در همه‌جا حضور داشتند... او چنان سرگشته می‌نمود که گویی همه‌چیز در نظرش نومیدکننده است. او را در اتاق نیمه‌تاریک‌اش تنها گذاشتم. همواره، اندوه، صورت ترس خورده، و... او را به خاطر خواهم داشت. شبح مرگ و هرج‌ومرج قریب‌الوقوع، چون ابری سیاه بر فراز تهران سایه افکنده است. وقتی با

او خداحافظی کردم غمگین بودم.

مک‌گی بر سر راه بازگشت به میهن در لندن توقف کرد و در آن‌جا با سر ویلیام فریزر، رئیس هیئت مدیره‌ی شرکت نفت انگلیس و ایران، و موریسون وزیر خارجه انگلستان، دیدار کرد. ملاقات آنها چنان توفانی بود که موریسون تصمیم گرفت هیئتی به واشنگتن بفرستد تا موضع بریتانیا را خاطرنشان سازد. وی سر الیور فرانکس، سفیر بریتانیا در واشنگتن، را که مرشد اخلاقی مک‌گی در اکسفورد بود، در رأس هیئت قرار داد.

دیدارها بیش از ۹ روز به درازا کشید. فرستادگان بریتانیا استدلال می‌کردند که مجاز شناختن ایران به ملی کردن شرکت نفت «وسیعاً به‌عنوان پیروزی روس‌ها تلقی خواهد شد»، و همچنین «به از دست رفتن سالانه ۱۰۰ ملیون پوند در موازنه‌ی پرداخت‌های بریتانیا» خواهد انجامید، از این‌رو برنامه‌ی تجدید تسلیحاتی و هزینه‌ی زندگی ما را قویاً متأثر خواهد کرد.» فرانکس اصرار داشت که ایران «زیان خاصی» از فعالیت بریتانیا یا شرکت نفت آن نمی‌برد، در حالی که برای بریتانیا از دست دادن «یک ضرورت راهبردی و درجه اول»، مسئله‌ی مرگ و زندگی است. وی شرکت نفت انگلیس و ایران را یکی از سرمایه‌های حیاتی غرب، «نه‌فقط به‌خاطر اهمیت فراوان آن به‌مثابه‌ی عنصری در موازنه‌ی پرداخت‌های‌مان... که همچنین به‌لحاظ قدرتی که برای کنترل جریان مواد خام به ما می‌دهد»، دانست. نفت ایران «برای دفاع مشترک ما» اهمیت حیاتی دارد و از دست دادن آن «توانایی ما را در تجدید تسلیحاتی» فلج می‌کند.

مک‌گی چند روز به این سخنان در نومیدی خاموش گوش فراداد. وقتی که سرانجام به سخن آمد، یک بار دیگر هشدار داد که انگلیسی‌ها یا باید با ایران مصالحه کنند و یا با یک فاجعه رودررو شوند. وی به‌تأکید از آنها خواست که دست به‌کار تقسیم منافع با ایران بر پایه‌ی ۵۰-۵۰ شوند: «که رنگ و بوی انصاف برای مردم عادی دارد.» انگلیسی‌ها به این امر راضی و متقاعد

نمی‌شدند. وی بعداً نوشت: «در پایان، با کمال تأسف مجبور شدم به فرانکس در آخرین جلسه‌ی ملاقات ۱۸ آوریل (۲۹ فروردین)، اطلاع دهم که طرح پیشنهادی آنها، در تطبیق دادن خود با ملی شدن نفت، از دید ما واجد شرایط موفقیت نیست.»

کوتاه‌زمانی پس از پایان مذاکرات در واشنگتن، ایران در مسیر متهورانه‌ی جدید خود گام نهاد. در یازدهم اردیبهشت ۱۳۳۰ (اول ماه مه سال ۱۹۵۱) محمدرضا شاه قانون لغو امتیاز شرکت نفت انگلیس و ایران و تأسیس شرکت ملی نفت ایران به‌جای آن را امضا کرد. روز بعد، بریتانیا درخواست کرد که قانون یادشده به‌حال تعلیق درآید. در ۱۶ اردیبهشت، محمد مصدق اعضای دولت خود را به مجلس معرفی کرد که بلافاصله رأی اعتماد دریافت کرد و در همان روز تصدی دولت را برعهده گرفت.

همان‌قدر که عروج مصدق به قدرت برای ایرانیان تاریخی بود، برای انگلیسی‌ها دست‌کم تکان‌دهنده بود. آنها عادت داشتند که نخست‌وزیران ایران را مثل مهره‌ی شطرنج جابه‌جا کنند و اکنون ناگهان با کسی مواجه می‌شدند که آشکارا از آنها نفرت داشت. رادیوی دولتی ایران در یکی از تفسیرهای خود پس از رسیدن مصدق به قدرت گفت: «همه‌ی بدبختی، فلاکت، بی‌قانونی و فساد در کشور طی ۵۰ سال اخیر، ناشی از نفت و اخاذی پول آن بوده است.» اتلی، نخست‌وزیر بریتانیا برای مدتی به سازش علاقه‌مندی نشان داد. وی از جمله سوسیالیست‌های (عضو حزب کارگر) بود که در طرح پیش‌نویس ملی کردن برخی از صنایع مهم بریتانیا نقش داشت. وی در یکی از جلسه‌های کابینه اظهار داشت که بریتانیا می‌تواند با انتشار یک بیانیه‌ی رسمی، ملی شدن شرکت نفت انگلیس و ایران را بپذیرد و لذا به «مصدق» فرصت حفظ آبروی خود را بدهد، و سپس نوعی ترتیبات پیچیده برقرار کند که بر اساس آن شرکت بتواند بخش مهمی از حقوق و امتیازات پیشین خود را بازپس گیرد. هربرت موریسون شدیداً به این پیشنهاد اعتراض کرد. وی به اتلی هشدار داد که دادن هر امتیازی به ایران، سابقه‌ای غیرقابل تحمل بر جای خواهد نهاد و

موجب تشویق ملی‌گرایان در همه‌جا خواهد شد. اتلی، با این استدلال خود را متقاعد یافت، پیامی تهیه کرد و برای فرانکس سفیر بریتانیا در واشنگتن فرستاد. در این پیام از وی خواست که به اچِسُن بگوید که «نفت ایران اهمیت حیاتی برای اقتصاد ما دارد و ما ضروری می‌دانیم که به هر اقدام ممکن دست یازیم تا مانع آن شویم که ایرانی‌ها به نقض تعهدات خود در قراردادها جامه‌ی عمل پوشانند.»

امّا، اچِسُن بر این باور بود که مصدق نماینده‌ی «یک انقلاب بسیار عمیق، با سرشت ملی‌گرایانه، است که نه‌تنها ایران بلکه خاورمیانه را درمی‌نوردد.» وی و دیگران در دولت ترومن هرگز از طرح این درخواست مصرّانه، از همتایان انگیسی خود دست نکشیدند که بریتانیا باید سیاست رویارویی را کنار بگذارد و با مصدق به سازشی مشروع دست یابد. آنها این درخواست‌ها را به‌رغم تشخیص این که با مصدق به‌راحتی نمی‌شود کنار آمد، مطرح می‌کردند. **نیویورک *تایمز*** با ارائه‌ی تاریخچه‌ای این مسئله را روشن می‌کند:

> امواج جذر ومدّی شور ملی‌گرایی که شرکت نفت انگلیس ـ ایران را ظرف چندهفته در کام خود کشید، اکنون به‌نحو نامنتظره‌ای یکی از مخوف‌ترین عوام‌فریبان ایران، محمد مصدق سالخورده، را در اوج قدرت قرار داده است. از چشم مردم، نخست‌وزیر جدید نماینده‌ی چهره‌ای از عدالت انتقام‌جویانه است که پارلمان تأثیرپذیر [ایران] را برانگیخت و آن را به پیروزی بر اژدها، شرکت انگلیس ـ ایران، که در چشم خیلی‌ها سال‌ها از منابع حیاتی کشورشان تغذیه می‌کرده، رهنمون شد... . یک دیپلمات خارجی که اخیراً اجازه یافت به حضور نخست‌وزیر برسد، از دکتر مصدق خواست که دقیقاً برای او توضیح بدهد که چگونه می‌خواهد امر مصادره‌ی شرکت نفت انگلیس ـ ایران را پیش‌ببرد. دکتر مصدق نزدیک به نیم‌ساعت درباره رفتار بد امپریالیسم بریتانیا طی صدسال گذشته داد سخن داد. وقتی صحبت‌هایش تمام شد، دیپلمات مذکور سوآل خود را تکرار کرد. دوباره نخست‌وزیر به تقبیح بریتانیا پرداخت. گفت وگوها همان‌جا پایان یافت.

گام بعدی آقای دکتر مصدق چه خواهد بود؟ پرسش به‌جای خود باقی است و هرکسی می‌تواند پاسخی برای آن گمانه زند.

پیام‌هایی که در سال ۱۹۵۱ (۱۳۳۰) بین واشنگتن و لندن رد وبدل می‌شد، نتوانست اختلافات بین دو متحد را بر سر چگونگی برخورد با مصدق کاهش دهد. در ۱۸ مه (۲۸ اردیبهشت) وزارت خارجه‌ی امریکا بیانیه‌ای رسمی انتشار داد و اعلام کرد «آمریکا حق حاکمیت ایران را کاملاً به‌رسمیت می‌شناسد و با این خواست ایران همدلی می‌کند که منافع بیشتری از توسعه‌ی منابع نفت خود به دست آورد.» موریسون با تلخی این بیانیه را خواند و در پیامی که برای فرانکسِ سفیر در بعدازظهر آن روز فرستاد، گفت که: «به‌واقع از این طرز فکر آمریکایی‌ها که حاکی از بی‌تفاوتی نسبی در قبال وضعی است که از نظر ما وخامت‌بارترین شرایط به شمار می‌آید، تقریباً رنجیده‌ام.» موریسون پس از مدتی کوتاه پیامی برای اچِسُن فرستاد که طی آن درصدد برآمد موضع بریتانیا را به روشن‌ترین شکل تشریح کند. وی نوشت، مسئله‌ای که بریتانیا با آن در ایران روبه‌روست: «مربوط به دارایی عمده‌ای است که ما در عرصه‌ی مواد خام در اختیار داریم. کنترل این سرمایه اهمیت درجه اولی دارد... احساسات [و غرور] مردم و پارلمان این را نمی‌پذیرد که ما کنترل مؤثر چنین دارایی عظیمی را واگذار کنیم.»

آمریکایی‌ها از کنار این پیام بی‌اعتنا گذشتند. در ۳۱ مه (۲۰ خرداد)، ترومن یادداشتی برای اتلی فرستاد و مصرانه از وی خواست که مذاکرات بلافاصله آغاز شود» تا از وخیم‌تر شدن «اوضاع انفجاری» ایران اجتناب شود. اتلی پاسخ داد که اجازه‌دادن به ایران به‌گریز از آثار ملی کردن [صنعت نفت] «شدیدترین عواقب را برای کل جهان آزاد» خواهد داشت. با این حال، وی تشخیص داد که با توجه به اصرار ترومن، انگلیسی‌ها دست‌کم باید تظاهر کنند که مذاکره با مصدق را آغاز کرده‌اند.

به‌پیشنهاد اتلی، شرکت هیئتی از مقامات خود به ریاست بازیل جکسون معاون ریاست هیئت مدیره، را برای مذاکره به تهران فرستاد؛ مصدق با

تدارک ژاندارم‌های ایرانی و اعزام آنها به شهر باختریِ کرمانشاه برای اشغال دفتر شرکت در روز ورود هیئت، به استقبال آنها رفت. گویا این اقدام برای کوک کردن ساز کافی نبود، که گریدی سفیر آمریکا در مصاحبه‌ای با *وال استریت جورنال*، موضع آمریکا را مجدداً اعلام کرد.

وی تأکید کرد: «از آن جا که ملی شدن یک واقعیتِ تحقق‌یافته است، عقل حکم می‌کند که بریتانیا نگرشی آشتی‌جویانه به موضوع پیدا کند. جبهه‌ی ملی مصدق تقریباً میانه‌روترین حزب و یک عنصر سیاسی باثبات در مجلس ملی کشور است.»

ایرانی‌ها در سر میز مذاکره گفتند به گفت‌وگو علاقه‌مندند، امّا فقط در صورتی که میهمانان لندنی ملی‌شدن «شرکت پیشین» را به‌عنوان یک واقعیت برگشت‌ناپذیر قبول کنند. جکسون این شرط را رد کرد و بر این امر پای فشرد که ایران باید به قرارداد ۱۹۳۳ مقید بماند و نمی‌تواند تا پایان دوره‌ی ۶۰ ساله آن قرارداد را لغو کند. وی پیشنهاد متقابلی نیز ارائه کرد. شرکت نفت انگلیس ـ ایران، مبلغ ۱۰ ملیون پوند به‌اضافه‌ی ۳ ملیون پوند ماهانه، در حین انجام مذاکرات به ایران خواهد پرداخت؛ شرکت همچنین ابراز تمایل کرد تا دارایی و تأسیسات خود را به شرکت ملیِ تازه‌تأسیس نفت ایران انتقال دهد، امّا فقط در صورتی که بتواند شرکت جدیدی بنیاد نهد که «حق استفاده‌ی انحصاری از این تأسیسات» را داشته باشد. این، اعلامیه‌ای نه‌چندان هوشمندانه بود حاکی از آن که بریتانیا هنوز حقیقت ملی شدن صنعت نفت ایران را نپذیرفته است. این اعلامیه، همچنین بازتابی از موضع تغییر نایافته‌ی وزارت خارجه‌ی بریتانیا و حاکی از این بود که این کشور «می‌تواند در مورد تقسیم منافع، مدیریت یا مشارکت، امّا نه در مورد موضوع کنترل تأسیسات، انعطاف نشان دهد.» بنابراین، کسی تعجب نکرد وقتی مذاکره کنندگان ایرانی پیشنهاد انگلیسی‌ها را رد کردند.

در سی‌ام خرداد (بیستم ژوئن) مصدق یک مهندس تحصیل‌کرده‌ی فرانسه به نام مهدی بازرگان را به‌عنوان مدیرعامل شرکت ملی نفت ایران انتخاب

کرد. بازرگان بلافاصله به آبادان پرواز کرد. آنجا هنوز مدیران انگلیسی پالایشگاه را اداره می‌کردند. وی خود را رئیس جدید آن‌ها معرفی کرد. نخستین دستور او این بود که کاپیتان‌های نفتکش‌ها از این به بعد باید پیش از حرکت یک رسید به او بدهند که در آن مقدار نفتی که حمل می‌کنند، قید شده باشد تا وی حساب نفتی را که صادر می‌شود بداند.

انگلیسی‌ها این دستور را غیرقابل تحمل دانستند. به نظر آن‌ها، همچنان که نماینده‌شان در سازمان ملل تأکید کرده، نفت «آشکارا اموال قانونی شرکت نفت انگلیس و ایران» است. وقتی کاپیتان‌های نفتکش‌ها از دادن رسید خودداری کردند، بازرگان تهدید کرد که دستور می‌دهد مدیرعامل انگلیسی شرکت پیشین، اریک دِرِیْک، را به‌اتهام خرابکاری دستگیر کنند. چون مجازات چنین جرمی طبق لایحه‌ای که در مجلس منتظر طرح و تصویب بود (بعداً پس گرفته شد) اعدام بود، شپردِ سفیر به دِرِیْک توصیه کرد که ایران را ترک کند. وی چنین کرد و به بصره رفت، که در آن سوی اروندرود در عراق قرار داشت، و از آنجا امور شرکت را اداره می‌کرد. از همان‌جا نیز وی از ارائه‌ی رسید خودداری می‌کرد. با ادامه‌ی اصرار ایرانیان، فریزر خود فرمانی از لندن صادر کرد و به کاپیتان‌های نفتکش‌ها دستور داد که تمام نفت تانکرهای در اختیارشان را در آبادان تخلیه کنند و خالی برگردند.

ایران تا آن زمان چهارمین صادرکننده‌ی بزرگ نفت بود، که ۹۰ درصد نفت موردنیاز اروپا را تأمین می‌کرد. اکنون که حتی یک نفتکش هم در مالکیت خود نداشت، نمی‌توانست یک قطره نفت صادر کند. این خبر خوشی برای فریزر بود که هنوز باور داشت می‌تواند ایرانیان را به میل خود تسلیم کند. وی پیش‌بینی کرد: «وقتی به پول احتیاج پیدا کنند، نزد ما خواهند آمد و به پای‌مان خواهند افتاد.»

از نظر فریزر و همکارانش در شرکت، و نیز مقامات دولت بریتانیا، خودِ این فکر که ایران صنعت نفت خود را ملی کرده، احمقانه و ناممکن به نظر می‌رسید، و این در حالی بود که چنان اتفاقی داشت می‌افتاد. برای آن‌ها جدّی

گرفتن این موضوع دشوار بود. از دیدگاه آنها، کل کارزاری که به راه افتاده بود یک بلوف بزرگ، نقشه‌ای برای گرفتن پول بیشتر از لندن و یا، در غیر این صورت، صرفاً فورانی از بهانه‌گیری است که پس از آشکار شدن نتایج آن پایان خواهد یافت.

اریک دِرِیک بعدها به یاد می‌آورد که: «تا یک یا دو سال قبل از سال ۱۹۵۱ (۱۳۳۰) هیچ‌کسی تصور آن را هم نمی‌کرد که ماندن ما در آن جا همیشگی نخواهد بود. ما طبق یک قرارداد بین‌المللی که بین دولت ایـران و شرکت نفت انگلیس ـ ایران به امضا رسیده بود، آن‌جا بودیم. بنابراین، تا آن‌جا که به ما مربوط می‌شد، دلیلی برای ختم آن وجود نداشت.»

مطبوعات بریتانیا با شور و حرارت به موج تبلیغات ضدمصدق دامن می‌زدند. *تایمز* لندن «دولتمردان بی‌مسئولیت ایران» را برای تحریک توده‌های بی‌سواد نکوهش کرد. *اکونومیست* اعلام کرد که شرکت نفت انگلیس و ایران تبدیل به یک «بلاگردان بزرگ» شده و تأکید کرد که: «هیچ ایرانیِ بهره‌مند از عقل سلیم بر این باور نیست که شرکت نفت انگلیس و ایران مسئول فقر هولناک توده‌های مردم باشد.» *آبزرور* مصدق را «روبسپیر متعصب» و «فرانکشتین وحشتناک» توصیف کرد که «دچار بیگانه هراسی» است.

امّا در آن سوی اقیانوس اطلس شرایط بسیار متفاوت بود. *واشنگتن پست* تأکید می‌کرد که بیشتر ایرانیان شرکت نفت را «یک دولت مرفه در داخل یک دولت ورشکسته ـ به‌عنوان نماد عامل فقر خود» می‌دانند. به نوشته‌ی *نیویورک تایمز*، بسیاری از کارشناسان خاورمیانه مصدق را چهره‌ای آزادی‌بخش و قابل مقایسه با توماس جفرسون یا توماس پین می‌شناسند. *شیکاگو دیلی نیوز* گزارش داد که حتی بسیاری از اهالی بریتانیا از نحوه‌ی برخورد دولت‌شان با موضوع، پریشان‌خاطرند و خبرنگار آن نشریه در لندن نوشت: «منتقدین بریتانیا فکر نمی‌کنند که مک‌گی به‌واقع مسئول بحران ایران است. آنها قبول کرده‌اند که بر اثر تجاهل شرکت نفت انگلیس و ایران و غیبت وزارت خارجه، با کلّ مسئله بد برخورد شده است.»

در بریتانیا به‌راستی مخالفت وجود داشت. مشاور کارگری خود شرکت، سر فردریک لِگِت، به یکی از دوستانش در وزارت خارجه نوشت که شرکت در «موضع اسفباری» قرار گرفته، زیرا نتوانسته به شناسایی آرمان‌های ملی ایرانیان «گوشه‌ی چشمی بیندازد». کِنِت یانگر، وزیر کشور، در یادداشت کوتاهی به موریسون از «کوته‌بینی و فقدان آگاهی سیاسی شرکت نفت انگلیس - ایران» گله و تأکید کرد که شرکت «حتی هیچ‌گاه به‌جدّ سعی نکرد» که یک «ارزیابی مناسب» از اوضاع به عمل آورد. اِرْل مونت‌باتن به رؤسای خود در وزارت دریاداری گفت که به‌جای گوش فرادادن به اندرز هربرت موریسونِ «ستیزه‌جو و بدنام» درباره‌ی چگونگی «زهرچشم گرفتن از این بومیان بی‌شرم»، بریتانیا باید تشخیص دهد که «تهدیدات اقتصادی و نظامی فقط اوضاع را وخیم‌تر می‌کند.»

حتی برخی از دیپلمات‌های انگلیسی نیز گزارش‌های مخالفی به وزارت خارجه می‌فرستادند. وابسته‌ی امور کارگری سفارت بریتانیا در تهران، پیامی را آماده و ارسال کرد و در آن، شرایط را در آبادان اسفبار توصیف کرد و نوشت کارگران در آن‌جا در «کلبه‌های خشتی، بدون برق و آب و امکانات بهداشتی... و به عبارت دیگر زاغه‌های واقعی» زندگی می‌کنند. از تل‌آویو، یک کشیش انگلیسی نسخه‌ای از گزارش **جروزالم پست** را به پیوست فرستاده بود که می‌گفت وی را متقاعد کرده که شرکت نفت انگلیس - ایران «مستحق این اتفاق بود.» این مقاله را یک اسرائیلی نوشته بود که چندسال را در آبادان و دوشادوش ایرانیانی گذرانده و آنها را «فقیرترین مخلوقات روی زمین» توصیف کرده بود.

> آنها در طول هفت ماهِ داغ سال، در زیر درختان زندگی می‌کنند... در زمستان‌ها این مردم به تالارهای بزرگی نقل‌مکان می‌کنند که توسط شرکت ساخته شده و در آن‌جا، سه تا چهار هزار نفر بدون آن که دیواری آنها را از هم جدا کند سکونت می‌کنند. هر خانواده فضایی معادل ابعاد یک پتو را اشغال می‌کند. در آن‌جا مستراحی وجود

> ندارد... در بحث با همکاران انگلیسی اغلب سعی می‌کنیم اشتباه آنها را در رفتارشان با ایرانی‌ها گوشزد کنیم. پاسخ معمولاً این بود: «ما انگلیسی‌ها از تجربه صدها ساله‌ی چگونگی برخورد با بومیان برخورداریم. سوسیالیسم برای میهن‌مان خوب است، امّا این‌جا باید آقا و ارباب باشیم.»

در هفتم تیرماه، مصدق درخواستی خطاب به تکنسین‌ها و مدیران بریتانیایی پالایشگاه آبادان صادر کرد. وی به آنها گفت که ایران «مشتاق بهره گرفتن» از تخصص‌شان است و به آنها قول داد که در صورت ماندن بر سر شغل‌شان «کشور ما به گرمی از شما استقبال خواهد کرد.» فریزر که اعتقاد راسخ داشت ایران خود نمی‌تواند پالایشگاه را اداره کند، با صدور دستوری به کارکنان انگلیسی شرکت، دائر بر خروج از ایران، واکنش نشان داد.

گام بعدی ایرانیان پس از به کنترل درآوردن دفتر کرمانشاهِ شرکت نفت انگلیس و ایران، به دست گرفتن اداره‌ی دفاتر آبادان و تهران بود. این کار در اوایل تیرماه انجام گرفت. رئیس دفتر آبادان، عاقلانه پرونده‌های حساس شرکت را به کنسولگری بریتانیا در محل انتقال داده بود، که ایرانی‌ها نمی‌توانستند به آن‌جا وارد شوند. ریچارد سدّان رئیس دفتر تهران، سرعت عمل وی را نداشت. وقتی یک هیئت ایرانی برای جستجو به خانه‌ی او وارد شد، پرونده‌های بسیاری هنوز آن‌جا بود؛ از جمله چندپرونده‌ای که در بخاری داشت می‌سوخت. یک مقام رسمی وزارت خارجه‌ی ایران که در آن شب آن‌جا حضور داشت، یافته‌های هیئت را چنین جمع‌بندی کرده است:

> اگرچه اسناد حساس و افشاگر را ظاهراً نابود کرده بودند، اما مدارک بر جای مانده چندان کافی بود که کار را برای مصدق در اثبات این که شرکت در تمام جوانب حیات سیاسی ایران دخالت می‌کرده، آسان کند. مدارک نشان می‌داد که شرکت به اِعمال نفوذ در بین سناتورها، نمایندگان مجلس و وزرای سابق دولت می‌پرداخته است؛ کسانی که با آن به مخالفت برخاسته بودند به‌شکل پیچیده‌ای مجبور به کناره‌گیری

> شدند. روزنامه‌ها پول می‌گرفتند تا مقالاتی منتشر کنند که در آنها بسیاری از رهبران جبهه‌ی ملی دلقک‌های حقوق‌بگیر شرکت معرفی شوند... .
>
> در میان مدارک، سندی بود که نشان می‌داد علی منصور، نخست‌وزیر پیشین با دریوزگی از شرکت درخواست می‌کرد که به وی اجازه دهند در مسند صدارت باقی بماند، و در مقابل قول می‌داد که یک وزیر دارایی جدید برگمارد که نظرش نسبت به شرکت مساعدتر باشد. یک بخش دیگر از اسناد نیز نشان می‌داد که شرکت به بهرام شاهرخ کمک کرده بود تا به مدیریت اداره‌ی رادیو و تبلیغات برسد، و این که وی در سفری به لندن به استخدام شرکت درآمده بود. رهنمودها و گزارش‌هایی هم در خصوص نفوذ در اصناف، از طریق شهردار تهران، برای مخالفت با کسانی که در بازار از جبهه ملی طرفداری می‌کردند، به دست آمد.

دولت به‌سرعت این اسناد را منتشر کرد و بسیاری از ایرانیان آن را دلیلی دیگر بر اثبات نابکاری‌های شرکت نفت دانستند. مصدق گفت که این اسناد ثابت می‌کنند که شرکت نفت انگلیس و ایران درگیر یک کارزار «شرارت‌بار و غیرقابل قبول» برای برانداختن دموکراسی در ایران بوده است. نمایندگان مجلس به سوی خشم ضداستعماری تازه‌ای کشانده می‌شدند. مفسران خبر نیز به این راه می‌رفتند. یکی از آنها در یکی از روزنامه‌ای تهران نوشت: «اکنون که پرده برافتاده و ماهیت واقعی خائنان در مقام روزنامه‌نگار، نمایندگان مجلس، فرمانداران و حتی نخست‌وزیران، آشکار شده، باید با گلوله مثل آبکش سوراخ سوراخ شوند و لاشه‌ی آنها را جلوی سگ‌ها انداخت.» ترومن، رئیس جمهور آمریکا که هنوز به یافتن راه‌حلی برای بحران امید داشت، در پایان ماه ژوئن شورای امنیت ملی کشور را به جلسه‌ای فراخواند. تلاش‌های جرج مک‌گی برای تحت‌تأثیر قرار دادن وزارت خارجه‌ی انگلیس و شرکت نفت به‌تلخی شکست خورده بود، شرکت شروع به تخلیه‌ی کارکنان خود از

آبادان کرده و درواقع تعطیلی کامل پالایشگاه ممکن می‌نمود. کشتی‌های جنگی بریتانیا به‌شکل تهدیدآمیزی در نزدیکی سواحل ایران به گشت‌زنی مشغول بودند. کارشناسان خاورمیانه در شورای امنیت ملی آمریکا در گزارشی هشدار دادند که اگر بحران نفت حل وفصل نشود: «از دست رفتن ایران یک امکان محرز برای جهان آزاد است.» در این گزارش تأکید شده بود که انگلیسی‌ها جداً اشغال ایران را موردنظر قرار داده‌اند و هشدار داده شده بود که چنان اقدامی: «ممکن است جهان آزاد را دچار شکاف کرده، شرایط پر هرج ومرجی را در ایران حاکم کند، و موجب شود که دولت ایران برای کمک به اتحاد شوروی گرایش پیدا کند.»

این گزارش، ترومن را بیش از همیشه نگران کرد. ترس وی با دریافت دو پیام در روزهای بعد شدت یافت. نخستین پیام از سوی مصدق، روشن کرد که بریتانیا و ایران در مسیر برخورد قرار دارند. مصدق از تلاش‌های بریتانیا در کارشکنی در برنامه‌ی ملی‌سازیِ او شکوِه کرده و به‌لحنی تهدیدآمیز اضافه کرده بود که «هیچ‌گونه خطری امنیت جانی و مالی اتباع بریتانیا در ایران را تهدید نمی‌کند و متأسفانه شایعه‌پراکنی‌های عوامل و مأموران شرکت نفت سابق، ممکن است موجب نگرانی و ناراحتی شود.»

هشدارهای مصدق با صراحت بیشتری در تاریخ اول ژوئیه (۱۰ تیر) از زبان گریدیِ سفیر بیان شد. وی طی یک پیام مضطربانه به ترومن هشدار داد که ایران در «انفجارآمیزترین شرایط» قرار دارد و برای نخستین‌بار گفت که انگلیسی‌ها به دنبال راه‌هایی برای سرنگونی مصدق‌اند و: «انگلیسی‌ها به‌رهبری آقای موریسون، ظاهراً مصم به دنبال کردن تاکتیک‌های کهنه‌ی براندازی دولتی است که با آن دچار مشکل است. مصدق از پشتیبانی ۹۵ تا ۹۸ درصد مردم کشورش برخوردار است. لذا بیرون راندن او اقدامی کاملاً احمقانه است» و آن‌چه که گریدی «کاملاً احمقانه» می‌دانست، به‌یقین همان کاری بود که انگلیسی‌ها داشتند برنامه‌ریزی‌اش می‌کردند. آنها تمام امیدهای خود را در سر به راه‌کردن مصدق وانهاده بودند و آمادگی هم نداشتند که به سازش مورد

نظر وی تن بدهند. شپردِ سفیر در پیامی به لندن نوشت که «زمان آن رسیده که سعی کنیم او را از دور خارج کنیم»، به‌طوری که ایران یک‌بار دیگر نخست‌ـ وزیری داشته باشد که «منطقی و دوستانه» و نه «خشک و غیرعملی» رفتار کند.

اخبار رسیده از لاهه نیز اوضاع را پیچیده‌تر کرد. دادگاه داوری بین‌ـ المللی، که به درخواست بریتانیا تشکیل جلسه داده بود، «اطلاعیه»ای صادر و طی آن توصیه کرد که ایران ضمن پیشرفت مذاکرات اجازه دهد که شرکت نفت سابق مثل گذشته به کار ادامه دهد. ایران از شرکت در جلسه‌ی دادگاه خودداری ورزیده بود. دادگاه لاهه فقط از این قدرت برخوردار بود که بین دولت‌ها داوری کند و مقامات ایران تأکید می‌کردند که چون قرارداد ۱۹۳۳ بین ایران و یک شرکت خصوصی امضا شده، دادگاه حق دخالت ندارد. کاردار ایران در لاهه توصیه‌ی دادگاه را تحت عنوان «بی‌اعتبار و باطل» رد کرد و آن را «دخالت در امور داخلی ما» خواند.

این جریان، عزم موریسون را جزم‌تر کرد. وی پیاده به مجلس عوام رفت، پشت تریبون قرار گرفت و اعلام کرد که وضع در ایران «غیرقابل تحمل می‌شود». وی برای اطمینان از این که مصدق شدت خشم او را درک کند در ادامه‌ی اظهاراتش اضافه کرد که نیروی دریایی سلطنتی «در آب‌های نزدیک آبادان گشت می‌زند» و «اگر ایرانی‌ها از انجام تعهداتشان سرباز زنند» به فرموده وارد عمل خواهد شد.

اکنون ترومن خطر را بزرگ‌تر از همیشه می‌دید. از نظر وی، این که چه کسی نفت ایران را کنترل کند، اهمیت ثانویه داشت. او بیشتر نگران این بود که بحث بین ایالات متحده و بریتانیا بر سر چگونگی برخورد با مصدق، از کنترل خارج شود و به شکاف در اتحادیه‌ی آتلانتیک بینجامد. وی، مصمم به انجام آخرین تلاش خود برای مصالحه، نامه‌ای به مصدق نوشت و پیشنهاد میانجی‌گری آمریکا را ارائه داد:

این مسئله آن‌قدر برای رفاه کشور خودتان، بریتانیا و همه‌ی ما در جهان آزاد مهم است که من بیشترین سعی خود را به مشکلات مربوط

به آن مبذول کرده‌ام... من با نگرانی شاهد شکست مذاکرات شما و انحراف به سمت توقف عملیات نفتی با تمام خسارات مترتب بر آن برای ایران و جهان، بوده‌ام. به‌یقین این فاجعه‌ایست که دولتمردان می‌توانند راهی برای پرهیز از آن پیدا کنند... .

من بر اقدام دادگاه [جهانی] زیاد تأکید می‌کنم... بنابراین، جداً توصیه می‌کنم که در مورد قبول پیشنهاد داوریِ آن ملاحظات زیادی را در نظر بگیرید. پیشنهاد می‌کنم که رأی آن نه به‌عنوان یک تصمیم لازم‌الاجرا یا بدون الزام اجرایی، بسته به ملاحظات فنی حقوقی، بلکه به‌عنوان نظر یک مجموعه‌ی بی‌طرف متعهد به عدالت، مساوات، و جهانی صلح‌آمیز، مورد توجه قرار گیرد... .

آقای نخست وزیر، من تمایلی بسیار صمیمانه برای هرگونه کمک ممکن به شما در این شرایط دارم. من درباره‌ی این موضوع با آقای اورِل هریمن، که همان‌طوری که می‌دانید یکی از نزدیک‌ترین مشاوران من و یکی از سرشناس‌ترین شهروندان ماست، به‌تفصیل صحبت کرده‌ام. چنان‌چه پذیرای او باشید، خوشحال خواهم شد که او را به‌عنوان نماینده‌ی شخص خود به تهران روانه کنم تا درباره‌ی این وضع فوری و مبرم با شما گفت وگو کند.

اورِل هریمن دیپلماتی ورزیده بود که در مقام سفیر آمریکا در انگلیس، اتحاد شوروی و مدیر طرح مارشال در اروپا خدمت کرده بود. وی محمدرضا شاه را هم می‌شناخت و تصور می‌رفت تا اندازه‌ای به امور ایران آشنا باشد. بلافاصله پس از آن که ترومن این مأموریت جدید را به وی واگذار کرد، هریمن پذیرای هیئت سرشناسی در خانه‌اش شد: اچِسُن، وزیر خارجه، مک‌گی، معاون وزیر خارجه، دو مقام دیگر وزارت خارجه؛ و سفیر بریتانیا، سِر الیور فرانکس. همه موافق بودند که اوضاع در ایران به شکل فراینده‌ای خطرناک شده است. آنان بیم داشتند، که حادثه‌ی کوچکی در آبادان به مداخله‌ی نظامی بریتانیا منجر شود که به‌نوبه‌ی خود مصدق را به گرفتن کمک از شوروی سوق دهد. حتی اگر چنان اتفاقی نیفتد، تعطیلی پالایشگاه به موج

آشوب‌های اجتماعی و سیاسی دامن خواهد زد.

مأموریت هریمن حتی پیش از آن که آغاز شود، با چالش مواجـه شـد: نارضایتی بریتانیا از کل ایده. موریسون وزیر خارجه‌ی بریتانیا، در یادداشتی که بی‌حوصلگی در آن موج می‌زد، به اچِسُن نوشت که بریتانیا «در گرداب مشکلات ناگواری» دست و پا می‌زند و نه به مذاکرات بیشتر، بلکه به «حمایت همه‌جانبه»‌ی ایالات متحده نیاز دارد. وی گفت که «باید به شما بگویم که یکی از دشواری‌های عمده‌ی ما در برخورد با این مشکل لاعلاج از عـقیده‌ای برمی‌خیزد که مرتب از سوی ایرانی‌ها هم ابراز می‌شود، و آن این کـه یـک اختلاف نظر بین آمریکا و بریتانیا در مورد مسئله‌ی نفت وجود دارد. بیم دارم که رویکرد نماینده‌ی رئیس جمهور صرفاً موجب قطعیت نظر دکتر مصدق به درستیِ این باور شود.»

این پیام دیدگاه اچِسُن را تأیید می‌کرد، که هـمچنان کـه بـعداً نـوشت، موریسون «چیزی از سیاست خارجی نـمی‌دانست و وضـع مـوجود را لمس نمی‌کرد.» اچِسُن در مورد سفیر سرسخت بریتانیا در تهران، فرانسیس شپرد، که وی را «مرید غیرخلاق مکتب دیپلماسی "هارت و پورت"[1] تلقی می‌کرد، نظرِ به مراتب بدتری داشت. این بیزاری دو طرفه بود. شپرد به‌محض آن که خبر شد اچِسُن فرستاده‌ای به تهران اعزام می‌کند تا در حوزه‌ای دخالت کند که وی کار خودش می‌دانست، یک کنفرانس مطبوعاتی بـرگزار و طـی آن «حیرت و آزردگی» خود را از گستاخی آمریکایی‌ها ابراز کرد. وی این پرسش را مطرح کرد که «فایده‌ی آمدن هریمن به این جا چیست؟ ما در این ماجرا نیازی به میانجی نمی‌بینیم.» این حرکت، طغیانی بسیار دور از عرف دیپلماتیک بود و بنا به دستور وزارت خارجه، شپرد روز بعد حرف خود را پس گرفت. گریدیِ سفیر تحت این شرایط با مصدق دیدار کرد تا نامه‌ی ترومن را به او تسلیم کند. وی هنگام ورود لباس سفیدی بر تن و کلاه شیکی بر سر داشت و با خوشحالی

---

1. Whiff of grapeshot

به سوی عکاسان و خبرنگاران دست تکان می‌داد. اما ملاقات وی با مصدق که در بستر بیماری بود، خوب پیش نرفت. به درخواست مصدق، گریدی نامه را با صدای بلند خواند و زمانی که به بخشی از نامه رسید که در آن ترومن مصدق را به پذیرش توصیه‌ی دادگاه لاهه ترغیب می‌کرد، مصدق به مدت ۳۰ ثانیه به خنده‌ای قهقهه‌وار افتاد. وقتی از خنده بازایستاد، لحظاتی طولانی سکوت بر جلسه حاکم شد. مصدق سرانجام به گریدی گفت که به باور ایران دادگاه بین‌المللی فاقد صلاحیت حقوقی ورود به این مسئله است. آن‌گاه شروع به انتقادی طولانی و شدید، و با خشمی فزاینده، از ایالات متحده کرد، که به گفته‌ی او زمانی به اصول اخلاقی پایبند بود، امّا تحت فشار بریتانیا در حال وادادن است. سخنان او چنان تلخ و گزنده بود که گریدی زمینه‌ای برای اصرار به ملاقات محتمل با هریمن ندید.

اچِسُن با دریافت اخبار مربوط به این ملاقات بسیار رنجیده‌خاطر شد و یادداشت شدیداللحنی برای گریدی فرستاد و در آن گفت که مأموریت هریمن

> عامل مثبت جدیدی در برنامه‌ی پیشنهادی رئیس جمهور و گامی است که رئیس جمهور و من بیشترین اهمیت را برای آن قایل هستیم. نمی‌توانم باور کنم که واکنش اولیه‌ی مصدق پس از تأمل درباره‌ی آن پیشنهاد، پاسخ نهایی او باشد. مطمئن هستم که ملاحظه‌ی ادب، او را بر آن خواهد داشت که توجه کاملی به پیام رئیس جمهور نشان دهد، و نماینده‌ی رئیس جمهور را، که می‌تواند هم به شما و هم به مصدق مزایای افکار بزرگی را که رئیس جمهور به این مسئله اختصاص داده منتقل کند، بپذیرد و هرگونه پیشنهادی را که ممکن است داشته باشد به وی ارائه دهد. بنابراین، درخواست می‌کنم که در سریع‌ترین زمان ممکن و به‌شیوه‌ای مدبرانه، که می‌دانیم خود به کار خواهید گرفت، با او دیدار کنید و این ملاحظات را مصرّانه با او در میان بگذارید.

گریدی به آن‌چه که به او گفته شده بود، عمل کرد. معلوم شد که باور اچِسُن به

قدرت اقناع خود برحق بوده است. گریدی مصدق را متقاعد کرد که مأموریت هریمن به‌نفع همه است و هریمن در ۲۴ تیر ۱۳۳۰ (۱۵ ژوئیه‌ی ۱۹۵۱) وارد تهران شد. امّا کمیته‌ی استقبال از او شامل ده هزار ایرانی خشمگین بود که فریاد می‌زدند: «مرگ بر هریمن!»

فصل ۷

نمی‌دانید آنها چه اهریمنانی‌اند

نخستین ساعات حضور هریمن در تهران خوش‌یُمن نبود. لیموزین حامل وی مجبور شد راه دیگری را از فرودگاه به مرکز شهر طی کند تا با جمعیت خشمگین تظاهرکننده روبه‌رو نشود. وی به سلامت به کاخ میهمانان رسید که برایش مهیّا شده بود، امّا مجبور شد شام خود را در میان صدای گلوله‌هایی که در فضا طنین می‌افکند، صرف کند. پلیسِ سوار و سربازان در زره‌پوش‌های نظامی به‌سوی تظاهرکنندگان آتش گشوده بودند. با فرارسیدن نیمه‌شب، شهر از خون و گاز اشک‌آور آکنده بود. بیش از ۲۰ تن کشته و ۲۰۰ نفر هم زخمی شده بودند.

چرا این تظاهرات اعتراضی با چنین کشتار وحشتناکی به پایان رسید؟ روز بعد، روزنامه‌ها محمدرضا شاه و تیمسار زاهدی، وزیر کشور تندرو را مسئول دانستند، که به گفته‌ی آنها عامدانه خشونت را برانگیخت تا این برداشت را به هریمن بدهد که در ایران هرج ومرج حاکم است. مصدق از این حادثه خشمگین بود و پیش از پایان روز زاهدی را برکنار کرد.

در بعدازظهر آن روز، هریمن اولین ملاقات خود را با مصدق انجام داد. این دیداری کاملاً متفاوت با هر نمونه‌ی دیگر در تجربه‌ی دیپلماتیک طولانی هریمن بود. وی را به اتاق خواب طبقه‌ی بالای خانه‌ی کوچک و معمولی مصدق راهنمایی کردند. مصدق در آن جا بر روی تخت دراز کشیده بود و عبایی بافته شده از موی شتر بر تن داشت.

وی با حالت ضعف به هریمن خوش‌آمد گفت و اظهار امیدواری کرد در مذاکراتشان از این مسئله آگاه شود که آیا ایالات متحده دوست حقیقی ملت‌های تحت ستم است، یا یک عروسک انگلیسی‌های رذل. هریمن در پاسخ گفت که در لندن زندگی کرده و می‌داند که در آن‌جا هم انگلیسی‌های خوب و هم بد یافت می‌شود. مصدق با اعتراض و زیر لب گفت: «شما آنها را نمی‌شناسید. شما آنها را نمی‌شناسید.»

مصدق هرگز تضادی بین احترام بی‌پایانش به سنت مشروطه‌ی بریتانیا و نفرت از دولت و تاریخ امپریالیستی آن نمی‌دید. در یکی از دیدارهایش با هریمن، از یکی از نوه‌هایش نام برد که شیفته‌ی او بود. هریمن پرسید که آن نوه‌ی او کجا درس می‌خواند. مصدق پاسخ داد. «معلوم است، انگلستان البته، چه جایی بهتر از آن‌جاست؟»

هریمن، در پیامی که به واشنگتن فرستاد مصدق را «کاملاً سرسخت» و «دل‌مشغول برچیدن کامل عملیات شرکت نفت و نفوذ بریتانیا در ایران» توصیف کرد. برداشت وی از پیرمرد، به نقل از یک زندگی‌نامه‌نویس، سرخوردگی او را منعکس می‌کرد:

> [مصدق]، غالب اوقات، با فریبکاری واکنش‌هایی ناخوشایند، از نوع خنده‌های کودکانه یا اظهارات حاکی از دل‌شکستگی نشان می‌داد، که اغلب با تاکتیک‌های انحرافی و دُم‌خروسی پیچ دادن بحث دنبال می‌شد. او تصوری از بی‌پناهی خود به مخاطب القا می‌کرد، و در ضمنِ این که ظاهراً و کاملاً خود را یک رهبر دست وپا بسته‌ی متعصّبان ناسیونالیست می‌نمود، هیچ انعطافی نشان نمی‌داد. در شرایطی که تحت فشار قرار می‌گرفت به بستر می‌ـ رفت، که گاه به نظر می‌رسید لحظات آخر عمر خود را سپری می‌کند و در حالی‌که پیژامای صورتی رنگ خود را بر تن داشت، دست‌هایش را بر روی سینه می‌گذاشت، چشم‌هایش پلک می‌زد و نفس‌هایش به شماره می‌افتاد.

امّا، در لحظه‌ی مناسب می‌توانست خود را از هیبت پیرمردی نزار

و فرتوت به یک دشمن حیله گر و سرزنده تغییر دهد. وی به‌آهستگی و لخ لخ‌کنان و درحالی که سنگینی خود را بر روی عصایش انداخته بود، در آستانه‌ی در ورودی کاخ مهمانسرای هریمن ظاهر می‌شد و پس از ورود به اتاق، عصا را به گوشه‌ای می‌انداخت و بعضاً فراموش می‌کرد که آن را کجا گذاشته است. نخستین باری که به همسر هریمن معرفی شد، دست وی را گرفت و از بوسیدن آن باز نایستاد تا به ساعد دست وی رسید. بعداً بارها او را درحالی که به همسر هریمن خیره شده بود غافلگیر کردند. و بعضاً رشته‌ی افکارش کاملاً به هم می‌ریخت.

هریمن یک کارشناس نفتی به نام والتر. جی. لِوی، را با خود به تهران آورده بود. لِوی در چند ملاقات او با مصدق حضور داشت. لِوی بارها و بارها، موانع رویاروی دولت مصدق را در صورت تصمیم آن به اداره‌ی پالایشگاه آبادان به دست خود برشمرد: «تقریباً هیچ ایرانیِ آموزش دیده‌ای برای اشغال مناصب اداری و فنی پالایشگاه وجود نداشت و اگر معجزه‌ای هم به وقوع می‌پیوست و راهی برای به جریان انداختن نفت پیدا می‌شد، ایران نفتکش برای انتقال آن به بازارهای جهانی در اختیار نداشت. از دست رفتن پول بهره‌ی مالکانه‌ی دریافتی ایران که در ۱۳۲۹ به ۱۰ ملیون پوند بالغ می‌شد، اقتصاد کشور را متزلزل می‌کرد و احتمالاً به سرنگونی دولت مصدق و به نشستن یک دولت توده‌ای تحت کنترل مسکو به جای آن، منجر می‌شد. این مسئله نیز به‌نوبه‌ی خود دخالت نظامی غرب را برمی‌انگیخت.

هیچ یک از این استدلال‌ها، کوچک‌ترین تأثیری بر مصدق نداشت. وی پافشاری می‌کرد که مداخله‌ی خارجی ریشه‌ی همه مشکلات ایران است و «نخستین‌بار با حمله‌ی اسکندر یونانی شروع شد که تخت جمشید را در ۲۴۰۰ سال پیش به آتش کشید. هر موقع که لِوی نکته‌های مهمی در مورد آسیب و خسارت‌هایی که ایران در صورت نرسیدن به توافق با انگلیس متحمل می‌شد مطرح می‌کرد، مصدق چشمانش را می‌گرداند و صرفاً به این پاسخ قناعت می‌کرد: "Tant Pis Pour nous" (بدا به حال ما!).

هریمن و دستیارانش، که به بده‌بستان‌های سنتی دیپلماسی عادت داشتند، از سبک اعصاب خردکن مصدق در مذاکره پریشان‌حال و رمانده شدند. ورنون والترز، مترجم آمریکایی هریمن بعدها نوشت: «دکتر مصدق یادگرفته بود که برای برداشتن دو گام به عقب، یک گام به جلو بردارد. پس از یک روز بحث آقای هریمن مصدق را به موضع معینی می‌رساند. روز بعد که برای ادامه‌ی مذاکرات باز می‌گشتیم، مصدق نه‌فقط بر سر موضع پایانی روز قبل نبود، و در موضع روز پیش از آن هم قرار نداشت، بلکه به جایی که در اواسط پریروز قرار داشت، بازگشته بود.»

والترز در آن زمان سرهنگ دوم ارتش ایالات متحده بود. مهارت‌های زبانی وی توجه رؤسایش را جلب و به او در رسیدن به مشاغل عالی کمک کرد، که اوج آن انتصاب به معاونت سیا (CIA) و سفارت آمریکا در آلمان بود. وی از حس طنز گستاخانه‌ای برخوردار بود و زمانی به طنز گفته بود که بینی مصدق «جیمی دورانت[1] را واداشته که جلوی او لنگ بیندازد.» مهم‌تر آن‌که وی می‌دانست چه‌وقت ترجمه را تحت‌اللفظی انجام دهد و چه زمان اظهارنظرهای غیرمؤدبانه را تغییر دهد. مثلاً، در یک مورد، همسر گریدیِ سفیر با این جمله از رهبر ایران استقبال کرد: «دکتر مصدق، شما چهره‌ی گویایی دارید. هرزمان که به چیزی فکر نمی‌کنید، من می‌توانم با یک نگاه به صورت‌تان آن را بفهمم». والترز این اظهارنظر را این‌گونه به زبان فرانسه برگرداند: «دکتر مصدق، شما چهره‌ی بسیار گویایی دارید. هروقت که فکرتان سخت مشغول باشد، من می‌توانم حالت تمرکز را از چهره‌تان بخوانم.»

گفت‌وگوهای مصدق با هریمن به دلیل سبک مذاکره‌ی مصدق یا ناتوانی وی در فهم پیچیدگی‌های صنعت نفت نبود که خوب پیش نرفت. دلیل واقعی این عدم پیشرفت، اختلاف بنیادی دیدگاه‌های دوطرف بر سر این منازعه بود. از دیدگاه هریمن، این مسئله مربوط به امور عملی، مجموعه‌ای از چالش‌های

۱. Jimmy Durante، مربی و نویسنده‌ی آمریکایی که ظاهراً بینی درازی داشته است.

فنّی بود که با تحلیل‌های منطقی، بحث، و سازش حل وفصل نمی‌شدند. امّا مصدق از یک چشم‌انداز کاملاً متفاوت به مسئله نگاه می‌کرد. وی بر این باور بود که ایران در مرحله‌ی متعالی آزادی و رستن از بند قرار گرفته است. وی آکنده از آرمان‌جویی شیعی، مصمم بود که عدالت را حتی تا مرحله‌ی شهادت، پی گیرد. جزئیات مربوط به اداره‌ی پالایشگاه یا ظرفیت تانکرها، به نظر وی در این لحظه‌ی تعالی‌بخش، به‌نحو خنده‌آوری نامربوط می‌نمودند.

وقتی هریمن اصرار کرد که باید راهی برای ایجاد رابطه‌ای جدید با بریتانیا پیدا کرد، پیرمرد سری تکان داد و گفت: «شما نمی‌دانید که آنها چه‌قدر حیله‌گرند. شما نمی‌دانید که آنها چه اهریمنانی‌اند. نمی‌دانید آنها چگونه به هرچیزی که دست می‌زنند، آن را می‌آلایند.»

پس از آن‌که والتر لِوی با گروهی از مردم در یکی از خیابان‌های تهران به گفت‌وگو پرداخت، پی برد که اکثر ایرانیان نیز بر همین نظرند. گفت‌وگوی وی با مردم، چنان‌که بعداً خودش نقل کرده، از این قرار بود:

لِوی: می‌دانید که اگر تکنسین‌های انگلیسی از آبادان بروند، خودتان باید سعی کنید که پالایشگاه را اداره کنید؟

ایرانیان: بله

لِوی: می‌دانید که شما بدون وجود انگلیسی‌ها نخواهید توانست صنعت نفت را اداره کنید؟

ایرانیان: بله

لِوی: بنابراین، نفت ایران دیگر به بازارهای جهانی نخواهد رسید؟

ایرانیان: بله

لِوی: و اگر نفت ایران دیگر تولید نشود، پولی در خزانه‌ی ایران وجود نخواهد داشت؟

ایرانیان: بله

لِوی: و اگر پولی وجود نداشته باشد، دچار ورشکستگی مالی و اقتصادی خواهید شد که به سود کمونیست‌ها خواهد بود.

ایرانیان: بله

لِوی: خب، [با این چشم‌انداز] می‌خواهید چه کار کنید؟

ایرانیان: هیچ

هریمن که نتوانست مصدق را متقاعد کند، تصمیم گرفت که به‌طور غیرمستقیم بر او تأثیر بگذارد. ابتدا از شاه کمک خواست، امّا شاه به‌صراحت به او گفت که در مقابل افکار عمومی نمی‌تواند یک کلمه هم علیه ملی شدن نفت بگوید. وی سپس یک کنفرانس مطبوعاتی برگزار کرد و پس از ورود خبرنگاران شروع به خواندن بیانیه‌ای کرد که طی آن ایران را فرامی‌خواند تا با «خرد و نیز اشتیاق» با این بحران برخورد کند. به‌محض آن که این واژه‌ها از لبان وی خارج شد، یک خبرنگار از جای خود پرید و فریاد زد: «ما و مردم ایران جملگی از مصدق، نخست‌وزیر، و ملی شدن نفت حمایت می‌کنیم!» دیگران به ابراز شادمانی پرداختند و سپس از اتاق کنفرانس بیرون رفتند. هریمن تنها بر جای ماند و سرش را با تأسف تکان داد.

این‌بار فکر غریبی به ذهن هریمن آمد که در اندیشه‌ی این بود که چه کسی می‌تواند بر مصدق و توده‌های مردم تأثیر گذارد. وی تصمیم گرفت به دیدار آیت‌الله کاشانی، ملای جنگ‌افروز، و یکی از قدرتمندترین چهره‌های مردمی ایران، برود. تصور ملاقات دو مردِ تا این اندازه متفاوت دشوار است. هریمن از یکی از ثروتمندترین خانواده‌های جهان بود. وی مردی اهل عمل و خطر و درس‌خوانده‌ی دانشگاه ییل، و اسکی‌باز و چوگان‌بازی که زندگی خود را در بالاترین سطوح جامعه گذرانده بود. کاشانی اما، مردی بود که با انگلیسی‌ها در صحرا جنگیده، به دست آنها اسیر و بعدها به‌دستور شاه به تبعید در یک کشور خارجی محکوم شده بود. وی ریش سیاه و بلندی داشت و عمامه‌ای بر سر می‌گذاشت که با ریش‌اش می‌خواند. دنیای وی به یک اتاق کوچک و مفروش محدود بود که بیشتر ساعات روز را در حالت مراقبه، عبادت و نیز سیاست‌بازی در آن می‌گذراند. او چندبار در هفته به مسجد می‌رفت، و یا به نکوهش پرشور و حرارت امپریالیسم در برابر توده‌ی مؤمنانی

می‌پرداخت که او را همچون یک قدیس می‌دانستند.

هریمن به خانه‌ی کاشانی وارد و به اتاقی تاریک در پس سراپرده هدایت شد که آن قدّیس بی‌حرکت در آن‌جا نشسته بود. وی پس از درآوردن کفش‌ها، نشستن بر روی فرش، و ادای احترامات فایقه، به کاشانی گفت که امیدوار است با این عقیده‌ی او موافق باشد که بحران نفت فقط با انجام نوعی توافق بین ایران و بریتانیا قابل حل است. وی به خود جرئت داد و گفت شاید کاشانی بتواند کمک کند و مصدق را تشویق به پذیرش ملاقات با فرستاده‌ی بریتانیا کند. به‌محض آن که چند جمله‌ی اول ترجمه شد، کاشانی با توفانی از خشم و ناسزا به سخن آمد. لُبِّ کلام وی این بود که هیچ ایرانیِ با عزت‌نفسی هرگز با «سگ‌های» انگلیسی ملاقات نمی‌کند، و آمریکا با ارائه‌ی چنین پیشنهادی خود را به دشمن ایران تبدیل کرده است. وی در مورد نفت ایران گفت که می‌توان آن را برای نسل‌های آینده در زیرزمین باقی گذاشت. کاشانی در پایان گفت: «اگر مصدق تسلیم شود، خونش مثل رزم‌آرا ریخته خواهد شد.»

آیت‌الله که به این تهدید قانع نشده بود، به خود هریمن پرداخت و از وی پرسید که آیا نام مِیْجر اِمبری را شنیده است؟ و وقتی با پاسخ منفی هریمن روبه‌رو شد، توضیح داد که «او یک آمریکایی بود که در ۱۹۱۱ یا ۱۹۱۲ (۱۲۹۰ یا ۱۲۹۱) به ایران آمد. وی به کار نفت پرداخت که هیچ ربطی به او نداشت و با این عمل نفرت مردم را برانگیخت. یک روز که در خیابان‌های تهران قدم می‌زد، هدف تیراندازی قرار گرفت، امّا کشته نشد. وی را به بیمارستان بردند. امّا جمعیت خشمگین او را تا بیمارستان دنبال کردند. به درون بیمارستان ریختند و او را که بر تخت عمل بود، قصابی کردند. آیا منظور مرا می‌فهمید؟» هریمن با کمی تلاش اعصاب خود را کنترل کرد و با سردی پاسخ داد: «حضرت آیت‌الله، شما باید بدانید که من در طول زندگی‌ام جاهای خطرناک زیادی بوده‌ام و به‌آسانی مرعوب نمی‌شوم.» کاشانی شانه‌هایش را بالا انداخت و گفت: «خب، امتحان آن ضرری ندارد.»

بی‌اعتنایی کاشانی به ایده‌ی سازش که حتی عمیق‌تر از مصدق بروز کرد،

تمام آن چیزی نبود که موجب دلسردی هریمن شد. انگلیسی‌ها به همان اندازه نفرت و دل‌زدگی او را برانگیختند، همچنان‌که در تلگرافی به اچِسُن نوشت:

> به‌رغم این حقیقت که انگلیسی‌ها منافع نفتی خود را در ایران بزرگ‌ترین دارایی خارجی خود می‌دانند، تا آن جا که من می‌دانم، هیچ وزیری به‌جز چرچیل و ایدن در ایام جنگ از ایران دیدار نکرده است. مدیران شرکت نفت به‌ندرت این جا آمده‌اند. شرایطی که در این جا به وجود آمده و شکل گرفته، نمونه‌ای دردآور از مدیریت در غیبت به شمار می‌آید که با رشد ملی‌گرایی در کشورهای توسعه‌نیافته درآمیخته است. تردیدی در این امر وجود ندارد که ایرانیان حاضر به فداکاری به‌خاطر درآمدهای نفتی هستند، تا خود را از آن‌چه که رفتار استعماری بریتانیا می‌دانند، رها کنند. گروه‌های بزرگی آماده‌اند تا برای رسیدن به این هدف هر پیامدی را با آغوش باز بپذیرند. آشکار است که گزارش‌ها و توصیه‌هایی که انگلیسی‌ها از این‌جا می‌فرستند واقع‌بینانه نیست و ضروری است که اعضای دولت بریتانیا خود دریابند که در این جا چه می‌گذرد.

مدت‌ها چنین به نظر می‌رسید که به‌رغم همه‌ی موانع، احتمال رسیدن به راه‌حل وجود دارد. هریمن سرانجام موفق شد مصدق را تشویق کند تا بیانیه‌ای بدهد و اعلام کند که «اگر دولت بریتانیا از جانب شرکت سابق نفت انگلیس و ایران اصل ملی شدن صنعت نفت در ایران را به رسمیت بشناسد»، وی حاضر به مذاکره است. با این حال، در میان ناخشنودی شدید هریمن، وزارت خارجه‌ی بریتانیا این حرکت آشتی‌جویانه‌ی مصدق را رد کرد. وی تصمیم گرفت که خود به لندن پرواز کند و از بریتانیا بخواهد که عقلانیت نشان دهد. وی در آن جا سه ساعت با وزرای کابینه‌ی بریتانیا مذاکره کرد. اعضای کابینه دچار اختلاف‌نظر بودند. برخی بر ادامه‌ی سیاست انعطاف‌ناپذیر تأکید می‌کردند، امّا دیگران بر این عقیده بودند که اعزام نماینده‌ای به ایران می‌تواند کار عاقلانه‌ای باشد. اتلی، نخست‌وزیر بریتانیا تصمیم گرفت لرد پرایوی سیل، و سر ریچارد

استوکس، یکی از نخبگان ثروتمند بریتانیا که هیچ تجربه‌ای در خاورمیانه نداشت، را به ایران بفرستد.

استوکس دستور داشت به مصدق بگوید که شرکت نفت اصل تعلق نفت به ایران را می‌پذیرد و اکنون مایل است که منافع خود را بر پایه‌ی ۵۰-۵۰ با ایران تقسیم کند. امّا انگلیسی‌ها باید کنترل حفاری، پالایش و عملیات صدور نفت را همچنان در دست داشته باشند. این در اصل همان پیشنهادی بود که بازیل جکسون شش هفته پیش از آن با خود به تهران آورده بود. امّا به استوکس گفته شد که در مذاکرات خود این حقیقت را کتمان کند. وی می‌بایست در محدوده‌ی پیشنهاد جکسون باقی می‌ماند امّا می‌توانست «به آن شاخ و برگ بدهد و بندهای عمده‌ی آن را در صورت ضرورت به ترتیب دیگری، همراه با مخلفات و دهان شیرین‌کن‌هایی، عرضه کند.»

اولین سوآلی که مصدق در نخستین ملاقات از استوکس پرسید این بود که آیا او کاتولیک است. وی پاسخ مثبت داد. مصدق به او گفت که برای این مأموریت مناسب نیست چون کاتولیک‌ها به طلاق معتقد نیستند در حالی که ایران در حال طلاق گرفتن از شرکت نفت انگلیس و ایران است. استوکس از این کنایه‌ی مصدق خوشش نیامد، و در پاسخ گفت آن‌چه که مصدق دارد با شرکت می‌کند به قتل نزدیک‌تر است تا طلاق.

این گوشه و کنایه‌های متقابل، مذاکرات را در مسیر ناخوشایندی قرار داد، که با تصمیم ۹ مرداد (۳۱ ژوئیه) شرکت به تعطیل کردن پالایشگاه آبادان، پیچیده‌تر شد. مقامات شرکت گفتند که چاره‌ی دیگری نداشتند. مخازن ذخیره پُر بودند و نفتکش‌ها نمی‌توانستند حرکت کنند چون ناخداهای آنها دستور داشتند که از دادن رسیدِ مورد درخواست ایرانی‌ها، خودداری کنند. مرحله‌ای نگران کننده پیش آمده بود که نشان می‌داد بحران تا چه اندازه عمیق شده است.

استوکس به‌خوبی می‌دانست که پیشنهادی را به مصدق عرضه می‌کند که نخست‌وزیر قبلاً آن را رد کرده بود. استوکس در تلگرامی به کشور خود،

گفت که اصل پیشنهادی او ادامه‌ی عملیات شرکت همچون گذشته، «اما تحت یک نام جدید» است. وی با تأسف اظهار داشت که «تلاش کرده است این پیشنهاد چنان باشد که انگلیسی‌ها آن را خطرناک تلقی نکنند و ایرانی‌ها نیز به‌روشنی به صداقت آن پی ببرند.» مصدق به‌نوبه‌ی خود، اعلام کرد که علاقه‌مند است فقط درباره‌ی سه نکته مذاکره کند: ادامه‌ی فروش نفت ایران به بریتانیا برای رفع نیازهای داخلی آن؛ انتقال تکنسین‌های انگلیسی به شرکت تازه بنیاد ملی نفت ایران؛ و مقدار غرامتی که ایران باید برای دارایی‌های ملی شده شرکت نفت انگلیس و ایران پرداخت کند.

همچنان که چرخ مذاکراتِ در گل مانده به توقف اجتناب‌ناپذیر خود نزدیک می‌شد، استوکس و هریمن برای سرکشی به آبادان رفتند. امور متفاوتی که این دو خود را به آن سرگرم کردند نشان از رویکردهای کاملاً متفاوت آنها به بحران داشت. استوکس به‌سرعت درگیر یک بلاتکلیفی دیپلماتیک شد، و این زمانی بود که کنسول بریتانیا ابتدا سعی کرد مقامات ایرانی را از آبادان اخراج کند و سپس دچار خشم دیوانه‌واری شد که در اثر جلو افتادن یکی از اتومبیل‌های کاروان اسکورت استوکس از اتومبیل کنسول، به وجود آمد. کنسول نامه‌ی خشمگینانه‌ای به فرماندار محلی فرستاد و خواستار حصول اطمینان از این امر شد که «در آینده، نمایندگان دولت فخیمه‌ی اعلیحضرت، در معرض چنین بی‌احترامی‌هایی واقع نشوند.» وزارت خارجه‌ی ایران با اخراج وی از کشور واکنش نشان داد. کنسول اخراجی، پیش از خروج خود، تلگرامی به لندن فرستاد و پیشنهاد کرد که در بصره بماند تا «در صورت وقوع عملیات نظامی» بتواند کمک کند.

هریمن از وقت خود بهتر استفاده کرد. وی گشتی در آبادان زد و سپس تلگرامی برای ترومن فرستاد و طی آن گزارش داد که زاغه‌هایی که وی مشاهده کرد «برای مسکن کارکنان یک شرکت نفتی بزرگ غربی تکان دهنده» است. وی در پیام بعدی گله کرد که انگلیسی‌ها «تفکر استعماریِ کاملاً قرن نوزدهمی نسبت به ایران» دارند. آنها به‌جای مذاکره‌ی جدی، فقط «بیانه‌های

شتابزده» صادر می‌کنند و «به ابراز خشم غریزی» نسب به آن چه که سـرقت اموال خود در ایران می‌نامند، می‌پردازند. وی در پایان تلگرام خود نوشت، «صریحاً بگویم که اگر دولت بریتانیا همکاری نکند، موفقیت مأموریت من، اگر نه ناممکن، که فوق‌العاده تردیدآمیز خواهد شد.»

اعصاب هریمن در اثر بیماری روده‌ای و گرمای‌کشنده‌ی نیمه‌ی تابستان فرسوده‌تر شد. کاخی که وی در تهران در آن اقامت داشت باشکوه بود امّا فقط به چند پنکه‌ی زهوار در رفته برای مقابله با گرمای کشنده مجهز بود. وی برای فرار از گرما با هواپیمای رسمی خود که مجهز به تهویه‌ی مطبوع بود، به انجام پروازهای طولانی به مراکز استان‌های ایران اقدام کرد. او دستور داده بود که کابین هواپیما را تا آن جا که ممکن است خنک کنند و همراه دستیارانش با پیچیدن خود در پتو از سرما بهره‌مند می‌شد. وقتی که ورنون والترز گفت که استفاده از هواپیمایی که هر ساعت ۸۰۰ گالن سوخت مصرف می‌کند، برای خنک شدن، کمی اسراف است، هریمن با خشم پاسخ داد: «اگر صـورت ـ حساب مالیات بر درآمد مرا در طول سال‌های گذشته می‌دیدی، می‌دانستی که من خودم تعدادی از این هواپیماها را برای دولت ایالات متحده خریده‌ام.»

مصدق چندبار دیگر با استوکس ملاقات کرد و یک‌بار یادداشتی به او داد که ظاهراً پیشنهادی بود که کور سویی از امید برانگیخت. وی نوشته بود که اگر انگلیسی‌ها حق ایران را در کنترل صنعت نفت خود به رسمیت بشناسند، وی «به‌طور کامل و منصفانه»، با شرکت نفت در مورد «دعاوی عادلانه»ی آن برای غرامت مذاکره خواهد کرد. استوکس وسوسه شد و تلگرامی بـرای وزارت خارجه فرستاد و طی آن اجازه خواست که به بررسی آنچه که به نظر او یک پیشنهاد نویدبخش می‌نمود، بپردازد. پاسخ، آمرانه و خشن و شامل دستوری فوری بود: «هیچ سازش بیشتری» در کار نخواهد بود و استوکس باید مذاکرات را قطع و بلافاصله به لندن بازمی‌گشت. در ۳۱ مرداد (۲۲ اوت)، انگلیسی‌ها یک رشته مجازات اقتصادی علیه ایران به اجرا نهادند. جلوی صدور کالاهای کلیدی انگلیسی مثل شکر و فولاد را به ایران گرفتند؛ دستور خروج کلیّه‌ی

کارکنان انگلیسی حوزه‌های نفتی ایران، به‌جز یک «هسته‌ی مرکزی» متشکل از حدود ۳۰۰ کارگزار، را از آبادان صادر کردند؛ و مانع دسترسی ایـران بـه حساب‌های خود در بانک‌های انگلیس شدند. روز بعد، استوکس تـهران را ترک کرد.

مصدق در یک کنفرانس خبری پذیرفت که «نتیجه‌ای عاید نشده، وضع خوب نیست، همه‌چیز تمام شده است.» هم‌زمان با خـروج اسـتوکس، اتـلی تلگرام پیروزمندانه‌ای برای ترومن فرستاد. وی در این پیام گفت: «فکر می‌کنم قبول داشته باشید که شکست مذاکرات کاملاً متوجه طرف ایرانی است. اکنون تنها راهِ پیشِ رو، که به آن امید داریم، حمایت کامل و رسمی ایالات متحده از موضع دولت فخیمه‌ی بریتانیا است.»

درخواست وی به در بسته خورد. ترومن به‌شدت از شکست مـأموریت هریمن ناخرسند شد؛ امّا بیشتر تقصیرها را متوجه‌ی سازش‌ناپذیری بـریتانیا دانست. وی طی جوابیه‌ی خود تأکید کرد که نه بریتانیا و نه آمریکایی‌ها، نباید گام در راهی بگذارند که «در تضاد با آرمان‌های مشروع مردم ایران به نظر رسد.»

هریمن قبل از ترک تهران، با شاه دیدار و طی آن پیشنهاد محرمانه‌ای به وی ارائه کرد. وی گفت از آن‌جا که مصدق حل وفصل بحران را بر پایه‌ای قابل قبول برای غرب ناممکن ساخته، ممکن است جبراً از کار برکنار شود. هریمن می‌دانست شاه در آن لحظه راهی برای برکناری مصدق ندارد. با این حال، وی با مطرح کردن این موضوع، پیشاپیش خبر از دخالت آمـریکا در کودتای دوسال بعد می‌داد.

ورنون والترز بعداً نوشت: «این مأموریتی بر خلاف هر مأموریت دیگر بود، که در آن یک ویژگی از نوع آلیس در سرزمین عجایب وجود داشت و همین مرا بر آن داشت که پس از سه روز، نامه‌ای برای منشی آقای هریمن در واشنگتن بفرستم و از او درخواست کنم یک نسخه از آن کـتاب را بـرایـم بفرستد تا بدانم گام بعدیِ برنامه چیست. از یک نظر، این مأموریتی بود که

شکست خورد، امّا از آن‌گونه که سایه‌ی بلند خود را پیشاپیش بر مشکلات بزرگی افکند که جهان غرب را طی دودهه ونیم آینده با مسئله‌ی نفت درگیر می‌کرد. مشکلاتی که دکتر مصدق آن‌قدر زنده نماند تا به چشم ببیند، درحالی‌که به‌اعتباری منشأِ واقعی آنها به او بازمی‌گشت.»

پس از شکست این آخرین تلاش‌ها برای مذاکره، موریسون وزیر خارجه و شپرد سفیر بریتانیا، بر دامنه‌ی کوشش‌های خود برای برکناری مصدق افزودند. شپرد این فکر را با دوستان ایرانی‌اش در میان نهاد، مصدق نیز بلافاصله از این موضوع آگاه شد. در ۱۶ شهریور، طی یک سخنرانی در مجلس سنا آنها را محکوم کرد و هشدار داد که اگر انگلیسی‌ها دست از توطئه‌گری برندارند، کلیه‌ی شهروندان انگلیسی باقی‌مانده در آبادان را ظرف دو هفته اخراج خواهد کرد. اتلی با اعزام کشتی‌های نیروی دریایی سلطنتی برای تقویت ناوهایی که در ساحل ایران جولان می‌دادند، واکنش نشان داد.

انگلیسی‌ها دست‌کم تا یک‌سال مشغول بررسی امکان پیاده‌کردن نیرو در ایران بودند، با این خیال که آن‌چه را که پالایشگاه و حوزه‌های نفتی متعلق به خود می‌دانستند، در اختیار بگیرند. در پاییز ۱۳۲۹، فرانکس سفیر بریتانیا در آمریکا، به مقامات رسمی واشنگتن گفته بود که دولت متبوع‌اش معتقد است که «اعزام شمار کمی از نیروهای انگلیسی به جنوب ایران، تأثیری ثبات‌بخش و نه تحریک‌آمیز، بر جای خواهد نهاد»؛ در ماه آوریل سال بعد، سر جرج بولتون، مدیر اجرایی بانک انگلستان، گزارش مشاور خاورمیانه‌ای خود را تسلیم وزارت خارجه کرد که در آن گفته شده بود شتاب رویدادهای سیاسی در ایران «چنان است که دخالت مستقیم و اشغال قهرآمیز حوزه‌های نفتی و پالایشگاه، باید مورد توجه قرار گیرد.» وزیر دفاع، امانوئل شین‌وِل به هیئت وزیران گفت که تحمل ملی شدن شرکت نفت انگلیس و ایران سرمشق هولناکی بر جای می‌گذارد و «ما باید آماده باشیم که نشان دهیم دست ما را نمی‌توانند تا ابد بپیچانند.» مقامات شرکت طی یادداشتی خطاب به وزارت خارجه پیش-

بینی کردند که اگر نیروهای انگلیسی در آبادان پیاده شوند، «ایرانی‌ها احتمالاً دست از کار خواهند کشید» و شرکت می‌تواند «هزاران کارگر رنگین‌پوست را برای جبران نیروی کار ایرانی از افریقای شرقی» وارد کند.

در ماه اردیبهشت ۱۳۳۰، دو ماه پیش از ورود هریمن، انگلیسی‌ها دو نقشه‌ی مفصل برای تهاجم به ایران و اشغال این کشور، طراحی کردند. نخستین طرح، که در مراحل مختلف بوکانیر[1] و نقشه‌ی Y[2] نامیده می‌شد، عبارت بود از استفاده از ۷۰ هزار نیروی نظامی در یک «تهاجم دریایی همراه با ورود حداکثر نیروی ممکن از طریق هوا»، که به این ترتیب پالایشگاه و حوزه‌های نفتی را «تصرف و از آنِ خود» می‌کرند. عملیات میجت[3]، یکی از شقوق جایگزین محدودتر بود که فقط تسخیر پالایشگاه را یا به‌مدت دو هفته، که طی این مدت نفتکش‌ها نفت موجود در انبارها را از آن‌جا خارج می‌کردند، یا به‌مدّت نامحدود، به‌طوری که پالایشگاه می‌توانست نفت مناطق دیگر خلیج فارس را پالایش کند، در نظر داشت. هواداران این برنامه‌ها استدلال می‌کردند که نه‌فقط ادامه‌ی جریان نفت به بریتانیا را تضمین می‌کنند، بلکه هیجان میهن‌پرستانه‌ای را در کشور [انگلستان] به وجود خواهند آورد. لرد فریزر، لرد اول وزارت دریاداری، گفت که یک ضربه‌ی نظامی شجاعانه، «رخوت و رکود» را از بریتانیا دور و ثابت می‌کند که این کشور «فشارهای توهین‌آمیز جوجه ایرانیان تازه سر از تخم درآورده» را تحمل نخواهد کرد.

برخی مقامات بریتانیا در خردمندانه بودن چنین نقشه‌هایی تردید داشتند، امّا احساسات در مورد تهاجم و اشغال ایران چنان قوی بود که اگر به‌خاطر مخالفت‌های سازش‌ناپذیر دولت ترومن نبود، ممکن بود در همان روزها انجام بگیرد. در ۲۶ اردیبهشت، والتر گیفورد، سفیر آمریکا در بریتانیا برای اچسُن تلگرافی فرستاد و گفت که «به‌شکل فزاینده‌ای نگران جوّ ستیزه‌جویانه» در لندن است. او هشدار داد که وزارت خارجه‌ی بریتانیا به این باور رسیده که اعتراض آمریکا با حمله «چندان شدید نیست و احتمالاً قابل رفع و رجوع است.»

1. Buccaneer 2. Plan Y 3.Operetion Midget

گیفورد در ادامه نوشت: «با توجه به این پیش‌زمینه، بیم آن داریم که انگلیسی‌ها که به‌طور ضمنی استفاده از زور را مطرح کرده‌اند، در نهایت ممکن است با دو بدیل روبه‌رو شوند: یا با توجه به شناخت بهترشان، از این تهدید و قمار بر روی نتایج غیرقابل پیش‌بینیِ آن، نتیجه‌ی خوبی می‌گیرند، یا عقب می‌نشینند و درنتیجه متحمل از دست رفتن وجهه‌ی خود و شاید تضعیف مرگبار موقعیت‌شان می‌شوند. برآورد ما این است که تصمیم نهایی بریتانیا در استفاده یا عدم استفاده از زور در تحلیل نهایی به این بستگی دارد که ایالات متحده تا چه میزانی آماده‌ی حمایت از این تصمیم باشد.»

اچِسُن بلافاصله مبرم بودن پیام را درک کرد. فرانکس، سفیر بریتانیا را فراخواند و به او گفت که ایالات متحده قاطعانه با «استفاده از زور یا تهدید به استفاده از آن» علیه ایران مخالف است، و ترومن خود «قویاً تأکید کرده که نباید اجازه داد که وضع به سویی رود که به درگیری گروهی از نیروهای انگلیسی با نیروهای ایرانی منجر شود.» صراحت کلام وی تأثیر مستقیم خود را برجای نهاد. فرانکس بلافاصله پیامی به لندن فرستاد و هشدار داد که اگر بریتانیا نقشه‌های نظامی خود را به پیش ببرد: «مخالفت واشنگتن با این اقدامِ بریتانیا حتی شدیدتر از حال حاضر خواهد شد.»

موضع ترومن حامیان زیادی در میان مطبوعات آمریکا یافت. وال استریت جورنال از اتکای بریتانیا به «تهدیدات قرن نوزدهمی» اظهار تأسف شدید کرد. فیلادلفیا اینکوایرر، هشدار داد که تهاجم بریتانیا به ایران ممکن است موجب «آغاز سریع جنگ جهانی سوم» شود. یکی از مفسران معروف شبکه‌ی CBS، هاوارد ک. اسمیت، تأکید کرد که بسیاری از کشورهای خاورمیانه و حتی کشورهای دیگر، از ایران حمایت می‌کنند، و حمله به ایران ممکن است «همه‌ی مردم جنوب آسیا را به شورش علیه خارجیان غربی تحریک کند و به بروز مشکلات جدی برای بریتانیا و ایالات متحده، هردو، منجر شود.»

موریسون، وزیر خارجه‌ی بریتانیا، که گروه‌های جنگ‌طلب را در لندن

رهبری می‌کرد، مصرانه از آمریکایی‌ها خواست که موضع خود را تغییر دهند. وی استدلال می‌کرد که این برای غرب یک فاجعه است که بریتانیا را در دستان مردی چون مصدق که تعصب متحجرانه‌ی وی مترادف با دیوانگی است، «ضعیف و بی‌اثر» جلوه دهد. پس از آن‌که دادگاه بین‌المللی عدالت، «نقطه‌نظر» خود را اعلام کرد، وی از اچِسُن پرسید که آیا آمریکایی‌ها در صورت خودداری ایران از پایین آمدن از خر شیطان، از حمله‌ی نظامی حمایت می‌کنند یا خیر؟ اچِسُن پاسخ داد، مطلقاً نه. حمله نظامی بریتانیا به ایران تحت هر شرایطی «پیامدهای فاجعه‌بار سیاسی» خواهد داشت.

همین برای نخست‌وزیر اتلی که هرگز اشتیاقی به ایده‌ی اشغال ایران نداشت، کافی بود. در ۱۹ ژوئیه (۲۸ تیر)، کابینه‌ی وی رأی داد که راه‌حل نظامی به تعویق بیفتد و برای حفظ تعادل اعزام سه گردان نظامی به کشور همسایه‌ی ایران، عراق، را تصویب کرد. با این حال، موریسون تسلیم نشد. پس از آن که مصدق در ماه سپتامبر اعلام کرد که آخرین شهروندان بریتانیا به‌زودی از آبادان اخراج خواهند شد، موریسون به اعضای کابینه گفت زمان حمله فرارسیده است. اتلی با یک نمایش قدرت نیروی دریایی در خلیج فارس موافقت کرد، امّا هرگونه اقدام نظامی شدیدتر را به‌طور قطع منتفی دانست.

اتلی به اعضای کابینه گفت: «اشغال جزیره‌ی آبادان لزوماً تغییر دولت ایران را در پی نخواهد داشت و ممکن است مردم ایران را علیه کشور ما کاملاً متحد کند، و نه چاه‌های نفت، نه پالایشگاه بدون کمک کارگران ایرانی نمی‌توانند کار کنند. اگر تلاش کنیم که به یک راه‌حل نظامی برسیم، نمی‌توانیم انتظار داشته باشیم که حمایت سازمان ملل را به دست آوریم که در آن آمریکای جنوبی از سیاست ایالات متحده پیروی خواهد کرد و دولت‌های آسیایی نیز با ما دشمن خواهند شد.»

موریسون که نتوانسته بود اتلی را به دادن فرمان حمله ترغیب کند، تصمیم به شروع عملیات پنهانی گرفت. وی ابتدا به دو پژوهشگر برجسته روی آورد

که سال‌ها درباره‌ی ایران مطالعه کرده و نسبت به منافع بریتانیا در آن‌جا نظر مساعد داشتند. آن لمبتون، وابسته‌ی مطبوعاتی سفارت بریتانیا در تهران طی جنگ جهانی دوم بود، و تا آن جا پیش رفت که به یکی از ایران‌شناسان تراز اول بریتانیا تبدیل شد. وی، به درخواست موریسون، شروع به دادن رهنمودهایی در مورد «خطوط مؤثر تبلیغاتی»ای کرد که انگلیسی‌ها می‌توانستند از آن برای تغییر نظر مردم ایران علیه مصدق سود جویند.

نقش لمبتون به دادن مشاوره در لندن محدود می‌شد. پژوهشگر دیگری که موریسون، به پیشنهاد لمبتون، به خدمت گرفت، چهره‌ی جلوه‌فروش‌تری بود، که موریسون از او توصیه‌های بسیار بیشتری طلب می‌کرد. او رابین ژانر[1] نام داشت، مأمور مخفی کهنه کاری که برای سرویس اطلاعاتی مخفی[2] در ایران کار کرده بود. ژانر فارسی را فصیح صحبت می‌کرد و با چهره‌های مشهور سیاست ایران کاملاً آشنایی داشت. او، طی یکی از یادداشت‌های وزارت خارجه به‌عنوان «مردی با پیچیدگی زیاد» توصیف شده بود، امّا با صدای جیرجیری و رفتار غریب خود، به‌دشواری می‌توانست جاسوسی با معیارهای سنتی باشد. یک آمریکایی که زندگی شغلی او را مطالعه کرده، او را چهره‌ای درخشان و چندبُعدی توصیف می‌کند:

> ژانر ظرفیت خارق‌العاده‌ای در تلفیق افکار عالی با زندگی سطح پایین داشت. وی سویه‌ی سبک‌تر وظایفش را دوست‌داشت، که از نوع حرف‌های خاله‌زنکی و شایعه یا بحث درباره‌ی مسائل فلسفی و مذهب، یا نقطه‌ضعف‌های انسان بود. وی مشروبخور قهاری هم بود. ژانر، تقریباً در سنت آلدوس هاکسلی (رمان‌نویس و منتقد انگلیسی) از مواد مخدر نیز استفاده می‌کرد تا درک حسّی خود را از حقایق ابدی بالا ببرد... . وی به کسانی که علاقه‌مند به آشنایی با سیاست در ایران بودند خواندن کتاب لوئیس کارول[3]، **از پشت عینک**، را توصیه

1. Robin Zaehner
2. Secret Intelligence Service
3. Lewis Carroll نویسنده‌ی کتاب معروف ماجراهای آلیس در سرزمین عجایب.

می‌کرد. وی گرایش به این داشت که همان چیزی را به رؤسایش بگوید که فکر می‌کرد آنها دوست دارند بشنوند. خلق وخوی او کششی در وی به‌سوی وجه شرورانه‌تر عملیات جاسوسی ایجاد نمی‌کرد؛ به‌ویژه آن که از انضباط لازم هم برای مخفی‌کاری مجدّانه برخوردار نبود. ژانر **شکمباره‌ای** آکسفوردی بود که به یک شبه‌مأمور سرویس مخفی مسخ شد.

در تابستان سال ۱۳۳۰ موریسون، ژانر را به‌عنوان «جانشین کنسول» سفارت بریتانیا در تهران منصوب کرد. ژانر اگرچه به‌لحاظ فنی یک مأمور اطلاعاتی محسوب نمی‌شد، قسمت اعظم وقت خود را صرف ملاقات با چهره‌های مخالف مصدق و پیشنهاد راه‌هایی برای تضعیف دولت وی، می‌کرد. فعالیت وی آنها را عمیقاً دلگرم می‌کرد و گزارش‌هایی که به وزارت خارجه‌ی بریتانیا می‌فرستاد تأثیر چشمگیری داشت. وی نخستین خارجی اعزام شده به ایران با مأموریت ویژه‌ی تلاش در براندازی مصدق بود. پیشرفت او در کار، موضع کسانی را در لندن تقویت کرد که بر این باور بودند که کارزار عملیاتی پنهانی علیه مصدق احتمال موفقیت دارد.

رهبران بریتانیا در حالی که اقدامات نظامی را برای ترساندن ایران در دستور کار خود قرار داده و عملیات پنهانی خود را علیه دولت آغاز کردند، گام‌هایی هم برای فلج کردن اقتصاد ایران برداشتند. این اقدامات ظاهراً راهبردی منطقی بود. زیرا تحمیل درد و رنج غالباً اراده‌ی کشورها را، مثل اراده‌ی انسان‌ها، می‌شکند. اما آن‌چه که انگلیسی‌ها از درک آن عاجز بودند یا از درک‌اش امتناع می‌ورزیدند، این بود که مصدق و اکثریت بزرگی از ایرانی‌ها آمادگی پذیرش، و حتی استقبال، از درد و رنج زیاد به‌خاطر آرمان مقدس‌شان را داشتند. سنت مذهبی شیعه با شور ناسیونالیستی درآمیخته و سراسر ایران را فرا گرفته بود. [درواقع] این دو عامل با هم اراده‌ی ایرانیان را پولادین ساخته بودند.

انگلیسی‌ها می‌خواستند فعالیت شرکت ملی نفت ایران را ناممکن کنند. نخستین راهکاری که به کار گرفتند، خرابکاری محتاطانه در پالایشگاه آبادان بود. اریک دِرِیک، مدیرعامل شرکت در آبادان هنگام ملی شدن صنعت نفت، سال‌ها بعد به خاطر آورد که مدیران انگلیسی هر چه توانستند کردند تا اطمینان حاصل کنند که ماشین‌آلات پالایشگاه کار نمی‌کنند و مدیران جدید پی نبرند که پالایشگاه چگونه کار می‌کند. وی می‌گفت: «تردیدی نبود که مقاومت سرسختانه‌ای صورت می‌گیرد، امّا برای آنها عجیب و خارق‌العاده می‌نمود که وقتی قرار بود قطعاتی کار خاصی انجام دهند، خراب شوند.»

این اقدامات، پالایشگاه را از کار بازنمی‌داشت، به‌شرطی که تکنسین‌هایی برای اداره‌ی آن یافت می‌شدند. شرکت ملی نفت ایران به انتشار آگهی برای استخدام چنان تکنسین‌هایی در چند روزنامه و نشریه‌ی تخصصی اروپا دست زد. دیپلمات‌های انگلیسی به فعالیت افتادند تا اطمینان حاصل کنند هیچ‌کدام از آن تکنیسین‌ها پایش به آبادان نرسد. آنها دولت‌های سوئد، اتریش، فرانسه و سوئیس را متقاعد کردند که از صدور اجازه‌ی خروج به متقاضیان علاقه‌مند خودداری کنند. در آلمان [غربی]، که هنوز در اشغال متفقین بود، از دولت آن کشور خواستند که «از اعطای گذرنامه به اتباع آلمانی که قصد مسافرت به ایران را دارند امتناع کنند»، مگر آن که ثابت می‌کردند کارشناس نفتی نیستند. آلمانی‌ها در موقعیتی نبودند که در برابر این خواسته مقاومت کنند؛ یک شرکت آمریکایی نیز رسماً به دولت ایران پیشنهاد کمک «به استخدام ۲۵۰۰ تکنسین آمریکایی برای اداره‌ی پالایشگاه نفت» را کرد. امّا، پس از هشدار وزارت خارجه‌ی آمریکا که این پیشنهاد را «مغایر منافع انگلیسی‌ها و موجب شرمندگی برای ایالات متحده» دانست، پس نشست. یکی از نمایندگان کنگره‌ی آمریکا، اووِن هریس، طرحی را ارائه کرد که به وزارت کشور اجازه می‌داد کارشناسان واجد شرایط را شناسایی کند و اسباب سفر آنها را به ایران فراهم آورد. امّا این طرح نیز پس از اعتراض دیپلمات‌های بریتانیا به کمیته‌ی روابط خارجی مجلس نمایندگان مسکوت ماند. در خود بریتانیا، به ۲۰ تن از

کارکنان شرکت نفت انگلیس و ایران که ایران را ترک کرده بودند، امّا می‌خواستند به آن‌جا بازگردند، گفته شد که طبق رژیم تحریمی جدید، اجازه ندارند که حقوق (ریالی) خود را به پول انگلیسی تبدیل کنند.

این کارزار تحریم‌های کاملاً هماهنگ شده، ادامه‌ی تولید نفت را برای ایران ناممکن کرد. با این حال، انگلیسی‌ها نگران بودند که ایران راهی پیدا کند و یا با استفاده از کارشناسان ایرانی و یا با آوردن پنهانی افراد خارجی، محاصره‌ی تحمیلی را دور بزند. بنابراین، تمام سعی خود را به کار گرفتند تا اطمینان حاصل کنند که در صورت وقوع چنین احتمالی، ایران موفق به یافتن مشتری برای نفت خود نشود.

شرکت‌های انگلیسی و آمریکایی مالک بیش از ۲/۳ نفتکش‌های جهان بودند، امّا این امکان باقی بود که نفتکش‌های شوروی یا دیگر کشورها اقدام به حمل نفت ایران کنند. برای جلوگیری از این احتمال، وزارت خارجه‌ی بریتانیا ابتدا این مسئله را بررسی کرد که به «متوقف کردن نفتکش‌ها در دریاهای آزاد به‌اتهام حمل نفتِ به سرقت رفته از ایران» اقدام کند. اما پس از این که معلوم شد چنان تهدیدی نقضِ حقوق بین‌المللی به شمار می‌رود، تصمیم به اتخاذ راهکار متفاوتی گرفت. شرکت نفت انگلیس و ایران آگهی‌هایی را در روزنامه‌های سراسر جهان منتشر کرد و هشدار داد که علیه هر کشوری که نفت ایران را جابه‌جا کند «به هر اقدام لازم دست خواهد زد». شرکت، تهدیدات خود را بر این اصل که نفت ایران طبق «کنوانسیون **۲۹** آوریل **۱۹۳۳**» اموال قانونی‌اش محسوب می‌شود، مستند می‌کرد. این تبلیغات زبانی گمراه‌کننده داشت، چرا که کنوانسیون‌ها ابزاری در رابطه‌ی بین دولت‌ها هستند و قرارداد امتیاز نفتی **۱۹۳۳** بین یک دولت و یک شرکت امضا شده بود. مقامات چند کشور این واقعیت را دریافتند و طرح‌هایی را برای خرید نفت ذخیره شده‌ی ایران یا نفتی که احتمالاً تولید می‌کرد، مورد بررسی قرار دادند.

در طول تابستان ۱۳۳۰، هنوز بیش از ۳۰۰ نفر انگلیسی در آبادان مانده بودند، و یکی از آنها که قائم‌مقام مدیرعامل بود آلیک مِیسون نام داشت. وی

رضاشاه دیکتاتوری خشن، امّا در عین‌حال اصلاح‌گری آینده‌نگر بود. انگلیسی‌ها در سال ۱۳۲۰ وی را از تاج و تخت ایران به زیر کشیدند. پسر ارشد وی، محمدرضا شاه آینده، نفر دوم از سمت چپ است.

انگلیسی‌ها بزرگ‌ترین پالایشگاه جهان را در آبادان ساخته و منافع هنگفتی از آن به دست آوردند. شرکت نفت انگلیس و ایران که به آنها تعلق داشت، قرار بود با ایران شریک باشد. امّا ایرانیان اجازه نداشتند دفاتر شرکت را حسابرسی کنند.

آبادان، یک منزلگاه مرزی استعماری بود، با استخرهای شنا و زمین تنیس برای کارگزاران انگلیسی، و زاغه‌هایی برای ده‌ها هزار کارگر ایرانی. اتوبوس، سینما و دیگر امکانات رفاهی مخصوص انگلیسی‌ها بود.

مصدق، وقتی که شرکت نفت انگلیس و ایران را در سال ۱۳۲۰ ملی کرد، شور ایرانی‌ها را برانگیخت. در این عکس وی در بستر بیماری است. وی امور سیاست کشور را اغلب از آنجا اداره می‌کرد.

مصدق در ۱۳۳۱ از آمریکا دیدن کرد. رئیس جمهور وقت، هری ترومن، سعی کرد سازشی بین ایران و بریتانیا برقرار کند.

هنری گریدی (بالا)، سفیر آمریکا در ایران، به دنبال آن بود که از برخورد مصدق با غرب جلوگیری کند، اورِل هریمن (راست)، فرستاده‌ی ویژه‌ی ترومن نیز همین هدف را دنبال می‌کرد.

محمدرضاشاه می‌خواست آینده ایران را هدایت کند، امّا مصدق معتقد بود که شاهان باید سیاست را به رهبران منتخب مردم واگذارند. شاه از کوشش‌های مصدق برای کاهش قدرتش به‌تلخی یاد می‌کرد.

در ۱۴ اکتبر ۱۹۵۲ (۱۲ مهرماه ۱۳۳۱)، آن چه که به فکر نمی‌آمد به وقوع پیوست؛ آخرین شهروندان بریتانیا آبادان را ترک کردند. این یک پیروزی برای ناسیونالیسم ایرانی و شکستی حقارت‌بار برای انگلیسی‌ها بود. آنها رفتند تا این شکست را با سرنگونی مصدق جبران کنند.

کوتاه‌زمانی پس از تأیید ضرورت انجام کودتا توسط آیزنهاور، سیا یکی از مأموران کارکشته‌ی خود، کِرمیت روزولت، را برای اجرای آن به ایران فرستاد.

وینستون چرچیل به عملیات پنهانی باور داشت و قویاً از کودتا حمایت می‌کرد. او و وزیر خارجه‌اش، آنتونی ایدن، مادام که ترومن رئیس جمهور بود نتوانستند حمایت آمریکا را به خود جلب کنند، امّا پس از آن که آیزنهاور در ۱۹۵۳ (۱۳۳۲) به کاخ سفید وارد شد، در این کار موفق شدند.

برادرانی که سطوح آشکار و پنهانی سیاست خارجی آمریکا را در دوران آیزنهاور اداره می‌کردند، مصمم بودند که مصدق را سرنگون کنند: وزیر خارجه، جان فاستر دالس (بالا) و رئیس سازمان اطلاعات مرکزی، آلن دالس. (چپ)

پس از آن که یک دیپلمات ضدمصدق، لوی هندرسون، به سفارت آمریکا در تهران منصوب شد، کارزار ضد مصدق شدت گرفت. هندرسون، راست، هنگام صحبت با حسین فاطمی وزیر خارجه‌ی بدفرجام ایران دیده می‌شود.

اسدالله رشیدیان، از مأموران کلیدی کِرمیت روزولت، به کسب حمایت‌برای کودتا از طریق دادن رشوه به سیاستمداران، مدیران و نویسندگان روزنامه‌ها ، و رهبران باندهای خیابانی پرداخت.

سر فرانسیس شپرد، سفیر بریتانیا در ایران، به‌طور خستگی‌ناپذیری در پی تضعیف دولت مصدق بود.

آیت‌الله ابوالقاسم کاشانی، یک روحانی بنیادگرای قدرتمند، ابتدا از مصدق حمایت کرد و سپس علیه او موضع گرفت.

ژنرال هـ نورمن شوارتسکف، پدر فرمانده جنگ اول خلیج فارس، طی دهه‌ی ۱۳۲۰ فرمانده یک یگان زبده‌ی پلیس در ایران بود. وی برای یک مأموریت پنهانی و کمک به انجام کودتا به ایران آمد.

تیمسار سپهبد زاهدی نخست‌وزیر

بمناسبت روز تاریخی ۲۸ مرداد که فرمان شما به نخست‌وزیری صادر گردید

و افتخار آنرا یافتید که وظیفه خطیری را با همت تمام ملت ایران انجام دهید و برای

برقراری مجدد اصول قانون اساسی و رهائی کشور از چنگال مهیب‌ترین مخاطرات

۲۸ مرداد
۱۳۳۳

توفیق حاصل نمائید لازم دانستم بموجب این دستخط قدردانی خود را اظهار دارم

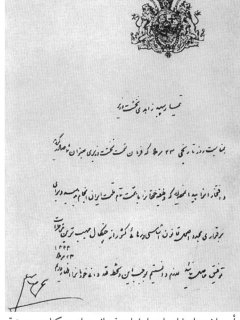

مأموران سیا، شاه را به امضای فرمانی برای برکناری مصدق و فرمان دیگری برای انتصاب افسر ناراضی، تیمسار فضل‌الله زاهدی به جای او ترغیب کردند. این فرمان از نظر قانونی اشکال داشت، امّا به جلب حمایت از کودتا کمک کرد. تقدیرنامه‌ی بالا اشاره به این فرمان دارد.

شاهزاده اشرف، خواهر دوقلو و سرسخت شاه، برادر را به حمایت از کودتا تشویق کرد. یک مأمور انگلیسی گفت که همکاری او را با مقداری پول و یک پالتوی پوست جلب کرد.

انگلیسی‌ها و آمریکایی‌ها سرلشگر زاهدی (چپ) را به‌عنوان مقام تشریفاتی کودتای خود برگزیدند. یک همدست اصلی دیگر آنها سرهنگ نعمت‌الله نصیری (راست)، فرمانده گارد شاهنشاهی بود.

در روز ۲۸ مرداد ۱۳۳۲، جمعیت مخالف مصدق در خیابان‌های تهران جولان می‌داد. برخی واحدهای نظامی نیز به آنها ملحق و تا نیمه‌شب آن روز موفق به سرنگونی دولت شدند.

شاه که وقتی به نظر می‌آمد کودتا به شکست انجامیده ترسان و سراسیمه فرار کرده بود، به کشور بازگشت تا تاج و تخت خود را پس گیرد. وی کوتاه زمانی بعد قدرت را در دستان خود متمرکز کرد.

مصدق بازداشت و توسط دادگاهی نظامی محاکمه و محکوم به خیانت شد. وی سه سال در زندان ماند و بقیه‌ی عمر را تحت بازداشت خانگی سپری کرد. او در سال ۱۳۴۵ درگذشت.

محمدرضاشاه ۲۵ سال با خشونت بر ایران حکومت کرد و سرانجام با انقلاب ۱۳۵۷ سرنگون شد.
انقلابیونی ازاین‌دست که در عکس می‌بینید، تصاویر مصدق را با خود حمل می‌کردند، که نماد عزم آنها به گرفتن انتقام کودتای ۲۸ مرداد بود. رژیم جدید ایران، به گروه‌های ضد غربی کمک رساند، و الهام‌بخش بنیادگرایان اسلامی در بسیاری از کشورها شد.

راهی برای ره‌گیری تلگرام‌هایی که برای شرکت ملی نفت ایران فرستاده می‌شد، یافته بود. در مردادماه، تلگرامی از شرکت‌های نفتی آمریکایی را ره‌گیری کرد که پیشنهاد کرده بودندنفتکش‌های خود را در اختیار شرکت ملی نفت ایران قرار می‌دهند، به‌شرط آن‌که شرکت طی سال آینده ۱۰ ملیون تن نفت خام به آنها بفروشد. وی رؤسای خود را در لندن از این خبر آگاه کرد. آنها نیزبه‌نوبه‌ی‌خود به وزارت خارجه‌ی آمریکا شکایت بردند، که شرکت‌های آمریکایی را متقاعد به پس گرفتن این پیشنهاد کرد. شکایت‌های مشابهی، معاملات آتی شرکت ملی نفت ایران با شرکت‌های ایتالیایی و پرتغالی را بر هم زد. ایرانی‌ها سپس سعی کردند معاملات پایاپای نفت با هند و ترکیه ترتیب دهند، اما فشار بریتانیا، این معاملات را هم باطل کرد.

همچنان که بریتانیا حلقه‌ی محاصره را تنگ‌تر می‌کرد، ایران به سوی آشوب‌های سیاسی می‌رفت. مجادلات تلخی در مجلس به راه افتاد. از جمله، در یک مورد نماینده‌ای کیف‌دستی خود را به سوی یک عضو کابینه پرتاب کرد. میانه‌روها هشدار می‌دادند که مصدق کشور را در آستانه‌ی فاجعه قرار داده است. رادیکال‌ها با همان شدت استدلال می‌کردند که وی به‌اندازه‌ی کافی در مقابل انگلیسی‌ها قاطعیت نشان نمی‌دهد. مطبوعات، آزادتر از هر زمان دیگری در تاریخ ایران، آکنده از تقبیح و محکوم کردن افراد، وارد آوردن اتهام، و پیش‌بینی‌هایی از نوع سرنوشت شوم کشور یا غیره، بودند. گریدی، سفیر آمریکا، طی مصاحبه‌ای با روزنامه‌نگاران در تهران هشدار داد که جنگ باانگلیس یا کودتایی کمونیستی ممکن است قریب‌الوقوع باشد.»

این گفته‌ها از جمله آخرین سخنان گریدی در مقام سفیر بودند. حمایت صریح وی از آرمان ناسیونالیسم ایرانیان، انگلیسی‌ها را به‌سختی رنجیده‌خاطر کرده بود، و سرانجام اچِسُن به این نتیجه رسید که «شخصیت محکم» او برایش تبدیل به یک نقطه‌ضعف شده است. وی در شهریورماه (سپتامبر) گریدی را برکنار و به جای او لوی هندرسون را منصوب کرد، که جهان‌بینی وی در چارچوب رویارویی شرق و غرب شکل گرفته بود. وی پس از کوتاه‌زمانی به

این نتیجه رسید که مصدق «دیوانه‌ای است که با روس‌ها متحد خواهد شد.»

هر گاه که آمریکایی‌ها سفیر خود در تهران را عوض می‌کردند، انگلیسی‌ها نیز [با نظر به دیدگاه سفیر جدید] راهبرد خود را تغییر می‌دادند. آنها که با اکراه راه‌حل نظامی را منتفی دانسته بودند، تصمیم گرفتند پرونده را به شورای امنیت سازمان ملل ارجاع دهند و امیدوار بودند که در آن‌جا موافقت اعضا را برای صدور یک قطعنامه، که به مصدق دستور می‌داد نفت شرکت آنها را از ایران صادر نکند، جلب کنند. تشکیل جلسه‌ی شورای امنیت این امکان را نیز به آنها می‌داد تا دعوای خود را، که به‌باور آنها بسیار متقاعدکننده بود، در معرض قضاوت دادگاه افکار عمومی جهان، بگذارند.

آمریکایی‌ها علیه این اقدام هشدار دادند. هنری گریدی، که در آن زمان دیگر یک سفیر سابق محسوب می‌شد، به یک روزنامه‌ی چاپ لندن گفت که «انگلیسی‌ها با این کار ابلهانه، تریبونی مهم را در اختیار ایرانی‌ها می‌گذارند تا به جهانیان بگویند که چگونه شرکت نفتی انگلیس مردم ایران را تحت ستم قرار داده است، و نشان بدهند که امپریالیسم غرب در پی کنترل، و احتمالاً نابودیِ، دیگر کشورها در بخش توسعه‌نیافته‌ی جهان است.» وزارت خارجه‌ی آمریکا نگران این بود که اتحاد شوروی هر نوع قطعنامه‌ی طرفدارانه از بریتانیا را وتو کند، و به این ترتیب وجهه‌ی خود را به‌عنوان مدافع جهان ستمدیده بهبود بخشد. اِچِسُن در نامه‌ای به هربرت موریسون هشدار داد که تحمیل این بحث به سازمان ملل، ممکن است به «انجماد غیرقابل برگشت اوضاع ایران» منجر شود.

اما موریسونِ همیشه «کُندذهن» مصمم بود که کار را با زور پیش ببرد. وقتی سفیر آمریکا در لندن، والتر گیفورد، با او ملاقات کرد تا نامه‌ی اِچِسُن را تسلیم‌اش کند، با پرخاش تند او مواجه شد:

> امروز بعدازظهر ۴۵ دقیقه با موریسون بودم و او را عنق و عصبانی یافتم... وی شروع به انتقاد از طرز فکر ما نسبت به مشکل ایران کرد. از پیشنهاد آمریکا (برای یک قطعنامه‌ی رقیق شورای امنیت) ناخرسند

بود و چندبار تکرار کرد: «من با مصدق در جایگاه متهم نخواهم نشست...». و در جایی گفت: «ما قدیّس بوده‌ایم و مصدق، شیطان». وی تأکید داشت که نمی‌تواند طرز فکر آمریکا را درک کند. وی انتظار صد درصد همکاری را داشت، در حالی که فقط ۲۰ درصد آن را دریافت می‌کند... می‌گفت ما (آمریکایی‌ها) مرتب با اقدام نظامی و استفاده از زور مخالفت کرده‌ایم و حال که انگلستان می‌خواهد به (سازمان ملل) متوسل شود تا حکومت قانون را پاس دارد، ما نه‌فقط به عقلانیت این کار شک می‌کنیم، بلکه دلایلی ارائه می‌دهیم که هیچ تفاوتی بین جرم نسبی و بی‌گناهی طرفین نمی‌گذارد.. . در طول گفت وگوی ما، موریسون (یادداشت اچِسُن را) در پرونده‌ی روی میزش گذاشته بود. بالاخره آن را برداشت و خواند، سرش را تکان داد و غرولندکنان گفت: «این شکست‌طلبی است؛ شکست‌طلبی!»

موریسون اطمینان داشت که نماینده‌ی زبان‌باز بریتانیا در سازمان ملل، سر گلادوین جِب، بر بحث‌ها تسلط خواهد یافت و لفاظی‌های لازم را در مقابل همتایان ایرانی‌اش با مهارت به عمل خواهد آورد. اما اگر او فکر می‌کرد که چشم‌انداز رویارویی در چنان تالار باعظمتی رهبران ایران را می‌ترساند، کاملاً در اشتباه بود. مصدق عاشق چنین رویارویی‌هایی بود. آن‌قدر که تصمیم قاطع گرفت که به نیویورک سفر کند و شخصاً این دعوا را پیش ببرد.

این اقدام یک ضربه‌ی ماهرانه بود. گویاترین چهره‌ای که ایران طی چند سده بیرون داده بود، اکنون به یک صحنه‌ی جهانی می‌رفت و نه‌فقط دعوای یک کشور ضعیف در مقابل یک شرکت بزرگ، که دادخواهی شوربختان کره‌ی زمین در برابر ثروتمندان و قدرتمندان، را مطرح می‌کرد. مصدق در آستانه‌ی تبدیل شدن به سخنگوی شاخص شور ناسیونالیستی بود، که سراسر جهان استعمارزده را درمی‌نوردید.

فصل ۸

پیرمردی فوق‌العاده زیرک

ازدحام مریدان مصدق که برای ابراز احساسات نسبت به او در فرودگاه تهران گرد آمده بودند، همه جا را بند آورده بود؛ وی عازم سفر تاریخی خود به نیویورک بود. وقتی هواپیمای وی در رم، به‌عنوان نخستین توقف‌گاه، بر زمین نشست، در محاصره‌ی عکاسان و خبرنگاران قرار گرفت، درحالی‌که مأموران پلیس تلاش می‌کردند از هجوم مهاجران مشتاق ایرانی مقیم ایتالیا و دیگر طرفداران وی جلوگیری کنند. آنها نصف روز منتظر مانده بودند تا فقط نگاهی به او بیندازند. همین صحنه‌ی پرشور، در توقف بعدی وی در آمستردام تکرار شد.

نیویورک که از دیرباز به پذیرایی از چهره‌های مشهور جهان خو گرفته بود، با کنجکاوی فراوان در انتظار مصدق بود. وی به‌نوشته‌ی ***نیویورک تایمز*** نه‌فقط «نماد ناسیونالیسم رو به اعتلای ایران»، که رهبری جهانی بود که با شیوه‌ی نمایشیِ پرآوازه‌ای داستانی مفصل برای گفتن داشت. همه، جز احتمالاً نماینده‌ی بریتانیا در سازمان ملل، مشتاقانه در انتظار دیدن نمایش او بودند. ***دیلی نیوز*** هشدار داد: «موصی (مصدق) چه یک داستان‌گوی گریه‌آور قلابی باشد و چه واقعی، بهتر است هرچه که دارد در این جا و در مقابل تلویزیون، رو کند.» مصدق در بعدازظهر ۸ اکتبر ۱۹۵۱ (۱۶ مهرماه ۱۳۳۰)، محتاطانه از هواپیمای خود بیرون آمد. پسر و پزشک شخصی‌اش، غلامحسین، به او در پایین آمدن از پلکان هواپیما کمک می‌کرد. وی صحبتی نکرد، امّا

بیانیه‌ای در اختیار خبرنگاران حاضر در فرودگاه گذاشت و طی آن به جهان وعده داد که به‌زودی داستان یک «شرکت بی‌رحم و امپریالیستی» را خواهند شنید که آن‌چه را که به «مردمی نیازمند و پابرهنه» تعلق دارد دزدیده و حال در پی آن است که از سازمان ملل برای توجیه جنایت خود استفاده کند.

از فرودگاه مستقیماً وی را به یک بیمارستان نیویورک بردند و تحت معاینه‌ی پزشکی قرار دادند. پزشکان او را سالم اعلام کردند و سپس برای اقامت به هتل ریتس تاوِر واقع در تقاطع خیابان پارک و خیابان پنجاه و هفتم رفت. مصدق در آن‌جا تمام وقت خود را به تدارک و نوشتن سخنرانی‌ای اختصاص داد که می‌خواست در مقابل شورای امنیت ایراد کند. این، دورانی پیش از ظهور کاسترو، سوکارنو، نکرومه و لومومبا بود، و صدای کشورهای فقیر به‌ندرت در چنان تریبون خاصی بلند شده بود. مصدق نخستین صدایی از این دست بود که غربی‌ها تا آن هنگام می‌شنیدند.

همچنان که وی منتظر نوبت سخنرانی خود بود، هر مطلبی را که مطبوعات آمریکایی درباره‌ی سخنرانی قریب‌الوقوع او می‌نوشتند با ولع خاصی می‌خواند. یکی از نمونه‌های بارز این مطالب در شماره‌ای از نیوزویک به چشم می‌خورد که در پشت جلد آن نوشته بود: «مصدق: افراطیِ غَشی». نیوزویک، صداقت شخصی وی را ستود و متذکر شد که او اتومبیل لیموزین شخصی و حقوق نخست‌وزیری خود، هردو، را واگذار کرده است. آن‌گاه به بازخوانی زندگی شغلی او به‌عنوان «استاندار فسادناپذیر؛ مبارز ضدانگلیسی؛ دشمن شاه قبلی، رضاخان خشن؛ طعمه‌ی سرخ‌ها و مؤسس جبهه‌ی ملی تروریست» پرداخت؛ آن‌گاه تأکید کرد که اگرچه بسیاری از غربی‌ها ابتدا وی را به‌عنوان فردی «ضعیف، فرتوت و احتمالاً یک دیوانه نادیده می‌گرفتند»، اکنون او را به‌عنوان یک «پیرمرد بسیار زیرک با اراده‌ای آهنین و استعدادی برای نقش بازی کردن» می‌بینند. نیوزویک، همراه با بقیه‌ی دنیا، این پرسش را مطرح کرد که این «علیل شگفت‌انگیز» در چند روز آینده چه خواهد گفت و چه خواهد کرد.

نیوزویک در گزارش خود نوشت: «صحنه برای یکی از عجیب‌ترین مبارزه‌طلبی‌ها در تاریخ عجیب سازمان ملل آماده شده است. نخست‌وزیر لرزان و بدعنق [ایران] در تقابل نماینده‌ی بسیار متین بریتانیا، سر گلادوین جب؛ و این ممکن است پرده‌ی تعیین‌کننده‌ای در ماجرای شگرف، مصیبت‌بار و بعضاً مضحکی باشد که شروع آن به ۵ ماه پیش، یعنی زمانی که ایران شرکت نفت انگلیس و ایران را ملی کرد، برمی‌گردد.»

تقابلی که مصدق برای آن به نیویورک آمده بود، حتی پیش از ورودش آغاز شده بود. گلادوین جب، نماینده‌ی بریتانیا، پیش از این خلاصه‌ای طولانی از موضع دولت خود را، در قالب یک نامه، به شورای امنیت تسلیم کرده بود. مصدق به‌دقت آن را خواند. این نامه ردیّه‌ای اهانت‌بار بر مواضع ایران و اعلامیه‌ای پرسروصدا در این مورد بود که نفتِ زیرِ زمین ایران «صراحتاً اموال شرکت نفت انگلیس و ایران» محسوب می‌شود:

> تمام حقیقت این است که دولت ایران با انجام یک سلسله اقدامات نامعقول، موجب شده که چرخ یک بنگاه اقتصادی بزرگ، که عملیات آن نه‌فقط برای بریتانیا و ایران، که برای کل جهان آزاد واجد منافع گسترده‌ای است، متوقف شود. تا زمانی که از این اقدامات جلوگیری نشود، کل جهان آزاد، از جمله خود مردمِ فریب‌خورده‌ی ایران، فقیرتر و ضعیف‌تر خواهند شد.
>
> دولت ایران به‌دلایل آشکار برای خودش، دائماً شرکت نفت انگلیس و ایران را به‌عنوان یک باند بی‌وجدانِ خون‌آشام که فکر و ذکرش بیرون بردن هرگونه ثروت احتمالی متعلق به ملت ایران است، معرفی می‌کند... . این اتهامات بی‌مهابا، کاملاً ناحق است... کارنامه‌ی شرکت در ایران، جدا از کمک‌های مالی به اقتصاد آن کشور، چنان بوده است که باید بزرگ‌ترین تحسین‌ها را از دیدگاه اجتماعی برانگیزد و به‌عنوان الگویی از شکل توسعه تلقی شود که متضمن منافعی برای مناطق کمتر توسعه‌یافته‌ی جهان خواهد بود. شرکت، بسیار به‌دور از تلاش بدخواهانه نسبت به مردم ایران، آن‌طور که ادعا می‌شود، سعی

> بلیغ کرده که سطح زندگی و آموزش کارکنان خود را بالا ببرد، تا آنها بتوانند نقش مؤثرتری در کارهای بزرگی که هنوز باید در ایران صورت گیرد، ایفا کنند... بی‌اعتنایی کامل به این فعالیت‌ها و معرفی شرکت به‌عنوان مسئول ظلم، فساد و خیانت، اگر کاملاً مضحک نباشد، یک ناسپاسی شرم‌آور است.

جب، از شورای امنیت خواست که تا پیش از ۴ اکتبر (۱۲ مهر)، تاریخی که مصدق عهد کرده بود آخرین شهروندان بریتانیایی را از آبادان اخراج کند، اقدام کند. با این حال، وقتی وی صحبت خود را به پایان رساند، نماینده‌ی ایران برخاست و از شورا تعویق جلسه را به‌مدت ۱۰ روز تقاضا کرد تا مصدق فرصت مسافرت از تهران به نیویورک برای شرکت در جلسه‌ی فوق‌العاده شورا را پیدا کند. رئیس شورا موافقت کرد. هنگامی که مصدق وارد شد، شرایط در آبادان به‌یقین تغییر کرده بود. در ۴ اکتبر، آخرین گروه اتباع انگلیسی در باشگاه جیم‌خانا[1]، یکی از خلوتگاه‌های مورد علاقه‌شان، جمع شده و از آن جا با قایق به کشتی هـ. م. س موریتیوس، منتقل شدند که منتظر بردن آنها از مسیر اروندرود به بصره بود. به این ترتیب، یکی از نیرومندترین بنگاه‌های اقتصادی در تاریخ امپراتوری، کرکره‌های خود را پایین کشید.

گزارشگر ***نیویورک تایمز*** که چند روز بعد، از این بندر اشباح بازدید کرد نوشت: «وقتی از فاصله‌ای دور در آن سوی دشت نگاه می‌کنیم، پنجاه و چند دودکش پالایشگاه شباهت تکان‌دهنده‌ای با بقایای کاخ آپادانای خشایارشا و تالار یکصد ستون تخت جمشید دارند که هنوز پابرجایند. امّا، با نزدیک شدن هرچه بیشتر مسافر، به‌زودی درخشش فلز برج‌های خاموش آبادان عاطل‌مانده را به‌مثابه‌ی مظهر غول‌آسای عصر صنعت، و نه ستون‌های بر جای مانده از قرن پنجم پیش از میلاد، به رخ وی می‌کشد... اتومبیل‌ها و اتوبوس‌های شرکت ملی شده‌ی نفت ــ که همه ساخت بریتانیا هستند ــ در آمد وشد و مردم در

---

1. Gymkhana

خیابان‌ها در گذرند. امّا مهمان تازه‌وارد می‌تواند چهره‌ی هر گذرنده‌ای در این شهر انگلیسی جنوب ایران را از نظر بگذراند بدون آن‌که حتی یک انگلیسی در آن جا ببیند. قطعاً مردم به هر اروپایی که به آن جا برود، با کنجکاوی زُل می‌زنند.» هیجان، فضای شورای امنیت را که در روز ۱۵ اکتبر برای شنیدن سخنان مصدق تشکیل جلسه داد، آکنده بود. با ورود وی به تالار، سکوت در جمع نمایندگان حاکم شد. همه به دولتمرد بلندقامت و برازنده‌ای زل زده بودند که از زمان به قدرت رسیدنش در ۶ ماه پیش، دنیا را مجذوب خود کرده بود. مصدق کاملاً راحت و آرام به نظر می‌رسید، که دلیل موجهی هم داشت. او به هر حال یک حقوقدان آزموده و از خانواده‌ای متشخص بود که در اروپا تحصیل کرده و استعداد متقاعدکنندگی خود را در محاکمه‌ها و نطق‌های پارلمانی بی‌شمار صیقل داده بود. مهم‌تر این که، وی کاملاً ایمان داشت که نه‌فقط دعوای او عادلانه است بلکه مشیت الهی او را به سوی این لحظه هدایت کرده است. وی به نیویورک آمده بود تا مأموریتی را به انجام رساند که زندگی خود را وقف آن کرده بود.

در آن دوشنبه، یک دیپلمات برزیلی به‌نام ژائو کارلوس مونیز ریاست جلسه‌ی شورا را برعهده داشت و رأس ساعت ۳ بعدازظهر رسمیت جلسه را اعلام کرد. نخستین کار وی، دعوت از مصدق و اللهیار صالح، نماینده‌ی ایران در سازمان ملل، به نشستن در کنار میزی بود که برای اعضای شورا در نظر گرفته شده بود. سپس جب را فراخواند تا صحبت خود را آغاز کند. وی به همتایان نماینده‌اش گفت که بریتانیا دیگر «کاملاً و صرفاً بر بازگشت به وضع موجود» اصرار نمی‌کند، بلکه فقط برای جبران توافق شده‌ی «خسارت بزرگی که به دست دولت ایران نه‌فقط بر آن، بلکه بر جهان آزاد به‌طورکلی وارد آمده است تلاش می‌کند. وی سخنان خود را درحالی‌که رو به سوی «نماینده‌ی ایران» کرده بود، که از راه دور و با هموار کردن تمام دشواری‌های سفر بر خود به این جلسه آمده، پایان داد. وی مصدق را ترغیب کرد که «یک موضع ناسیونالیستی پرخاشگرانه، و به‌یقین می‌توانم بگویم تقریباً انزواگرایانه، اتخاذ

نکند و با فکرهای خیالی قدیمی بی‌جهت خود را مشغول نسازد، و به جای آن بر جنبه‌های گسترده‌تر امور متمرکز شود و با نگرش خود نشان دهد که او نیز از یک راه‌حل سازنده استقبال می‌کند.»

آن‌گاه نوبت به مصدق رسید. وی به فرانسه‌ی فصیح صحبت کرد. در مقدمه‌ی سخنانش اعلام کرد که شکایت بریتانیا بی‌اساس است و این که شورای امنیت صلاحیت رسیدگی به این پرونده را ندارد، چون ایران حق دارد که منابع طبیعی خود را هرطور که مناسب می‌داند، دراختیار بگیرد. اما از آن جا که سازمان ملل «آخرین پناه ملت‌های ضعیف و تحت ستم» است وی با این حال «پس از یک سفر طولانی و با این ناتوانی جسمی» تصمیم گرفت به آن جا بیاید تا «احترامات کشورم را نسبت به این نهاد پرآوازه ابراز دارم.» بیانیه‌ی وی طولانی، مشروح و پرشور بود. او از شورا تقاضا کرد که پوزش او را به‌خاطر شرایط ناخوشایندش بپذیرد و گفت که از صالح می‌خواهد که بخش اعظم بیانیه را او بخواند. امّا، ابتدا وی خود رشته‌ی سخن را به دست گرفت و تاریخچه‌ای دقیق امّا بسیار تکان‌دهنده و مؤثر از ادعای خود ارائه کرد:

> هم‌میهنان من فاقد وسایل اولیه و ضروری زندگی‌اند و سطح زندگی آنها احتمالاً از جمله‌ی پایین‌ترین سطوح زندگی در دنیاست. بزرگ‌ترین منبع طبیعی ما نفت است. این نفت باید منبع کار و غذای مردم ایران باشد. بهره‌برداری از آن باید به‌نحو مناسبی در اختیار صنعت ملی ما قرار گیرد و درآمد حاصل از آن باید صرف بهبود شرایط زندگی مردم ما شود. با این حال، صنعت نفت که اکنون تشکیلاتی پیدا کرده، عملاً هیچ کمکی به رفاه مردم یا پیشرفت فنی و یا توسعه‌ی صنعتی کشور من نکرده است، دلیل آن هم این است که پس از ۵۰ سال بهره‌برداری از آن توسط یک شرکت خارجی، ما هنوز به‌اندازه‌ی کافی تکنسین ایرانی در اختیار نداریم و مجبوریم از کارشناسان خارجی دعوت به کار کنیم. اگرچه ایران در تأمین نفت جهان نقش چشمگیری ایفا می‌کند و طی نزدیک به پنجاه سال جمعاً ۳۱۵ میلیون تن نفت تولید کرده، کل منافع آن بنا به محاسبات شرکت سابق نفت، فقط یک‌صد

> ملیون پوند استرلینگ بوده است. برای این که تصوری از رقم منافع ایران از این صنعت عظیم به دست دهم، باید بگویم که در سال ۱۹۴۸ (۱۳۲۷)، طبق محاسبات شرکت سابق نفت انگلیس و ایران، درآمد خالص آن از ۶۱ ملیون پوند تجاوز کرد. امّا از این مبلغ ایران فقط ۹ ملیون پوند دریافت کرد و این در حالی بود که ۲۱ ملیون پوند از این سود فقط به حساب خزانه‌داری بریتانیا بابت مالیات درآمد واریز شد.
>
> در این‌جا باید اضافه کنم که جمعیت ساکن در منطقه‌ی جنوب ایران و اطراف آبادان، که بزرگ‌ترین پالایشگاه نفت جهان در آن قرار دارد، در شرایط فقر مطلق به سر می‌برند و از ابتدایی‌ترین ضروریات زندگی، محروم‌اند. اگر بهره‌برداری از صنعت نفت ما در آینده نیز همچون گذشته ادامه پیدا کند، اگر ما قرار باشد در همان شرایطی بمانیم که ایرانی صرفاً به کارِدستی در حوزه‌های نفتی مسجد سلیمان، آغاجاری و کرمانشاه و در پالایشگاه آبادان ادامه دهد، و اگر استثمارگران خارجی همچنان و عملاً تمام درآمد ما را به خود اختصاص دهند، مردم ما برای همیشه در شرایط فقر و بینوایی باقی خواهند ماند. این‌ها دلایلی است که پارلمان ایران ــ مجلس شورا و سنا ــ را بر آن داشت که به‌اتفاق آرا رأی به ملی کردن صنعت نفت بدهد.

مصدق با گفتن این جملات بر جای خود نشست و [قرائت بقیه] متن بیانیه‌ی خود را به صالح سپرد. وی کار را با خواندن آن چه که مصدق به‌عنوان استدلال حقوقیِ اصلی ایران بر آن انگشت نهاده بود، آغاز کرد: «منابع نفتی ایران، مثل خاک آن، رودخانه‌ها و کوه‌های آن، اموال مردم ایران است و فقط آن‌ها می‌توانند تصمیم بگیرند با آن چه کاری، توسط چه کسی و چگونه، انجام دهند.» صالح دوساعت تمام را صرف خواندن بقیه‌ی بیانیه‌ی مصدق کرد، که طی آن تاریخچه‌ای را از مداخله‌ی خارجی در ایران، با تأکید ویژه براقدامات بریتانیا «در فروکاستن ما به بندگی اقتصادی»، ارائه کرد. بیانیه این‌گونه نتیجه‌گیری کرد که: «کارنامه‌ی استثمار اقتصادی ایران توسط بریتانیا تأسف‌بار بوده و جای شگفتی ندارد که پیامد آن ملی شدن صنعت نفت بوده است.»

پس از آن که قرائت بیانیه‌ی مصدق به اتمام رسید، شورا تصمیم گرفت دنباله‌ی بحث را به روز بعد موکول کند. عکاسان خبری که در بیرون از تالار منتظر بودند، از دو دشمن خواستند تا در مقابل دوربین دست بدهند و آنها نیز چنین کردند. پس از برق فلاش دوربین‌ها، آنان جملات کوتاهی را نیز رد و بدل کردند.

جب به مصدق گفت: «اگر خدا بخواهد، ما دوباره با یکدیگر دوست خواهیم شد.» و مصدق پاسخ داد: «ما همیشه با انگلستان دوست بوده‌ایم. این شرکت سابق نفت است که دولت شما را بی‌جهت به این منازعه کشانده است.»

روز بعد، عکس آنها در روزنامه‌های سراسر جهان منتشر شد. مصدق بلندقامت‌تر نشان می‌داد و لبخند روشنی به صورت داشت و جب گیج و ناباور به نظر می‌رسید.

جلسه‌ی سه‌شنبه با بزرگداشت لیاقت علی‌خان، نخست‌وزیر پاکستان آغاز شد، که در همان روز مورد سوءقصد قرار گرفته و کشته شده بود. لیاقت شخصیتی بسیار شبیه به مصدق بود. وی از رهبران نهضت مبارزه با استعمار بریتانیا در هند بود و با بنیانگذار پاکستان، محمدعلی جناح، در ساختن یک جمهوری دموکراتیک مسلمان در جایی که استان‌های شمالی هند محسوب می‌شد، همکاری نزدیکی داشت. پس از مرگ جناح، وی به آن چه که جرج مک‌گی (که چندبار با او دیدار کرد) «رهبر بلامنازع کشور» می‌نامید، تبدیل شد. وی مثل مصدق دولتمردی دوراندیش و فاضل با تحصیلات عالی بود. او خود را متعهد به اسلام عرفی می‌دانست و طرفدار ارزش‌های تجربی، امّا در عین حال، دلسرد از چیزی بود که بقایای فلج‌کننده‌ی امپریالیسم می‌نامید، که مانع رسیدن کشورهای فقیر به استقلال واقعی می‌شوند. پاکستان دیگر هرگز رهبری با ویژگی‌های او به خود ندید، همچنان که ایران نیز رهبری چون مصدق نیافت.

لیاقت، تجلّی روح جوان سازمان ملل بود، و خبر قتل وی بسیاری از نمایندگان را تکان داد. آنها پیش از این نیز دل‌مشغولی‌هایی داشتند. چالش

دوران‌ساز مصدق با انگلیسی‌ها در زمانه‌ای پرآشوب و غیرعادی در جهان رخ نموده بود. اتحاد شوروی به‌تازگی دومین آزمایش هسته‌ای خود را انجام داده و روشن کرده بود که تهدید نابودی جهان، چهره‌ی تاریخ را تا چند نسل آتی رقم خواهد زد. جنگ در کره بیداد می‌کرد. کشمیر نیز که مورد منازعه‌ی هند و پاکستان، هردو، بود در آتش می‌سوخت؛ در مصر هم پس از بروز شورش ضدانگلیسی، وضع اضطراری اعلام شده بود.

مبارزات انتخاباتی در انگلیس نیز در پاییز آینده در دستور کار بود. وینستون چرچیل برای باز پس گرفتن مقام پیشین خود به صحنه آمده و طی چند سخنرانی اتلی نخست‌وزیر را به‌خاطر ناتوانی در رویارویی قدرتمندانه با مصدق به باد انتقاد گرفته بود. وی خطاب به یک جمعیت هوادار در لیورپول گفت که اتلی به «تعهدات رسمی» خود که هرگز آبادان را واگذار نکند، خیانت کرده است. او با خشم گفت: «موردی را به یاد ندارم که دولتمردان قول خود را چنان ناگهانی و بدون حتی یک توضیح، به زیر پا نهاده باشند.» چرچیل با تداوم مبارزات انتخاباتی چنان راه ستیزی در مورد مسئله‌ی ایران در پیش گرفت که موریسون طی یک بحث پارلمانی در مجلس عوام با کنایه از او پرسید که آیا وی دولت را ترغیب به جنگ می‌کند؟ چرچیل پاسخی نداد. امّا هرگز نیز درصدد برنیامد که علاقه‌ی خود را نسبت به فکر حمله به ایران انکار کند. با این همه، به‌رغم همه‌ی اتفاقاتی که در جهان روی می‌داد، مصدق همچنان به‌عنوان مرد آن لحظه‌ها باقی ماند. وی در کیفرخواست همه‌جانبه‌ای که در مقابل شورای امنیت عرضه کرد، از واژه‌ای سود می‌جست که برای دشمنانش گزنده، و برای تحسین‌کنندگان بی‌شمارش شادی‌افزا بود. روز بعد، وی سخنان خود را از پشت بلندگو با ریشخند انگلیسی‌ها آغاز کرد که کوشش می‌کردند «افکار عمومی جهان را متقاعد سازند که برّه گرگ را بلعیده است.»

مصدق اعلام کرد: «دولت بریتانیا بارها روشن کرده که علاقه‌ای به مذاکره ندارد و در عوض از هر وسیله‌ی نامشروع اقتصادی، روانی،و فشار نظامی که قادر به استفاده از آن باشد بهره گرفته تا عزم ما را درهم شکنند. حال با تمرکز

کشتی‌های جنگی خود در طول سواحل ما، استقرار نیروهای شبه‌نظامی‌اش در پایگاه‌های نزدیک به خاک ما، از عشق خود به صلح دم می‌زند.»

سپس نوبت به جب رسید. وی گفت که چه‌قدر دلسردکننده است که سخنرانی مصدق «چنین منفی، و حاوی بینشی بوده که با تأسف باید بگویم ویژگی رویکرد ایرانی‌ها در مذاکرات طولانی‌مان تا حال حاضر بوده است.» مصدق با «شرایط دردناکی که به‌طور کامل ناشی از حماقت خود وی بوده» روبه‌روست. او از زمان به قدرت رسیدن، کاری جز تحقیر دستاوردهای شرکت نفت «مآل‌اندیش و دورنگر» انگلیس و ایران انجام نداده و مصرّانه خواستار برگماردن «ایرانیان غیرواجد شرایط» به مشاغل فنی است و با «مصادره‌ی اموال خارجی»، حقوق بین‌الملل را نقض کرده است، و این بحران به‌خاطر «امتناع سرسختانه‌ی ایران از به‌رسمیت شناختن حرمت قراردادها» گسترش یافته است.

در سومین جلسه، در روز چهارشنبه، نمایندگان چند کشور سخنان کوتاهی ایراد کردند و سپس مصدق اجازه‌ی صحبت خواست. وی فقط گفت «خیلی خسته» است و متن نوشته‌ی خود را به صالح داد که در کنار او نشسته بود: سخنرانی طولانی و پراحساسی که عمده‌ی ساعات روز گذشته را صرف نوشتن آن کرده بود:

> من واژه‌های تحقیرآمیزی را که آقای گلادوین جب در اظهارات گوناگونش به کار برد عملاً شمارش نکرده‌ام، امّا با مروری بر این سخنان، واژه‌های موهن یکی بعد از دیگری در برابر چشمان‌تان رژه می‌روند. اقدامات ما «احمقانه» و مردم ما «فریب‌خورده» توصیف می‌شوند. ما «عجول»، و «خودرأی» هستیم و زندگی را «تحمل‌ناپذیر» کرده‌ایم. فرایند قانونگذاری ما با عنوان «کشاکش خشونت‌آمیز» توصیف می‌شود. ما را به‌عنوان «سرسخت» لعن و متهم به اتمام حجت دادن می‌کنند. رنج‌های ما را به‌عنوان «اتهامات پوچ» مردود می‌شمارند. ما «مسخره» هستیم و «ناسپاسی شرم‌آور»ی را به

نمایش می‌گذاریم. ما «غیرمعتمد» و «استثمارگر» مردم خود هستیم و با برانگیختن مردم خود علیه خارجیان می‌خواهیم گلیم خود را از آب بیرون کشیم. هدف‌های ما «واهی» و راه‌های دستیابی مـا بـه آنهـا «انتحاری» است. دعوای ما به‌مثابه دعوایی که یک آدم لنگ، جماعتی کور را در پی یک شبح به دنبال خود می‌کشد، نموده می‌شود... .

ما دیرزمانی است به این نتیجه رسیده‌ایم که امیدهایمان برای توسعه‌ی کشور، بهبود شرایط زندگی مردممان و افزایش فرصت‌های موجود برای آنها، تا حد زیادی به این منبع فوق‌العاده مهم ملی وابسته است. کارنامه‌ای که تا کنون نفت در کمک به رفاه ملی ما ارائه کرده، به همان ترحم‌انگیزی خرده‌ریزهای غذایی است که اجـازه داشـتیم از روی میزهای غذای شرکت نفت سابق جمع کنیم... . من با آمادگی به درخواست نماینده‌ی بریتانیا پاسخ می‌دهم کـه بـا حقـایق ملمـوس شرایط موجود مواجه شود و همین‌جا اعلام می‌کنم کـه علاقه‌ام بـه مذاکره کمتر از او نیست. با این حال، شرکت نفت سابق در آینده در هر جایی که بخواهد می‌تواند به فعالیت بپردازد، اما در ایران دیگر هرگز اجازه نخواهد یافت. ما نه بـه‌شیوه‌ی تـولیت و نـه قـراردادی، حـق بهره‌برداری از منابع نفتی‌مان را به خارجیان واگذار نخواهیم کرد.

[پیش‌نویس] قطعنامه‌ای را که بریتانیا به شورای امنیت ارائه کرده بود، که پیش از این نیز با اصرار ایالات متحده ملایم شده بود، با اصلاحات بعدی از سوی هند و یوگسلاوی ملایم‌تر شد. در نهایت، چیزی جز فراخوانی به نشان دادن حسن‌نیت از سوی دوطرف، از کار درنیامد. حتی این نیز از نظر مصدق بسیار زیاد بود. وی اصرار داشت که شورای امنیت بـه هیـچ وجـه حـق تـصویب قطعنامه‌ای را ندارد و تأثیر سخنانش چندان عمیق بـود کـه بیشترِ دولت‌هـا پی بردند که راهی جز قبول آن ندارند. در ۱۹ اکتبر (۲۷ مهر) شورا «به تعویق بحث درباره‌ی این موضوع تا تاریخ معین یا نامعین» رأی داد. بریتانیا و ایالات متحده رأی ممتنع دادند. نتیجه، شکست خفت‌باری برای دیپلماسی بـریتانیا بود. جیمز رِستون فردای آن روز در نیویورک تایمز نوشت: «بحث نفت ایران

کاری کرده که هیچ بحث دیگری در تاریخ سازمان ملل نتوانسته انجام دهد. این بحث، اصل شکست کامل را به نمایش گذاشت و آن‌چه را که تاکنون محل تردید بود به اثبات رساند، این که ممکن است بحثی در سازمان ملل مطرح شود که همه، شامل قدرت‌های بزرگ با قدرت‌های کوچک و خود سازمان ملل، از آن بازنده بیرون آیند.»

یافتن راه‌حل برای مشکل نفت، اکنون نامحتمل‌تر از همیشه بود. مصدق همچنان مصمم به پیش‌برد پروژه‌ی ملی‌سازی خود بود و انگلیسی‌ها به همان شدت در پی ممانعت از آن بودند. رئیس جمهور ترومن تصمیم گرفت آخرین تلاش خود را برای برقراری یک مصالحه به کار گیرد و از این رو رهبر ایران را به واشنگتن دعوت کرد.

مصدق پیش از این نیز ثابت کرده بود که استعداد خوبی در برقراری ارتباط با افکار عمومی آمریکا دارد. وی چندبار در تلویزیون ظاهر شد و منطق آشکار دعوی او، که همیشه آن را با مبارزه‌ی مردم آمریکا برای کسب استقلال مقایسه می‌کرد، همدلی چشمگیری را نصیب وی کرد. ویژگی‌های شخصی او ــ صورت دراز و اشراف‌منش که به‌ناگاه به خنده باز می‌شد، شیوه‌ای که سر ظاهراً خسته‌ی خود را به روی عصایش قرار می‌داد، و حرکات بی‌وقفه‌ی دستان درازش ــ به جاذبه‌اش می‌افزود. آنان حالت دوست‌داشتنی یک عمو یا پدربزرگ محبوب و شاید کمی نامتعارف، را در او می‌دیدند. در نیویورک، هرجا که می‌رفت دوربین‌ها دنبالش می‌کردند.

مصدق، پیش از رفتن به واشنگتن، در دانشگاه کلمبیا برای دانشجویان ایرانی سخنرانی کرد و به آنها گفت که اگر می‌خواهند به کشور خود کمک کنند، باید همّ خود را مصروف آموختن چگونگی اداره‌ی یک صنعت نفت کنند. روز بعد، مصدق با قطار عازم واشنگتن شد. امّا به‌جای این که مستقیم به آن جا برود توقف هوشمندانه و حساب شده‌ای در فیلادلفیا کرد. در آن جا از "تالار استقلال" دیدار کرد، که می‌گفت نماد آرزوهایی است که آمریکایی‌ها و ایرانی‌ها را با هم متحد می‌کند. هنگامی که در کنار "ناقوس آزادی" عکس

گرفت، صدها نفر از تماشاگران ابراز احساسات کردند.

ترومن، شرح حال محرمانه‌ای درباره‌ی مصدق دریافت کرده بود، که دیدگاه آمریکا را نسبت به او منعکس می‌کرد. این گزارش او را «مورد حمایت اکثریت مردم»، و «بذله گو»، «خوش برخورد»، «درستکار» و «آگاه» توصیف کرده بود. این تعریف‌ها بیش از این نمی‌توانست با نظر انگلیسی‌ها متفاوت باشد، که مطابق تلگرام‌ها و یادداشت‌های گوناگون‌شان او را یک «بی‌تمدن»، «پریشان‌احوال»، «نامتعارف»، «خل»، «گانگستر مآب»، «کهنه‌پرست»، «مزخرف»، «دیکتاتورمنش»، «عوام‌فریب»، «آتشین‌مزاج»، «حیله گر»، «غیرقابل اعتماد»، «کاملاً بی‌وجدان» و «آشکارا نامتعادل»، و «شرقی نیرنگ‌باز» توصیف می‌کردند که «شبیه یک اسب درشکه» است و «کمی بوی گند تریاک می‌دهد.»

ورود مصدق به ایستگاه یونیون واشنگتن در ۲۳ اکتبر ۱۹۵۱ (یکم آبان ۱۳۳۱)، فراموش نشدنی است. وی با دشواری زیاد از پله‌ی قطار پایین آمد. از یک‌سو به عصای خود تکیه داشت و از طرف دیگر به دست پسرش که زیر بازوی او را گرفته بود. در ظاهر چنین می‌نمود که ممکن است در جا نقش زمین شود، ناگهان چشمش به دین اچِسُن، وزیر خارجه، افتاد که همیشه دورادور وی را می‌ستود امّا هرگز ملاقاتش نکرده بود. چشمانش برق زد و بلافاصله سرزنده شد. عصایش را انداخت. با عجله پسرش را کنار زد و به‌سرعت از میان جمعیت گذشت تا میزبان خود را در آغوش بگیرد.

رئیس‌جمهور ترومن، روز بعد از کاخ سفید بیرون آمد و قدم‌زنان به آن‌سوی خیابان رفت تا مصدق را در بِلِرهاوس ملاقات کند. یک‌بار دیگر مصدق همان پیرمرد علیلِ در حال ضعف شده بود که تا آخرین نفس‌های خود خواستار دفاع از مردم ستم‌دیده‌ی کشورش در مقابل اهریمن بود. وی به سوی ترومن خم شد و با ضعف گفت: «آقای رئیس جمهور، من از طرف یک کشور خیلی فقیر، کشوری سراسر بیابان ــ فقط شن و چند شتر و گوسفند... .» اچِسُن به میان حرف او دوید و گفت: «بله، و نفت، درست مثل تکزاس!» مصدق بسیار

خوشش آمد، در صندلی خود به عقب رفت و یکی از آن خنده‌هایی راکه مثل گریه‌هایش معروف بود، سر داد. ترومن سخنان خود را با گفتن این که همدلی زیادی با آرمان ایرانیان احساس می‌کند، آغاز کرد اما در ادامه گفت عمیقاً بیمناک است که اگر بحران نفت از کنترل خارج شود، ایران به دست شوروی بیفتد که «مثل لاشخور روی نرده‌ها نشسته و منتظر قاپیدن طعمه است.» وی هشدار داد اگر شوروی‌ها ایران را بگیرند، «در موقعیتی قرار خواهند گرفت که دست به جنگ بزنند.» مصدق گفت وی نیز همان خطر را در نظر دارد، امّا تأکید کرد که ناسازگاری بریتانیا عاملی است که به‌احتمال زیاد ایران را دچار هرج ومرج می‌کند.

ترومن با تشخیص این نکته که در آن روز رسیدن به سازش امکان‌پذیر نیست، از مصدق دعوت کرد که چند صباحی در واشنگتن بماند و مدتی را با اچِسُن و مک‌گی بگذراند. وی برای چرب کردن این دعوت، ترتیبی داده بود که مصدق در بیمارستان والتر رید بستری شود تا آزمایش‌های کامل پزشکی از او به‌عمل آید. برای کسی که عارضه‌های بسیاری داشت و فکر می‌کرد به بیماری‌های بیشتری هم مبتلاست، کسی که در بستر احساس راحتی می‌کرد و هرگز دعوت به مراقبت پزشکی را رد نمی‌کرد، این پیشنهاد مقاومت‌ناپذیر بود. [بنابراین] بعدازظهر آن روز وی را به بیمارستان بردند؛ و وقتی فهمید اتاق ویژه‌ی رئیس جمهور را برای او آماده کرده‌اند، هیجان‌زده شد.

اچِسُن و مک‌گی روز بعد با وی ملاقات کردند تا قرار شرایطی را بگذارند که به نظر آنها سازشی منصفانه با انگلیسی‌ها به‌شمار می‌آمد. فرمول موردنظر آنها، به‌نوشته‌ی *نیویورک تایمز*، «اطمینان دادن به ایران در مورد کنترل و مالکیت منابع نفت خود بود، اما یک شرکت «بی‌طرف» با اختیار و مسئولیت کامل را نیز در نظر داشت که پالایشگاه‌ها و تجهیزات توزیع نفت را بگرداند و مدیریت کند و انگلیس هم بتواند به بازاریابی نفت بپردازد.» مصدق بی‌برو برگرد این پیشنهاد را رد کرد.

همین پیشنهاد برای انگلیسی‌ها هم فرستاده شد و پیش از آن که حتی

واکنش مصدق را بدانند، آنها نیز طرح را رد کردند. یک دیپلمات ارشد وزارت خارجه‌ی بریتانیا، سر ویلیام استرنگ، این پیشنهاد را «مصادره به‌هزینه‌ی منافع بریتانیا» خواند. وزیر خزانه‌داری، ر. ا. باتلر، گفت این پیشنهاد عاجز از تشخیص این حقیقت اساسی است که «پایداری اقتصادی ما، اقتصادی بسیار مهم‌تر از اقتصاد ایران، مطرح است.»

دیدارها و بحث‌های بیشتری نیز صورت گرفت. از جمله این بحث دامنه گرفت که، هرگاه نفت ایران به جریان افتد، به چه قیمت فروخته خواهد شد. در این مورد هیچ پیشرفتی صورت نگرفت. جیمز رستون، یک هفته پس از اقامت مصدق در واشنگتن نوشت: «احساس عمومی در این جا این است که ایالات متحده بسیار دیر وارد ماجرا شده و اکنون نمی‌توان انتظار داشت که راهی برای سازش پیدا کند که مورد پذیرش ایالات متحده، بریتانیا و ایران باشد.» آمریکایی‌ها به‌طور مسلم دیر به خاورمیانه آمده بودند. انگلیسی‌ها آنها را به‌عنوان بی‌تجربه و خام تحقیر می‌کردند، و تا اندازه‌ای هم حق داشتند. آنها به‌طور غریزی از تکبّر استعماری بریتانیا، به‌ویژه در ایران بیزار بودند، امّا اعتماد به نفس کافی نداشتند تا خود قاطعانه دست به ابتکار عمل بزنند.

شکست آمریکا در رسیدن به سازش با مصدق، طی دیدارش از ایالات متحده، ناشی از عدم تلاش جرج مک‌گی نبود. او روزهای متوالی به ملاقات مصدق می‌رفت؛ ابتدا در بیمارستان و سپس، بعد از مرخص شدن و اعلام سلامت کامل او، در سوئیت‌اش در هتل شورهام. وی بعدها نوشت: «به‌رغم تلاش‌های فراوان نتوانستم حقایق حیاتی و جاری درباره‌ی معاملات نفتی بین‌المللی را به او بفهمانم. در پایان، وقتی به او درباره‌ی قیمت نفت، تخفیف‌ها، یا تکنسین‌ها می‌گفتم همیشه لبخندی می‌زد و می‌گفت: "من به این‌ها اهمیتی نمی‌دهم" و اضافه می‌کرد: "شما درک نمی‌کنید. این یک مشکل سیاسی است".»

در اواسط نوامبر (اواخر آبان)، مک‌گی سرانجام پس از ملاقات‌هایی با مصدق که مجموعاً از ۷۰ ساعت تجاوز می‌کرد، تسلیم شد. وقتی نزد مصدق

آمد تا این موضوع را به اطلاع او برساند، پیرمرد فی‌الواقع می‌دانست چه پیش آمده است. وی به مک‌گی گفت: «آمده‌اید تا مرا به خانه‌ام بفرستید.»

مک‌گی پاسخ داد: «بله، متأسفم که باید به شما بگویم ما نمی‌توانیم شکاف بین شما و انگلیسی‌ها را پر کنیم. این برای ما، همچنان که برای شما، مایه‌ی دلسردی است.»

مصدق این خبر را با آرامش پذیرفت. وی تصمیم گرفت که پیش از ترک واشنگتن، دعوت به ایراد یک سخنرانی در "باشگاه ملی مطبوعات" را بپذیرد. نطق وی در تقبیح بریتانیا با آمیزه‌ی ماهرانه‌ای از تمجید ایالت متحده و درخواست کمک مالی بود. یک سخنگوی وارت خارجه‌ی آمریکا گفت که درخواست کمک «مورد توجه کامل» قرار خواهد گرفت، امّا به‌طور خصوصی به مصدق گفته شد که اعطای وام ناممکن است چون بریتانیا به‌شدت به آن اعتراض خواهد کرد.

گویاترین اظهارنظری که مصدق پیش از ترک واشنگتن در ۱۸ نوامبر (هفتم آبان) به عمل آورد، خطاب به ورنون والترز بود که به درخواست اوِرل هریمن او را در تنهایی ملاقات کرد تا اطمینان حاصل کند که در آخرین لحظه تغییر عقیده نداده باشد. مصدق وقتی والترز در آستانه‌ی در اتاق ظاهر شد گفت: «می‌دانم برای چه این جا آمده‌اید، و پاسخ هنوز منفی است.»

والترز پاسخ داد: «دکتر مصدق، شما مدت درازی این‌جا بودید. امیدهای زیادی برانگیخته شده که دیدارتان نتایج ثمربخشی به بار آورد؛ و اکنون دارید با دست خالی به ایران بازمی‌گردید.»

با این گفته، مصدق در چشمان دوست خود خیره شد و از او پرسید: «آیا درک نمی‌کنید که من درحالی با دست خالی به ایران برمی‌گردم که موضعم به‌مراتب قوی‌تر از آن زمانی است که با قراردادی مراجعت می‌کردم که ناگزیر به‌عنوان خیانت به هواداران متعصب‌ام تلقی می‌شد؟»

مصدق در راه بازگشت به میهن، در مصر توقف کرد. از او استقبال شایانی

به‌عمل آمد. مصری‌ها پیش از این نیز در شور و التهاب ضدامپریالیستی به سر می‌بردند که چندسال بعد بحران کانال سوئز را به وجود آورد، و هرزمان که مصدق در انظار می‌آمد با ابراز احساسات شدید روبه‌رو می‌شد. روزنامه‌ها وی را به‌عنوان قهرمانی که «تاریخ را فتح کرده» و «آزادی و سربلندی را برای کشورش به ارمغان آورده» می‌ستودند. وی چندروز در مصر ماند و مورد استقبال و پذیرایی ملک فاروق [پدر زن سابق شاه ایران] قرار گرفت، و یک قرارداد مودت با نحاس پاشا نخست‌وزیر مصر امضا کرد، که طی آن طرفین متعهد شده بودند که «ایران و مصر در اتحاد با یکدیگر امپریالیسم بریتانیا را درهم خواهند کوبید.»

در بریتانیا تغییرات سیاسی جدّی و حساسی به وقوع پیوست. در خلال سفر مصدق به آمریکا، محافظه‌کاران به‌رهبری چرچیل در انتخابات پیروز شدند و به‌جای حزب کارگر اتلی سررشته‌ی امور را به دست گرفتند. چرچیل ۷۷ ساله، همانند بسیاری از رهبران انگلیسی هم‌نسل خود، باکنار نهادن ایده‌ی "بریتانیا به‌عنوان یک قدرت امپراتوری"، مخالف بود. وی در سال ۱۸۹۸ و به‌عنوان یک سرباز جوان، به خطوط نیروهای دراویش در نبرد تعیین‌کننده‌ی امّ دورمان، تاخته و بریتانیا را در دستیابی به سودان و مستعمره ساختن آن یاری داده بود. او در خلال جنگ جهانی اول، در متقاعد کردن نیروهای خودی تا به کارزار بدفرجام گالیپولی در ترکیه تن در دهند، سهم داشت. سپس، رهبری تلاش‌های بریتانیا را برای حفظ کنترل بر فلسطین و بین‌النهرین بر عهده گرفت و با اعطای استقلال به هند به‌شدت مخالفت کرد. وی در آینه‌ی ایران، حاصل چند دهه تجربه‌ی خود را می‌دید: یک منبع قابل اتکای نفت به‌قیمت ارزان. ایران همچنین یکی از آخرین پایگاه‌های بزرگ خارجی بریتانیا به‌شمار می‌آمد و چرچیل می‌دانست که اگر از دست برود، امید کمی برای حفظ آبراه سوئز یا سایر مناطقِ باقی‌مانده وجود می‌داشت. حفظ خطوط مقدم جبهه‌ی مبارزه با ناسیونالیسم جهانی، یکی از دغدغه‌های صلیبی وی در تمام دوران زندگی‌اش بود و در غروب حیات حرفه‌ای خود مصمم بود

آخرین ایستادگی خود را نشان دهد.

چرچیل کارزار انتخاباتی خود را بعضاً با ایراد این اتهام که اتلی «در حالی عقب‌نشینی و از آبادان فرار کرده است که با یک سروصدای ناشی از چکاچاک سلاح‌های کوچک، مسئله تمام می‌شد.» وی در نخستین اقدام خود پس از رسیدن به نخست‌وزیری، وزیر خارجه‌ی جدید خود، آنتونی ایدن را به دیدار اچِسُن فرستاد. وی به ایدن دستور داد تا بر مسئله‌ی ایران پای‌فشاری ورزد و «سماجت نشان دهد، حتی اگر حرارت هیجانات بالا رود.» تغییر دولت انگلیس تأثیر تعیین‌کننده‌ای در ایران بر جای نهاد؛ اتلی هرکاری را که ممکن می‌دید، جز توسل به نیروی نظامی، برای حمایت از شرکت نفت انگلیس و ایران انجام داد. چرچیل که مصدق را «بیمار روانی سالخورده‌ای می‌دانست که درصدد از بین بردن کشور خود و تحویل آن به کمونیست‌ها» است، میل و حتی اشتیاق داشت که آن استثنا را هم زیر پا بگذارد. شوری که مصدق در مصر برانگیخت به چرچیل ثابت کرد که وی نه‌فقط یک خطر برای منافع نفتی بریتانیا، که نمادی غیرقابل تحمل از احساسات ضدانگلیسی در سراسر جهان نیز، به شمار می‌رود.

سیاست بریتانیا در قبال مصدق بلافاصله سخت‌تر شد. آنتونی ایدن، وزیر خارجه‌ی بریتانیا، به اچِسُن گفت که آمریکایی‌ها وقت زیادی را صرف کسب رضایت خاطر او کرده‌اند و دعوت او به واشنگتن نیز اشتباه بود. وی اعلام کرد، از این پس بریتانیا فقط خواهان برکناری اوست.

در بین آمریکایی‌ها، شگفت‌زده‌ترین شخصیت در قبال تصمیم بریتانیا به استفاده از زور، جرج مک‌گی بود. از نظر وی، این کار، ضربه‌ی نهایی در یک کارزارِ خودکشی متقابل، و «تقریباً به‌معنای پایان جهان» محسوب می‌شد. دوست وی، هنری گریدی چندهفته پیش‌تر از سفارت تهران کنار رفته و در زمانی که مصدق واشنگتن را ترک می‌کرد، مک‌گی خود پست جدید سفارت آمریکا در ترکیه را پذیرفت. هردو نفر انرژی فراوانی را صرف فکر سازش در مورد ایران کردند، و آن فکر اکنون به خاک سپرده شده بود.

طی سال **۱۹۵۱**، مصدق به صحنه‌ی جهانی فرا جهید و سیطره‌ی خود را بر آن اعمال کرد. وی به چهره‌ای سرشناس و متمایز تبدیل شده بود که ایده‌های او، خوب یا بد، تاریخ را دوباره شکل می‌دادند. بنابراین، وقتی مجله‌ی *تایم* او — و نه ترومن، آیزنهاور، یا چرچیل — را به‌عنوان مرد سال خود برگزید، کسی شگفت‌زده نشد.

تصویر مصدق بر روی جلد *تایم* او را شکوهمند و متین نشان می‌داد. مقاله‌ی بلند مربوط به وی، آکنده از دشنام‌های ناپذیرفتنی درباره‌ی این «رهبر گریان و غشی یک کشور درمانده» بود که «فرصت‌طلبی کله‌شق» به شمار می‌رفت که مثل «یک پسربچه‌ی لجباز» کج‌خلقی می‌کرد. امّا این مقاله وی را «جرج واشنگتن ایران» و «پرآوازه‌ترین مرد جهان که نژاد باستانی او طی قرن‌ها تولید و عرضه کرده است» نیز نامیده بود. *تایم* با نشان دادن تناقضی که ایالات متحده در ارتباط با وی به آن دچار آمده بود، از او چهره‌ای آزار-دهنده و ناپخته تصویر کرده بود که با این حال یک دعوای برحق را مطرح کرده است.

> یکی بود یکی نبود. در یک سرزمین کوهستانی میان بغداد و دریای خاویار، یک نجیب‌زاده زندگی می‌کرد. این نجیب‌زاده پس از یک عمر نق زدن به روش اداره‌ی پادشاهی، رئیس‌الوزرای آن مُلک شد و فقط در عرض چند ماه همه‌ی جهان را با واژه‌ها، اعمال، لطیفه‌ها، اشک‌ها، و لجبازی‌هایش، معطل خود کرد. در پس رفتار عجیب و غریب او، مسائل بزرگ جنگ و صلح نهفته بود که سرزمین‌های بسیاری را فراتر از کوهستان‌های سرزمین وی تحت‌تأثیر قرار می‌داد... . او محمد مصدق، نخست‌وزیر ایران در سال ۱۹۵۱ بود. وی مرد سال شد. او شهرزاد قصه‌گو را به کار نفت وارد و چرخ‌های هرج ومرج را روغن‌کاری کرد. اشک‌های سوزان وی یکی از ستون‌های باقی‌مانده‌ی یک امپراطوری بزرگ را در خود حل کردند. وی با صدای محزون و یکنواخت خود مبارزه‌طلبی گستاخانه‌ای را بلغور می‌کند که برجهیده از نفرت و حسادتی است که برای غرب تقریباً غیرقابل درک

می‌نماید....

موقعیت بریتانیا در کل (خاورمیانه) نومیدکننده است. تـقریباً در همه جا مورد نفرت است و به آن اعـتماد نـمی‌شود. روابط قـدیمی استعماری پایان یافته و هیچ قدرت دیگری نـمی‌توانـد امـپراتـوری بریتانیا را به جایگاه قبلی‌اش بازگرداند... ایالات متحده کـه مـجبور خواهد بود سیاست غرب را در خاورمیانه شکل دهد، چه بخواهد و چه نخواهد، هنوز خط مشی مشخصی برای آن‌جا ندارد... ایالات متحده، در مقام رهبری جهان غیرکمونیست، مسئولیت‌های سنگینی بر دوش دارد. یکی از آنها، چالش اخلاقی بنیادینی است که این جادوگر عجیبِ پیر، که در سرزمینی کوهستانی زندگی می‌کند و با تأسف مـرد سـال ۱۹۵۱ شده، برانگیخته است.

فصل ۹

انگلیسی‌های خرفت

مصدق، در یکی از روزهای گرم تیر ماه ۱۳۳۱، ۸ ماه پس از مراجعت‌ش از واشنگتن، سوار بر اتومبیل در طول جاده‌ای پر از درخت نارون به کاخ سعدآباد می‌رفت تا به یک زورآزمایی با محمدرضا شاه دست بزند. ایران دیگر آن اندازه بزرگ نبود که هردو را در خود جای دهد. آن‌دو، در پشت درهای بسته‌ی کاخ، به جنگ تن به تنِ هوشمندی و قدرت وارد شدند، که با بیهوش افتادن مصدق در مقابل پای شاه پایان گرفت.

این دیدار قرار بود چیزی بیش از یک دیدار تشریفاتی نباشد. مصدق به‌تازگی از سوی مجلس انتخاب شده بود تا یک دوره‌ی کامل دوساله را به‌عنوان نخست‌وزیر سپری کند، و طبق آیین و سنت در حال ارائه‌ی فهرست اعضای کابینه‌ی خود بود. امّا او از فرصت بهره جست و درخواستی را مطرح کرد که هیچ نخست‌وزیری تا آن زمان شهامت طرح آن را نیافته بود. مصدق از شاه خواست که برتری دولت انتخابی را با واگذار کردن کنترل وزارت جنگ به او، به رسمیت بشناسد. شاه از کوره دررفت. بدون وزارت جنگ، وی کنترل بر ارتش را که پایگاه قدرتش به‌شمار می‌رفت از دست می‌داد و به یک مقام تشریفاتی تنزل می‌یافت. وی به‌جای این‌که ارتش را واگذار کند به مصدق گفت: «چمدانم را می‌بندم و از مملکت می‌روم.»

مصدق که پیش از آن‌که حتی شاه متولد شود، در هنر نمایش سیاسی استاد بود هیچ کلمه‌ای بر زبان نیاورد. چند لحظه مکث کرد تا کمی تأمل کند. آن‌گاه

از جا برخاست تا برود. شاه ترسید که پیرمرد به خیابان برود و مردم را علیه او برانگیزد. از جا پرید، به سوی در دوید و با ایستادن در آستانه‌ی در از رفتن وی جلوگیری کرد. مصدق اصرار کرد که شاه کنار برود، و شاه پاسخ داد که محال است و بحث و مذاکره‌ی آنها باید ادامه پیدا کند. این بگومگو یک یا دودقیقه ادامه داشت که ناگاه نفس مصدق به شماره افتاد. چندگام به عقب رفت و از ضعف به زمین افتاد.

بنا بر متمم قانون اساسی ۱۲۸۵، فرماندهیِ عالی ارتش ایران به شاه واگذار می‌شد، امّا وی را ملزم به همکاری با دولت منتخب در امور سیاسی می‌کرد. نخست‌وزیران به‌طور سنتی این ماده را به مجاز بودن شاه برای انتصاب وزیر جنگ تفسیر می‌کردند. مصدق در گسستن از این سنت، بحرانی را دامن زد. همچنان که در بستر خود دوره‌ی نقاهت را طی می‌کرد، تصمیم گرفت مسئله را به‌شیوه‌ای حل کند که کشور را تکان داد. صبح روز بعد، ۲۶ تیر، وی از نخست‌وزیری استعفا داد.

مصدق در استعفانامه‌ی خود به شاه نوشت: «تحت شرایط کنونی، به نتیجه رساندن مرحله‌ی نهایی مبارزات ملی ناممکن است. من نمی‌توانم بدون در اختیار داشتن مسئولیت وزارت دفاع به کار ادامه دهم و از آن جا که اعلیحضرت با این خواسته موافق نیست، احساس می‌کنم از اعتماد همایونی برخوردار نیستم و لذا استعفای خود را تقدیم می‌دارم تا راه برای دولت دیگری که شاید بتواند خواسته‌های اعلیحضرت را تحقق بخشد، هموار شود.»

آیا مصدق به واقع می‌خواست قدرت را واگذار کند، یا فقط به میدان‌داری برای گرفتن امتیاز سیاسی پرداخته بود؟ وی در چند برهه‌ی مهم حیات شغلی‌اش تصمیم به کناره‌گیری از مشاغل دولتی، به جای آلودن خود به فساد گرفته بود. وی از قرارداد ۱۹۱۹ ایران و انگلیس چنان احساس سرافکندگی می‌کرد که به اقامت در سوییس میل کرد و به خانواده‌ی خود گفت که بقیه‌ی زندگی خود را در تبعید سپری خواهد کرد. طی دوران طولانی حکومت رضاشاه، وی کاملاً از سیاست کناره‌گرفت. در ۱۳۲۶، پس از آن که طرح وی

در خصوص اصلاح قانون انتخابات در مجلس رأی نیاورد، به ملک خود در احمدآباد واپس نشست و تصمیم قطعی به پایان دادن حیات سیاسی خود گرفت. این رویدادها نشان از وجود رگه‌ای شهادت‌طلبانه در او داشت که الهیات شیعی تقویت‌اش می‌کرد و وی را وامی‌داشت که رنج خویشتن‌دارانه را بر سازش با ستمکاران ترجیح دهد.

در اوایل سال ۱۳۳۱، مصدق با گرفتاری‌های زیادی دست وپنجه نرم می‌کرد. تحریم نفتی ایران از سوی بریتانیا، تأثیرات ویرانگری بر جای گذاشته بود، و او می‌دانست که مأموران انگلیسی در تهران دست‌اندرکار براندازی دولت‌اش هستند. برای مدتی امیدوار بود که با کمک آمریکایی‌ها از گرداب این بحران رهایی یابد. اما رئیس جمهور ترومن که زیر فشار سنگین لندن قرار داشت، هیچ‌گونه کمکی به او نداد. آن‌گاه، در پی کمک گرفتن از بانک جهانی برآمد. امّا این تلاش نیز ناکام ماند. ایرانیان روزبه‌روز فقیرتر و ناخشنودتر می‌شدند. ائتلاف سیاسی مصدق در حال فروپاشیدن بود و در دوره‌ی جدید تصدی‌گری خود باید چشم به راه مبارزه با انبوهی از دشمنان می‌ماند. با این حال، ساده‌اندیشی است اگر باور کنیم واقعاً به ترک موقعیت تحسین‌آمیزی رضایت می‌داد که در بین ایرانیان و ملیون‌ها نفرِ دیگر در سراسر جهان به دست آورده بود. او نمی‌خواست کنار برود، بلکه می‌خواست مردم را به تصمیم‌گیری در این مورد که آیا واقعاً وی را رهبر خود می‌خواهند یا خیر، وادار کند. استعفا نیز قماری ملهم از این خواسته بود.

مصدق بهار آن سال را دل‌مشغول انتخابات مجلس بود. وی از انتخابات آزاد هراس کمی داشت، زیرا به‌رغم دشواری‌های کشور، کاملاً به‌عنوان یک قهرمان تحسین می‌شد. امّا، انتخابات آزاد همان چیزی نبود که دیگران برای آن برنامه‌ریزی می‌کردند. عوامل انگلیس در سراسر کشور پخش بودند و به نامزدهای انتخابات و رؤسای منطقه‌ایِ ناظر انتخابات، رشوه می‌دادند. آنها امیدوار بودند که مجلس را با نمایندگانی پرکنند که رأی به عزل مصدق بدهند؛ کودتایی که با ابزار ظاهراً قانونی انجام می‌گرفت.

چند هفته طول کشید تا انتخابات مجلس ایران کامل و تمام شود زیرا در حمل ونقل و ارتباطات مشکلات فراوانی وجود داشت. اولین نتایج که از شهرهای بزرگ به دست آمد، برای مصدق دلگرم‌کننده بود. در تهران، جملگی ۱۲ نامزد جبهه‌ی ملی انتخاب شدند. نتیجه‌ی انتخاباتِ دیگر نقاط کشور، که نظارتی بر آنها نشده بود، کاملاً متفاوت بود. این نتایج به‌خودی خود برای مصدق که باور او به اراده‌ی مردم بی‌حد و مرز بود، نگرانی برنمی‌انگیخت، امّا وی پس از آن‌که خشونت در آبادان و چند شهر دیگر (که هیجان و شور مبارزه‌ی رقبای انتخاباتی در آنها بالا بود) شدت گرفت، نگران شد. دستیاران و مشاورانش به او گفتند که برخی از نامزدهایی که انتخاب شده‌اند تحت کنترل مستقیم مأموران انگلیسی هستند. مصدق در حال عزیمت به لاهه برای دفاع از ایران در برابر یک شکایت قانونی دیگر انگلیسی‌ها بود که این بار در دادگاه جهانی مستقر در هلند مطرح می‌شد. از این رو می‌ترسید که در غیاب او، نظارت چندانی بر تقلّبات انتخاباتی دشمنانش صورت نگیرد. در تیر ماه، که ۸۰ نفر از نامزدها به‌عنوان برنده‌ی کرسی‌های مجلسِ ۱۳۶ نفره‌ی شورا اعلام شده بودند، کابینه رأی داد که انتخابات متوقف شود. مصدق در بیانیه‌ای تأکید کرد که چون «عوامل خارجی» از فعالیت‌های انتخاباتی در جهت بی‌ثبات کردن کشور سوءاستفاده می‌کنند، «منافع عالیه‌ی ملی کشور ایجاب می‌کند که انتخابات تا بازگشت هیئت نمایندگی ایران از لاهه به حالت تعلیق درآید.»

مصدق قانوناً و مادام که ۸۰ نماینده‌ی انتخاب شده مخالف نبودند، که نبودند، از این حق برخوردار بود. وی همچنین می‌توانست به اصل مشروعیت اخلاقی متوسل شود، چون در حال دفاع از ایران در برابر خرابکاری خارجی بود. با این حال، این حادثه سایه‌ی ناخوشایندی را بر وی افکند و به منتقدانش امکان داد تا او را غیردموکرات و حریص به قدرت شخصی تصویر کنند.

درحالی‌که مصدق با این چالش دست به گریبان بود، ناچار بود با مشکل دیگری که بیشتر ایرانیان فکر می‌کردند به‌مراتب فوری‌تر و ضروری‌تر است،

رویاروی شود. کشور در حال سقوط به ورطه‌ی ورشکستگی بود. ده‌ها هزار نفر شغل خود را در پالایشگاه آبادان از دست داده بودند، و اگرچه اکثر آنها وضع را درک می‌کردند و با اشتیاق از فکر ملی کردن نفت حمایت می‌کردند، طبعاً امیدوار بودند که مصدق راهی پیدا کند و آنها را به کارشان بازگرداند؛ و از تنها راهی که می‌توانست این کار را بکند، فروش نفت بود.

در اوایل سا ل ۱۳۳۱، نفتکش‌های آرژانتینی و ژاپنی، موفق شدند به‌رغم تحریم‌های اعلام شده‌ی بریتانیا، راه خود را به بنادر ایران بگشایند. یک نفتکش دیگر، ۴۰۰۰ تن از نفت آبادان را به ونیز آورد و پس از آن که یک دادگاه ایتالیایی اعتراض بریتانیا را رد کرد، وینستون چرچیل گله کرد که «چه دوستان و متحدان حقیری هستند این ایتالیایی‌ها.» وی دریافت که اگر تحریم‌ها را مؤثرتر به اجرا نگذارد، سقوط خواهد کرد.

در اواخر خرداد ۱۳۳۱، کارگران بندر ماهشهر در خلیج فارس، ورود نفتکش روزماری را خوش‌آمد گفتند. این نفتکش در اجاره‌ی یک شرکت نفتی خصوصی ایتالیایی بود که قصد داشت طی ۱۰ سال آتی ۲۰ میلیون تن نفت از ایران بخرد. شرکت این «سفر دریایی آزمایشی» را ترتیب داده بود تا تحریم بریتانیا را به چالش گیرد. اگر رزماری می‌توانست به سلامت به ایتالیا بازگردد، تحریم شکسته می‌شد و ایران در راه بهبودی اوضاع اقتصادی قرار می‌گرفت.

هم‌زمان با صف‌آرایی بریتانیا و ایران در دریاهای آزاد، دادگاه جهانی نیز به عرصه‌ی دیگری برای مصاف آنها تبدیل شد. انگلیسی‌ها در پی گرفتن این حکم از دادگاه عالی بودند که پالایشگاه آبادان و حوزه‌های نفتی پیرامون آن را به‌درستی متعلق به آنها اعلام می‌کرد. وکلای آنها استدلال‌های شیوایی ارائه کردند، امّا هرگونه امید آنها به تسلط بر جلسات دادگاه با پیدا شدن سروکلّه‌ی مصدق بر باد رفت. جمعیتی در کاخ صلح از او استقبال کردند و با ابراز احساسات شدید، نام او را با آهنگ یکنواخت فریاد می‌زدند. وی در داخل کاخ، نطق کوتاهی ایراد کرد و از قضات خواست که جنبه‌های اخلاقی و

سیاسی این دعوا و نیز جنبه‌های قویاً حقوقی آن را در نظر گیرند. وی گفت: ملّی کردن شرکت نفت انگلیس ـ ایران تنها پاسخ مناسب به شرایط تحمل‌ناپذیری بود که شرکت تحت آن سال‌ها با کارکنان ایرانی‌اش «همچون حیوان» رفتار می‌کرده و دولت‌های ایران را فریب می‌داده تا تداوم غارتِ ارزشمندترین منبع طبیعی کشور را تضمین کند.

مصدق، پس از این نطق به هتل خود بازگشت و دیگر در دادگاه ظاهر نشد. یک گروه از حقوقدانان ایرانی و یک بلژیکیِ سرشناس به‌نام هنری رولن که استاد حقوق بین‌الملل و رئیس پیشین سنای بلژیک بود، دفاع از پرونده‌ی ایران را طی سه روز جلسه‌ی دادگاه بر عهده داشتند. رولن، بارها و بارها بر استدلال محوری خود تأکید می‌کرد: «دادگاه صلاحیتی برای رسیدگی به پرونده ندارد، زیرا دعوا نه بین دو کشور که بین یک کشور و یک شرکت خصوصی است.»

مصدق در هتل خود بود که خبر رسید کشتی‌های جنگی انگلیسی نفتکش رزماری را ره گیری و مجبور به پهلو گرفتن در بندر تحت‌الحمایه‌ی بریتانیای عدن کرده‌اند. یک دادگاه در آن‌جا، به رسیدگی دعوای وکلای انگلیسی پرداخت، که در آن استدلال کردند شرکت نفت انگلیس و ایران مالک همه‌ی نفت ایران است و از این رو رزماری مال دزدیده شده را حمل می‌کرده است. رأی دادگاه که مطابق انتظار به‌سود بریتانیا صادر شد، تا چند ماه اعلام نشد، امّا همین خبرِ ره گیری نفتکش‌های حامل نفت ایران توسط نیروی دریایی بریتانیا کافی بود تا موجب ترس و رمیدگی مشتریان دیگر نفت ایران شود. مصدق یک کنفرانس خبری برگزار و توقیف نفتکش رزماری را محکوم کرد و این عمل را «نمونه‌ای شفاف و زنده» از شیوه‌هایی دانست که بریتانیا برای خفه کردن ایران در پیش گرفته است. بسیاری از اروپایی‌ها با ایران همدردی نشان دادند. سفیر بریتانیا در پیامی به لندن نوشت: «بیم آن دارم که دکتر مصدق موفق شود تأثیر کلاً مساعدی در لاهه از خود بر جای بگذارد.»

توقیف نفتکش رزماری، ضربه‌ی ویرانگری بر مصدق و دولت وی وارد

آورد. اکنون، هیچ شرکت نفتی دیگری با ایران معامله نمی‌کرد، لذا منبع عمده‌ی درآمد کشور از بین رفت. ایران در سال ۱۹۵۰ (۱۳۲۹) ۴۵ ملیون دلار بابت صدور نفت به دست آورد که بیش از ۷۰ درصد کل درآمدهای صادراتی آن را تشکیل می‌داد. این مبلغ در سال ۱۹۵۱ (۱۳۳۰) به نصف کاهش یافت و در ۱۹۵۲ (۱۳۳۱) نیز تقریباً به صفر رسید.

مصدق به ایرانیان گفت که مبارزه‌ی آنها برای حفظ شرافت ملی مستلزم «تحمل محرومیت، ابراز از خودگذشتگی و وفاداری» است، و هرچند بیشترِ آنها این مشکلات را پذیرفتند امّا به هرحال رنج می‌بردند. وی با انجام اقداماتی از قبیل افزایش صادرات غیرنفتی، به‌ویژه منسوجات و مواد غذایی، و امضای قراردادهای پایاپای با برخی کشورها، رنج آنها را تا حدی کاهش داد. این اقدامات همراه با دیگر ابتکارها، ایران را از سقوط نجات داد، امّا هیچ جایگزینی برای درآمدهایی که صدور نفت عاید می‌کرد، وجود نداشت.

انتخابات نیمه تمام، تنگ‌تر شدن حلقه‌ی تحریم نفتی بریتانیا، و دعوای دادگاه جهانی، همگی در هنگام بازگشت از لاهه در اوایل مرداد بر ذهن مصدق سنگینی می‌کردند. دو هفته بعد، حمله‌ی غش وی در حضور شاه پیش آمد و روز بعد نیز استعفای خود را تقدیم کرد. استعفای مصدق موهبتی الهی برای دشمنان انگلیسی‌اش و شاه بود. آنها امیدوار بودند که مجلس را به جلوگیری از انتخاب مجدد او، هدایت کنند. اکنون وی لطفی تصورناپذیر در حق آنها کرده و خود صحنه را ترک کرده بود.

مقامات انگلیسی مردی را که مایل بودند جانشین مصدق شود، انتخاب کرده بودند. او، احمد قوام، سیاستمدار حیله‌گر بود که در دهه‌ی ۱۳۲۰ نیز نخست‌وزیر شده بود. رابین ژانر، مأمور ـ پژوهشگر انگلیسی از محل کار خود در تهران گزارش داد که: «تمایل قوام به همکاری نزدیک با بریتانیا و حفظ منافع مشروع بریتانیا در ایران است... [وی] نفوذ بریتانیا در ایران را بر نفوذ آمریکایی‌ها (که احمق و بی‌تجربه‌اند) یا روس‌ها که دشمن ایران هستند، ترجیح می‌دهد.»

شاه ابتدا از حمایت قوام اکراه داشت. تجربه‌ی او با مصدق وی را نسبت به نخست‌وزیران قوی بی‌اعتماد کرده بود و به دنبال فردی ضعیف و گوش به فرمان بود. قوام چنین آدمی نبود. امّا انگلیسی‌ها بر انتصاب او پافشاری کردند. در روز ۲۶ تیر، ساعاتی پس از آن‌که مصدق استعفای خود را تسلیم کرد، شاه بلاتکلیف و سردرگم مانده بود که چه کند. در آن شب، یک گروه ۴۰ نفره از نمایندگان طرفدار انگلیس مجلس با هم ملاقات کردند و قوام را انتخاب کردند. ۲۷ تن دیگر نیز جمع شدند تا وفاداری بی‌خدشه‌ی خود را به مصدق اعلام کنند، که تنها شخصیت توانمند در اداره‌ی ایران «در این لحظات تعیین کننده‌ی تاریخ ما» به حسابش می‌آوردند. سرانجام، شاه در برابر فشار به زانو درآمد. قوام بلافاصله شروع به صادر کردن اعلامیه‌های خشن کرد که، روز مکافات فرا رسیده است. وی مصدق را به‌خاطر شکست در حل بحران نفت و به راه انداختن «یک کارزار گسترده علیه یک دولت خارجی» محکوم کرد. او اعلام کرد که ایران در شُرف تغییر است. در نخستین بیانیه‌ی خود در مقام نخست وزیر، قوام اعلام کرد «کشتی‌بان را سیاستی دگر آمد.» هرکس که با سیاست‌های او مخالفت کند دستگیر و تحویل «دستان بی‌رحم و شفقت قانون» می‌شود.

بسیاری از مردم نمی‌دانستند که مصدق به‌واقع از گردونه خارج شده، تا این که صدای قوام را شنیدند که اعلامیه‌ی خود را از طریق رادیو می‌خواند. سخنان قوام انفجاری از اعتراضات را برانگیخت. جمعیت کثیری به خیابان‌های تهران و دیگر شهرها سرازیر شد و شعار یا مرگ یا مصدق! سر داد. قوام به نیروهای پلیس دستور داد که به تظاهرکنندگان حمله و آنها را سرکوب کنند، اما بسیاری از مأموران از این کار خودداری کردند. برخی نیز به تظاهرکنندگان پیوستند و با آغوش بازِ آنها روبه‌رو شدند.

این طغیان خودبه‌خودیِ مردم، بیش از هرچیز بیانگر حمایت آنها از تصمیم مصدق به رویارویی با شرکت نفت انگلیس و ایران بود. با این حال، بسیاری از ایرانیان به‌دلیل تعهد وی به اصلاحات اجتماعی، به سویش کشیده

می‌شدند. مصدق دهقانان را از کار اجباری در املاک زمین‌داران آزاد کرده
بود. به صاحبان صنایع دستور داده بود که به کارگران بیمار و سانحه‌دیده‌ی
خود مقرّری پرداخت کنند، یک نظام جبرانی برای بیکاران برقرار کرده بود،
و ۲۰ درصد از اجاره‌بهای دریافتی زمین‌داران را اخذ و به صندوق ذخیره‌ای
برای توسعه‌ی پروژه‌هایی از قبیل کنترل آفات نباتی، خانه‌سازی در روستاها و
ساختن حمام‌های عمومی، واریز کرده بود. وی از حقوق زنان حمایت کرده،
آزادی مذهب را محترم شمرده و به دادگاه‌ها و دانشگاه‌ها آزادی عمل داده
بود. از همه مهم‌تر، او حتی از جانب دشمنانش مشهور به درستکاری و اعتقاد
به اصول اخلاقی و فسادناپذیری بود، که در صحنه‌ی سیاست ایران سکه‌ی
رایجی به حساب نمی‌آمد. چشم‌انداز فقدان ناگهانی او و جای سپردنش به
رژیمی که آشکارا مورد حمایت خارجیان بود، فراتر از پذیرش مردم
برانگیخته شده‌ی او به شمار می‌آمد.

در روز ۳۰ تیر، رهبران جبهه‌ی ملی خواستار یک اعتصاب عمومی شدند
تا مخالفت مردم با قوام و حمایت از مصدق، «تنها گزینه‌ی مردمی برای
رهبری مبارزه ملی» را به نمایش بگذارند. طی چندساعت، بخش بزرگی از
کشور فلج شد. آیت‌الله کاشانی، که اطلاع پیدا کرده بود قوام در صدد
بازداشت اوست، با صدور فتوایی به سربازان دستور داد که به قیام، که آن را
«جهاد علیه امپریالیست‌ها» نامید، ملحق شوند. هواداران حزب توده، که هنوز
هم از قوام به‌خاطر نقش مؤثرش در اخراج نیروهای شوروی از آذربایجان در
۱۳۲۵ خشمگین بودند، مشتاقانه و با شعارهای «مرگ بر شاه! برقرار باد
جمهوری دموکراتیک خلق!» به این مبارزات پیوستند.

قوام و شاه از این قیام تکان خوردند و واحدهای نخبه‌ی نظامی را وارد
کارزار کردند. سربازان در چند نقطه‌ی تهران به روی معترضان آتش گشودند.
ده‌ها نفر کشته شدند. نظامیان جوان، که از این قتل‌عام به وحشت افتاده بودند از
شورش صحبت به میان آوردند. شاه کنترل اوضاع را کاملاً از دست داده بود.
تنها گزینه‌ی وی، درخواست استعفای قوام بود، که قوام این کار را در ساعت

۴ بعدازظهر انجام داد. پس از پذیرفتن استعفای قوام، به دنبال مصدق فرستاد.

دیدار آنها به‌شکل غیرمترقبه‌ای گرم بود. شاه گفت که وی اکنون آماده است مصدق را به‌عنوان نخست‌وزیر بپذیرد و کنترل وزارت جنگ را هم به او بسپارد. وی از مصدق پرسید که آیا هنوز به حفظ پادشاهی تمایل دارد، و مصدق به او اطمینان داد که جواب مثبت است، با این فرض البته که شاهان برتری رهبران منتخب را بپذیرند.

وی به شاه گفت: «اگر با نیروهای دموکرات و ملی همکاری کنید، نام شما به‌عنوان یک پادشاه بسیار مردمی در تاریخ ثبت خواهد شد.»

روز بعد: مجلس با اکثریت قاطع به انتخاب دوباره‌ی مصدق به مقام نخست‌وزیری رأی داد. عمر دولت قوام فقط ۴ روز به درازا کشید. سقوط او در روز «دوشنبه خونین»، یک پیروزی بزرگ و تقریباً تصورناپذیر برای ملی‌گرایان ایران به شمار می‌رفت. این پیروزی برای مصدق هم به‌مراتب بزرگ‌تر از یک پیروزیِ شخصی بود. وی بدون انجام حتی یک سخنرانی، یا حتی برانگیختن مردم از خانه‌اش، توسط یک ملت حق‌شناس به قدرت بازگشت.

روز بعد یک خبر تکان‌دهنده‌ی دیگر منتشر شد. دادگاه جهانی، درخواست بریتانیا را رد و از ورود به بحث نفت خودداری کرد. در لندن، دیلی اکسپرس، با عنوان بزرگ «روز پیروزی مصدق» منتشر شد. نشریات دیگر هم پر بود از مطالبی که در این باره نوشته شده بود.

اکنون، حمایت از مصدق چندان گسترده و پرشور بود که اگر می‌خواست، احتمالاً شاه را هم می‌توانست برکنار کند، پایان دودمان پهلوی را اعلام نماید، و یک جمهوری به ریاست خودش برقرار سازد. در عوض، وی برای شاه یک پیشنهاد صلح فرستاد. نسخه‌ای از قرآن با تقدیم نامه‌ای به خط خودش که در آن نوشته بود: «اگر هر اقدامی علیه قانون اساسی کردم یا ریاست جمهوری را پذیرفتم پس از آن که دیگران قانون اساسی را نقض و شکل حکومت کشور ما را تغییر دادند، مرا دشمن این قرآن بدانید.»

این دور از رویدادها، دلسردکننده‌ترین شکست را برای انگلیسی‌ها در پی داشت. آنان در عرض یک هفته از دسیسه‌چینی سرسری، تا پیروزی خیره کننده، و از آن‌جا به شکستی تلخ رسیده بودند. با این حال، با آن همه منافعی که به‌دشواری می‌توانستند از خیر آن بگذرند، به مرور کردن آن چه که اشتباهات خود می‌دیدند، پرداختند و به این نتیجه رسیدند که چندین اشتباه مرتکب شده‌اند. مأموران اطلاعاتی بریتانیا امور برنامه‌ریزی و اجرایی زیادی را بر عهده‌ی ایرانی‌ها نهاده بودند. آنان امید خود را به یک غیرنظامی، قوام، به‌جای یک نظامی، بسته بودند. شاید مهم‌ترین اشتباه آنها این بود که به‌تنهایی و بدون کمک آمریکایی‌ها وارد عمل شده بودند. نوبت دیگر ـ آنها مصمم و مطمئن بودند که نوبت دیگری هم در کار است ـ این اشتباهات را تکرار نخواهند کرد.

□ □ □

دور بعدی دسیسه‌چینی بریتانیا با ارسال یک رشته پیام‌های بصیرانه و درون‌نگرانه شکل گرفت که جرج میدلتون، وزیرمختار بریتانیا در تهران، در روزهای پس از قیام ۳۰ تیر نوشت. میدلتون این قیام را «نقطه‌ی عطفی در تاریخ ایران» دانست، چرا که با ظهور یک نیروی جدید سیاسی، طبقه‌ی عوام، توأم بود. نقشه‌ی بریتانیا برای جایگزینی مصدق شکست خورده بود، چون جمعیتی از عوام در آن دخالت کرد. وی نوشت که بار بعد، بریتانیا باید این جمعیت را در کنار خود داشته باشد.

میدلتون همچنین اظهار داشت که طی رویداد قیام، بخش نسبتاً چشمگیری از افسران ارتش خود را چندان وفادار به مصدق نشان ندادند. در آینده و در شرایط مناسب، آنها ممکن است به شورش علیه او برخیزند، امّا باید از سوی افسر یا فرمانده‌ای که به او اعتماد داشته باشند و تحسین‌اش کنند، برای یک آرمان مشخص به نظم و سازمان درآورده شوند. میدلتون فکر می‌کرد می‌داند که آن افسر چه کسی می‌تواند باشد. وی وزیر کشور پیشین مصدق، سرلشگر

فضل‌الله زاهدی، را پیشنهاد می‌کرد.

انتخاب مناسبی بود. زاهدی از شرایط یک نامزد دلخواه به دور بود ــ نیویورک تایمز وی را «یک ژیگولو با میل وافر به قمار و زنان زیبا» توصیف کرده بود. امّا، از هر شخص موجود دیگری بهتر بود. زاهدی بیشتر عمر خود را در کسوت نظای گذرانده و تقریباً با همه‌ی افسران ایرانی آشنایی شخصی داشت. زاهدی در سن ۲۳ سالگی، در مقام یک فرمانده گروهان، با نیروها و قبایل شورشی در استان‌های شمالی کشور جنگیده بود. دو سال بعد، رضاشاه او را به مقام سرتیپی ترفیع داد. شاه که تحت تأثیر وفاداری و قاطعیت او قرار گرفته بود در سال ۱۳۰۵ وی را به استانداری خوزستان،که پالایشگاه آبادان در آن واقع بود، منصوب کرد. زاهدی در ۱۳۱۱ رئیس پلیس تهران شد و در ۱۳۲۰ به فرماندهی پادگان مهم اصفهان رسید.

زاهدی دیدگاه مشترکی با رضاشاه در مورد نیازهای ایران داشت. هردو مرد قلباً سرباز، قوی، خشن و جاه‌طلب بودند. وقتی جنگ جهانی دوم آغاز شد، هردو در پی کمک به آلمان برآمدند. پس از آن که انگلیسی‌ها رضاشاه را برکنار و تبعید کردند، متوجه زاهدی شدند و پس از تحقیقات دریافتند که وی دست‌اندرکار احتکار غلّه و آرد است و سود هنگفتی نیز از این راه به چنگ می‌آورد. اگر به‌خاطر ارتباط‌هایش با عمّال نازی نبود، وی را به حال خود رها می‌کردند. وقتی پی بردند که وی در حال سازماندهی یک شورش قبایلی هم‌زمان با تهاجم احتمالی آلمان‌ها به ایران است، تصمیم گرفتند علیه او وارد عمل شوند.

در سپتامبر ۱۹۴۲ (شهریور ۱۳۲۱)، مأموران ارشد سرویس اطلاعات مخفی، مأمور کارکشته و سرشناس خود فیتزروی مک‌لین را، که ماجراجویی هایش وی را به عرصه‌های نبرد زیرزمینی از تریپولی تا تاشکند کشانده بود، به لندن فراخواندند. به او گفته شد که زاهدی باید برود. وی بعدها نوشت: «چگونگی انجام کار را به خودم واگذار و فقط دو شرط راگوشزد کردند: او را باید زنده دستگیر کنم، و دیگر این که اقدام من نباید موجب بروز ناآرامی و

اغتشاش شود.»

ساده‌ترین روش، عبارت بود از ربودن زاهدی از خانه‌اش، امّا با ورود مک‌لین به اصفهان معلوم شد که از خانه‌ی او به‌خوبی محافظت می‌شود. فکر بعدی مک‌لین این بود که تیمسار را از درون اتومبیلش بربایند. امّا این کار نیز غیرعملی بود چون ترتیبات امنیتی ـ نظامی برای عبور وی بسیار شدید و گسترده بود. مک‌لین به این نتیجه رسید که باید مستمسکی بیابد که شخصاً به حضور زاهدی برسد.

نقشه‌ی او که جزئیاتش را با تلگرام رمز برای لندن فرستاد، از این قرار بود که وانمود کند یک ژنرال مقیم بغداد ارتش انگلیس است؛ پیامی برای زاهدی می‌فرستد و به او می‌گوید که قصد عبور از اصفهان را دارد و خواستار به جا آوردن تشریفات و احترامات معمول از سوی وی می‌شود. با یک یا دو «فرد مطلع» به آن جا وارد می‌شود؛ و سپس وقتی با تیمسار تنها می‌شدند، اسلحه‌ی کمری خود را می‌کشید و او را به‌زور به درون اتومبیلی که بیرون منتظر بود می‌برد. در آن حوالی نیز یک گردان پیاده‌نظام منتظر می‌شدند «تا در صورت بروز مشکل» کمک کنند. رؤسای مک‌لین هرچه که او خواسته بود به وی دادند، از جمله مجوز کشتن زاهدی در صورت لزوم؛ امّا در یک مورد تسلیم نظر وی نشدند. هیچ‌کس و تحت هیچ شرایطی اجازه نداشت که وانمود کند یک سرتیپ انگلیسی است. در صورت لزوم یک سرتیپ حقیقی در اختیار او می‌گذاشتند.

مک‌لین به قم رفت، و در آن جا یک فرمانده انگلیسی دستور داشت که هرچه وی نیاز دارد در اختیارش بگذارد. وی به یک گردان سرباز احتیاج داشت، و بدون این که معلوم شود برای یک مأموریت کماندویی می‌روند، در اختیارش گذاشته شد. او و نفراتش چندروز در یک قلعه‌ی نظامی ویران در بیابان‌های اطراف، به تمرین پرداختند. آن‌گاه یک روز پیش از آدم‌ربایی برنامه‌ریزی شده، عازم اصفهان شد. یک سرتیپ واقعی وی را همراهی می‌کرد که از سوی کنسولگری بریتانیا در اختیارش گذاشته شده بود؛ وی

«افسری متشخص بود که شوخ‌طبعی کاملاً پرورش یافته او موجب شد به‌خوبی با روح نقش مبهمی که بر عهده‌اش گذاشته شده، کنار بیاید.» ترتیب دادن ملاقات با تیمسار زاهدی به‌خوبی پیش رفت. مک‌لین با اتومبیلی که یک پرچم بزرگ بریتانیای کبیر را با خود حمل می‌کرد، وارد شد. نگهبان، سرگرم گفت‌وگو با یک مأمور انگلیسی (عضوی از گروه مک‌لین) بود و فقط نگاه کوتاهی به وی به‌هنگام عبور از دروازه انداخت. دو کامیون بدون هویت، که فضای بار آنها با چادر برزنت پوشیده شده بود، در همان اطراف پارک شده بودند. در داخل آنها سربازانی نشسته بودند که مک‌لین یک هفته را صرف آموزششان کرده بود. وقتی که وی وارد مقرّ تیپ شد، آنها منتظر ماندند.

> چنددقیقه بعد که تیمسار زاهدی، با چهره‌ای تروتمیز در یک یونیفورم چسبان و پوتین‌های بسیار برّاق وارد اتاق شد، چشمش به لوله‌ی اسلحه کلت خودکار من افتاد. طول دادن کاری که هرلحظه ممکن بود شرمندگی به بار آورد، موردی نداشت. بدون معطلیِ بیشتر، از تیمسار خواستم دستش را بالا ببرد و به او اطلاع دادم که دستور دارم او را دستگیر کنم و اگر از وی صدایی بلند شود یا دست به مقاومت بزند، به او شلیک خواهم کرد. آن‌گاه اسلحه‌ی کمری‌اش را گرفتم و او را از راه پنجره به بیرون هل داده و سوار اتومبیلی کردم که با موتور روشن منتظر ما بود... کوتاه‌زمانی بعد به همان نقطه‌ای در بیابان رسیدیم که شب گذشته را در آن جا گذرانده بودیم، و در آن جا زندانی را به مأموری که همراه شش مرد دیگر منتظر بودند تحویل دادم تا وی را به نزدیک‌ترین باند فرودگاه ببرند. در آن‌جا نیز هواپیمایی در انتظار بود تا او را به فلسطین منتقل کند... در اتاق خواب تیمسار، مجموعه‌ای از سلاح‌های خودکار ساخت آلمان، مقادیر معتنابهی لباس زیر ابریشمی، مقداری تریاک (و) فهرستی از اسامی روسپیان اصفهان همراه با عکس آنها پیدا کردم.

زاهدی بقیه‌ی ایام جنگ را در یک اردوگاه انگلیسی به‌صورت تحت‌الحفظ،

سپری کرد. پس از آزادی، حیات حرفه‌ای خود را از سر گرفت، تو گویی اصلاً اتفاقی نیفتاده است. ابتدا فرمانده نظامی استان فارس شد، و سپس به شغل قدیمی خود، رئیس پلیس تهران، بازگشت. محمدرضاشاه در سال ۱۳۲۹ او را به عضویت مجلس سنا مصوب کرد و سال بعد مصدق را ترغیب کرد که وی را به عنوان وزیر کشور کابینه‌ی خود انتخاب کند. امّا مصدق چندماه بعد او را، پس از آن که وی دستور کشتن تظاهرکنندگانی را داد که به ورود اورِل هریمن اعتراض می‌کردند، برکنار کرد. اگرچه زاهدی دیگر در خدمت ارتش نبود، اما ریاست کانون افسران بازنشسته را بر عهده داشت، که عمدتاً از افسرانی تشکیل شده بود که مصدق آنها را از ارتش اخراج کرده بود و از این رو منتظر تلافی‌جویی بودند. این موقعیتِ شاخص، همراه با جسارت و بیرحمی شناخته شده در نزد زاهدی، انگلیسی‌ها را به انتخاب وی به عنوان رهبر اسمی کودتا هدایت کرد. آنها میل داشتند گذشته‌ی ناخوشایند را فراموش کنند و او نیز چنین می‌خواست.

آمیزه‌ای که جرج میدلتون در تلگرام خود به لندن، توصیه می‌کرد ــ عوام به‌علاوه‌ی زاهدی ــ هسته‌ی مرکزی توطئه علیه مصدق به شمار می‌رفت و هرگز تغییر نیافت. با این حال پیش از شروع برنامه‌ریزی جدی، انگلیسی‌ها باید همکاری آمریکا را جلب می‌کردند. چرچیل، که به گفته‌ی یکی از جاسوسان خارجی‌اش «ماجراهای نظامی شگفت‌انگیزی را تجربه کرده بود و احترام چندانی برای دیپلمات‌های ترسو قایل نبود» نیمه‌ی دوم سال ۱۹۵۲ (تابستان و پاییز ۱۳۳۱) را صرف جلب همراهی و همکاری پرزیدنت ترومن کرد.

در ماه مرداد، مصدق مدیر یک شرکت نفتی آمریکایی به نام آلتون جونز را برای دیداری به ایران دعوت کرد. ترومن از این دعوت استقبال کرد و برای جونز آرزوی موفقیت کرد. امّا وقتی چرچیل از آن اطلاع پیدا کرد، سخت تلخکام شد. او با اعتراض گفت که هرگونه تماس آشتی‌جویانه و دوستانه از جانب ایالات متحده کارزار ضدمصدقیِ او را تضعیف می‌کند. وی به ترومن یادآوری کرد بریتانیا از آمریکا درکره حمایت می‌کند و این حق را دارد که

متوقع «یک وحدت آنگلوساکسونی» در مورد ایران باشد.

چیز قابل توجهی از سفر ـ مأموریت جونز به دست نیامد، امّا این امر ترومن یا مشاوران ارشدش را از کوشش برای مصالحه‌ای با مصدق بازنداشت. به گفته‌ی اچِسُن، آنها به این نتیجه رسیده بودند که «انگلیسی‌ها به‌قدری کارشکنانه و قاطعانه سیاست همه یا هیچ را در ایران پیش می‌برند، که ما یا باید سیاست مستقل خودمان را دنبال کنیم، یا خطر محو شدن ایران را در پشت پرده‌ی آهنین پذیرا باشیم.» ترومن مصرّانه از چرچیل خواست که واقعیت ملی شدن صنعت نفت ایران را بپذیرد. به گفته‌ی او این امر «در چشم ایرانیان ظاهراً به همان تقدّس قرآن است.» وی هشدار داد که ادامه‌ی مقاومت در برابر این واقعیت ممکن است به آشوب و بلوا دامن زند و ایران را به «قعر فاضلاب کمونیستی» بفرستد، که این «فاجعه‌ای برای جهان آزاد» خواهد بود.

چرچیل با ارائه‌ی یک پیشنهاد پاسخ داد. او و ترومن «یک تلگرام مشترک خصوصی و محرمانه برای مصدق می‌فرستند.» او پیش‌نویسی تهیه کرد که با لحن دوستانه نوشته شده بود، امّا فقط پیشنهادات قدیمی بریتانیا را در قالبی نو مطرح می‌کرد. ترومن امضا نمی‌کرد. امّا چرچیل سرسختانه بر این استدلال پافشاری می‌کرد که بریتانیا و ایالات متحده باید «دست در دست یکدیگر» علیه مصدق بتازند. وی به ترومن گفت من اصلاً نمی‌فهمم که «چرا دو آدم خوب که فقط آن چیزی را که حق است می‌طلبند نباید علیه نفر سومی که کار ناحق می‌کند، یکی شوند.»

سرانجام، ترومن موافقت کرد که روایت شسته‌رُفته‌تر نامه‌ی چرچیل را امضا کند. در این نامه، از مصدق خواسته شده بود که دو کار را که سوگند خورده بود هرگز انجام ندهد، انجام دهد: اجازه دهد شرکت نفت انگلیس و ایران به موقعیت قدیمی خود در ایران بازگردد، و داوری دادگاه جهانی را بر پایه‌ی موقعیتِ پیش از ملی شدن، بپذیرد. اگر وی با این موارد موافقت می‌کرد، بریتانیا نیز در مقابل تحریم‌های اقتصادی خود را لغو و ایالات متحده نیز یک کمک ۱۰ ملیون دلاری به ایران اعطا می‌کرد.

مصدق چند روز پس از دریافت نامه، با تمسخر آن را در مقابل مجلس خواند. وی گفت، این یک اهانت است، چون این واقعیت را به‌رسمیت نمی‌شناسد که «شرکت سابق» به‌طور نهایی و غیرقابل برگشت ملی شده است. پیشنهاد کمک هم «طعم صدقه» می‌دهد، که ایران نمی‌خواهد. وی در میان تشویق نمایندگان اعلام کرد که بریتانیا «قرن‌ها عادت داشته کشورهای فقیر را تاراج کند» و این که ایران دیگر «شرایط ظالمانه»ی آن را نمی‌پذیرد. وی سخن خود را با این پند اخلاقی به پایان رساند: «پای‌بندی به قانون و احترام به حقوق ضعفا نه‌فقط موقعیت و اعتبار قدرتمندان را کم نمی‌کند، بلکه آن را به‌شدت بالا می‌برد.»

مصدق سپس خواستار ارائه‌ی یک پیشنهاد متقابل شد و مجلس به این خواست وی رأی مثبت داد. ایران میانجی‌گری دادگاه جهانی را خواهد پذیرفت، امّا به دو شرط. نخست، دادگاه باید بررسی این پرونده را یا مطابق قوانین ایران یا «هر قانونی، در هر کشوری که صنایع نفت خود را در شرایط مشابه ملی کرده است»، انجام دهد. ثانیاً، اگر انگلیسی‌ها خواستند تقاضای غرامت کنند، ایران نیز باید این اجازه را داشته باشد که متقابلاً برای درآمدهای از دست رفته‌ی خود تقاضای غرامت کند. این شرایط به‌اندازه‌ی کافی معقول بود تا نگرانی چرچیل را برانگیزد. وی طی چند هفته‌ی بعدی پیام‌هایی برای ترومن فرستاد و مصرانه از او خواست که به وسوسه‌ی مذاکره دچار نشود. در یکی از این پیام‌ها چرچیل نوشت: «من اطمینان دارم که در این موقع حساس نمی‌توانیم در مبارزه‌ی خود پیش برویم. مصدق وقتی به شرایط منطقی تن می‌دهد که با تداوم هماهنگی ترومن ـ چرچیل روبه‌رو باشد.»

همچنان که این پیام‌ها بر فراز اقیانوس اطلس مخابره می‌شدند، وزیر خارجه‌ی چرچیل، آنتونی ایدن، خبرهای خوبی از سفارت بریتانیا در تهران می‌شنید. تیمسار زاهدی خود را در مقابل پیشنهادهای انگلیس بسیار راغب نشان داد. وی آماده بود تا در کودتا علیه مصدق شرکت کند، و طبیعتاً خود را به‌عنوان جانشین او در نظر داشت؛ ایدن که از این خبرِ خوش دلگرم شده بود،

پیام سردی در پاسخ مصدق فرستاد و پیشنهاد وی را رد کرد.

ایدن بر خلاف برخی از خارج‌نشینانی که مداخله‌ی غرب را در ایران شکل می‌دادند، با منطقه آشنایی داشت. وی در آکسفورد زبان فارسی آموخته بود که آن را «زبان ایتالیایی شرق» می‌دانست. وی اثر حماسی ***شاهنامه***، اشعار قدیمی پارسی و کتیبه‌ی داریوش را خوانده و پس ازفارغ‌التحصیلی، به وزارت خارجه پیوسته بود. زمانی که بریتانیا مشغول مذاکره درباره‌ی قرارداد **۱۹۳۳** بود، که مصدق و دیگر ملیّون را به خشم آورد، وی معاون وزارت خارجه بود. وی بعدها چند مسافرت طولانی به ایران کرد که این سفرها برداشت خوبی درباره‌ی مردم بومی به او نداد.

ایدن مثل چرچیل از مدافعان پرشور نظام استعماری بود. نفرت او از ظرفیت‌های سیاسی و روشنفکری مردم کشورهای فقیر، که آن را پنهان نمی‌کرد، برخی از خارجی‌ها را شگفت‌زده می‌کرد. یکی از آنها دین اچِسُن بود، که از این دیدگاه ایدن نسبت به ایرانیان یکه خورد. وی با تأسف از این طرز فکر ایدن یاد می‌کند: «آنها دلالان فرش هستند، و این همه‌ی موجودیت آنهاست. شما هرگز در مقابل‌شان واندهید؛ آنها همیشه بازمی‌گردند و اگر همچنان محکم بایستید، با شما معامله می‌کنند.»

نامه‌ی سربالای ایدن، این باور مصدق را تأیید کرد که بریتانیا هرگز چیزی جز دشمنی به او پیشنهاد نمی‌کند؛ و باور او به یقین تبدیل شد، وقتی از دیدارهای زاهدی با عمّال بریتانیا آگاهی پیدا کرد. زاهدی به دیدن آیت‌الله کاشانی نیز می‌رفت، که به ریاست مجلس انتخاب شده بود و به‌طور فزاینده‌ای مصدق را به چشم یک رقیب سیاسی می‌نگریست. شایعه‌ی قریب‌الوقوع بودن یک کودتا در تهران پراکنده شده بود. مصدق فقط یک راه داشت تا خود را از شرّ عمال انگلیس که مشغول توطئه بودند خلاص کند؛ **۲۴** مهر وی اعلام کرد که ایران روابط دیپلماتیک خود را با بریتانیا قطع می‌کند.

تا پایان آن ماه، کلّیه‌ی دیپلمات‌های انگلیسی، و به همراه آنان مأموران اطلاعاتی انگلیس، از ایران خارج شدند. این ضربه‌ای سنگین و سرنوشت‌ساز

بود. مصدق با این کار امیدهای بریتانیا را به سازماندهی یک کودتا نقش بر آب کرد. اگر کودتایی در دستور کار قرار داشت، آمریکایی‌ها باید دست به کار می‌شدند. مصدق و متحدانش با اخراج انگلیسی‌ها پیش از آن‌که به او ضربه بزنند، اقدام به دستگیری زاهدی و محاکمه‌ی او به‌اتهام خیانت، کردند. آن‌ها ابتدا با مانع روبه‌رو شدند. چون زاهدی به‌عنوان یک سناتور از مصونیت پارلمانی برخوردار بود. دوره‌ی دوساله‌ی مجلس سنا به‌تازگی منقضی شده بود و اگرچه سناتورها رأی داده بودند که چهار سال دیگر در سنا بمانند، این کارشان غیرقانونی بود. در یکم آبان، مجلس شورای ملی، سنا را منحل اعلام کرد. به‌محض آن که این طرح قانونی شد، زاهدی در معرض بازداشت قرار گرفت. لذا وی برای پرهیز از دستگیری مخفی شد.

بریتانیا اکنون هیچ مأموری در ایران نداشت؛ زاهدی از دور خارج شده بود، و دولت ترومن نیز همچنان و سرسختانه مخالف هرگونه ایده‌ی مداخله بود. نقشه‌ی کودتا کاملاً متوقف شد. ترومن که انگلیسی‌ها را دست‌کم به همان اندازه‌ی مصدق مسئول «این وضع وحشتناک» می‌دانست، از این وضع راضی بود. وی در نامه‌ای دست‌نویس به هنری گریدی، سفیر سابق خود در تهران، با تأسف نوشت: «ما سعی کردیم انگلیسی‌های خرفت را متقاعد کنیم تا شرکت نفت‌شان را وادار به انجام یک معامله‌ی منصفانه با ایران کنند. خیر، خیر. آن‌ها نتوانستند این کار را انجام دهند. آن‌ها کاملاً می‌دانستند چگونه این کار را انجام دهند، امّا ما، به گفته‌ی آن‌ها، نمی‌دانستیم.»

رهبران بریتانیا احتمالاً در این برهه دستخوش نومیدی شده بودند، امّا یک کورسوی امید در افق دیده می‌شد. انتخابات ریاست جمهوری آمریکا در راه بود و ترومن خود را برای انتخاب دوباره نامزد نکرده بود. نامزد جمهوری-خواهان برای جانشینی او، دوایت آیزنهاور، مبارزات انتخاباتی خود را بر مبنای یک برنامه‌ی سیاسی شدیداً ضد کمونیستی پیش می‌برد. لفاظی‌های آیزنهاور موجب دلگرمی زیاد چرچیل و ایدن می‌شد و لحظه‌ای که وی انتخاب شد، تلاش‌های خود را برای تأثیرگذاری بر ترومن متوقف کردند و بر

گروه جدید متمرکز شدند.

روز انتخابات، کِرمیت روزولت در تهران بود. شغل وی در اداره‌ی عملیات سیا در خاورمیانه، علاقه‌ی حرفه‌ای او را در آن‌جا برانگیخته بود و وی مرتب به آن‌جا می‌رفت، امّا این توقفی عادی نبود. خروج ناگهانی مأموران اطلاعاتی بریتانیا از ایران، رویداد مهمی در دنیای روزولت به شمار می‌آمد. انگلیسی‌ها چندین دهه صرف کرده و یک شبکه‌ی مخفی در آن جا ایجادکرده بودند و اکنون این شبکه بدون رهبر مانده بود. فرصتی خارق‌العاده برای ایالات متحده پیش آمده بود. روزولت تصمیم گرفت از این موقعیت نهایت بهره‌برداری را به عمل آورد.

روزولت در بوینس آیرس، جایی که پدرش در آن‌جا تجارت می‌کرد، به دنیا آمد. در نزدیکی ملک پدربزرگش، تئودور، در لانگ آیلند پرورش یافت و در هاروارد تحصیلات دانشگاهی خود را انجام داد. وی نمونه‌ی واقعی یک جاسوس جنتلمن بود. زمانی که جنگ جهانی دوم آغاز شد، سومین دهه‌ی عمر خو را سپری می‌کرد و عضوی دون‌پایه‌ی از هیئت علمی بخش تاریخ هاروارد بود. وی که شوق ماجراجویی داشت، به دفتر خدمات استراتژیک، پیوست که سازمانی چندان مخفی بود که حتی بسیاری از کسانی که می‌دانستند چنین دفتری وجود دارد نمی‌دانستند علامت اختصاری آن (OSS) به چه معناست. گروهی آن را Oh So Secret می‌نامیدند، یا به‌دلیل آن‌که افسران بلندپایه‌ی آن با گروه آیوی‌لیگ[1] ارتباط‌های دوستانه‌ای داشتند، برخی Oh SO Social معنایش می‌کردند. این که روزولت در مقام یک مأمور OSS چه کاری انجام داد، نامعلوم است، هرچند ظاهراً اوقاتی را در مصر و ایتالیا گذراند. حتّی اعضای خانواده‌اش نیز هرگز پی نبردند. همسرش سال‌ها بعد گفت: «که این بحث مربوط به از ما بهتران بود. او درباره‌ی از ما بهتران با من صحبت نمی‌کرد.»

عکس‌هایی که روزولت در حوالی رفتن به ایران گرفته، وی را لاغر و

۱. Ivyleague . نام گروهی از دانشگاه‌های قدیمی و معتبر شرق امریکا (ازجمله هاروارد، پرینستون، ییل و کرنل). م.

قوی، با جذابیت پسرانه، با عینک حاشیه سیاه و لبخندی گیرا نشان می‌دهند. خانواده‌ی او، وی را آدم بی‌مصرفی می‌دانستند که به‌زحمت می‌تواند لامپ چراغ عوض کند. امّا در محیط کار، تلقی بسیار متفاوتی از خود به جا گذاشت. همکارانش وی را با اعتماد به نفس عالی و بدون تکبر توصیف می‌کردند. نویسنده‌ای بعدها او را «مظهر خونسردی بی‌پروایانه» نامید. طی مأموریت اکتشافی خود در آذر ۱۳۳۱، با هیچ ایرانی که می‌دانست مأمور بریتانیا است، ملاقات نکرد. امّا چندان زیرک بود که احساس کند شمار زیادی از آنها در پیرامونش حضور دارند.

روزولت بر سر راه بازگشت به میهن، در لندن توقف کرد. وی دوستانی در میان افسران بلندپایه‌ی سرویس اطلاعات مخفی بریتانیا داشت و با آنها برای بیش از یک سال درباره‌ی راه‌های برخورد با مصدق تبادل‌نظر می‌کرد. اکنون، برای اولین بار، این تأملات واقع‌بینانه به نظر می‌رسیدند. دوستانش به او گفتند آنها بیش از همیشه مصمم‌اند کودتایی را به انجام برسانند؛ و این که ایدن و چرچیل، آنها را تحت فشار گذاشته‌اند و به‌ویژه دومی، «باشدت خاصی» بر این کار تأکید می‌کند. روزولت بسیار کنجکاو شد:

> آن‌چه در ذهن آنها می‌گذشت، چیزی کمتر از سرنگونی مصدق نبود. به‌علاوه، دلیلی نمی‌دیدند که با تأخیر کردن زمان را از دست بدهند. می‌خواستند بلافاصله دست به کار شوند. مجبور شدم به آنها توضیح بدهم که این پروژه مستلزم توافق کامل دولت متبوع من است و این که من کاملاً مطمئن نیستم نتیجه‌ی کار چه خواهد بود. همچنان که به همکاران انگلیسی گفتم، مطمئن بودم که شانسی برای گرفتن موافقت دولتِ در حال خروج ترومن ـ اچِسُن وجود ندارد. امّا، ممکن بود دولت جمهوری‌خواه جدید کاملاً متفاوت عمل کند.

فصل ۱۰

بند کفش‌هایت را ببند و راه بیفت

وقتی خبر رسید دوایت آیزنهاور به ریاست جمهوری آمریکا انتخاب شده، هیجان در کریدورهای قدرت لندن به اوج رسید. رهبران بریتانیا ماه‌های دردناک بسیاری را صرف متقاعد کردن دولت ترومن برای پیوستن به کارزار تبلیغاتی ـ عملیاتی آنها علیه دولت ایران کرده بودند. خط‌مشی امتناع پایدار وی آنها را عمیقاً دلسرد کرده بود، امّا اکنون شرایط در واشنگتن کاملاً دگرگون شده بود. آن‌چه که ناممکن به نظر می‌رسید، به‌یک‌باره بسیار هم میسر به نظر می‌رسید.

بریتانیا طی سال‌ها، شبکه‌ای قدرتمند از مأموران مخفی در ایران تشکیل داده بود. این مأموران زیرنظر "مونتی" وودهاوس، رئیس پایگاه اطلاعاتی بریتانیا در تهران در اوایل دهه‌ی ۱۳۳۰، در هرکاری، از پیشنهاد رشوه به سیاستمداران تا برانگیختن و سازماندهی شورش، مهارت یافته بودند. با این حال، وودهاوس و کلّیه‌ی جاسوسان انگلیسی، با اقدام مصدق در تعطیلی سفارتی که در آن کار می‌کردند، مجبور به ترک ایران شدند. آنها در پشت‌سر خود گروهی از خرابکاران ناب را بر جای گذاشتند.

چهره‌های اصلی این شبکه‌ی زیرزمینی سه برادرِ استثنایی رشیدیان بودند، پدرشان که از راه کشتی‌رانی، بانک‌داری و مستغلات ثروتی به‌هم زده بود، نه‌فقط ثروت خود، که حس تحسین بی‌پایان نسبت به هر چیز انگلیسی را برای آنها به‌ارث گذاشت. سرویس اطلاعات مخفی (اینتلیجنس سرویس) انگلیس،

در اوایل دهه‌ی ۱۳۳۰ ماهانه ۱۰ هزار پوند معادل ۲۸ هزار دلار به آنها می‌پرداخت (مبلغی خیره کننده با استانداردهای ایران)، تا اقشاری از ایرانیان را که سیا در جرگه‌ی نیروهای مسلح، مجلس، رهبران مذهبی، مطبوعات، باندهای خیابانی، سیاستمداران و سایر چهره‌های متنفذ می‌شمرد، تطمیع کنند.

یک تاریخ‌نگار درباره‌ی این برادران نوشت: «سیف‌الله، برادر بزرگ‌تر که اهل موسیقی و فلسفه بود، مغز متفکر گروه، و آدمی حرّاف و میزبانی بی‌نظیر محسوب می‌شد. وی دانشجوی تاریخ بود و به نقل قول از ماکیاولّی علاقه داشت. اسدالله، تشکیلات‌چی، فعال سیاسی، و امینِ شاه بود؛ درحالی‌که قدرت‌الله تاجر و کارفرما به شمار می‌رفت.»

رؤسای اینتلیجنس سرویس ،از این که می‌دیدند چنین مأموران برجسته‌ای بدون استفاده مانده‌اند، آن‌هم در شرایطی که کارهای ضروری در پیش بود، ناراحت بودند. انتخاب آیزنهاور آنها را امیدوار کرد که بار بر زمین مانده‌ی انگلیسی‌ها را آمریکایی‌ها، بردارند. سفر کِرمیت روزولت به لندن دلگرمی آنها را بیشتر کرد. آنها چنان مشتاق از سرگیری طرحِ‌های توطئه‌ی خود بودند که حتی نمی‌توانستند منتظر بمانند که آیزنهاور رسماً مشغول کار شود. بنابراین در اواسط نوامبر ۱۹۵۲ (آبان ۳۱)، کمتر از دوهفته پس از انتخابات، وودهاوس را به واشنگتن فرستادند.

وودهاوس با همتایان خود در سیا و کسانی که قرار بود مقام‌های مهم را در دولت آیزنهاور اشغال کنند، ملاقات کرد. از آن‌جا که وی علاقه‌ای به شرکت نفت انگلیس و ایران نداشت و مدیران آن را «احمق، کسالت‌بار، کله‌شق و خسته‌کننده» می‌دانست، و چون فکر می‌کرد مقامات آمریکایی نیز اهمیتی به مشکلات آن نمی‌دهند، بحث خود را پیرامون محور ضدیت باکمونیسم پیش برد.

> من استدلال کردم حتی اگر این مشکل نفتی با مصدق حل وفصل شود، که جای تردید دارد، وی هنوزهم از مقابله باکودتای حزب توده، چنان چه این حزب ازسوی شوروی حمایت شود عاجز است. بنابراین، او باید برکنار شود. من پیش‌نویس طرح آن‌را برای این‌منظور همراه داشتم...

دو عنصر مجزا در این نقشه با هم جفت وجور شده بودند. چون ما دوگونه منابع مجزّا در اختیار داشتیم: یک سازمان شهری که برادران (رشیدیان) اداره‌اش می‌کردند، و تعدادی از رهبران ایلات جنوب کشور. ما قصد داشتیم هردو را هم‌زمان فعال کنیم. سازمان شهری شامل افسران ارشد ارتش و پلیس، نمایندگان مجلس و سناتورها، ملایان، تجار، تحریریه‌ی روزنامه‌ها و دولتمردان سالمند و رهبران گروه‌های چماق به دست می‌شدند. این نیروها، که توسط سه برادر رشیدیان اداره می‌شدند، قرار بود کنترل تهران را ترجیحاً با حمایت شاه، امّا در صورت لزوم بدون وی، به دست گیرند و مصدق و وزیرانش را دستگیر کنند. در همان حال، رهبران ایلات دست به قدرت‌نمایی در مسیر شهرهای عمده‌ی جنوب می‌زدند.

من موافقت وزارت خارجه را نسبت به یک فهرست ۱۵ نفره از سیاستمداران جلب کرده بودم، که هرکدام از آنها به‌عنوان نخست‌وزیر مورد قبول ما می‌بود، اگر آمریکایی‌ها نیز به همان اندازه او را می‌پسندیدند. این فهرست شامل سه رده بود، که به‌طور سردستی آنهارا «دارودسته قدیمی»، «دارودسته‌ی جدید» و «میانه‌ها» نام‌گذاری کرده بودیم. رده‌ی سوم، تیمسار زاهدی رانیز دربر می‌گرفت، که به‌زودی در بحث‌ها به‌عنوان چهره‌ای که به‌احتمال زیاد مورد قبول سیاست‌گذاران انگلیسی و آمریکایی، هردو، بود، مطرح شد. من تا پیش از اخراج از تهران با او در تماس بودم. و روشن بود که آمریکایی‌ها نیز بعداز خروج ما، با او در تماس قرار گرفتند. او گزینه‌ای بحث‌انگیز بود، چرا که در زمان جنگ جهانی دوّم یک مأمور آلمان‌ها تلقی می‌شد. عملیاتی نیز برای ربودن وی توسط فریتزروی مک‌لین طراحی و اجرا شد و او را از صحنه خارج کردند. اکنون همه به‌وی به‌عنوان ناجی ایران می‌نگریستم.

وودهاوس، در طی ملاقات‌های خود در واشنگتن، «علاقه‌ی تدریجاً فزاینده‌ای» نسبت به طرح پیشنهادی خود که انگلیسی‌ها آن را «عملیات چکمه» می‌نامیدند، ملاحظه کرد. فرانک وایزْنر، حقوق‌دان اهل نیویورک که مدیر

عملیات سیا شده بود، نظر بسیار مثبتی داشت؛ همچنین، رئیس جدیداً منصوب شده‌اش، آلن دالس. مقامات وزارت خارجه مشخصاً کمتر اشتیاق نشان می‌دادند، امّا جان فاستر دالس به‌محض آن که سوگند وزارت یاد کرد، اکراه آنها را بلاموضوع ساخت.

زمانی که وودهاوس به کشورش بازگشت، دولت جدید آمریکا، هرچند غیررسمی، خود را به انجام عملیات مخفی برای سرنگونی مصدق متعهد کرده و نامزدهای موردنظر بریتانیا را نیز در ایفای دو نقش کلیدی پذیرفته بود: تیمسار زاهدی به‌عنوان ناجی موردنظر، و کِرمیت روزولت به‌عنوان فرمانده عملیات سیا که زاهدی را به صدارت می‌رساند. طرح به‌محض ورود آیزنهاور به کاخ سفید آماده می‌شد. جان فاستر و آلن دالس موافقت وی را جلب می‌کردند و سپس کارزار آغاز می‌شد.

برادران دالس که کارشان برای موفقیت عملیات آژاکس جنبه‌ی حیاتی داشت، در تاریخ آمریکا منحصر به‌فرد بودند. در گذشته هرگز، و از آن به بعد نیز، هیچ دو برادری جنبه‌های آشکار و پنهان سیاست خارجی آمریکا را به‌طور هم‌زمان اداره نکرده‌بودند. آنها در طول دوران تصدی‌گری بر وزارت خارجه و سیا، در هماهنگی تقریباً کاملی عمل می‌کردند تا به اهداف مشترک خود برسند. از زمره‌ی نخستین و فوری‌ترین آن اهداف، سرنگونی مصدق بود.

فاستر و آلن، در خانواده‌ای ممتاز متولد شده بودند. پدربزرگ آنها، جان واتسون فاستر، زمانی که این‌دو کودکی بیش نبودند، وزیر امور خارجه‌ی آمریکا بود و اغلب به آنها اجازه می‌داد که به دیدن مهمانانش بیایند و در جلساتش گوش بایستند. آنها در طول دوران ریاست جمهوری مک‌کینلِی و تئودور روزولت، ساعات سازنده‌ی بسیاری را در تالارهای واشنگتن گذراندند و با راه‌های کسب قدرت به‌خوبی آشنا شدند. آلن که از همان کودکی به نوشته زندگی‌نامه‌نویس خود «کنجکاویِ سیری‌ناپذیر نسبت به آدم‌های پیرامون‌اش» نشان می‌داد، از هرآن‌چه که می‌شنید یادداشت‌های مخفیانه برمی‌داشت.

هردو برادر به دانشگاه پرینستون رفتند و با کارنامه‌ی خوبی از آن‌جا درآمدند. فاستر، برادری که ۵ سال بزرگ‌تر بود، با رتبه‌ی نخست فارغ‌التحصیل شد. هرچند آنها همواره با یکدیگر نزدیک بودند، امّا شخصیت کاملاً متفاوتی داشتند. آلن خوش برخورد و آسان‌گیر بود. وی به تنیس، شراب، و میهمانی‌های مجلل علاقه داشت، و زمانی یکی از معشوقه‌هایش کلاس‌های تحلیل روان‌شناسی کارل گوستاو یونگ را می‌گذراند. فاستر، خشن و تندخو و معروف به آن بود که جلسات را به‌جای ابراز خوش‌آمد یا سپاس، با هوم گفتن آغاز و ختم می‌کند، و می‌گفتند که حتی دوستانش چندان علاقه‌ای به او ندارند.

زمانی که دوبرادر از پرینستون فارغ‌التحصیل شدند، یکی از دایی‌هایشان، رابرت لَنسینگ، وزیر خارجه‌ی وودرو ویلسون بود و بعضاً بر اثر نفوذ وی، هردو به مسائل جهانی علاقه‌مند شدند. هنگامی که جنگ جهانی اول آغاز شد، آلن به وزارت خارجه پیوست. وی را به بِرن فرستادند، که به‌عنوان پایتخت سوئیسِ بی‌طرف، مرکز پناهندگان سیاسی بود. سپس به برلین و استانبول، عرصه‌های داغ توطئه، رفت؛ وی در هر مقامی که بود مشتاقانه غرق کارهای اطلاعاتی و جاسوسی می‌شد و در جذب خبرچین، تهیه‌ی گزارش درباره‌ی مسافران، زیر نظر گرفتن تحرکات نظامی، و ارزیابی نقاط قوت و ضعف دولت‌های خارجی، از خود استعداد زیادی نشان داد.

در حالی که آلن امور جاسوسی را می‌آموخت، فاستر پیشه‌ی خود را در حوزه‌های حقوقی در نیویورک آغاز کرد. پس از فارغ‌التحصیلی از دانشکده حقوق، پدربزرگش یک مصاحبه‌ی استخدامی را در شرکت پرآوازه‌ی "سولیوان و کرامول" برای او ترتیب داد. وی به‌عنوان کارمند دون‌پایه استخدام شد، و به‌زودی خود را در حال کار با یکی از گروه‌های کم سر و صدای متنفذ در جهان، یافت. "سولیوان و کرامول" نه یک شرکت حقوقی عادی، بلکه یکی از مراکز تجارت و امور مالی بین‌المللی بود. وکلای آن واسطه‌های پادشاهان، رؤسای جمهور، و آدم‌های پول‌دار بودند و موکلانشان

بسیاری از مهم‌ترین بانک‌ها و کارتل‌های تجاری را در بر می‌گرفتند. فاستر مستقیماً با بسیاری از آنها، از جمله ج. پ مورگان و شرکا، شرکت بین‌المللی نیکل و شرکت نیشکر کوبا، کار و معامله می‌کرد. وی خود را به‌عنوان یک کارچاق‌کن سطح بالا و کارشناس امور مالی بین‌المللی تثبیت کرد. وقتی یکی از شرکای مدیریت مؤسسه در ۱۹۲۶ درگذشت، فاستر جای او را گرفت، و یکی از اولین کارهایش در این مقام، استخدام برادر خود بود.

آلن دالس تازه از دانشکده‌ی حقوق بیرون آمده و حتی در کانون وکلای آمریکا پذیرفته نشده بود، امّا مهارت‌های نامتعارف و تماس‌های گسترده‌اش سرمایه‌ی بزرگی برای "سولیوان و کرامول" محسوب می‌شد که خود را به‌عنوان شرکتی مجهز به «روش‌های نامعمول و گوناگون کسب اطلاعات» معرفی و تبلیغ می‌کرد. علی‌الاصول، وی به‌عنوان یک مأمور اطلاعاتی استخدام می‌شد. وی از این کار لذت می‌برد امّا دلتنگ هیجان‌های بیشتر بود. زمانی که جنگ جهانی دوم آغاز شد، وی مثل کِرمیت روزولت، به OSS (مادر سیا) پیوست و در اروپا مستقر شد. در آنجا درباره‌ی سیستم اطلاعاتی نازی‌ها به مطالعه پرداخت و به کارِ نفوذ در جهت تضعیفِ آن، همت گماشت.

فاستر، سال‌های جنگ را در میهن خود گذراند و به ایراد سخنرانی و انتشار مقالاتی پرداخت و در آنها نسبت به تهدید توسعه‌طلبی شوروی که متوجه «تمدن انباشته‌ی این سده‌ها» است، هشدار می‌داد. وی به یکی از چهره‌های طراز اوّل در سیاست جمهوری‌خواهان تبدیل شد. در ۱۹۴۸ (۱۳۲۷) وی مشاور سیاست خارجیِ نامزد انتخاباتی جمهوری‌خواهان، تاماس دیویی از نیویورک شد. خیلی‌ها فکر می‌کردند که در صورت پیروزی دیویی، وی وزیر خارجه خواهد شد. امّا پس از شکست ناباورانه‌ی دیویی در مقابل ترومن، ناگزیر شد به کار حقوقی خود بازگردد و منتظر فرصت بماند. آلن که پس از جنگ دوباره به شرکت ملحق شده بود، در رؤیای مقام سفیر کبیری دیویی در فرانسه به سر می‌برد، امّا این خیال نیز با معلوم شدن نتیجه‌ی انتخابات، نقش بر آب شد.

برادران دالس به ایران علاقه‌ی خاصی پیدا کردند. فاستر همیشه از ایران به‌عنوان کشوری که به باور او ممکن است به‌زودی به دام کمونیسم بیفتد یاد می‌کرد و می‌نوشت. آلن در ۱۹۴۹ (۱۳۲۸)، به‌عنوان موکل شرکت "سولیوان و کرامول"، یک شرکت مهندسیِ در پیِ قراردادهای ساختمانی، از تهران دیدار کرد. وی در این سفر امکان یافت تا شاه ۲۹ ساله، که همسرش [ثریا] وی را «شاهزاده‌ی اندوهگین» می‌نامید، و محمد مصدق، رهبر مخالفان شاه، را ببیند. چندی بعد در همان سال، وقتی که شاه از نیویورک دیدار کرد، آلن یک «شام خصوصی کوچک» به‌افتخار وی و ۱۰۰ عضو شورای روابط خارجی، ترتیب داد.

در ۱۹۴۷ (۱۳۲۶) سازمان زمانِ جنگ خدمات استراتژیک (OSS) به سازمان اطلاعات مرکزی (سیا) تبدیل شد. آلن دالس دوستان بسیاری در این سازمان نوبنیاد داشت و بنا به درخواست آنها، وی یک سلسله گزارش محرمانه برای آنها نوشت و طی آن مصرّانه خواستار برنامه‌ای جهانی برای «جنگ روانی پنهان، فعالیت سیاسی زیرزمینی، خرابکاری و فعالیت چریکی» شد. کوتاه زمانی پس از آن که ترومن ژنرال والتر بیدل اسمیت را به‌عنوان رئیس سیا انتخاب کرد، اسمیت هم دالس را، ابتدا به‌عنوان مشاور و سپس معاون خود، به این سازمان آورد.

آلن دالس یکی از جاه‌طلب‌ترین کارشناسان اطلاعاتی کشور به شمار می‌آمد. جان فاستر دالس به‌عنوان حقوق‌دانی در سطح بین‌المللی، آوازه‌ی دامنه‌داری یافته، و به‌آسانی در محافل نخبه‌ی جمهوری‌خواهان در رفت وآمد بود. هردو برادر، با انتخاب آیزنهاور به ریاست جمهوری، به اوج قدرت رسیدند.

بیدل اسمیت در کنار آنها ماند و از سیا به معاونت وزارت خارجه رفت؛ اسمیت سِمت رئیس ستاد ارتش آیزنهاور را در طول جنگ بر عهده داشت و کماکان یکی از دوستان مود اعتماد وی باقی ماند. در مقام جدید، که دلخواه وی بود، به‌عنوان نوعی هماهنگ‌کننده سیا، وزارت خارجه و کاخ سفید عمل

می‌کرد تا کار پروژه‌های حساسی مثل کودتا علیه مصدق به‌خوبی پیش رود.

در یک روز سرد، کوتاه زمانی پیش از مراسم تحلیف آیزنهاور، اسمیت، کِرمیت روزولت را برای یک گفت‌وگوی صریح فراخواند. اسمیت از فکر انجام یک کودتا در دوره‌ی ترومن حمایت کرده بود، امّا رؤسایش این نظر را رد کردند. حال، او مشتاق پیش‌برد طرح خود بود. دوماه از آمدن وودهاوس به واشنگتن گذشته بود، و اسمیت حوصله‌اش را از دست می‌داد.

اسمیت پرسید: «کِی آن انگلیسی‌های مادر... می‌آیند که با ما صحبت کنند؟ و کی این عملیات لعنتیِ ما راه می‌افتد؟» روزولت به او اطمینان داد که همه آماده‌اند، امّا به نظر نمی‌آید که پیش از تحلیف آیزنهاور حرکت آغاز شود.

اسمیت به وی گفت: «بند کفشایت را ببند و راه بیفت. تو در لندن به مشکلی برنخواهی خورد، آنها هرچه را که بهشان پیشنهاد کنیم برگُرده‌اش می‌پرند. من مطمئن‌ام اگر تو یک چیز به‌اندازه کافی معقول به فاستر نشان بدی که او قبول کند، آیک* هم قبول می‌کند.»

آیزنهاور در ۲۰ ژانویه ۱۹۵۳ (۳۰ دی ماه ۱۳۳۱) مراسم تحلیف ریاست جمهوری را به جا آورد. چند روز بعد، لوی هندرسون سفیر آمریکا در تهران، شروع به برقراری تماس با ایرانیانی کرد که فکر می‌کرد ممکن است به شرکت در طرح سرنگونی مصدق علاقه داشته باشند. هندرسون هم مثل اربابان جدیدش در واشنگتن، هرگونه امید به سازش را از دست داده بود. وی در تلگرامی به واشنگتن، مصدق را «فاقد ثبات کردار»، «به‌وضوح تحت‌تأثیر احساسات و پیش‌داوری‌ها»، و «نه کاملاً متعادل» توصیف کرد؛ و طی یک تلگرام دیگر، جبهه‌ی ملی را مرکب از «اراذل و اوباش خیابانی، چپ افراطی... ملی‌گرایان افراطی ایران، برخی، امّا نه همه‌ی، رهبران فناتیک مذهبی، [و] روشنفکران چپ‌گرا، از جمله بسیاری از آنها که در خارج تحصیل کرده‌اند و درک نمی‌کنند که ایران برای دموکراسی آمادگی ندارد»،

---

* Ike ، اسم خودمانی آیزنهاور که دوستانش به او می‌گفتند.

دانست. وی و جــرج مــیدلتون، هــمتای انگلیسی‌اش، دست بــه ابــتکار فوق‌العاده‌ای زدند و پیام مشترکی برای وزارت‌خانه‌های متبوع خود فرستادند و طی آن بر این نتیجه‌گیری مشترک صحه نهادند که، ماندن هرچه طولانی‌تر مصدق بر سریر قدرت، احتمال سقوط ایران به دامـن کـمونیسم را افـزایش می‌دهد. هندرسون حتی از طریق یک پیک با زاهدی ارتباط برقرار کرد، که وی را، طی تلگرافی به دالس، «غیردلخواه» امّا دارای «اقبالی بیشتر از هر نامزد در دسترس دیگر برای هدایت ایران در روزهای پرآشوب پس از "تســلیم" مصدق، معرفی کرد.» زاهدی به هندرسون اطمینان داد که اگر به قدرت برسد، «موضع محکمی علیه کمونیست‌ها اتخاذ خواهد کرد.» با این حال، وی اضافه کرد که «برای مردم ایران ناممکن خواهد بود که خود به‌تنهایی دولت کنونی را برکنار کنند.»

هندرسون تلگرامی به واشنگتن فرستاد و از این دیدگاه [زاهدی] حمایت کرد. پیام وی با استقبال زیادی روبه‌رو شد، تا آن‌جا که بیدل اسمیت آن را با نامه‌ی پیوستی که بر روی آن نوشته بود «بسیار دقیق»، برای آیزنهاور فرستاد. اسمیت همچنین به هندرسون پاسخ داد که ایالات متحده به این نتیجه رسیده است که «دیگر موافقتی با دولت مصدق ندارد و دولت دیگری را به جای آن می‌خواهد.» وی نسخه‌هایی از این تلگرام را به مقرّ سیا در واشنگتن و پایگاه سیا در ایران فرستاد، که به‌منزله‌ی اعلام رسمی ــ هرچند محرمانه‌ی ــ جنگ به مصدق بود.

فقط یک چهره‌ی برجسته در دولت آیزنهاور هنوز امید بـه سـازش بـا مصدق داشت: خودِ رئیس جمهور آیزنهاور. وی دو هفته پیش از مـراسـم تحلیف، با چرچیل در نیویورک دیدار کرد و زمانی که چرچیل از ایران نام برد، اصلاً علاقه‌ای به موضوع نشان نداد. در حقیقت، وی گله داشت که تلاش بریتانیا در کشاندن پای واشنگتن به دردسرهای ایرانی‌اش نتیجه‌ای جز این ندارد که «مصدق را بر آن دارد تا ما را متهم به مشارکت در ارعاب یک کشور ضعیف کند.»

چرچیل آن‌قدر عاقل بود که در آن شرایط بیش از این بر موضع خود پافشاری نکند. وی می‌دانست که برنامه‌ریزی برای یک کودتا به‌خوبی در جریان است و این که برادران دالس پشتیبان اویند. او در فوریه (بهمن) "C"، رئیس انتیلنجنس سرویس، سر جان سینکلر را برای نشان دادن شدت علاقه‌ی خود، به واشنگتن اعزام کرد.

زمانی که سینکلر در واشنگتن بود، رهبران ایلات ایران که حقوق‌بگیر بریتانیا بودند و با سرلشگر زاهدی کار می‌کردند، دست به یک آشوب کم‌دامنه در استان‌های جنوبی کشور زدند. مصدق به شاه ظنین شد و به وی پیشنهاد کرد که کشور را چندصباحی ترک کند تا شلوغی‌ها بخوابد. شاه به هر انگیزه، از جمله انگیزه‌ی شخصی خودش، تمایل زیادی به رفتن نشان داد. حسین علاء، وزیر دربار، وی را در «حالتی تقریباً هیستریک» و «در آستانه‌ی فروپاشی کامل عصبی و رفتار غیرمنطقی» توصیف کرد.

با این حال، دشمنانِ تحت حمایت خارجی مصدق، هوشمندانه از سفر برنامه‌ریزی شده‌ی شاه به‌سود خود بهره‌برداری کردند. آنها در آیین‌های مذهبی، سخنرانی‌های خیابانی، و طی مقالات روزنامه‌ها، مصدق را متهم می‌کردند که شاه را به‌رغم میل خود مجبور به ترک کشور کرده و این که، گام بعدی وی قطعاً برچیدن نظام سلطنت خواهد بود. آنها گروهی از اراذل و اوباش را بسیج کردند و در شب نهم اسفند به در خانه‌ی مصدق فرستادند، و درحالی‌که شمار جمعیت همچنان رو به فزونی بود، یک جیپ حامل یک سرهنگ ارتش و یکی از شناخته شده‌ترین رهبران باندهای خیابانی در تهران موسوم به شعبان «بی‌مخ» جعفری، با این جیپ به درِ جلوی منزل مصدق کوبید. مصدق، پیژاما بر تن، مجبور شد از طریق دیوار باغ پشتی فرار کند. یک دیپلمات انگلیسی به لندن تلگراف کرد که گروه اوباش «به‌یقین از سوی کاشانی سازماندهی شده بود، هرچند این حرکت، ابراز وفاداری عمیق خودجوش و چندان نیرومندی نبود که شاه را دلگرم کند.»

بعدازظهر روز بعد، تهران دوباره آرام شد، که از جمله دلایل این آرامش

اعلام انصراف شاه از سفر بود. اما ظهور ناگهانی چماق به دستان مزدور و تمایل آنها به حمله به مصدق، به رشد یک فضای بی‌ثباتی در کشور کمک کرد. این رویداد بهانه‌ی بیشتری نیز در اختیار کودتاچیان قرار داد تا آیزنهاور را متقاعد کنند که ایران به‌شکل خطرناکی در سراشیب سقوط به دامن هرج ومرج قرار گرفته است.

نه آیزنهاور و نه هیچ‌کس دیگری از محارم وی، هرگز شرحی از چگونگی رسیدن وی به این نتیجه که از فکر کودتا حمایت کند، به دست نداده‌اند. با این حال، قراین و شواهد حاکی از آن است که وی در ماه مارس (اسفند)، دوماه پس از ورود به کاخ سفید، به این تصمیم رسید. برادران دالس خشونتی را که در نهم اسفند در تهران بروز کرد، مستمسک قرار دادند. حتی هندرسونِ سفیر تصدیق کرد که این اعتراض سازمان‌دهی شده بود، تا خودجوش؛ امّا ظاهراً کسی این موضوع را به آیزنهاور نگفت. در عوض، آلن دالس یک برآورد اطلاعاتی برای او فرستاد و هشدار داد که «شرایط ایران بـه‌آهستگی رو بـه واپاشی می‌رود» و «یک جایگزینی قدرت کمونیستی بیشتر و بیشتر محتمل می‌شود.»

امّا قالب کردن این متاع کار آسانی نبود. آیزنهاور در یک جلسه‌ی شورای امنیت ملی که در ۴ مارس (۱۴ اسفند) تشکیل شد، با صدای بلند پرسید که چرا این امکان جود ندارد «که برخی از مردم این کشورهای ستمدیده را به‌جای دور و بیزار کردن، به خود علاقه‌مند سازیم؟» دالسِ وزیر خارجه پاسخ مستقیم نداد، امّا یک تحلیل منطقی از شرایط ایران ارائه کرد. گفته‌های وی به نقل از یادداشت‌نویس رسمی، حاکی از آن بود که ایالات متحده دیگر نمی‌تواند انفعال نشان دهد:

> آقای دالس نتیجه گرفت که پیامدهای محتمل رویدادهای چـند روز گذشته، برقراری دیکتاتوری مصدق است. مادام‌که وی زنده‌باشد خطر کم است، امّا اگر ترور یا از قدرت برکنار شود، خلئی سیاسی در ایران حادث خواهد شد و کمونیست‌ها ممکن است به‌راحتی قدرت را قبضه

کنند. آن‌گاه، آقای دالس خطوط کلی نتایج وقوع چنان وضعی را با توجه به وخامت‌بار بودن آن، شرح داد. نه‌فقط جهان آزاد از سرمایه‌های عظیم صنعت‌نفت ایران و ذخایر آن محروم می‌شود، بلکه روس‌ها آنها را به دست خواهند آورد و از آن به بعد نگرانی برای اوضاع نفتی خود نخواهند داشت. آقای دالس خاطرنشان کرد که سناریوی بدتر آن است که اگر ایران به دامن کمونیسم سقوط کند، تردیدی نباید داشت که در کوتاه‌مدت، دیگر مناطق خاورمیانه نیز با در اختیار داشتن ۶۰ درصد ذخایر نفتی جهان، به ورطه‌ی کمونیسم فرو می‌افتند.

چند روز بعد در همان هفته، ایدن وزیر خارجه‌ی بریتانیا از واشنگتن دیدار کرد. وی در چند مورد از دیدارهای سطح بالای خود، به طرح مسئله‌ی ایران پرداخت و پیشنهاد کودتا را ارائه داد. همه، جز آیزنهاور، با فکر او همنوایی نشان دادند. آلتون جونز، مدیر شرکت نفتی که یک سال پیش از آن به ایران مسافرت کرده بود، از دوستان شخصی آیزنهاور محسوب می‌شد و آیزنهاور به ایدن گفت که می‌خواهد جونز را دوباره به ایران بفرستد «تا ترتیبی بدهد که نفت آن سرزمین دوباره به جریان افتد.» وی گفت که مصدق را «تنها امید غرب در ایران» می‌داند، و این دقیقاً همان دیدگاه ترومن بود.

آیزنهاور به ایدنِ بهت‌زده گفت: «می‌خواهم ۱۰ ملیون دلار به طرف بدهم.»

ایدن با متانت سعی کرد نظر آیزنهاور را تغییر دهد و در یک لحظه به او گفت: «بهتر است ما در پی جایگزین‌هایی برای مصدق باشیم، تا این که بکوشیم او را بخریم.» با این حال، وی به تأسّی از بهترین سنت‌های دیپلماتیک، کار واقعی را به افسران اطلاعاتی واگذارد که به همراه خود آورده بود. وقتی وی در کاخ سفید به نرمی صحبت می‌کرد، آنها با رفقایشان در سیا و وزارت خارجه به تیز کردن تیغ‌های خود مشغول بودند.

برادران دالس این ذوق را به‌شکلی عالی در خود پرورده بودند که چگونه رئیس را به طرز فکر خود نزدیک کنند. جان فاستر دالس و ایدن در ۷ مارس

(۱۶ اسفند) بیانیه‌ی مشترکی صادر کردند و در آن گفتند که در مورد یک پیشنهاد جدید توافق کرده‌اند که به ایران اجازه می‌دهد تا «کنترل صنعت نفت و سیاست‌های نفتی خود را به دست گیرد.» این بیانیه به گوش آیزنهاور خوشایند بود، امّا بازتابی صادقانه از خودِ پیشنهاد نبود، که مثل هر پیشنهاد دیگرِ انگلیس طی دوسال گذشته بر پایه‌ی این اصل عرضه شده بود که آنها بازگردند و اداره‌ی صنعت نفت ایران را به دست گیرند. مصدق این پیشنهاد را رد کرد و به هندرسون گفت که وی از این رفتار دولت آیزنهاور ناخرسند است که «اجازه داده بریتانیا سیاست دولت ایالات متحده در مورد ایران را تعیین کند.» وی چند پیشنهاد متقابل ارائه کرد، و حتی در یک جا پیشنهاد تسلیم به میانجی‌گری سوئیس یا آلمان را داد، امّا انگلیسی‌ها و دوستان جدیدشان در واشنگتن اعتنایی به آن نکردند.

درحالی‌که ایدن در واشنگتن به‌سر می‌برد، برادران رشیدیان با همه‌ی توان تلاش می‌کردند تا به ناآرامی در ایران دامن بزنند؛ و بعضاً در سایه‌ی تلاش‌های آنها بود که چهره‌های سرشناس ائتلاف حکومتی مصدق شروع به موضع‌گیری علیه وی کردند. آیت‌الله کاشانی، که سرشناس‌ترین آنها بود، با همان ادبیاتی که زمانی به انگلیسی‌ها می‌تاخت، مصدق را لعن کرد. وی شروع به استفاده از دستجات اراذل و اوباش برای ارعاب رقبای خود کرد و حتی طرحی را با فشار به مجلس برد تا موجبات عفو خلیل طهماسبی قاتل محکوم شده‌ی نخست‌وزیر پیشین رزم‌آرا، را فراهم آورد. دیگر متحدان پیشین مصدق که از وی بریدند تا برنامه‌های خود را دنبال کنند، عبارت بودند از مظفر بقایی، رئیس حزب زحمتکشان ایران و حسین مکی، که در رهبری انتقال پالایشگاه آبادان به دولت نقش داشت و زمانی جانشین حاضر و ناظر مصدق محسوب می‌شد. رابین ژانر در گزارشی به لندن نوشت که تلاش موفقیت‌آمیز دور کردن کاشانی، بقایی و مکی از جبهه‌ی ملی «توسط برادران رشیدیان شکل‌داده و هدایت می‌شد.»

این جداسری‌ها جبهه‌ی ملی را عمیقاً تضعیف و مصدق را منزوی و

آسیب‌پذیر کرد. در عین حال، موضع برادران دالس را در تلاش‌های خـود برای ترغیب رئیس جمهور به عمل، بسیار تـقویت کـرد. در یک جـلسه‌ی شورای امنیت ملی که در ۱۱ مارس (۲۰ اسفند) تشکیل شد، وزیر خارجه، دالس، تأکید کرد که آمریکایی‌ها باید «به شرکای ارشد انگلیسی‌ها در ایـن منطقه تبدیل شوند.» آیزنهاور مخالفتی نشان نداد.

به گزارش یادداشت‌نویس جلسه: «رئیس جمهور گفت تردید جدی دارم که حتّی اگر یک‌جانبه وارد عمل شویم و با مصدق مذاکره کنیم، بتوانیم با او به نتیجه برسیم. وی فکر می‌کرد که این مذاکرات ارزش نوشتن بر روی کاغذ را ندارند و سرمشق قرار گرفتن آن ممکن است تأثیرات وخیمی بر قراردادهای نفتی آمریکا در دیگر نقاط جهان داشته باشد.» آیزنهاور به این نتیجه رسیده بود که ایران در حال سقوط است و مادام که مصدق در رأس قدرت است، جلوگیری از آن ممکن نیست. لذا بررسی چشم‌انداز سازش را متوقف کرد. اطرافیان نیز تغییر لحن او را به‌عنوان نشانه‌ای از عدم مقاومت وی در برابر فکر کودتا تلقی کردند. در ۱۸ مارس (۲۷ اسفند) فرانک وایزنر پیامی بـرای همتایان انگلیسی خود فرستاد و طی آن گفت که سیا اکنون آماده است تـا درباره‌ی جزئیات یک طرح کودتا علیه مصدق وارد بحث و مذاکره شود. دو هفته بعد، آلن دالس ارسال یک ملیون دلار وجه نقد به پایگاه سیا در تهران را تصویب کرد، تا «در هر راهی که موجب سقوط مصدق شود»، به مصرف برسد.

این تحولات انگلیسی‌ها را بسیار دلگرم کرد. طی ماه آوریل (اردیبهشت) وزارت خارجه‌ی بریتانیا رسماً عملیات آژاکس را پذیرفت. سپس، مأموران انگلیسی با اقدامی که به‌معنای شناسایی صریح انتقال فرماندهی عملیات از آن‌ها به آمریکایی‌ها بود، پیامی برای برادران رشیدیان فرستادند، که اکنون آن‌ها باید با سیا همکاری کنند.

ایرانیانِ مرتبط با شبکه‌ی رشیدیان تصمیم گرفتند برای کشاندن ایران به هرج و مرج بیشتر، اقدام به ربودن مقامات عالی‌رتبه‌ی دولتی کنند، هدف‌های برتر آن‌ها، فاطمی وزیر خارجه و سرتیپ ریاحی، ریاست جدید ستاد ارتش

بودند. سرتیپ ریاحی به‌تازگی به ریاست ستاد ارتش منصوب شده و با تعداد زیادی محافظ رفت و آمد می‌کرد.

لذا توطئه‌گران به ربودن رئیس شهربانی، سرتیپ محمود افشار طوس، اکتفا کردند. برخی از آنها با افشار طوس دوست بودند و یکی از آنها رئیس شهربانی را در ۳۰ فروردین به منزل خود دعوت کرد. در آن‌جا او را گرفتند و چشم‌هایش را بستند و به‌طرز مرموزی بـه غـاری در خـارج تـهران بـردند. مأموران پلیس بلافاصله آدم‌ربایان را شناسایی کردند، امّا در همان زمانی که مأموران به محل اختفای آنها رسیدند، یکی از آنها با شلیک گلوله‌ای افشار طوس را کشت.

این جنایت، تأثیر موردنظر خود را بر جای نهاد. کشور تکان خورد و یکی از افسران مردمی که می‌توانست مانع بزرگی در راه موفقیت کودتا باشد، از میان برداشته شد. سرلشگر زاهدی که بعد از پس گرفته شدن اتهام خیانت به وی، دوباره سروکله‌اش پیدا شده بود، این‌بار در مظان اتهام قتل افشار طوس قرار گرفت. وی به مجلس پناهنده شد و تحت حمایت آیت‌الله کاشانی قرار گرفت.

مصدق، که خبر نداشت آمریکایی‌ها تصمیم قاطع بـه بـرانـداخـتن وی گرفته‌اند، تصمیم گرفت مستقیماً به آیزنهاور متوسل شود و طـی نـامه‌ی ۷ خرداد (۲۸ مه) خود به او نوشت که ایرانیان در حالی که «از مشکلات مالی در رنج‌اند، با دسیسه‌های سیاسی شرکت نفت سابق و دولت بریتانیا دست و پنجه نرم می‌کنند.» آنها برای «کمک فوری و مؤثر» ایالات متحده، و حمایت آن کشور از اعطای یک وام ۲۵ میلیون دلاریِ به تعویق افتاده بانک صادرات ـ واردات، یا دست‌کم مجوز خرید نفت ایران به شرکت‌های آمریکایی، عمیقاً سپاس‌گزار خواهند شد. آیزنهاور پس از یک ماه به این نامه پاسخ داد. وی نوشت که بهترین راه‌حل مشکلات اقتصادی ایران برای مصدق این است که اختلافات خود را با انگلیسی‌ها رفع کند:

ناتوانی ایران و انگلستان در رسیدن به توافق بر سر غرامت، دست دولت ایالات متحده را برای کمک به ایران بسته است. این تلقی نیرومند در ایالات متحده، حتّی در میان شهروندان آمریکاییِ شدیداً طرفدار دولت و مردم ایران وجود دارد که مادام که ایران می‌تواند دسترسی به پول حاصل از فروش نفت داشته باشد، منصفانه نیست که دولت آمریکا از جیب مالیات‌دهندگان آمریکایی به دولت ایران کمک اقتصادی قابل‌ملاحظه‌ای اعطا کند... من نگرانی شما را در خصوص اوضاع خطرناک کنونی ایران درک می‌کنم و صمیمانه امیدوارم که پیش از این که خیلی دیر شود، دولت ایران گام‌هایی درحد اختیارات خود برای جلوگیری از وخیم‌تر شدن اوضاع، بردارد.

این نامه آن‌چه را که نزدیکان آیزنهاور پیش از این نیز می‌دانستند، به مصدق حالی کرد: دولت جدید، سیاست آمریکا در قبال ایران را کاملاً تغییر داده است. دیگر تلاشی برای بهبود اوضاع، مثل زمان ترومن، و نیزانتقاد از انگلیسی‌های طرفدار کودتا، درکار نخواهد بود. در حقیقت، با ارسال پاسخ آیزنهاور به مصدق، هردو مرد می‌دانستند که چه آتشی در حال تهیه است.

آیزنهاور پیش از این نیز موافقت ضمنی خود را با کودتا اعلام کرده بود، امّا به‌لحاظ دامنه‌ی حساس و حیاتی موضوع، موافقت ضمنی وی کفایت نمی‌کرد.

آلن دالس در ۱۴ ژوئن (۲۴ خرداد) به کاخ سفید رفت تا به آیزنهاور گزارش دهد. وی با احساس این که رئیس جمهور تمایلی به دانستن جزئیات داستان ندارد، همان چیزی را به وی عرضه کرد که کِرمیت روزولت «کُلّی‌ترین خطوط اصلی آن چه که پیشنهاد شده بود» می‌نامید. این تمام آن چیزی بود که آیزنهاو نیاز داشت، و او نیز دعای خیر خود را بدرقه‌ی راه روزولت کرد. در همان زمان، چرچیل نیز موافقت محرمانه ــ و بسیار مشتاقانه‌تر ــ خود را اعلام داشت.

برنامه‌ریزی کودتا، تا زمانی که آیزنهاور و چرچیل حمایت خود را از آن اعلام کردند، به‌خوبی پیشرفت کرده بود. دو مأمور اطلاعاتی خبره، یکی

آمریکایی و دیگری انگلیسی، در قبرس با هم ملاقات کردند تا طرحی را با ذکر جزئیات تهیه کنند. آنها هردو از دست اندرکاران مسائل ایران بودند. مأمور سیا، دانالد ویلبر نام داشت، که سال‌ها به‌عنوان باستان‌شناس و آرشیتکت در خاورمیانه کار کرده و به‌عنوان یک مأمور OSS در زمان جنگ در ایران خدمت کرده بود. او بعدها وقت خود را در مرکز مطالعات پیشرفته‌ی دانشگاه پرینستون و به‌عنوان مشاور تخصصی سیا در امور جنگ‌های روانی می‌گذرانید. در **۱۹۵۲ (۱۳۳۱)** ویلبر به مدت ۶ ماه مدیریت دفتر «اقدام سیاسی» سیا را در تهران بر عهده داشت؛ این مأموریت، دیدگاه دست اولی از دستجات سیاسی و نظامی موافق و مخالف مصدق در اختیار وی گذاشت. همتای انگلیسی او، نورمن داربی‌شایر، سفرهای دوره‌ایِ معتنابهی به ایران کرده بود و همکاری نزدیکی با رابین ژانر داشت. زمانی که پایگاه اطلاعاتی بریتانیا در تهران اجباراً تعطیل شد، امکانات آن به قبرس منتقل و داربی‌شایر در رأس آن قرارگرفت.

این دو مأمور، که اکنون برای دولت‌هایی کار می‌کردند که هدف مشترکی در تهران داشتند، روابط کاریِ نزدیکی برقرار کردند. یک گزارش گاه‌شمار سیا از کودتا ــ که خودِ ویلبر آن را نوشته ــ بر این موضوع صحه گذاشته است:

> به‌زودی معلوم شد که دکتر ویلبر و دکتر داربی‌شایر دیدگاه‌های کاملاً مشابهی درباره‌ی شخصیت‌های ایرانی دارند و برآوردهای بسیار مشابهی نیز از عوامل درگیر در صحنه‌ی سیاسی ایران به دست می‌دهند. طی مباحثات، اصطکاک یا اختلاف نظر چشمگیری بین این دو مشاهده نشد. همچنین، به‌سرعت معلوم شد که اس. آی. اس [اینلینجنس سرویس] کاملاً به نقش رهبری سازمان [سیا] تن داده است. برای ویلبر آشکار بود که انگلیسی‌ها بسیار خرسندند که توانسته‌اند همکاری فعال سازمان سیا را به دست آورند و مصمم بودند که کاری نکنند تا مشارکت آمریکا را به خطر اندازد. در عین حال،

نوعی حسادت خفیف از سوی انگلیسی‌ها نسبت به امکانات مـالی، پرسنلی و تجهیزاتی سازمان نسبت به اس. آی. اس مشاهده می‌شد.

ویلبر و داربی‌شایر بر سر این نکته تفاهم داشتند که هرچند زاهدی ضعف‌های خود را دارد، امّا تنها ایرانیِ «واجد جدیت و شهامت» کافی است که می‌تواند نیروهای مخالف را به دور خود جمع کند. نقشه‌ی آنـها در گـماردن او بـه قدرت، که پیش از ضربه‌ی نهایی چندین‌بار دستخوش تغییر شد، به‌دقت مورد بررسی قرار گرفت و (به‌اصطلاح) راست و ریس شد:

☐ مأموران مخفی با استفاده از روش‌های گوناگون، به دستکاری افکار عمومی پرداخته و شمار هرچه بیشتری از ایرانیان را علیه مـصدق مـی‌شوراندند. این کار که **۱۵۰** هزار دلار بـرای آن اخـتصاص یـافته بـود، «دشمنی با مصدق را برمی‌انگیخت، بی‌اعتمادی نسبت به او را دامن می‌زد، و بر ترس از وی و دولت‌اش می‌افزود» و مصدق را به‌عنوان چـهره‌ای فاسد، هوادار کمونیسم و دشمن اسلام و مـصمم بـه تـخریب روحـیه و آمادگی نیروهای مسلح، جلوه می‌داد.

☐ درحالی‌که مأموران ایرانی این دروغ‌ها را می‌پراکنند، اوباش مزدور به «حملاتی سازمان‌یافته» علیه رهبران مذهبی دست می‌زدند و وانـمود می‌کردند که به‌دستور مصدق یا حامیان او عمل می‌کنند.

☐ در همین حال، تیمسار زاهدی شمار هرچه بیشتری از همکاران نظامی خود را با تشویق و تطمیع، برای هرگونه اقدام نظامی ضروری در انجام کودتا آماده می‌کرد. وی قرار بود ۶۰ هزار دلار برای این کار دریافت کند. این مبلغ بعداً به **۱۳۵** هزار دلار افزایش یافت تا «دوستان بیشتری» را بخرد و «در دل و ذهن اشخاص کلیدی نفوذ کند.»

☐ تلاش مشابهی نیز که **۱۱** هزار دلار در هفته به آن اختصاص می‌یافت، برای تطمیع نمایندگان مجلس آغاز می‌شد.

☐ در صبح «روز کودتا» هزاران تظاهرکننده‌ی مزدور به یک گردهم‌آیی بزرگ ضددولتی دست می‌زدند، و مجلس که از قبل آماده شده بود، با

دادن یک رأی «شبه‌قانونی»، مصدق را از نخست‌وزیری می‌انداخت. اگر وی دست به مقاومت می‌زد، واحدهای نظامیِ تحت کنترل زاهدی او و حامیان کلیدی‌اش را دستگیر می‌کردند و سپس، پست‌هـای فـرماندهی نظامی، کلانتری‌ها، مراکز تلفن و مخابرات، ایستگاه رادیو و بانک ملی ایران را به تصرف درمی‌آوردند.

ویلبر و داربی‌شایر این طرح عملیاتی را، در ارتباط نزدیک با رفقایشان در واشنگتن و تهران، که با آنها از طریق یک شبکه‌ی رادیویی مستقر در قبرس در تماس دائم بودند، در پایان ماه مه (اواسط خرداد) تکمیل کردند. در سوم ژوئن (۱۳ مرداد) سفیر هندرسون به واشنگتن رفت تا در جریان محتوای آن قرار گیرد. او در واشنگتن ماند تا در یک جلسه‌ی مهم در تاریخ ۲۵ ژوئن (۴ تیر) شرکت کند. در این جلسه جزئیات طرح کودتا بررسی شد.

پرزیدنت آیزنهاور، میل نداشت از جزئیات طرح پنهانی سر دربیاورد و از این‌رو در جلسه شرکت نکرد. با این حال، نزدیک‌ترین مشاوران سیاست خارجی وی، جملگی حضور داشتند و جلسه هم در دفتر جان فاستر دالس در وزارت خارجه برگزار شد. وقتی توطئه‌گران جمع شدند، دالس گزارشی را که ویلبر و داربی‌شایر تهیه کرده و بر روی آن نوشته بودند: «این‌گونه است که ما از دست آن مصدق دیوانه راحت می‌شویم!» به دست گرفت. کِرمیت روزولت توضیح داد که چگونه قصد دارد کودتا را انجام دهد و چه وقت کار خود را تمام می‌کند. دالس نظر دیگران را پرسید. آلن دالس و بیدل اسمیت بی‌چون وچرا از طرح حمایت کردند. چارلز ویلسون، وزیر دفاع، نیز از آن حمایت کرد. دو مقام ارشد وزارت خارجه ــ هنری بایرود، دستیار وزیر در امور خاور نزدیک و رابرت بویی، مدیر ستاد سیاست‌گذاری ــ با اشتیاق کمتری موافقت نشان دادند، چون تشخیص می‌دادند اگر مخالفت کنند زمان زیادی در شغل خود باقی نمی‌مانند. وقتی نوبت به هندرسون رسید، گفت هیچ اشتیاقی به «این نوع کارها ندارد، امّا در این مورد خاص، ما راه دیگری نداریم.»

وزیر خارجه درحالی‌که نیش‌اش به‌طور غیرمعمول باز شده بود، گفت: «پس، تمام است دیگر. راه بیفتیم.»

با این اتفاق آرا، ایالات متحده تصمیم نهایی خود را به شروع عملیات آژاکس، یا عملیات چکمه، ــ که انگلیسی‌ها هنوز آن را به این نام می‌خواندند ــ گرفت. دولت‌های لندن و واشنگتن سرانجام در اشتیاق‌شان به وحدت رسیدند. یکی به دنبال بازیابی امتیاز نفت خود بود و دیگری موقعیتی می‌یافت تا ضربه‌ای ویرانگر بر کمونیسم وارد آورد.

امّا، نغمه‌های مخالف نیز در مقابل این وحدت جدید به‌گوش می‌رسید، که برخی از آنها از سوی کهنه دیپلمات‌هایی مثل چارلز بوهلن، سفیر پیشین آمریکا در اتحاد شوروی، سر داده شد. وی یکی از دیپلمات‌های انگلیسی در واشنگتن را واداشت تا مخالفت او را با کودتای طراحی شده «یک طغیان احساسی» بنامد؛ چند مأمور سیا نیز با این طرح مخالفت کردند. یکی از آنها راجر گویران، رئیس پایگاه سیا در تهران، بود.

گویران شبکه‌ی اطلاعاتی خوفناکی ایجاد کرده بود که با اسم رمز بِدآمن[1] شناخته می‌شد. این شبکه دست‌اندرکار فعالیت‌های تبلیغاتی با هدف سیاه نمایِ تصویر اتحاد شوروی، و نیز آماده‌ی به راه انداختن یک کارزار سراسری خرابکاری و براندازی در صورت وقوع کودتای کمونیستی، در ایران بود. شبکه‌ی بِدْآمن شامل بیش از ۱۰۰ مأمور می‌شد و بودجه‌ی سالانه‌ی آن یک ملیون دلار بود ــ رقمی چشمگیر، با توجه به این حقیقت که بودجه‌ی عملیات پنهانی سیا در سراسر جهان، فقط به ۸۲ ملیون دلار بالغ می‌شد. اکنون از گویران خواسته می‌شد که از شبکه‌ی تحت نظر خود برای انجام کودتایی علیه مصدق استفاده کند. به باور او، این خطای بزرگی بود و هشدار داد که اگر طرح کودتا به اجرا درآید، ایرانیان برای همیشه آمریکا را به‌عنوان یکی از حامیان آن‌چه که وی «استعمار انگلیسی ـ فرانسوی» می‌نامید، نگاه خواهند

---

1. Bedamn

کرد. مخالفت او چنان قاطعانه بود که آلن دالس مجبور شد وی را از این مقام برکنار کند.

درحالی‌که آلن دالس مشغول تجهیز منابع برای عملیات آژاکس بود، جان فاستر دالس به مشتاق‌ترین رهبر هوراکِش‌های آن تبدیل شـد. وی آمـاده‌سازی‌ها را با مسرّت و نیز بی‌حوصلگی فراوان دنبال می‌کرد. در زمانی کـه جلسه‌ای با شرکت بلندپایگان درخصوص ایران تشکیل شد، و در آن نامی از کودتای برنامه‌ریزی شده برده نشد، وی نگران گردید. روز بعد به برادرش در سازمان سیا تلفن زد و با دلواپسی پرسید که آیا مشکلی پیش آمده است. طبق صورت‌جلسه‌ی مکالمه‌ی آنها: «وزیر تلفن کرد و گفت در جلسه‌ی روز گذشته راجع به ایران، صحبتی از آن مسئله‌ی دیگر نکردی. آیا قضیه مـنتفی شـده است؟ آلن دالس گفت وی بحثی درباره‌ی آن نمی‌کند، چون مستقیماً با رئیس جمهور مطرح شده و هنوز در جریان است. آلن دالس گفت برنامه با سرعت معقولی پیش می‌رود.» بنابراین، جان فاستر دالس با اطمینان مجدد از این که طرح سر جای خود باقی است موضع رسمی خود را به اظهار تأسف‌های کلی درباره‌ی روند رویدادها در ایران محدود کرد. اظهارنظر وی در کنفرانس خبری ماه ژوئیه (تیرماه) را می‌شد هشداری به زبان کاملاً دیپلماتیک تلقی کرد. وی گفت: «تحولات اخیر ایران، به‌خصوص فعالیت رو به رشد حزب غیرقانونی کمونیست، که ظاهراً از سوی دولت ایران تحمل می‌شود، موجب نگرانی ما شده است. این تحولات، کار دولت آمریکا را برای کمک به ایران، مادام که این‌گونه فعالیت‌ها تحمل می‌شوند، دشوار می‌کند.»

زمانی که کِرمیت روزولت در ۲۸ تیر وارد ایران شد، فضای کشور ملتهب بود. طرفداران مصدق در مجلس رأی به برکناری آیت‌الله کاشانی از ریاست مجلس داده بودند و درگیری‌های ناشی از آن به استعفای نیمی از نمایندگان انجامید. تظاهرات اعتراض‌آمیز با درخواست انحلال مجلس، تهران را تکان داد. مصدق اعلام کرد که یک همه‌پرسی درباره‌ی این مسئله برگزار خواهد کرد و تعهد سپرد که در صورت رأی منفی مردم به انحلال مجلس کنونی،

استعفا خواهد داد. این همه‌پرسی که با عجله در روز دوازدهم مرداد برگزار شد، مضحکه‌ی فاجعه‌باری برای دموکراسی از کار در آمد. صندوق‌های رأی گیریِ مجزّا برای پاسخ آری و نه در نظر گرفته شده بود. نتیجه‌ی رفراندم با بیش از ۹۹ درصد آرا به‌سود انحلال مجلس اعلام شد. تبعیض‌های آشکاری که در این همه‌پرسی به عمل آمد، نفتی بود که بر آتش ضدیت با مصدق پاشیده شد.

در اوایل مرداد روزولت و گروه مأموران ایرانی وی آماده‌ی وارد آوردن ضربه بودند. آنها ایران را به آستانه‌ی هرج ومرج رسانده بودند. روزنامه‌ها و رهبران مذهبی، سرِ مصدق را می‌خواستند. اعتراضات و آشوب‌هایی که توسط سیا سازماندهی می‌شدند خیابان‌ها را به عرصه‌ی نبرد تبدیل کرده بود. تبلیغات ضددولتی، به گفته‌ی دانالد ویلبر: «از درون ماشین‌های چاپ سازمان [سیا] بیرون می‌آمد و در فضای تهران پراکنده می‌شد.» مصدق منزوی‌تر و ضعیف‌تر از همیشه شده بود. روزولت با توجه به این پیش‌زمینه، دلایل کافی در دست داشت که در ۲۴ مرداد سرهنگ نصیری را به درِ خانه‌ی مصدق بفرستد. وی مهره‌های خود را چنان به دقت چیده بود، که هنگامی که صبح روز بعد از خواب بیدار شد و دریافت که کودتای وی شکست خورده، تصمیم گرفت بخت خود را دوباره بیازماید.

فصل ۱۱

می‌دانستم! آنها عاشق من هستند!

ضربه‌ی شدید به در آپارتمانی در یکی از حومه‌های شمال تهران، دو توطئه گر همکار و جسور را برای نخستین بار در کنار یکدیگر قرار داد. یکی از آنها، تحت پیگردترین آدم در ایران بود. دیگری، هرگاه پلیس از هویتش باخبر می‌شد، می‌فهمید که حتی به‌مراتب خطرناک‌تر از اولی است.

از طرز در زدن کِرمیت روزولت عمق نگرانی‌اش آشکار بود. شب قبل، او و زیردستانش، در تلاشی برای سرنگونی مصدق از نخست‌وزیری شکست خورده و رؤسایش در سیا، مصرّانه از او خواسته بودند که فرار کند، اما، روزولت خطر کرده و مصمم بود به تلاش دیگری دست زند.

مأموران پلیس زیادتری در آن صبح یک‌شنبه‌ی **۲۵** مرداد **۱۳۳۱** به خیابان‌ها گسیل شدند. صدای آژیر اتومبیل‌های نیروهای امنیتی که به کودتاچیانِ توطئه گر یورش می‌بردند، به‌گوش می‌رسید. روزولت با احتیاط و درحالی‌که بر سر همه‌ی چراغ‌قرمزها توقف می‌کرد، اتومبیل را می‌راند و بدون هیچ حادثه‌ای به آپارتمان زاهدی رسید. زاهدی امیدوار بود که تا این ساعت نخست‌وزیر ایران شده باشد. در عوض هنوز، یک فراریِ تحت تعقیب محسوب می‌شد. اگر به موفقیت، یا حتّیٰ به نجات جان خود، امیدی داشت کلید آن در دست روزولت بود. زاهدی می‌دانست چه کسی است که در می‌زند؛ از این‌رو خود در را باز کرد.

روزولت بدون مقدمه و تعارف وارد اصل موضوع شد. وی آمده بود تا

فقط یک سوآل بپرسد: آیا زاهدی آماده است که یک بار دیگر شانس خود را بیازماید؟ زاهدی بدون درنگ پاسخ مثبت داد. این همان پاسخی بود که روزولت می‌خواست.

آن‌گاه هردو نفر به تفاهم رسیدند که ماندن در آن‌جا برای زاهدی بسیار خطرناک است. روزولت ترتیبی داد که او در ویلای دوست مأموری در نزدیکی سفارت آمریکا مخفی شود. آنها از پله‌های آپارتمان پایین آمدند و به درون اتومبیل روزولت خزیدند. رهبرِ درنظر گرفته شده‌ی ایران در کف عقب اتومبیل دراز کشید، پتویی به روی خود کشید، و به سوی مخفی‌گاه تازه‌اش برده شد.

روزولت پس از مخفی کردن زاهدی، به جایی در سفارت آمریکا رفت که به‌تازگی از آن به‌عنوان «ایستگاه نبرد» یاد می‌کرد. در آن جا با دو دیپلمات آمریکایی ملاقات کرد که برای نظارت بر اجرای طرح انتخاب شده بودند. هردو با صراحت به او گفتند که فکر می‌کنند بازی تمام شده است. چندنفری از مقامات واشنگتن نیز که از طرح عملیات آژاکس اطلاع داشتند حالت تسلیم نشان می‌دادند. بیدل اسمیت، معاون وزیر خارجه که یکی از پرشورترین حامیان عملیات بود، یادداشت مأیوسانه‌ای برای آیزنهاور فرستاد و گفت که اکنون ایالات متحده «مجبور به پناه بردن به آغوش مصدق» خواهد بود.

با این حال، روزولت هنوز سرمایه‌های قابل‌ملاحظه‌ای در اختیار داشت. یکی از آنها، سرلشگر زاهدی، دوستان زیادی در میان افسران ارتش داشت و مایل بود هرکاری لازم باشد برای رسیدن به قدرت انجام دهد. روزولت شبکه‌ای گسترده از مأموران و پادوها در اختیار داشت، که به همان اندازه مهم بود. این شبکه با صرف هزینه‌ی هنگفتی به وجود آمده بود و در پخش شایعات آتش‌افروزانه، انتشار مقالات تحریک‌آمیز در روزنامه‌ها، سمت و سو دادن به سیاست‌مداران، تماس با برخی روحانیون و گردآوری جماعت اوباش درکوتاه‌ترین زمان توانایی داشت؛ امّا امتحان خود را به‌طورکامل پس نداده بود.

روزولت همچنین آن دو فرمان پرارزش، حکم‌هایی که شاه با صدور آنها مصدق را برکنار و زاهدی را جانشین او معرفی کرده بود، در دست داشت. این فرمان‌ها، تا اندازه‌ای به کودتا مشروعیت می‌بخشید. معدودی از ایرانیان حق قانونی شاه را در صدور چنان فرمان‌هایی به پرسش می‌گرفتند. از نظر آنها احترامِ اقتدارِ سلطنت، سنتی باستانی محسوب می‌شد. فرمان‌ها این امکان را به طراحانِ عملیات آژاکس می‌دادند تا کار خود را در لفاف آن سنّت بپیچند.

سرلشگر زاهدی در جلسه‌ی اضطراری آن روز صبح، از روزولت مصرّانه خواسته بود که نسخه‌هایی از فرمان انتصاب زاهدی به نخست‌وزیری، تهیه و آنها را در سراسر شهر، به‌ویژه در محله‌های جنوبی پرخشونت تهران که چماق‌داران و اوباش از آن‌جا جمع‌آوری می‌شوند، توزیع کند.

فکر نابی بود و روزولت بلافاصله از آن استقبال کرد. تا اواسط روز، وی به یکی از چند ماشین فتوکپی موجود در تهران دست یافت. روزولت نه فقط نسخه‌هایی از فرمان انتصاب زاهدی را برای هر مأموری فرستاد که توانسته بود پیدا کند، بلکه ترتیبی داد که تصویر آن در صفحات اول روزنامه‌های فردای آن روز، منتشر شود. سپس چند پیک مورد اعتماد، ازجمله دو مأمور ایرانیِ دارای اوراق هویت جعلی، را با نسخه‌هایی از آن فرمان به مراکز فرماندهی نظامی در شهرهای دورافتاده فرستاد.

روزولت برای این که اطمینان حاصل کند فرمان‌ها به شمار هرچه بیشتری از مخاطبان نشان داده شود، پیغامی برای دو خبرنگار آمریکاییِ مستقر در تهران، که نماینده‌ی خبرگزاری آسوشیتدپرس و *نیویورک تایمز* بودند، فرستاد. این، دعوتی به یک جلسه‌ی مخفیانه با حضور تیمسار زاهدی بود. هردو با اشتیاق پذیرفتند و اتومبیلی برای آوردن آنها فرستاده شد. با این حال وقتی به آن خانه‌ی امن رسیدند، نه با زاهدی که با پسر تیزهوش او اردشیر روبه‌رو شدند. وی نسخه‌هایی از فرمان را به آنها نشان داد و با انگلیسی فصیح نطقی پرهیجان درباره‌ی اهمیت آن ایراد کرد.

این ملاقات حتی با توجه به شرایط موجود، غیرعادی بود. آن کسی که

برای دیدن او این ملاقات ترتیب یافته بود، خود حضور پیدا نکرد. امنیت محل توسط همسر جوان میزبان تأمین می‌شد که بر روی یک صندلی کنار اردشیر نشسته و طپانچه‌ای را در زیر لباسش پنهان کرده بود. امّا، آن چه که کنجکاوی خبرنگاران را برانگیخت، یک ماشین بزرگ و ناآشنا بود که در آن نزدیکی سروصدای زیادی راه انداخته بود.

کِنِت لاو، از خبرنگاران **نیویورک تایمز**، بعدها به یاد آورد که: «عجب وضعی! اون یک دستگاه بزرگ فتوکپی بود. آن زمان، سال ۱۹۵۳، ماشین فتوکپی به‌اندازه‌ی دو دستگاه یخچال بود. امّا در آن ساعت نه من و نه بیشترِ خبرنگاران آمریکایی، یا مردم آمریکا، نمی‌توانستند به شما بگویند که سیا (CIA) مخفف چه عبارتی است.»

روزولت تا ظهر یک‌شنبه نقشه‌ی جدید خود را ریخته بود. دوشنبه و سه‌شنبه، مأموران او در این سو و آن سوی تهران پخش می‌شدند تا سیاست‌مداران را تطمیع کنند. در همین دو روز، وی جمعیت‌های چماق‌دار را به خیابان می‌فرستاد تا به‌نام مصدق دست به شرارت بزنند. آن‌گاه در روز چهارشنبه، چماق‌دارانِ خود را از خیابان‌ها فرامی‌خواند و از واحدهای نظامی و پلیس برای حمله به ساختمان های دولتی و وارد آوردن ضربه‌ی نهایی با دستگیری مصدق، استفاده می‌کرد.

روزولت برای رسیدن به این اهداف، متکی به تعداد انگشت‌شماری از مأموران ایرانیِ امتحان داده بود. از همه مهم‌تر، سه برادر رشیدیان بودند. روزولت سال‌ها بود که آنها را می‌شناخت و ترتیبی داده بود که آنها به مقرّ سیا در واشنگتن پرواز کنند تا آن‌چه که وی «آزمایش کامل حقیقت وجودی آنها» می‌نامید، معلوم شد. آنها توانستند به خاطر مهارتشان در کار نظرهای تحسین‌آمیز را به‌سوی خود جلب کنند. علاوه بر برادران رشیدیان، که اصولاً سرمایه‌ای انگلیسی محسوب می‌شدند، روزولت از چند ایرانی تعلیم دیده توسط سیا نیز بهره می‌گرفت. دوتن از بهترین آنها علی جلیلی و فاروق کیوانی بودند، که از اوایل زمستان ۱۳۲۹ به‌عنوان سازمان‌دهنده‌ی شبکه‌ی تبلیغات و

خرابکاریِ سیا موسوم به بِدآمن، کار می‌کردند. این دو نفر شورش‌هایی را سازمان داده و وظایف زیرزمینی دیگر را چنان با موفقیت به انجام رسانده بودند که سیا آنها را «مأموران بسیار برجسته و مهم پایگاه تهران» دانست. آنها نیز مثل برادران رشیدیان به واشنگتن آورده شدند، به‌طور مفصل توسط کِرمیت روزولت و دیگر عمال سیا در جریان کار قرار گرفتند، اسامی رمز خود را (برخی اوقات «نوسی»، و «کافرون» و در مواقع دیگر «نِرِن» و «سیلی») فراگرفتند و به‌عنوان مأموران کلیدی در طرح ضدمصدق، انتخاب شدند. اما آنها و برادران رشیدیان هرگز با هم دیدار نکردند. روزولت هویت عمّال مهم ایرانی خود را، حتی از یکدیگر، پنهان نگاه می‌داشت.

همچنان که روزولت آماده‌ی دومین اقدام خود علیه مصدق می‌شد، به این دو مأمور و مأموران دیگر دستور داد تا شروع به پخش یک روایت قلابی از اقدام [شکست خورده‌ی] اول بکنند. داستانی را که قرار بود آنها شایع کنند، از این قرار بود که مصدق درصدد تصرف تاج و تخت شاه برآمده امّا با اقدام نیروهای وطن‌پرست پس زده شده است. روزنامه‌نویس‌های فاسد، این خبر دروغ را در صفحات اول خود پوشش دادند. فقط چندنفر حقیقت را، که همانا قربانی بودن و نه مسبّب بودن مصدق بود، گزارش کردند.

با این حال، مصدق و یارانش چندان توجهی به این روزنامه‌ها نشان نمی‌دادند. آنها معتقد بودند که شاه در پشت شورش یک‌شنبه قرار داشته است. اگر این مطلب صحت داشت، پس فرار وی به تبعید، به‌معنای آن بود که دیگر تلاشی برای آن چه که فاطمی، وزیر خارجه، «دزدی حقوق مردم توسط سلطنت» نامید، در کار نبود. آنها هرگز تصور نمی‌کردند توطئه‌گرانی که کودتای یک‌شنبه را به راه انداخته بودند، دوباره دست به اقدام بزنند.

وقتی گزارشگری از فاطمی پرسید که دولت با کودتاچیان بازداشت شده چه کار خواهد کرد، وی با حالتی خودمانی پاسخ داد که مقامات مسئول «آن‌چه را که باید انجام دهند در دست بررسی» دارند، امّا «هنوز به مرحله‌ی تصمیم‌گیری نرسیده‌اند». سایر اعضای کابینه، از جمله خود مصدق، نیز از صرافت

افتاده بودند. آنها نیروهای وفادار به دولت را از خیابان‌ها فراخواندند و ساعات حیاتی پیشِ رو را به طرح پرسش‌هایی درباره‌ی فرار شاه به تبعید سپری کردند. آیا وی از سلطنت کناره گیری کرده است؟ آیا باید شورای سلطنت انتخاب و تشکیل شود؟ آیا دودمان جدیدی به قدرت و سلطنت خواهد رسید؟ آیا نظام پادشاهی باید برچیده شود؟

درحالی‌که مقامات دولت مشغول بحث و ابراز عقیده درباره‌ی آینده‌ی بلندمدت کشور بودند، کِرمیت روزولت سخت در کار شکل دادن به چند ماجرای روزهای آینده بود. وی می‌دانست که برای کمک به انجام کودتا، احتیاج به واحدهای نظامی دارد و لذا از وابسته‌ی نظامی آمریکا در سفارت، ژنرال رابرت مک‌کلور خواست که نظر برخی از آنها را جلب کند. مک‌کلور، که افسران ایرانی را به‌خوبی می‌شناخت، تصمیم گرفت از رأس، و با رئیس ستاد ارتش سرتیپ ریاحی، شروع کند.

اما به او نمی‌توانست امید زیادی داشته باشد، چرا که ریاحی معروف به وفاداری [به مصدق] بود. حتّی اگر ریاحی تغییر موضع نمی‌داد و به کودتاچیان ملحق نمی‌شد، با این حال مک‌کلور امیدوار بود که وی دست‌کم بی‌طرف بماند. اولین مانور او این بود که به ریاحی پیشنهاد کند از شهر خارج شود. فکر کرد شاید دو نفری می‌توانند چند روزی به گردش یا ماهیگیری بروند. ریاحی با سردی جواب رد داد. آن‌گاه مک‌کلور که به زیرکی شهره نبود، ناگهان لحن خود را تغییر داد و به ریاحی گفت که مأموریت نظامی وی به سفارت شاه بوده و بنابراین وی همیشه مشروعیت شاه را به رسمیت می‌شناسد، و با صراحت اضافه کرد که فرماندهان ایرانی نیز باید همین‌گونه رفتار کنند. ریاحی از کوره در رفت و در خروجی را به وی نشان داد.

چندساعت بعد در همان روز یک‌شنبه، مک‌کلور برای بار دوم مغبون شد. روزولت او را با هواپیما به اصفهان فرستاد، با این مأموریت که سعی در جلب فرمانده پادگان آن‌جا کند. امّا یک بار دیگر رفتار آمرانه، کار دست او داد. وی یک نسخه از فرمان کذایی را با بی‌حوصلگی به فرمانده پادگان نشان داد و

به او گفت که باید نیروهای تحت فرمانش را به جنگ مصدق بفرستد. فرمانده پاسخ داد که او فقط از ایرانی‌ها و نه آمریکایی‌ها، دستور می‌گیرد. دو جواب سربالا در عرض چندساعت، مک‌کلور را از کوره به در برد. وی درحالی‌که از پادگان خارج می‌شد رو به فرمانده کرد و با خشم سوگند خورد که «من مصدق را با تی‌پا از دفتر نخست‌وزیری بیرون می‌اندازم». هنگامی که هواپیمای حامل مک‌کلور از اصفهان به تهران بازگشت، اعصابش آرام گرفته بود و همان‌جا تصمیم بعدی خود را گرفت. درحالی‌که چند دستیارش او را همراهی می‌کردند، به یک بازدید سرزده از پایگاه‌های کوچک نظامی داخل خودِ پایتخت دست زد. در هریک از این پایگاه‌ها، وی به فرماندهان پول و امکان ترفیع در صورت پیروزی کودتا، پیشنهاد کرد. این دفعه وی شانس بهتری داشت. چند افسر پیشنهادهای وسوسه‌انگیز او را پذیرفتند؛ از جمله دو فرمانده هنگ پیاده‌نظام و یک فرمانده گردان تانک. آنها قول دادند که هرگاه فراخوانده شوند، حرکت می‌کنند.

روزولت اکنون واحدهای نظامی برای درهم شکستن و سرکوب ناآرامی‌های خیابانی در اختیار داشت. کارِ بعدی او راه انداختن خود ناآرامی‌ها بود. برای این کار به مأموران پر انرژی و متصل به دوستان گردن کلفتِ خود، جلیلی و کیوانی، روی آورد. ابتدا به آنها گفت که به جمعیت‌های «سیاه»ی احتیاج دارد که با حالتی شورشی در خیابان‌ها راه بیفتند و فریادهای طرفداری از کمونیسم و مصدق سر دهند. آنها باید شیشه‌ی پنجره‌ها را می‌شکستند، عابران نظاره‌گر و بی‌گناه را کتک می‌زدند، به مساجد تیراندازی می‌کردند و به‌طورکلی خشم مردم و شهروندان را برمی‌انگیختند. آن‌گاه جمعِ عوام «میهن پرست» ظاهر می‌شدند که آن جمعیت آشوب‌گر را، ترجیحاً به کمک افسران پلیسِ هواخواه، سرکوب می‌کردند. جلیلی و کیوانی نگران بودند. آنها چنین خدماتی را پیش از این نیز ارائه کرده بودند، اما آن‌چه روزولت می‌خواست به‌اعتباری بزرگ‌ترین عملیات آنها تلقی می‌شد، به‌ویژه اگر با شکست روبه‌رو می‌شد می‌توانست آنها را در معرض خطر بزرگی قرار

دهد. آنها در یک لحظه چنان پس کشیدند که گفتند می‌خواهند خود را کاملاً از طرح عملیات بیرون کشند. امّا روزولت آنها را با پیشنهاد یک انتخاب ساده قانع کرد: اگر بمانند، ۵۰ هزار دلار برای خود و آشوبگران‌شان کاسبی خواهند کرد، وگرنه، آنها را خواهد کشت. آن دو تصمیم گرفتند پول را بردارند، و روزولت نیز بلافاصله دلارها را به آنها پرداخت کرد.

آن یک‌شنبه با شکست نکبت‌بار آغاز شده بود. با غروب آفتاب، روزولت حس اعتماد به نفس خود را بازگشته می‌یافت. وی پیش از دست کشیدن از فعالیت در شبانگاه، تلگرامی به واشنگتن فرستاد و گفت که ممکن است هنوز «ته‌مانده شانسی برای موفقیت» وجود داشته باشد.

هیچ‌کس در واشنگتن در خوش‌بینی روزولت سهیم نبود. وقتی وی صبح دوشنبه از خواب بیدار شد، تلگرامی به دست وی دادند که در آن از او خواسته شده بود هر چه زودتر ایران را ترک کند. این دومین بار طی ۳۶ ساعت گذشته بود که رؤسایش از او خواسته بودند که فرار کند. این‌مرتبه وی بر سر آنها منت گذاشت و یک نقشه‌ی فرار تهیه کرد که شامل خودش، زاهدی و چند نفر دیگر با هواپیمایی بود که از سوی وابسته‌ی هوایی سفارت در اختیارشان قرار می‌گرفت. امّا فکر دیگری برای آن نکرد.

در میانه‌ی روز، کم‌کم اخبار خیابان‌ها به او می‌رسید، که همه رضایت‌بخش بودند. دسته‌های اوباش که ظاهراً به‌طرفداری از مصدق راه افتاده بودند، از محله‌های فقیرنشین جنوب تهران به سوی مرکز شهر در حرکت بودند. برخی ملی‌گرایان و کمونیست‌های حقیقی نیز ساده‌لوحانه به آنها می‌پیوستند. وقتی به میدان مقابل مجلس [بهارستان] رسیدند که در وسط آن تندیس بزرگی از رضاشاه سوار بر اسب قرار داشت، شمارشان به ده‌ها هزار تن می‌رسید. این‌که چه تعداد از آنها مبارزان واقعی و چه تعداد آشوبگر مزدور بودند، مشخص نشد، امّا تعداد هر دو گروه فراوان بود.

زمانی که چند تن از آنها از مجسمه بالا رفتند، ابراز احساسات به اوج خود

رسید. یکی از آنها که زنجیر قطور بلندی را بر روی گردن به بالا برده بود،
یک سر زنجیر را به دور گردن اسب برنزی مجسمه بست و سر دیگر را به پایین
انداخت که دوستانش آن را به سپر اتومبیلی که کِنِت لاو آن را «خودرویی شبیه
خودرو یگان فرماندهی» نامید، بستند. آنگاه شروع به بریدن و از جاکندن پای
اسب کردند. سرانجام، مجسمه با صدای مهیبی به زمین افتاد. این واقعه
پیروزی دیگری برای روزولت، در پیش بردن کارزار قطبی کردن جامعه‌ی
ایران، به‌شمار می‌آمد. او بعدها نوشت: «این بهترین چیزی بود که می‌توانستیم
به آن امید ببندم. هرچه آنها بیشتر بر ضد شاه فریاد می‌زدند، مردم و ارتش
بیشتر به آنها به چشم دشمن می‌نگریستند. اگر آنها از شاه متنفر بودند، ارتش و
مردم نیز از آنها متنفر می‌شدند؛ و هرچه آنها بیشتر شهر را غارت می‌کردند،
گروه بزرگ‌تری از مردم و ساکنان را خشمگین می‌ساختند. هیچ چیز دیگری
نمی‌توانست تا این اندازه مؤثر و سریع به آتش خشم و تعارض دامن زند. در
روز یکشنبه مقداری آشوب و غارت صورت گرفته بود، امّا دوشنبه هیزم
بیشتری برای آتش فراهم آمد.»

مصدق خام‌دستانه به مأموران پلیس دستور داد که در تظاهرات مردم
دخالت نکنند، از این رو جمعیت اوباش توانست به میل خودکمابیش یکه‌تازی
کند و جولان دهد. این موهبتی بزرگ برای روزولت بود، چرا که هرگونه
آشوبی، حتی مواردی که در کنترل او نبودند، در خدمت متقاعد کردن ایرانیان
بود به این که کشورشان به دامن هرج و مرج افتاده و نیاز به یک ناجی دارد. امّا
روزولت نگران بود که مصدق تغییرعقیده و به پلیس دستور مداخله و سرکوب
دهد. پلیس حتی ممکن بود شجاعت به خرج دهد و در اوج عملیات کودتا،
علیه سربازان شورشی وارد عمل شود. وی به دنبال راهی می‌گشت تا این توان
آنها را تضعیف کند، و آن را در بعدازظهر همان روز پیدا کرد. به گونه‌ای غیر‌-
منتظره و ناگهانی سر وکلّه‌ی سفیر آمریکا، لوی هندرسون، پیدا شد.
هندرسون، پس از شرکت در جلسه‌ی واشنگتن که به تأیید نهایی کودتا
انجامید، فکر کرد که عاقلانه نیست تا زمان سقوط مصدق به محل مأموریت

خود بازگردد. به گوشه‌ی دنجی در کوه‌های آلپ اتریش رفت و در آنجـا منتظر ماند. در ۱۴ اوت (۲۳ مرداد) بی‌قرار از دور ماندن از معرکه، به بیروت پرواز کرد. وقتی از رادیو شنید کـه کـودتا شکست خـورده است، بـا یـک هواپیمای نیروی دریایی متعلق به سفارت آمریکا در محل، راهی تهران شد. وی پس از ورود به سفارت یک‌راست به سراغ روزولت رفت کـه او را در جریان امور گذاشت.

روزولت با کوتاهی در بیان حقیقت نزد وی اعتراف کرد که «دچار برخی مشکلات کوچک شده است.» هندرسون از وی پرسید که چه کمکی از دستش برمی‌آید. روزولت پس از لختی تأمل فکری عجیب به سرش زد. وی تصمیم گرفت که از هندرسون به‌عنوان وسیله‌ای برای سراسیمه کردن مصدق استفاده کند.

روزولت می‌دانست که مصدق مردی عمیقاً احساساتی است که با شنیدن مصائب یک بیوه‌زن تنها، یا بچه‌ای یتیم، اشک در چشمانش جمع می‌شود. مصدق که ذاتاً توطئه‌گر نبود، ایمانی تقریباً کودکانه به صمیمیت اکثر مردم داشت. او همچنین انسانی متین و بلندنظر بود کـه بـه رویـه‌هـا، تشـریفات و دیپلماسی پای‌بندی نشان می‌داد. مصدق به‌رغم گرفتاری‌های ماه‌های اخیر، هنوز نسبت به آمریکایی‌ها نرمش نشان می‌داد. اگر روزولت می‌توانست راهی برای بهره‌برداری از این ویژگی‌های شخصی دشمن خود پیدا کند، ممکن بود بتواند تعادل «آن پیرمرد لعنتی» را به هم بریزد و او را به انجام یک حرکت غلط وادارد. این حرکت یک چالش کلاسیک جنگ روانی بود کـه فراواقعی‌ـ ترین بخش عملیات آژاکس محسوب می‌شد.

وقتی روزولت به هندرسون پیشنهاد کرد نزد مصدق برود، وی پرسید «ترا به خدا به من بگو چه کار کنم؟»

روزولت پاسخ داد: «پیشنهاد من این است که از ارعاب آمریکایی‌ها در این جا شکایت کنی، از تلفن‌های ناشناس که می‌گویند "آمریکایی به خانه‌ات برگرد!" یا به آنها ناسزاهای رکیک می‌گویند. حتی اگر بچه‌ای گوشی تلفن را

بردارد، با این ناسزاها و دشنام‌ها روبه‌رو می‌شود» و... .

هندرسون با این خواسته‌ی روزولت موافقت کرد. وی اضافه کرد که اگر هم مصدق از حمایت آمریکایی‌ها از خرابکاری در ایران سخنی به میان آورد، او «کاملاً روشن خواهد کرد که ما قصد دخالت در امور داخلی یک کشور دوست را نداریم.» روزولت این را فکری بدیع دانست، امّا حرفی نزد.

طبق یک یادداشت گاهشمار سیا، عصر دوشنبه «پرجنب وجوش‌ترین و تعیین‌کننده‌ترین زمان برای پایگاه» بود. روزولت چهارساعت را صرف یک جلسه‌ی فشرده‌ی برنامه‌ریزی با مأموران کلیدی خود، از جمله با برادران رشیدیان، زاهدی و پسرش اردشیر، و تیمسار هدایت‌الله گیلانشاه، فرمانده پیشین نیروی هوایی که به طرح کودتا پیوسته بود، کرد. آنها جملگی مخفیانه، در زیر پتو یا در داخل صندوق عقب اتومبیل، به ساختمان سفارت وارد و از آن خارج شدند.

رزولت اکنون کاملاً به ابتکار خود عمل می‌کرد. در صورت شکست کودتای اوّل، طرح پشتیبانی‌ای پیش‌بینی نشده بود. لذا وی فی‌البداهه کارها را پیش می‌برد. وی مرتباً در جنب وجوش بود و نه وقت و نه تمایلی داشت که تصمیم‌های خود را با رؤسایش در میان بگذارد. حتّی اگر قصد چنین کاری را هم داشت، فناوری ارتباطات ضعیف و غیرقابل اعتماد بود. بنابراین، در طی این روزهای حساس، کسی در واشنگتن یا لندن نمی‌دانست که او چه می‌کند.

روزولت، از همان آغاز تشخیص داده بود که در نهایت، سرنوشت دولت مصدق در خیابان‌ها تعیین خواهد شد. مأموران ایرانیِ وی می‌توانستند تقریباً بلافاصله جمعیتی را به خیابان بکشانند. او نقشه‌ای طرح کرده بود که از شورش گروه‌های طرفدار و مخالف دولت، هردو، استفاده کند. امّا در پایان، ماهیت مطالبات این "عوام کالانعام" تقریباً بی‌ربط بود. البته، جمعیتی که فریاد خلع مصدق را سر می‌داد دلخواه روزولت بود، امّا جمعیت طرفدار او نیز مؤثر بودند چون به قطبی شدن جامعه کمک می‌کردند و شاید نیروهای طرفدار سلطنت را به واکنش سرکوب‌گرانه برمی‌انگیختند. آن‌چه که اهمیت داشت این

بود که تهران در آشوب و هرج و مرج فرو رود.

شورش‌هایی که تهران را در روز دوشنبه به لرزه درآورد، در روز سه‌شنبه شدت و دامنه یافت. هزاران تظاهرکننده، که ناخواسته و نادانسته تحت فرمان سیا قرار داشتند، خیابان‌ها را انباشته و به تاراج مغازه‌ها، از بین بردن تصاویر شاه، و درهم ریختن دفاتر گروه‌های سلطنت‌طلب پرداختند. ملی‌گراها و کمونیست‌های پرشور و نشاط، به این بلوا پیوسته بودند. پلیس هنوز هم بنا به دستور مصدق دخالت نمی‌کرد، که همین امر به آشوبگران اجازه می‌داد به‌کار خود ادامه دهند، و به‌نوبه‌ی خود این گمان را تقویت می‌کرد که ایران در سراشیب سقوط و هرج و مرج قرار گرفته است. روزولت صحنه‌هایی از این وقایع را هنگام گشت‌های مخفیانه‌ی خود در شهر می‌دید و می‌گفت: «این صحنه‌ها جهنم را در مقابل چشم من زنده می‌کنند.»

با این حال، رویداد مهم آن روز نه در خیابان‌ها، که در پشت درهای بسته جریان داشت. لوی هندرسونِ سفیر، در اواسط بعدازظهر به دیدار مصدق رفت. پیرمرد در شرایطی کاملاً ضعیف قرار داشت. وی خبر نداشت که مأموران مخفیِ حاضر در سفارت آمریکا، شب و روز در کار براندازی دولت او هستند، و از آن جا که تصور آن را هم نمی‌کرد که شخصی به‌نام کِرمیت روزولت وجود داشته باشد، نمی‌توانست حدس بزند که روزولت، هندرسون را برای پهن کردن دامی برای او به آن جا فرستاده باشد. امّا، می‌دانست که قدرت‌های خارجی در پشت کودتای نافرجام یک‌شنبه قرار داشته‌اند. بنابراین باید مراقب می‌بود.

مصدق، در حالی که جامه‌ی رسمی بر تن کرده بود، سفیر را پذیرفت، که نشان از اهمیت این جلسه در نزد او داشت. وی آشکارا خونسرد می‌نمود، با حالتی از، به‌قول هندرسون، «رنجش پنهان» که در پشت نزاکت همیشگی‌اش مشهود بود. ایالات متحده موضع رسمی خود را اعلام کرده، شاه را هنوز رهبر ایران می‌دانست و مصدق به این حمایت آمریکا از «مردی که اکنون

چیزی بیش از یک شورشی نیست» معترض بود. هندرسون پاسخ داد که اگرچه شاه به‌یقین گریخته، پیامبر اسلام نیز در زمان خود از مکه فرار کرده بود و از همان لحظه نیز نفوذ او گسترش یافت. مصدق از این اظهارنظر، شگفت‌زده شد و مکثی کرد تا درباره‌ی آن تأمل کند. هندرسون پی‌برد که زمان آن فرارسیده تا سخنانی را بر زبان آورد که روزولت برایش پرداخته‌ی بود. با حرارت و درحالی‌که صدایش به اوج خشمی ساختگی رسیده بود، صحبت می‌کرد.

وی سخنان خود را چنین آغاز کرد: «باید به شما بگوم که هم‌میهنان من به‌شکل نامطبوعی در معرض ارعاب قرار می‌گیرند. نه‌فقط به آنها تلفن‌های تهدیدآمیزی می‌شود، بلکه غالباً به بچه‌های‌شان هم که گوشی را برمی‌دارند سخنان زشتی می‌گویند که بچه‌ها حتّی نباید به‌گوششان برسد. هنگام عبور از خیابان نیز ناسزا می‌شنوند. علاوه بر پرخاش‌های لفظی، به اتومبیل‌های آنها نیز هرجا که گذاشته می‌شوند، آسیب می‌رسانند، لوازم‌شان به سرقت می‌رود، چراغ‌های آنها شکسته و تایرهای‌شان از باد خالی می‌شود. و اگر آن را قفل نکنند تودوزی‌های‌شان پاره می‌شود. عالی‌جناب، چنان‌چه این تهدید و ارعاب‌ها متوقف نشود، ناچار می‌شوم از دولت خود بخواهم که همه‌ی وابستگان اعضای سفارت و نیز کسانی که حضورشان در این جا به‌سود منافع ملی ما نیست، فراخوانده شوند.»

مصدق در شرایط عادی ممکن بود به این تک‌گویی سراپا نادرست بخندد. آمریکایی‌ها خود شرایط هرج ومرج را در ایران به وجود آورده بودند و اکنون هندرسون آنها را قربانی تصویر می‌کرد. وی در مقام اثبات گفته‌های خود، شرحی بسیار اغراق‌آمیز از برخوردهای فرضی ارائه کرد. امّا در عین شگفتی، مصدق ظاهراً تحت‌تأثیر این داستان‌های خیالی قرار گرفت و نگران چشم‌انداز خروج آمریکایی‌ها از ایران شد. هندرسون بعداً گزارش داد که او «آشکارا می‌لرزید» و به‌سرعت «سردرگم و تقریباً متأسف و شرمنده» شده بود.

روزولت روحیه‌ی دشمن خود را به‌خوبی تجزیه و تحلیل کرده بود. برای

مصدق که از فرهنگ نزاکت و مهمان‌نوازی در حد زیادی برخوردار بود، تکان‌دهنده می‌نمود که به مهمانان ایران بی‌حرمتی شود. این ضربه، قضاوت درست او را تحت‌الشعاع قرار داد و در حضور هندرسون از طریق تلفن با رئیس پلیس تماس گرفت. به او گفت، آشوب در خیابان‌ها غیرقابل تحمل شده و زمان آن رسیده که پلیس به آن خاتمه دهد.

مصدق با این دستور، پلیس را به قلع و قمع جماعتی که بسیاری از طرفداران دوآتشه‌ی خودش در میان آنها بودند، فرستاد. آنگاه برای این که مطمئن شود طرفدارانش روز بعد دوباره به خیابان‌ها نمی‌آیند، بیانیه‌ای صادر و هرگونه تجمع عمومی را قدغن اعلام کرد. همچنین به رهبران احزاب طرفدار دولت تلفن کرد و از آنها خواست که طرفداران‌شان را از خیابان‌ها جمع کنند. وی خود را خلع‌سلاح کرد. بنا بر شرحی که یک هفته بعد در مجله‌ی تایم آمد، این اقدام «اشتباه مرگ‌بار» او بود.

در چند ساعت بعدی نیز مصدق به چند اقدام اشتباه دست زد. وی برای این که عزم خود را در فرونشاندن اعتراضات خیابانی نشان دهد، فرمان بسیج نیروهای تحت امر تیمسار محمد دفتری را که شور زیادی برای سرکوب ناآرامی‌های شهری نشان می‌داد، صادر کرد. اما دفتری که چند سال قبل، در زمان نخست‌وزیری رزم‌آرا، رئیس شهربانی تهران بود، سلطنت‌طلبی شاخص و نزدیک به زاهدی هم به‌شمار می‌رفت. دلایل بسیاری وجود داشت که گمان رود اگر به اقدام فراخوانده می‌شد، افراد خود را مستقیماً به جبهه‌ی توطئه‌گران هدایت می‌کرد. این کاری بود که دقیقاً انجام داد. روز بعد وی نه در دفاع از دولت، که برای برکناری آن می‌جنگید.

زمانی کوتاه پس از آن که مصدق آن فرمان سرنوشت‌ساز را صادر کرد، موج سرکوبی‌ها آغاز شد. کِنِت لاو در نیویورک تایمز نوشت: «مأموران پلیس و سربازان شب گذشته علیه هواداران حزب توده و افراطیون ملی‌گرا وارد عمل شدند. نیروهای انتظامی در نمایشی جنون‌آمیز، با باتوم، تفنگ و چوب‌دستی و پرتاب نارنجک‌های گازاشک‌آور، به جان آشوبگران افتادند.»

از جمله کسانی که از تغییر جریان رویدادها در تهران اطلاع نداشت، محمدرضاشا بود. وی پس از ورود به بغداد، تأکید کرده بود که هیچ نقشی در کودتای نافرجام نداشته و فقط مصدق را به‌خاطر «نقض فاحش قانون اساسی» برکنار کرده است. مثل هر شخص دیگر درگیر در طرح توطئه، وی نیز فکر می‌کرد که شکست شنبه [گذشته] به‌معنای پایان عملیات آژاکس بوده است. صبح سه‌شنبه، وی و ملکه‌ی ثریا سوار یک فروند جت شرکت هواپیمایی انگلیس (BOAC) به رم پرواز کرد. *تایمز لندن* گزارش داد: «هردو، هنگام خروج از فرودگاه فرسوده، غمگین و دلواپس بودند.»

به نظر می‌رسید غیبت شاه از ایران طولانی خواهد بود. زمانی که یک گزارشگر آمریکایی از او پرسید که آیا اصلاً انتظار دارد که به وطن بازگردد، پاسخ داد «احتمالاً، اما نه در آینده‌ی نزدیک». یک خبرنگار انگلیسی پیش‌بینی کرد که وی «احتمالاً به اجتماع کوچک پادشاهان تبعیدی حاضر در رم ملحق» می‌شود.

امّا، همچنان که شاه سرگرم گرفتن اتاق در هتل اکسلسیور رم بود، روزولت سخت درکار بازگرداندن او بود. روز بعد، روزی تعیین‌کننده بود. اگر همه‌چیز طبق برنامه پیش می‌رفت، تا اواسط روز خیابان‌ها انباشته از تظاهرکنندگان پرشور طرفدار شاه می‌شد. مردم آنها را افرادی موقر و موجه می‌دیدند که از هرج و مرج روزهای اخیر و عدم دخالت پلیس به طرفداری از آنها، خسته شده و به تنگ آمده‌اند.

روزولت به کمک مأموران ایرانیِ ذیقیمت خود، جمعیتی بسیار خارق‌العاده را در خیابان‌ها سازمان داد. درکنار اوباش و اراذل خیابانی، بسیاری از اعضای جوامع ورزش باستانی نیز حضور داشتند. این ورزشکاران نه‌فقط به قدرت خود، بلکه به مهارت‌هایی مثل تردستی و نوعی آکروبات‌بازی نیز، می‌بالیدند. آنان در مراسم جشن‌ها به‌صف شده رژه می‌رفتند یا کارهای نمایشی انجام می‌دادند. این گروه اشخاص ثروتمندی نبودند. برخی، زندگی خود را از باج‌خوری در بازار سبزیجات شهر می‌گذراندند و از سرکردگان خود انتظار

داشتند که زندگی آنها را تأمین کنند. وقتی سیا به دنبال عناصر آشوبگر می‌گشت، آنها خود را آماده و مشتاق نشان دادند.

جان والر، رئیس میز ایران در سیا، بعدها ضمن تعبیری عمیق نوشت: «در ایران هم جمعیت ترسناک پیدا می‌شود و هم جمعیتی که رفتار دوستانه دارد؛ هم جمعیتی که حالتی بینابین این دو دارد می‌توان یافت، و هم جمعیتی که تغییر ماهیت می‌دهد و از این به آن تبدیل می‌شود.»

روزولت قبلاً از حمایت نیروهای شهربانی، که عمدتاً زیر نفوذ تیمسار دفتری قرار داشتند، و چند واحد نظامی، اطمینان حاصل کرده بود. اکنون به جماعتی با ترکیب مطلوب دسترسی می‌یافت. با این حال، اسدالله رشیدیان که حضورش غیرقابل چشم‌پوشی بود، از کم‌شمار بودن این جمعیت اظهار نگرانی کرد. وی از روزولت مصرّانه خواست که آخرین تلاش خود را برای تماس با رهبران مذهبی که بسیاری از آنها طرفداران زیادی داشتند و می‌توانستند در کمترین زمان جمعیت کثیری را بسیج کنند، به عمل آورد. مهم‌ترین آنها، آیت‌الله کاشانی، پیش از این با مصدق به مخالفت برخاسته بود، و به‌یقین با این دعوت همراهی می‌کرد. رشیدیان برای تشویق وی پیشنهاد استفاده‌ی سریع از پول را داد. روزولت موافقت کرد. سحرگاه روز چهارشنبه، وی ۱۰ هزار دلار همراه با دستورالعمل‌هایی که باید به او منتقل می‌شد برای احمد آرامش، یکی از معتمدان کاشانی فرستاد.

چهارشنبه، بیست و هشتم مرداد بود. روزولت در آن روز امید داشت که مسیر تاریخ ایران را تغییر دهد. پس از آن که ۱۰ هزار دلار را برای کاشانی بسته‌بندی و پیک‌های خود را راهی کرد، دیگر کار چندانی نداشت. زمان آن فرارسیده بود که دیگران وارد عمل شوند و او فقط منتظر و نظاره‌گر باشد.

خبرهایی را که مأموران او در طول ساعات روز می‌آوردند، دلگرم‌کننده بود. هزاران تن در مساجد و میادین عمومی گرد می‌آمدند. پیشاپیش آنها ورزشکاران عجیب و غریبی حرکت می‌کردند که فضایی کارناوالی به

تظاهرات داده بودند. برخی کبّاده به دست داشتند، و گروهی دیگر با میل‌های سنگین تردستی می‌کردند. بسیاری از آنها بالاتنه‌ی خود را عریان کرده بودند و سبیل‌های از بناگوش در رفته و لباس‌هایی خاص داشتند. شمار اندکی از آنها چاقو یا چوب‌دستی حمل می‌کردند. آنها بیشتر به یک قبیله‌ی عجیب و غریب می‌ماندند تا گروهی که رهسپار براندازی یک دولت است:

در جلوی آنها غول‌پیکران باستانی‌کار قرار داشتند، وزنه‌بردارانی کـه توان بدنی خود را با یک رشته حرکات ورزشیِ میراث ایران باستان، از قبیل برداشتن وزنه‌های سنگین، بهبود می‌بخشیدند. ورزش زورخانه‌ای شانه‌ها را بسیار بزرگ و شکم‌ها را برآمده می‌کند. این ورزشکاران در حالی که همراه با یکدیگر در خیابان‌ها بالا و پایین می‌رفتند، هـیبت مهیبی از خود به نمایش می‌گذاشتند. دویست تن، یا بیشتر، از ایـن ورزشکاران با حرکت از بازار و در حالی که شـعار «جـاوید شـاه!» سرمی‌دادند، با پیچ و تاب دادن به بدن خود مثل دراویش، روز را آغاز کردند. در حاشیه‌ی جمعیت گذرنده، مردم اسکناس‌های ۱۰ ریـالی پخش می‌کردند ... جمعیت رو به فزونی بود و فریاد «جاوید شـاه!» کرکننده می‌شد. زمانی که آنها از کنار دفاتر یک روزنامه‌ی طـرف‌دار مصدق می‌گذشتند، پنجره‌های آن را شکسته و محل را غارت کردند.

هیچ‌کس سعی نکرد خرابکاران را هنگام رفتن به سوی مرکز شهر متوقف کند. مأموران پلیس ابتدا آنها را تشویق می‌کردند و سپس در حوالی بعد از ظهر، شروع به هدایتشان کردند. تظاهراتِ مخالفی صورت نـمی‌گرفت. حامیان مصدق، با احترام به خواسته‌ی وی و پیام ضرب و شتم شب گذشته، در منزل مانده بودند.

تنها گروهی که توانست عده‌ای را برای حمایت از دولت بسیج کند، حزب توده بود. امّا رهبران آن تمام روز را به بحث گذرانده و نمی‌توانستند تصمیمی برای اقدام بگیرند. مصدق به هرحال اعتمادی به آنها نداشت و کمک آنها را نمی‌خواست. یکی از رهبران حزب توده یک روز قبل به او تلفن کرده و

داوطلب فرستادن نیروهای ضربت در صورت تسلیح توسط مصدق، شد. امّا او در پاسخ سوگند خورد که «هرآینه با مسلح شدن یک حزب سیاسی موافقت کنم، خداوند دست راست مرا قطع کند!» با این حال، مخالفت مصدق تنها دلیل رهبران حزب توده برای به میدان نیاوردن رزمندگان خود در آن روز تعیین‌کننده، نبود. حزب توده، مثل بیشتر احزاب کمونیست جهان، توسط اتحاد شوروی اداره می‌شد و در مواقع بحرانی از دستورات مسکو پیروی می‌کرد. امّا، در این روز دستوری نیامد. استالین چندماه پیش از آن مرده بود و کرملین خود وضعیت متزلزلی داشت. مأموران اطلاعاتی شوروی که معمولاً ایران را زیرنظر داشتند، خود با چالش فوری‌ترِ بقا دست وپنجه نرم می‌کردند. این که کسی از آنها مسئله‌ی حمایت از مصدق را مورد توجه قرار داده باشد، از اسرار باقی‌مانده‌ی عملیات آژاکس است. محققان در پی دسترسی به پرونده‌های مسکو برآمده‌اند، امّا درخواست‌های‌شان رد شده است.

درحالی‌که روز به نیمه‌ی خود رسیده بود، جمعیتی که از مناطق فقیرنشین جنوب تهران از خیابان‌ها می‌گذشتند، فریاد «مرگ بر مصدق» و «جاویدشاه!» سر دادند. صدها سرباز نیز، در حالی که برخی سوار بر کامیون یا تانک بودند، به صفوف آنها می‌پیوستند. ایلات خارج شهر که رهبرانشان را مأموران روزولت تطمیع کرده بودند نیز وارد کارزار می‌شدند. گروه‌های آشوبگر، به ۸ ساختمان دولتی و دفاتر سه روزنامه‌ی طرفدار دولت، از جمله، روزنامه‌ی ***باختر امروز*** که متعلق به فاطمی وزیر خارجه بود، حمله کردند و آنها را به آتش کشیدند. دیگران، به وزارت خارجه، مقر ستاد ارتش و شهربانی مرکز هجوم بردند. آنها ساختمان را به گلوله بستند و متقابلاً به سوی آنها شلیک شد. ده‌ها نفر از پای درآمدند.

مأموران روزولت پی‌درپی اخبار خوش برای او می‌آوردند. در حوالی ظهر، یکی از آنها گزارش داد که «جمعیت کثیری از اوباش» هریک از میدان‌های شهر را به اشغال خود درآورده‌اند. دیگری گفت که فرمانده پادگان کرمانشاه، به شورشیان پیوسته و نیروهای خود را به سوی تهران هدایت

می‌کند. جوخه‌ای به رهبری علی جلیلی مقر شهربانی را به تصرف درآورده و توطئه‌گرانی را که به دنبال کودتای نافرجام شنبه‌ی گذشته دستگیر شده بودند، آزاد کرده بود. از جمله‌ی آنها سرهنگ نصیری بود، که بلافاصله گارد شاهنشاهیِ تحت فرمان خود را به کمک خرابکاران فرستاد.

برخی از ده‌ها هزار مردمی که آن روز به خیابان‌ها ریخته بودند، به هر دلیلی مخالف مصدق بودند. دیگران، حامیان پیشین وی بودند که طی منازعات سیاسی چندماهه‌ی گذشته، از حمایتش دست کشیده بودند. بسیاری از آنها، که **نیویورک *تایمز*** «اوباش و پادوهای بازار» می‌نامیدشان، هیچ‌گونه اعتقاد سیاسی‌ای نداشتند، و فقط دستمزد خوبی برای اوباشگری در آن روز گرفته بودند. ریچارد کاتَم، که در ستاد عملیات آژاکس در واشنگتن کار می‌کرد، تصریح کرد: «آن جمعیتی که به شمال تهران رسید و نقش تعیین کننده‌ای در سقوط مصدق بازی می‌کرد، یک جمع مزدور بود که هیچ ایدئولوژی‌ای نداشت و با کمک دلارهای آمریکایی به راه افتاده بود.»

با این حال، این جمعیت سیاه، نیاز به رهبری مؤثر داشت، و درحالی‌که رهبران آن مثل شعبان بی‌مخ، اگرچه قوی‌هیکل و تنومند بودند، اما با هیچ معیاری زیرک محسوب نمی‌شدند. بسیاری از رهبرانی که در طول آن روز چهارشنبه پدیدار شدند، افسران ارتشی میانه حال بودند. آنها نیز مثل همتایان غیرنظامی خود، آمیزه‌ای از تعهد و دروغ بودند. بخش قابل توجهی از آنها بنا به اعتبار فرمان شاه که زاهدی را نخست‌وزیر معرفی کرده بود، به پیوستن به صفوف کودتا ترغیب شدند. آنان استدلال می‌کردند اگر شاه فرمان داده ارتش ملزم به اطاعت است. این سربازان، به شورش رنگی از مشروعیت داده بودند. آنها قدرت آتش چشمگیری، از جمله با استفاده از تانک و توپخانه، با خود آورده بودند و رهبری حمله به بسیاری از ساختمان‌های دولتی را بر عهده داشتند. بدون اقتدار شبه‌قانونی و مهارت‌های جنگی آنها، ممکن بود کودتا به‌آسانی با شکست مواجه شود.

همه‌چیز ظاهراً طبق برنامه پیش می‌رفت، که درست پیش از ظهر، درِ اتاق

فرماندهی روزولت به‌شدت باز شد. وی به امید دیدن مأموری دیگر با خبرهای جدید از خطوط مقدم، نگاهی به سوی در انداخت. امّا به جای آن، مأمور مخابرات خود را دید که پریشان‌حال و در آستانه‌ی گریستن بود. وی پیامی فوری از بیدل اسمیت در واشنگتن در دست داشت. اسمیت ۲۴ ساعت پیش آن را فرستاده بود، امّا به‌دلیل پدید آمدن مشکلات فنی در رله‌ی آن از قبرس، با تأخیر به تهران رسیده بود. این پیام، دستوری صریح‌تر از دو پیام پیشین خطاب به روزولت بود که باید بلافاصله ایران را ترک کند.

نمی‌شد زمانی نامناسب‌تر از این برای دریافت این پیام یافت. روزولت که می‌توانست پیروزی قریب‌الوقوع را احساس کند، هنگام خواندن آن به خنده افتاد. وی به مأمور مخابرات سردرگم خود گفت: «مهم نیست، رفیق، تو که در زیرزمین دفن شده‌ای و راهی برای آگاهی از موضوع نداشته‌ای. امّا صحنه عوض شده است! اوضاع به نفع ما پیش می‌رود! حق پیروز خواهد شد! همه چیز برای بهترین‌ها، در بهترین دنیای ممکن!»

روزولت، مأمور را با پاسخی برای ژنرال اسمیت به دخمه‌ی خود باز فرستاد. در این پیام آمده بود: «پیام ۱۸ اوت شما دریافت شد. خوشحالم که گزارش کنم آر. ا. زیگلر [زاهدی]، به‌راحتی جاگیر شده و کی جی ساووی [شاه] به‌زودی با پیروزی وارد تهران خواهد شد. عشق و بوسه برای همه‌ی اعضای گروه دارم.»

این پیام البته هنوز زودرس بود. امّا نشان از اعتماد به نفس عالی روزولت داشت. به گفته‌ی خودش «نیشم تا بنا گوش باز شده بود.» روزها بود که غذای مناسبی نخورده بود و به‌ناگاه احساس گرسنگی می‌کرد. یکی از آشنایان او که مشاور هندرسونِ سفیر بود، منزلی را در مجتمع سفارت آماده کرده بود. وی قدم‌زنان برای صرف ناهار و مشروب به آن جا رفت.

بیرون از آن‌جا، شهر در آتش آشوب می‌سوخت. ابراز احساسات و شعارهای آهنگین در فضا طنین‌انداز بود و هم‌زمان با آن، صدای تیراندازی و انفجار گلوله‌ی خمپاره به گوش می‌رسید. دسته‌ی سربازان و مأموران پلیس هر

چند دقیقه، از کنار در بزرگ سفارت می‌گذشتند. با این حال، میزبان روزولت و همسرش، نمونه‌های عالی افراد محتاط، حتی یک پرسش نیز درباره‌ی آن‌چه که در بیرون جریان داشت، مطرح نمی‌کردند.

رادیویی روشن بود. اگرچه گوینده چیزی جالب‌تر از قیمت غلات نمی‌گفت، روزولت با دقت گوش می‌داد. وی یکی از گروه‌های ایرانی خود را برای حمله به ایستگاه رادیو اعزام کرده بود. اگر اوضاع به‌خوبی پیش می‌رفت، برنامه‌ی رادیو به‌زودی تغییر می‌کرد.

همچنان که سه آمریکایی در سکوت غذا می‌خوردند، صدای گوینده‌ی رادیو هردم آهسته‌تر می‌شد، و گویی در حال به خواب رفتن بود. لختی دیگر از گفتن به کلی بازایستاد. ظاهراً اتفاقی غیرعادی در ایستگاه رادیو رخ می‌داد. روزولت آگاهانه به چهره‌ی هم‌سفره‌های سردرگم خود لبخندی زد. چنددقیقه‌ای سکوت حاکم شد، و در پی آن صدای کسانی که بحث می‌کردند، به گوش رسید. سرانجام، صدایی با فریاد حاکی از اقتدار گفت «مهم نیست چه کسی آن را بخواند. مهم آن است که خوانده شود!» آنگاه با آهنگی بلند و احساسی شروع به فریاد زدن آن‌چه که روزولت «دروغ‌های حساب شده، یا پیش ـ حقایق» نامید، کرد. گوینده با صدای بلند اعلام کرد «دولت مصدق شکست‌خورده و نخست‌وزیر جدید، فضل‌الله زاهدی، اکنون قدرت را به دست گرفته و اعلیحضرت شاهنشاه در حال بازگشت به وطن است!»

روزولت صدای گوینده را تشخیص نداد. یک افسر ارتش پیام مأمور او را از بلندگوی رادیو قرائت می‌کرد. امّا پیام همان بود که وی می‌خواست: «دولت مصدق یک دولت شورشی بود، و اکنون سقوط کرده است.» روزولت از پشت میز برخاست، از میزبانان خود به‌خاطر مهمان‌نوازی‌شان تشکر کرد و از اتاق خارج شد.

ساعت کمی از ۲ بعدازظهر گذشته بود که روزولت به پست فرماندهی خود بازگشت، رفقایش که آنها نیز به رادیو گوش می‌دادند، در هیجان تب آلودی به سر می‌بردند. وقتی روزولت در آستانه‌ی در ظاهر شد، همه نگاهی به او کردند

و با لحظه‌ای سکوت، به این حس تشخیص مشترک رسیدند که آن روز به آنها تعلق دارد. لحظه‌ای بعد، همگی در آن اتاق کوچک به پایکوبی درآمدند. روزولت آن روز و آنها را به‌یاد می‌آورد که «از شادی در پوست خود نمی‌گنجیدند.»

گام بعدی آنها چه بود؟ یکی از مأموران به‌گمان این‌که جمعیت اوباش در اوج اقتدار خود قرار دارد پیشنهاد کرد که زمان آن رسیده که زاهدی را به صحنه بیاورند. امّا روزولت مخالفت کرد و گفت که هنوز خیلی زود است.

وی گفت: «از عجله حاصلی به دست نمی‌آید. صبر می‌کنیم تا جمعیت به در خانه‌ی مصدق برسد. این لحظه‌ای مناسب برای ظهور قهرمان ماست.»

واحدهای نظامی به‌رهبری افسران ضدمصدق در مقابل منزل وی به هم رسیدند. در داخل خانه، نیروهای وفادار به او اقدام به برپایی استحکامات کرده و آماده‌ی نبرد می‌شدند. آنها مسلح به تفنگ، مسلسل و تانک شرمن همراه با توپ‌های ۷۵ میلی‌متری بودند. در اواخر بعدازظهر حمله آغاز شد. مدافعان منزل مصدق نیز مقاومت می‌کردند و به آتش پاسخ می‌دادند. پیاده‌روها پر از اجساد کشته‌شدگان بود. سپس، بعد از یک‌ساعت نبرد یک‌سویه، مهاجمان فریاد بلندی از شادی سر دادند. واحدهای نظامی دوست با تانک‌های خود از راه رسیده بودند. به‌زودی مبادله‌ی آتش آغاز شد. عملیات آژاکس به نقطه‌ی اوج خود نزدیک می‌شد.

زمانی که روزولت پی‌برد که تهاجم آغاز شده، تصمیم گرفت تیمسار زاهدی را از مخفی‌گاهی که دو روز او را در آن جا پنهان کرده بود، خارج کند. وی پیش از ترک آن‌جا، تیمسار گیلانشاه را که مثل زاهدی در یک خانه‌ی امن سیا بی‌صبرانه منتظر دستورات بود، فراخواند. روزولت از تیمسار خواست که تانکی پیدا کند و زاهدی را از مخفی‌گاه خود بیاورد. وی شتابزده نشانی محل اقامت زاهدی را بر روی تکه کاغذی نوشت و سپس خود با اتومبیل به آن‌جا رفت. وقتی روزولت به اقامتگاه زاهدی رسید، وی در زیرزمین نشسته و فقط لباس زیر بر تن داشت. آن‌گاه که شنید زمان وی

سرانجام فرارسیده، به هیجان آمد. همچنان که او در حال بستن دکمه‌های یونیفورم خود بود، غرش صدایی از بیرون شنیده شد. تیمسار گیلانشاه با دو تانک و جمعیتی شادمان رسیده بود.

سال‌ها بعد، شاید با توجه به شهرت خدشه‌ناپذیر پدربزرگ روزولت به‌عنوان یک سرباز ماجراجو، داستانی گفته می‌شد که، کِرمیت روزولت فاتحانه بر فراز تانکی نشسته بود که پیشاپیشِ ستون نظامی، خیابان‌های تهران را به سوی خانه‌ی مصدق می‌پیمود. امّا در حقیقت روزولت به‌محض شنیدن صدای جمعیتی که به‌همراه گیلانشاه آمده بودند، تشخیص داد که وی حتّی نباید با زاهدی دیده شود. هم‌زمان با باز شدن درِ زیرزمین محل اقامت زاهدی، وی به درون حفره‌ی یک تنور پرید. از آن جا به تماشای جمعیت خوشحالی نشست که زاهدی را در آغوش گرفته و او را بر دوش خود از خانه بیرون می‌بردند.

پس از رفتن آن ستون نظامی، روزولت از مخفی‌گاه خود بیرون خزید، به سوی اتومبیل خود رفت، و از میان خیابان‌های شلوغ و پرآشوب رهسپار سفارت شد. در آن‌جا وی و یارانش پیروزی قریب‌الوقوع را جشن گرفتند. او بعدها نوشت: «عملاً با توجه به مقاصد و اهداف طرح، این نه یک پیروزی قریب‌الوقوع، بلکه یک پیروزیِ به دست آمده بود. سرهنگِ ما از غرب کشور [کرمانشاه] تا غروب آن روز به تهران نمی‌رسید، امّا شایعه‌ی حرکت وی همه‌ی آن چیزی را که نیاز داشتیم، به ما داد. ورود عملی نیروهای وی بر اشتیاق زیادی که یک شهر را تاکنون در پیروزی غرق ساخته بود، افزود.»

تانکی که زاهدی سوار بر آن بود، ابتدا به سوی ایستگاه رادیو تهران رفت. آن‌جا در محاصره‌ی طرفداران هیجان‌زده‌ی خود، راهش را به سوی قسمت پخش رادیو گشود. تصمیم گرفته شد که تا پیش از صحبت زاهدی با ملت، مارش نظامی پخش شود. یکی از عمّال روزولت، چیزی شبیه پرونده را از کتابخانه‌ی سفارت به همراه آورده بود. با نزدیک شدن زاهدی، یکی از مسئولین صدای رادیو ابتدا آهنگی پخش کرد. در میان شرمندگی همگان، معلوم شد که

این آهنگ نامناسب بوده است.

یک آهنگ دیگر که معروف نبود به‌سرعت انتخاب و پخش شد. زاهدی آن‌گاه در مقابل میکروفون قرار گرفت. وی خود را «نخست‌وزیر قانونی کشور بنا به فرمان شاه» خواند و قول داد که دولت جدید وی دست به اقدامات مؤثری از قبیل ساختن جاده، تأمین نظام خدمات بهداشتی رایگان، افزایش دستمزدها و تضمین آزادی و امنیت، هردو، بزند. وی درباره‌ی نفت هیچ‌چیز نگفت.

واحدهای پلیس و ارتش وفادار به زاهدی، کنترل تهران را به دست می‌گرفتند. یکی از آنها اداره‌ی شرکت پست و تلگراف را به دست گرفت و پیام‌هایی مبنی بر سقوط مصدق به سراسر کشور مخابره کرد. دیگری، تیمسار ریاحی، رئیس ستاد ارتش را یافت و دستگیر کرد. چند واحد دیگر نیز به نبرد در اطراف خانه‌ی مصدق پیوستند.

در این لحظه، محمدرضا شاهِ مأیوس، کاملاً بی‌اطلاع از این رویدادها، مشغول صرف شام در هتل رُم به اتفاق همسر و دو آجودان خود بود. ناگهان، چند خبرنگار به سالن غذاخوری هتل هجوم آورده و به‌سرعت به سوی میز غذای شاه رفتند و تلکس گزارش خبری از تهران را به دست او دادند. ابتدا وی ناباور می‌نمود. بی‌مقدمه پرسید: «آیا واقعیت دارد؟» رنگ از رخسار او پریده بود و دستانش به‌شدت به لرزه افتاد. سرانجام از جایش بلند شد و فریاد زد، «می‌دانستم! می‌دانستم! آنها مرا دوست دارند!»

ملکه ثریا که کمتر متأثر شده بود، از جا برخاست و درحالی‌که دست خود را بر روی بازوی او گذاشت تا وی را آرام سازد، زمزمه‌کنان گفت، «چه هیجان‌انگیز!»

شاه پس از پایان یافتن تکان‌های اولیه، حالت عادی خود را بازیافت و رو به خبرنگاران کرد و به آنها گفت: «این یک شورش نیست. اکنون ما یک دولت قانونی داریم. تیمسار زاهدی نخست‌وزیر است. من او را منصوب کردم.» وی پس از مکث کوتاهی اضافه کرد: «۹۹ درصد مردم در کنار من هستند. من تمام مدت این را می‌دانستم.»

پادشاه جوان، که هنوز گیج می‌نمود، خود را به سرسرای هتل رساند. در آن‌جا گروهی از خبرنگاران و گردشگران کنجکاو جمع شده بودند. وی به آنها گفت که اولین خواسته‌ی او بازگشت به میهن است و اضافه کرد: «اندوهبار است که نتوانستم نقش مهمی در مبارزه‌ی ملت و ارتش‌ام برای آزادی ایران ایفا کنم، و برعکس، از کشور دور و در امان ماندم. امّا اگر کشور را ترک کردم، فقط به‌خاطر اصرارم بر پرهیز از خون‌ریزی بود.»

اگرچه کودتا اکنون در شرف پیروزی بود، مصدق هنوز مقاومت می‌کرد. همچنان که نبرد در اطراف منزلش جریان داشت، او با آرامش قابل‌ملاحظه‌ای در اتاق خواب خود نشسته بود. محافظان، بیشتر پنجره‌های خانه را با صفحات فولادی پوشانده بودند، لذا وی سروصداها را می‌شنید، امّا نمی‌دید که در بیرون چه می‌گذرد. وقتی که آجودان شخصی‌اش، علیرضا صاحب، از او مصرّانه خواست که فرار کند، سری تکان داد و در پاسخ گفت، «اگر اتفاقی بیفتد، اگر کودتایی در کار باشد، بهتر است که در این اتاق بمانم و در همین اتاق بمیرم.»

مهاجمان در بیرون خانه احساس می‌کردند زمان به سود آنها در گذر است. شنیده بودند که زاهدی پیروزی خود را از رادیو اعلام کرده و می‌دانستند که یک ستون نظامیِ خودی از کرمانشاه در حال نزدیک شدن است. با ته کشیدن مهمات مدافعان، آنها حلقه‌ی محاصره را تنگ‌تر کردند.

اگر نظامیان وفادار به مصدق می‌دانستند که چه اتفاقی در شرف وقوع است، ممکن بود به دفاع از مصدق برخیزند. امّا آنها چنین نکردند. بیشتر به این دلیل که تیمسار ریاحی، که باید آنها را به عمل فرامی‌خواند، خود بازداشت شده بود. با این حال، ریاحی پیش از دستگیری، به معاون خود تیمسار عطاءالله کیانی، فرمانده پادگان عشرت‌آباد، واقع در حومه‌ی تهران آن زمان، دستور حرکت صادر کرد. کیانی بلافاصله یک گردان پیاده‌نظام و تانک را جمع آوری و به مرکز شهر هدایت کرده بود. اما پیش از آن که از پادگان زیاد دور شود، به یک ستون نظامی شورشی به فرماندهی تیمسار دفتری برخورد. از بین این دو،

دفتری به‌مراتب زرنگ‌تر و زبان‌دارتر بود. وی به کیانی گفت: «ما همکار و برادریم، و همه وفادار به شاه. ما نباید با هم بجنگیم.»

پس از چنددقیقه خوش و بش بین آنها، کیانی تسلیم شد. دو تیمسار و آجودان‌های‌شان همدیگر را در آغوش گرفته و به قول ایرانی‌ها «میهمانی بوسه» به راه انداختند. نیروهای کیانی که می‌توانستند مصدق را نجات دهند، به پادگان خود بازگشتند.

نبرد در اطراف خانه‌ی مصدق دوساعت ادامه داشت. پس از آن که تیراندازی از داخل خانه متوقف شد، یک گردان از سربازان مهاجم راه خود را به درون منزل گشودند، امّا آن‌جا را خالی یافتند. مصدق در آخرین لحظه گریخته بود. وی را به کمک چند دستیار از طریق باغ پشت خانه فرار داده بودند. افسران و سربازان یک‌ساعت واندی در خانه ماندند و آن را زیرورو کرده، قیمتی‌ترین لوازم خانه‌ی مصدق را بسته‌بندی کرده وبه درون کامیون‌هایی که آماده کرده بودند، گذاشتند و بردند. آنها پیرمرد را فراری داده و اگرچه به او دست نیافته بودند، می‌دانستند که کار خود را به‌نحو احسن انجام داده‌اند.

آن‌گاه که سربازان پیروزمند در سیاهی شب ناپدید شدند، شورشیانی که برای آنها ابراز احساسات می‌کردند، به درون خانه ریختند و به تاراج و تخریب آن دست یازیدند. برخی آتش افروختند، دیگران درها و پنجره‌ها را کندند و وسایل باقی‌مانده در منزل را به پیاده‌روها ریخته و به فروختن آنها پرداختند؛ و درحالی‌که بر سر قیمت آنها چک و چانه می‌زدند، شعله‌های آتش شب آنها را روشن کرده بود. یخچال خانه‌ی مصدق به‌مبلغ ۲۹۰ تومان، معادل ۳۶ دلار، به فروش رفت.

در محوطه‌ی سفارت، گروهی از مأموران مخفی که کودتا را طراحی کرده بودند، به گفته‌ی روزولت: «غرق شادی و شعف بودند، و گاه گاهی ضربه‌های ناگهانی بر پشت یکدیگر می‌نواختند، و به این ترتیب نشاط عمیق خود را بروز می‌دادند.» دیپلمات‌های سفارت با کنجکاوی آنها را نظاره می‌کردند. آنها

چیزی نپرسیدند و روزولت نیز چیزی به آنها نگفت.

در همان ساعتی که خانه‌ی مصدق در آتش می‌سوخت، اتومبیلی در مقابل در بزرگ سفارت توقف کرد. راننده، بوق وحشتناکی را به صدا درآورد و روزولت با عجله بیرون آمد تا ببیند چه کسی ممکن است آمده باشد. اردشیر زاهدی بود. او از اتومبیل بیرون پرید و دو مرد یکدیگر را باگرمی در آغوش گرفتند.

اردشیر گفت: «شما باید به دیدن پدرم بیایید و احترامات خود را به نخست‌وزیر جدید به‌جا آورید!» روزولت پاسخ داد: «اول باید چند کلمه‌ای با سفیر هندرسون صحبت کنیم. فکر می‌کنم شایسته است رسماً به او گفته شود، و تو آدم مناسبی برای این کار هستی.»

دو توطئه‌گر، بازو در بازو، و در حالت نیمه رقص، راه اقامتگاه سفیر را در پیش گرفتند. هندرسون در کنار استخر نشسته بود. وی یک بطری شامپاین در یخ گذاشته، و زمانی که میهمانان رسیدند، آن را با صدای مهیبی باز کرد. آنها اخبار مسرت‌بخش، از جمله عضویت دو تن از مأموران ایرانی روزولت در کابینه‌ی نخست‌وزیر جدید را به آگاهی او رساندند. آنها اوّل به سلامتی دولت جدید، آن‌گاه به سلامتی شاه، سپس آیزنهاور و چرچیل و سرانجام یکدیگر، نوشیدند. وقتی که بطری خالی شد، اردشیر گفت زمان آن رسیده که روزولت را به ملاقات رهبر جدید کشور ببرد. آن‌گاه هندرسون را به گرمی در آغوش گرفت و اجازه‌ی رفتن خواست. تیمسار زاهدی مقر موقت خود را در باشگاه افسران واقع در مرکز شهر قرار داده بود. حالت عمومی آن‌جا هیجان‌آلود بود و زمانی که روزولت وارد شد، مستقبلین تبریک‌گویان احاطه‌اش کردند. وی بیشترِ آنها را نمی‌شناخت، امّا ظاهراً بسیاری از آنها او را می‌شناختند. همه، حتی آنهایی که هرگز ندیده بود، می‌خواستند او را در آغوش گیرند و گونه‌هایش را ببوسند. سرانجام زاهدی او را از دست آنها نجات داد و همه را به نظم فراخواند. وی نطق کوتاهی کرد و سپس از روزولت خواست که صحبت کند. معدودی از حاضران می‌دانستند که او سازمان دهنده کودتا بوده، و

دیگران در این باره تردید داشتند. با این حال، اکنون وقت احساس غرور نبود. روزولت فقط چندجمله‌ی ریاکارانه با ترجمه‌ی اردشیر به زبان آورد.

«دوستان، ایرانیان، هم‌میهنان، به من گوش فرادهید!» وی این‌گونه آغاز کرد، و تالار را سکوت فراگرفت. «از شما به‌خاطر گرمی‌تان، سرزندگی و مهربانی‌تان سپاسگزارم. یک چیز را باید همه درک کنیم. این که شما به من، ایالات متحده و انگلیسی‌ها، هیچ‌چیز بدهکار نیستید. ما هیچ چیز از شما نخواهیم خواست و نباید بخواهیم، به‌جز شاید یک تشکر خشک و خالی. این را من از جانب خود، کشورم و همه‌ی متحدان‌مان با افتخار می‌پذیرم.»

دور دیگری از در آغوش‌گیری و بوسه آغاز شد، و سپس روزولت به‌سرعت از آن‌جا بیرون رفت. وی روزها بدون هیچ وقفه‌ای کار کرده و سرنوشت یک ملت را به دست گرفته بود. حال، فرسودگی بر او چیره شده بود. یک اتومبیل با راننده در اختیار گرفت، به محل سفارت‌خانه بازگشت، از میان تاریکی شب به جایی که ظهر در آن جا ناهار خورده بود رفت و بر در کوفت. چنددقیقه بعد، وی به خوابی عمیق فرو رفت.

حدود ۳۰۰ نفر در درگیری‌های روز چهارشنبه کشته شدند، که نیمی از آنها در نبرد پایانی اطراف منزل مصدق جان باختند. برخی از قربانیانِ غیرنظامی در حالی یافته شدند که اسکناس‌های ۵۰۰ ریالی در جیب داشتند. آدم‌های روزولت این اسکناس‌ها را صبح همان روز به ده‌ها تن از مأموران زیر دست خود داده بودند.

روز بعد، روزنامه‌های سراسر جهان سقوط مصدق را گزارش دادند. گزارش‌های بیشتر آنها، آن‌گونه که انتظار می‌رفت، و با توجه به این که داستان واقعی کاملاً کتمان شده و تا ده‌ها سال بعد هم مکتوم ماند، هوشمندانه بود. کنت لاو در *نیویورک تایمز* نوشت: «تغییر ناگهانی روند رویدادها، چیزی بیش از شورش نیروهای رده‌پایین ارتش علیه افسران طرفدار مصدق نبود. روز چهارشنبه، حدود ساعت ۹، گروهی از وزنه‌برداران، بندبازان و کشتی‌گیران مسلح به چاقو و میله‌های آهنی به سوی مرکز شهر راه افتاده و شعارهایی به

طرفداری از شاه سر دادند. این همان چیزی بود که نیروهای نظامی به آن نیاز داشتند. وقتی به آنها دستور داده شد که تظاهرات را سرکوب کنند، آنها سلاح‌های خود را به سوی افسران و فرماندهان خود نشانه گرفتند. جماعت عوام به‌طور خودجوش از مصدق بریده و به شاه گرویدند.»

دان شوایند[1] خبرنگار آسوشیتدپرس، که مثل کِنِت لاو روز واقعه در خیابان‌های تهران حضور داشت و شکل‌گیری کودتا را به چشم دیده بود، یک گاه‌شمار از وقایع آن روز به دست داد. وی در گزارش خود نوشت که چرخ کودتا در ساعت ۹ صبح «به گردش درآمد» و این «جماعت چماق و سنگ به دست» همراه با سربازان و مأموران پلیس، به سوی مرکز شهر راه افتادند. وی گزارش خود را این‌گونه پایان داد که: «ساعت ۷ بعدازظهر به وقت محلی، آخرین سنگر مقاومت در پایتخت، یعنی خانه‌ی مصدق و محوطه‌ی پیرامون آن، به دست نیروهای زاهدی افتاد. نخستین آدم‌های زاهدی که در اتاق مصدق را شکسته و وارد آن شدند فقط جنازه‌ی محافظ شخصی وی را یافتند. مصدق و اعضای کابینه‌ی او، هنوز مفقودالاثرند.»

از نظر روزولت و هم‌پیمانان توطئه گرش، این روز، به نوشته‌ی یادداشت تحلیلی سیا در پس از واقعه: «روزی بود که نباید هرگز تمام می‌شد، چرا که با خود حسی از هیجان، رضایت‌خاطر، و شادی آورد که محل تردید بود که روز دیگری بتواند چنان ارمغان‌هایی با خود به همراه بیاورد.» جشن و پایکوبی در باشگاه افسران تا پاسی از شب گذشته ادامه یافت. زاهدی، که از روی غریزه تشخیص می‌داد که باید گام‌های سریع و قاطعی برای تحکیم قدرت جدید خود بردارد، برای یک گشت شبانه و سر زدن به کلانتری‌ها، بیرون زد. شاهزاده حمیدرضا، برادرشاه، نیز به‌نشانه‌ی وابستگی خاندان سلطنتی با زاهدی، همراه او بود. این گشت شبانه او را متقاعد کرد که فرماندهان پلیس به دولت جدید او وفادارند. با این اطمینان، وی به باشگاه افسران بازگشت و

---

1. Don Schwind

چندساعتی خوابید. زاهدی، بلافاصله پس از بیداری در روز پنج‌شنبه، تیمسار نادر باتمانقلیچ را به حضور خواست. وی افسری کارکشته بود که شب گذشته کمک نظامی ارزشمندی، در ازای قول زاهدی به انتصاب وی به ریاست ستاد ارتش در صورت پیروزی کودتا، در اختیار او گذاشته بود. وقتی که باتمانقلیچ وارد شد، زاهدی به‌سرعت تشریفات سوگند رسمی را در مورد انتصاب او به اجرا درآورد و اولین دستورات خود را به او داد. وی باید همه‌ی تظاهرات‌ها را سرکوب کند، مرزهای کشور را ببندد و افسران طرفدار مصدق را در ارتش و پلیس تصفیه کند.

زاهدی در نخستین ساعت‌های تصدی مقام نخست‌وزیری، کارهای زیادی باید انجام می‌داد. ابتدا جلسه‌ای سریع و کوتاه با اعضای کابینه‌ی جدید خود، تشکیل داد. سپس فرمانی برای جایگزینی چند استاندار که مظنون به طرفداری از مصدق بودند، صادر کرد. دستور آزادی بسیاری از زندانیان، از جمله ۲۰ تنی را که به‌اتهام قتل رئیس پلیس مصدق، محمود افشار طوس، در اوایل آن سال بازداشت شده بودند، صادر کرد. تنها باری که وی از باشگاه افسران خارج شد به‌مقصد رادیو تهران بود، که از آن‌جا با ایراد نطق کوتاهی ۲۴ ساعت به مصدق فرصت داد تا خود را تسلیم کند.

نقش‌ها به‌سرعت جابه‌جا شده بود. فقط چهار روز پیش از آن، زاهدی یک فراری محسوب می‌شد و مصدق نخست‌وزیری که طی نطقی از همان رادیو از زاهدی خواسته بود که ظرف ۲۴ ساعت خود را تسلیم کند. مصدق ۱۰۰ هزار ریال، معادل ۱۲۰۰ دلار برای دادن اطلاعات مربوط به مخفی‌گاه زاهدی جایزه تعیین کرده بود. اکنون، زاهدی همان مبلغ را برای اطلاعات مربوط به مخفی‌گاه مصدق پیشنهاد می‌کرد.

در اواسط صبح، نخست‌وزیرِ جدید تلگرامی برای محمدرضاشاه فرستاد و به او گفت که ایرانیان برای بازگشت او «دقیقه‌شماری» می‌کنند. با این حال، مراجعت شاه از رم با کمی تأخیر انجام شد. ملکه ثریا در اثر فشارهای چندماه گذشته، تاب و توان خود را از دست داده بود و در آخرین لحظه تصمیم گرفته

شد که برای درمان «فشارهای عصبی» در رم بماند. آن‌گاه کسی یادآوری کرد که هرچند انگلیسی‌ها یک هواپیمای دربست در اختیار شاه گذاشته‌اند، هرگاه وی سوار بر یک هواپیمای نشان‌دار انگلیسی به تهران بازگردد ممکن است اعتبارِ پیش از این مخدوش شده‌ی ملیِ وی، ضعیف‌تر شود. بنابراین تصمیم گرفته شد که وی منتظر یک هواپیمای دیگر بماند.

مصدق اگر هم می‌خواست، نمی‌توانست برای مدتی طولانی در اختفا بماند. بنابراین، وقتی وی در ساعت ٦ بعدازظهر به باشگاه افسران تلفن زد تا ترتیب تسلیم خود را بدهد، زاهدی تعجب نکرد. زاهدی پرسید که او کجاست، که معلوم شد در یک منزل شخصی واقع در جنوب شهر اقامت دارد. آن‌گاه تیمسار باتمانقلیچ را فرستاد تا او را بیاورد. زاهدی در یک اقدام تأمینی برای جلوگیری از سوءقصد به مصدق ــ یا نجات وی توسط دوستانش ــ دستور داد که تانک‌ها به خیابان گسیل و مسلسل‌چی‌ها در پشت‌بام‌های مسیر راه مستقر شوند.

یک‌ساعت بعد، اتومبیل حامل مصدق وارد حیاط باشگاه افسران شد و زندانی، خسته و رنجور، و ملّبس به پیژاما، درحالی‌که سنگینی خود را به روی یک عصای زردرنگ مالاکایی انداخته بود، پدیدار شد. در داخل ساختمان با کمک دیگران سوار بالابری شد که او را به دفتر زاهدی در طبقه‌ی سوم برد.

مصدق خطاب به مردی که او را شکست داده بود گفت «سلام عرض کردم.» زاهدی نیز پاسخ داد: «علیک سلام!» آن‌دو ۲۰ دقیقه را در پشت درهای بسته سپری کردند. قراین نشان داد که آنها بدون قهر و غضب با هم روبه‌رو شدند. وقتی بیرون آمدند، زاهدی دستور داد مصدق و سه مشاورش که خود را تسلیم کرده بودند، به طبقات بالا که اتاق‌های راحت و مجهزی داشت، برده شوند. وی آن‌گاه به رادیو تهران دستور داد که از به کار بردن کلمات رکیک نسبت به آنها خودداری و در عوض با نام «عالی‌جنابان» از آنها یاد کند. شاه، سخاوتمندی کمتری داشت. درحالی‌که مصدق در تهران تسلیم می‌شد، وی سوار بر یک هواپیمای هلندی، که به‌مبلغ ۱۲۰۰۰ دلار به‌طور

دربست اجاره شده بود، در بغداد فرود آمد. ۸ جنگنده‌ی نیروی هوایی عراق، هواپیمای وی را تا فرودگاه اسکورت کردند، و زمانی که وی از هواپیما پایین آمد، گروه موزیک نظامی سرود ملی ایران را نواخت. وقتی خبرنگاران از او پرسیدند چه برنامه‌ای برای نخست‌وزیر برکنار شده دارد، حالتی جدی به خود گرفت و با سنگینی و وقار گفت: «جنایات مصدق از شدیدترین انواع جنایاتی است که فرد می‌تواند مرتکب شود. مصدق شیطانی است که فقط یک‌چیز از زندگی می‌خواست: قدرت به هر قیمت، و برای رسیدن به آن حاضر بود مردم ایران را فدا کند، و تقریباً موفق هم شد. خدا را شکر که مردم من بالاخره او را شناختند.»

عجبا که در این ۶ روز اوضاع از کجا تا به کجا رسیده بود! یک‌شنبه شاه به‌عنوان یک تبعیدیِ سرگشته از بغداد عبور کرده بود، و اکنون به‌عنوان یک پادشاه پیروزمند در حال مراجعت به وطن بود. هواپیمای کوچکی که با آن از ایران فرار کرده بود، هنوز در باند فرودگاه بود، او خود با آن به کشورش بازگشت.

هواپیمای شاه در ساعت یازده و هفده دقیقه‌ی روز شنبه در تهران به زمین نشست و به سوی توقف‌گاهی که در جلو آن صف منظمی از سربازان گارد شاهنشاهی ایستاده بودند، هدایت شد. شاه در لباس نیروی هوایی، که از تهران با هواپیما برایش به بغداد فرستاده بودند، جلوه‌ای تازه به خود داده بود. نخست‌وزیر زاهدی، اولین کسی بود که مراتب احترام را به‌جا آورده، به زانو افتاد و لب خود را بر روی دست‌های پیش‌آورده‌ی شاه گذاشت. صدها تن دیگر از دوستداران شاه ظاهر شدند، و هنگامی که زاهدی گام به عقب گذاشت، آنها به پیش آمدند. چند تن از آنها، از جمله سرهنگ نصیری، تیمسار باتمانقلیچ، آیت‌الله کاشانی، شعبان بی‌مخ و هندرسون، سفیر آمریکا، نقش مهمی در کمک به عملیات آژاکس ایفا کرده بودند. شاه با تک‌تک آنها احوال‌پرسی کرد، آنگاه رو به جمعیت هیجان‌زده کرد و آنها را از نظر گذراند. یک خبرنگار حاضر در مراسم نوشت، «چشمانش خیس شده بود، و دهانش را طوری جمع می‌کرد تا بغض خود را کنترل کند.»

شاه طی یک سخنرانی رادیویی در غروب آن روز، قول داد که «خسارت وارده بر مملکت را جبران کند». وی تردیدی باقی نگذاشت که مصدق را مسئول بخش اعظم آن خسارت‌ها معرفی کند. وی گفت: «من از حق شخصی خودم می‌گذرم و او را می‌بخشم. امّا وقتی مسئله‌ی نقض قانون اساسی که ما به حفظ آن سوگند یاد کرده‌ایم ــ سوگندی که بعضی‌ها آن را فراموش می‌کنند ــ و انحلال مجلس و فروپاشی ارتش و حیف و میل خزانه‌ی دولت پیش می‌آید، قانون باید طبق خواسته‌ی مردم به اجرا درآید.»

زاهدی، نخست‌وزیر، که هنگام صحبت شاه همراه وی بود، از موضع تند او استقبال کرد. وقتی خبرنگاران از وی پرسیدند چرا مصدق، که به چنان جنایات سنگینی متهم است، در رفاه نسبی در ساختمان باشگاه افسران نگهداری می‌شود، زاهدی پاسخ داد: «با این مرد شرور تاکنون رفتار بسیار خوبی شده است. من فردا او را به زندان شهر خواهم فرستاد.»

زاهدی نه‌فقط به‌خاطر پیروزی، بلکه به‌لحاظ ابراز حمایت عملی هرچند مخفیِ ایالات متحده دل و جرئت پیدا کرده بود. سیا پیشاپیش تصمیم گرفته بود که بلافاصله پس از به قدرت رسیدن او، ۵ میلیون دلار در اختیار دولت جدید بگذارد، که مطابق برنامه‌ی تصویب شده، برای خود زاهدی نیز یک میلیون دلار اضافی در نظر گرفته شد.

با استقرار کامل دولت جدید، زمان آن فرارسیده بود که کِرمیت روزولت به همان بی سروصدایی که یک ماه پیش به ایران آمده بود، این کشور را ترک کند. امّا، پیش از خروج، میل داشت که شاه را برای آخرین‌بار ببیند. احتیاط حکم می‌کرد که این دیدار به همان حالت پنهانی دفعات پیش، صورت گیرد، چرا که هنوز هیچ‌کس جز چندنفر ایرانی انگشت‌شمار، از حضور او (ماهیت فعالیت‌های وی به کنار) در ایران، اطلاع نداشت. وی پیغام داد که مایل است به همان برنامه‌ی دیدار نیمه‌شب چندهفته پیش تأسی شود و پیشنهاد یک‌شنبه شب را داد. آن دیدارِ واپسین بر خلاف دیدارهای گذشته بود. اتومبیلی که روزولت را از دروازه‌ی کاخ سعدآباد گذراند، نشان رسمی دولت ایالات

متحده را بر خود داشت؛ و روزولت در داخل آن، به جای دراز کشیدن زیر پتو، شق و رق نشسته بود. گارد سلطنتی که در دیدارهای گذشته با دیدن او روی می‌گرداندند، این بار به وی ادای احترام می‌کردند.

یک کارمند دربار، روزولت را اسکورت‌کنان از ۲۹ پله‌ی عریض کاخ بالا برد و به اتاق نشیمن پرزرق و برق و مجلل شاه راهنمایی کرد. شاه با اشاره از او خواست که بنشیند. برایشان ودکا آوردند و هرکدام گیلاسی به دست گرفتند. شاه گیلاس خود را بلند کرد و به روزولت گفت: «من تاج و تخت خود را به خدا، مردم، ارتش‌ام، و شما مدیونم!» سپس به آرامی و به پاس پیروزی‌شان نوشیدند.

شاه پس از نوشیدن اولین گیلاس به روزولت گفت: «خوشحالم که شما را در این جا می‌بینم، و نه در یک اتومبیل ناشناس در خیابان.» و روزولت پاسخ داد: «جای خوشوقتی است، اعلیحضرت.» شاه گفت: «نخست‌وزیر جدید، که اکنون از دوستان خوب شماست، همان‌طور که می‌دانید به‌زودی به این جا می‌آید. آیا موردی وجود دارد که بخواهید پیش از آمدن او با من مطرح کنید؟» روزولت پس از لحظه‌ای تردید پاسخ داد: «خب، قربان، از خود می‌پرسم که آیا فرصت داشته‌اید که در مورد مصدق، ریاحی و دیگر افرادی که علیه شما توطئه می‌کردند، تصمیمی بگیرید؟»

شاه گفت: «خیلی درباره‌اش فکر کرده‌ام. همان‌طور که می‌دانید مصدق خود را پیش از مراجعت من تسلیم کرد. اگر دادگاه پیشنهاد مرا اجرا کند، او به سه سال بازداشت خانگی در روستایش محکوم خواهد شد. پس از آن آزاد خواهد بود که در همان روستا و نه خارج از آن، بگردد. ریاحی به ۳ سال زندان محکوم خواهد شد و پس از آزادی هرکاری خواست ــ اگر غیرقانونی نباشد ــ می‌تواند بکند. چندتن دیگر هم حکم مشابهی خواهند گرفت. امّا فقط یک استثنا وجود دارد. حسین فاطمی را هنوز پیدا نکرده‌اند. امّا پیدایش خواهند کرد. او بددهن‌تر از همه است. وی باندهای توده‌ای را واداشت تا مجسمه‌های من و پدرم را پایین بکشند. وقتی او را پیدا کنیم، اعدام خواهد شد.»

روزولت چیزی در پاسخ نگفت. چنددقیقه بعد، زاهدی را به داخل هدایت کردند. او به شاه تعظیمی کرد و لبخند گشاده‌ای تحویل روزولت داد، که این جمله را تکرار می‌کرد که دولت جدید چیزی بدهکار ایالات متحده نیست، چون «نتیجه‌ی کار خود بهترین پاداش است.»

زاهدی پاسخ داد: «ما درک می‌کنیم. ما از شما سپاسگزار و همیشه قدردان خواهیم بود.»

آن سه نفر در آن اتاق ازجمله‌ی افراد انگشت‌شماری بودند که می‌دانستند عملیات آژاکس چگونه طراحی و اجرا شده است. آنها چندلحظه‌ای سکوت کردند تا در رضایت و خرسندی یکدیگر سهیم شوند. روزولت بعدها نوشت: «ما همه لبخند به دهان داشتیم. گرمی روابط و دوستی، اتاق را انباشته بود.»

پس از چنددقیقه، شاه از جای خود برخاست تا روزولت را تا در اتومبیل مشایعت کند. هنگام خروج دست در جیب کت خود کرد و یک قوطی سیگار طلا بیرون آورد، و آن را به میهمان خود تقدیم کرد و گفت: «این را به‌عنوان هدیه‌ی ماجراجویی اخیرمان از من بپذیرید.» آن‌گاه، به‌طور غیرمترقبه‌ای یک افسر سینه جلو داده در مقابل آنها ظاهر شد. او سرهنگ نصیری بود، که نقشی کلیدی در کودتای نافرجام شنبه‌شب و نیز کودتای موفق چهارروز بعد، هردو، ایفا کرد.

شاه با دیدن او گفت: «من فقط یک ترفیع مقام درنظر گرفته‌ام. اکنون شما را به تیمسار سرتیپ نصیری ارتقای مقام می‌دهم.»

هنگامی که روزولت به محوطه‌ی سفارت رسید، ساعت یک بعد بامداد بود. هندرسون در انتظار او بود. وی ترتیب خروج روزولت را با یک پرواز هواپیمای نیروی دریایی به بحرین داده بود. روزولت اندکی خوابید. کمی بعد از سپیده‌دم، وی را به یک آشیانه‌ی دورافتاده در فرودگاه تهران بردند. چندتن از کسانی که به کمک آنها کودتا را شکل داده بود، برای بدرقه‌ی وی آمده بودند. روزولت بعدها نوشت: «در حالی که پا به داخل هواپیما می‌گذاشتم، اشک در چشمانم جمع شده بود.»

فصل ۱۲

خرناسه کشیدن گربه‌ی چاق

چندروز پس از تسلیم مصدق به دولت جدید، یک گردان سرباز به درِ سوئیت محل نگهداری وی در باشگاه افسران فرستاده شد. نخست‌وزیر جدید، فضل‌الله زاهدی، دستور داده بود که او را به زندان نظامی انتقال دهند. وی ۱۰ هفته در آن جا در محبس ماند و در این حین کیفرخواستی علیه وی تنظیم شد. با آماده شدن کیفرخواست، مصدق را به‌اتهام خیانت، مقاومت در برابر حکم برکناری خود از سوی شاه، و «برانگیختن مردم به شورش مسلحانه»، محاکمه کردند. وی با جدیّت از خود دفاع و تأکید کرد که فرمان شاه به‌عنوان بخشی از یک کودتای نیمه‌شبانگاهی به او تحویل داده شد، و در هرحال غیرقانونی بود، چرا که نخست‌وزیران ایران را نمی‌توان بدون رأی عدم اعتماد مجلس از کار برکنار کرد.

مصدق به قضات دادگاه نظامی گفت: «تنها جنایت من این است که صنعت نفت را ملی کردم و این کشور را از شبکه‌ی استعمار و نفوذ اقتصادی و سیاسی بزرگ‌ترین امپراتوری جهان پاک کردم.»

رأی به مجرمیت او از پیش صادر شده بود؛ همراه با آن رأی، مجازات او هم تعیین شد: ۳ سال زندان و به دنبال آن، بازداشت مادام‌العمر خانگی. مصدق کل دوره‌ی زندان خود را سپری کرد و پس از آزادی در تابستان **۱۳۳۵** به خانه‌ی خود در احمدآباد تبعید شد.

یک روز پس از ورودش، پلیس مخفی جدید رژیم، به‌نام ساواک، با

ترتیب یک نمایش ساختگی، شرایط بازداشت خانگی را به او تفهیم کرد. گروهی اوباش در مقابل خانه‌ی او ظاهر شدند و شروع به سر دادن شعارهای خشن ضدمصدقی کردند. سردسته‌ی آنها کسی جز شعبان بی‌مخ نبود، که به یکی از عمّال موردعلاقه‌ی رژیم تبدیل شده بود. حتی یک بار این جماعت اوباش ظاهراً قصد حمله به خانه‌ی مصدق را داشت، و فقط موقعی پس نشست که یکی از نوادگان مصدق با تفنگ، چندگلوله‌ی هوایی شلیک کرد. چنددقیقه بعد، دو مأمور ساواک آمدند و خواستار ملاقات با زندانی شدند. آنها با خود نامه‌ای برای امضای او آورده بودند، که در آن وی حفاظت از خود را توسط مأموران درخواست کرده بود. مصدق، که با الفبای قدرت آشنا بود، بدون هیچ اعتراضی نامه را امضا کرد، و تا چند دقیقه بعد مأموران ساواک در بیرون و درون اقامتگاه دیوار کشیده شده‌ی وی، مستقر شدند. دستور دائم آنها، که تا پایان زندگی مصدق تغییر نیافت، این بود که کسی جز بستگان و چندتن از دوستان نزدیک وی، حق آمدن به آن جا را ندارند.

طی هفته‌های پس از کودتا، بیشتر اعضای کابینه‌ی مصدق و حامیان سرشناس وی دستگیر شدند. برخی از آنها بعداً بدون هیچ اتهامی آزاد شدند. دیگران پس از محکومیت به جرایم گوناگون در دادگاه، به زندان افتادند. ۶۰۰ نظامی وفادار به مصدق نیز بازداشت، و نزدیک به ۶۰ تن از آنها تیرباران شدند. چند رهبر دانشجویی در دانشگاه تهران نیز به چنین سرنوشتی گرفتار آمدند. حزب توده و جبهه‌ی ملی غیرقانونی اعلام، و اعضای برجسته‌ی آنها زندانی یا اعدام شدند.

حسین فاطمی که وزیر خارجه‌ی مصدق بود، سرشناس‌ترین چهره‌ای بود که برای مجازات عبرت‌دهنده انتخاب شد؛ فاطمی یک ضدسلطنت پرشور بود و طی روزهای پرآشوب ماه مرداد، به شاه حمله کرده و او را باکینه‌ی خاصی «فراری بغداد» نامیده بود. فاطمی در یک جا گفته بود که ایران به این دلیل به بدبختی افتاده که «در ده سال اخیر، یک دربار سلطنتِ کثیف، نفرت‌آور و بی‌آزرم به نوکری سفارت انگلیس پرداخته است.» در سخنرانی

دیگری، وی شاه غایب را این‌گونه مخاطب قرار داد: «ای شـاه خـائن! آدم بی‌حیا، تو پرونده‌ی جنایت رژیم پهلوی را تکمیل کردی! مـردم خـواهـان انتقام‌اند. آنها می‌خواهند تو را از پشت میزت کشان کشان به پای چوبه‌ی دار ببرند.» اکنون که ورق برگشته بود، شاه مجال تسویه‌حساب یافت، و آن را از دست نداد. همان‌طوری که به کِرمیت روزولت قول داده بود، محاکـمه‌ای سرپایی و شتابان را برای محکومیت وی به خیانت و سپس اعدامش، ترتیب داد.

فاطمی، زمانی شاه را به ماری «که هرزمان فرصت دست بدهد نیش مرگبار خود را می‌زند» تشبیه کرده بود، و در پایان، از جمله کسانی بود که آن نیش کشنده وی را گزید. به دلیل همین سرنوشت مرگبار و نیز به‌خاطر آن‌که تنها عضو محفل درونی مصدق بود که نسب به پیامبر اسلام می‌برد، امروزه یاد او در ایران گرامی می‌دارند و یکی از خیابان‌های اصلی تهران به‌نام دکتر [سید] حسین فاطمی است.

در سال‌های پس از سقوط مصدق از قدرت، مـحمدرضاشاه از او یک شخصیت ناموجود ساخت که صحبت کردن درباره‌اش امری ناپسند و مذموم بود. مطالب کمی از او قابل انتشار بود و آن‌چه هم منتشر مـی‌شد اصلاً از جنبه‌های مثبت خالی بود. شاه در ۱۳۴۱، که به‌طور فزاینده‌ای رژیم سرکوبگر خود را تحکیم بخشیده بود، به جبهه‌ی ملی اجازه داد تا از وضعیت غیرقانونی به در آید و یک گردهم‌آیی برگزار کند، به‌شرط آن‌که هر سخنران نام مصدق را فقط یک بار ذکر کند. ۱۰۰ هزار نفر در این اجتماع حضور یافتند. آنها از شرطی که شاه برای سخنرانان قایل شده بود، اطلاع داشتند و زمانی که هرکدام از آن یک بار نوبت خود استفاده کردند، غریو رعدآسای جمعیت بـه هـوا برمی‌خاست. این آخرین باری بود که شاه اجازه داد تا جبهه‌ی ملی در انظار عمومی ظاهر شود. همسر مصدق در سال ۱۳۴۴ درگذشت. اگر چه وی طی دوران تبعید مصدق در احمدآباد، در تهران ماند اما رابطه‌ی نزدیک خود را با شوهرش حفظ کرده بود، و لذا مرگ وی مصدق را شدیداً متأثر کرد. وی در

نامه‌ای به یک دوست نوشت که «از این ضایعه عمیقاً متأثر شده‌ام... و اکنون از خدا می‌خواهم که مرا نیز هرچه زودتر ببرد تا از این زندگی نکبت‌بار خلاص شوم.» چندماه بعد، دچار عارضه‌ای شد که پس از معاینه، سرطان گلو تشخیص داده شد. محمدرضا شاه به او پیشنهاد کرد که برای درمان به خارج برود. امّا مصدق از قبول این پیشنهاد خودداری کرد و به جای آن یک تیم پزشکی ایرانی را انتخاب کرد. وی با اسکورت پلیس به تهران آمد و چندماهی تحت درمان پزشکی قرار گرفت. پزشکان، تومور سرطانی را بیرون آوردند اما بعداً وی را شدیداً تحت تابش پرتوهای کبالت قرار دادند، که احتمالاً زیان آن از سودش بیشتر بود. وی سرانجام در ۱۴ اسفند **۱۳۴۵** (**۵** مارس ۱۹٦۷) در ۸۵ سالگی درگذشت؛ هیچ‌گونه مراسم تشییع جنازه عمومی یا سوگواری اجازه‌ی برگزاری نیافت. شرکت نفت انگلیس و ایران که بعدها نام خود را به نفت انگلیس[1] (بی پی) تغییر داد، سعی کرد به موقعیت پیشین خود در ایران بازگردد، اما افکار عمومی چنان مخالف بود که دولت نتوانست چنین اجازه‌ای بدهد. به‌علاوه، منطق قدرت دیکته می‌کرد که به‌دلیل آن که ایالات متحده کار کثیف براندازی مصدق را به عهده گرفت، شرکت‌های آمریکایی دست بالا را پیدا کنند. در نهایت، یک کنسرسیوم بین‌المللی تشکیل شد تا آن امتیاز سودآور را به دست گیرد. شرکت نفت انگلیس ـ ایران ۴۰ درصد سهام را در اختیار گرفت، **۵** شرکت آمریکایی هم مجموعاً ۴۰ درصد سهام را به دست آوردند، و بقیه‌ی سهام به رویال داچ شل و شرکت نفت فرانسه[2] تعلق گرفت. شرکت‌های غیرانگلیسی مبلغ یک میلیارد دلار بابت ٦۰ درصد سهام امتیاز نفت ایران، به شرکت بی پی پرداختند. اگرچه کنسرسیوم را خارجی‌ها اداره می‌کردند، نامی که مصدق به آن داده بود، شرکت ملی نفت ایران، حفظ شد تا ظاهر ملی شده‌ی آن نگه داشته شود. کنسرسیوم پذیرفت که منافع را به‌نسبت **۵۰-۵۰** با ایران تقسیم کند، امّا حساب‌های خود را به روی حسابرسان ایرانی

1. British Petroleum
2. Compagnie Francaise de Pétroles

نگشود و اجازه‌ی حضور ایرانی‌ها را نیز در هیئت مدیره‌ی شرکت نداد.

در سال‌های بعد، محمدرضاشاه به‌طور روزافزونی منزوی و دیکتاتورمنش شد. وی مخالفان را با استفاده از هر وسیله‌ای سرکوب و مبالغ هنگفتی صرف خرید سلاح ــ ۱۰ میلیارد دلار فقط از ایالات متحده طی سال‌های **۱۳۵۱** تا **۱۳۵۵** ــ کرد. وی این مبلغ را با پول نقد حاصل از افزایش قیمت نفت طی این سال‌ها، پرداخت. ۴ میلیاردی که ایران در **۱۳۵۲** از کنسرسیوم دریافت کرد، دو سال بعد به ۱۹ میلیارد دلار رسید.

شاه در معدود مواردی که از مصدق نام برد، «بیگانه هراسی کودکانه» و «ناسیونالیسم پرسروصدای» وی را به تمسخر می‌گرفت. زمانی به یکی از دوستانش گفت: «بدترین سال‌های سلطنت من، و مسلماً بدترین سال‌ها همه‌ی دوران زندگی‌ام، زمان نخست‌وزیری مصدق بود. آن حرامزاده، تشنه‌ی خون بود و هرروز که از خواب بیدار می‌شدم احساس می‌کردم آن روز ممکن است آخرین روز سلطنت من باشد.»

وقتی که کاسه‌ی خشم ایرانیان در اواخر دهه‌ی **۱۳۵۰** به جوشش آمد، شاه پی‌برد که چون تمام احزاب سیاسی قانونی و دیگر گروه‌های مخالف را سرکوب کرده، دیگر کسی وجود ندارد که بتواند به داد او برسد. در اوج نومیدی، شاپور بختیار را به نخست وزیری برگزید که معاون وزیر کار در دولت مصدق بود. زمانی که بختیار بلافاصله پس از پذیرش مقام نخست‌وزیری بر سر مزار مصدق در احمدآباد رفت و طی یک سخنرانی خود را متعهد و وفادار به «آرمان‌های مصدق» خواند، کابینه‌ای با مشارکت طرفداران جبهه‌ی ملی تشکیل داد و هنگام مصاحبه‌ی مطبوعاتی عکسی از مصدق را در پشت سر خود گذاشت، شاه با تمام وجود دهن‌کجی تاریخ را احساس کرد. امّا در آن برهه، تقدیر شوم چنان بر در می‌کوبید که وی چاره‌ای جز قبول چنان حقارتی نداشت. آیت‌الله روح‌الله خمینی، که در زمان طلبگی شدیداً با مصدق مخالف بود، در اواخر دهه‌ی ۱۹۷۰ (۱۳۵۰) به‌عنوان مقتدرترین دشمن شاه ظاهر شد. شاه در ۱۹۶۴ (۱۳۴۳) او را به تبعید روانه

کرد امّا وی از ترکیه، عراق و سرانجام پاریس، پیام‌های بنیادگرایانه‌ی خود را برای مردم ایران می‌فرستاد. وقتی که بختیار نخست‌وزیر شد، [آیت‌الله] خمینی او را تحقیر و تقبیح کرد. وی در یک سخنرانی گفت: «چرا از شاه، مصدق و پول حرف می‌زنی؟ این‌ها همه رفته‌اند. تنها اسلام باقی مانده است.»

طی یکی از تکان‌دهنده‌ترین سقوط‌های سیاسی قرن بیستم، شاه در دی ماه ۱۳۵۷ (ژانویه‌ی ۱۹۷۹) مجبور به فرار از کشور شد. این‌بار سیا نتوانست او را به تاج و تخت بازگرداند. وی سال بعد در مصر درگذشت، درحالی‌که از هر سو طعن و لعن می‌شد. آیت‌الله خمینی در جای او نشست و سرنوشت ایران را به دست گرفت.

مردان هم‌اندیش با آرمان‌های مصدق در اولین دولت حکومت [آیت‌الله] خمینی دست بالا را داشتند. نخست‌وزیر این دولت مهدی بازرگان بود، که مصدق او را در سال ۱۳۳۰ به آبادان فرستاد تا پالایشگاه را در پی خروج انگلیسی‌ها اداره کند. ابراهیم یزدی، رهبر [کنونی] یک حزب کوچک سیاسی که خود را میراث‌دار مصدق می‌دانست، معاون نخست‌وزیر و سپس وزیر خارجه شد. در نخستین انتخابات [ریاست جمهوری] پس از انقلاب، آیت‌الله خمینی اجازه داد که یکی دیگر از دوستداران مصدق، ابوالحسن بنی‌صدر، وارد رقابت انتخاباتی، و پیروز آن میدان، بشود. پس از انقلاب، مدت کوتاهی چنین به نظر می‌رسید که مصدق از مزار خود قدرت را اداره می‌کند. دبیرستان احمدآباد و همچنین، یک خیابان عمده‌ی تهران که پیش‌تر موسوم به پهلوی بود، به اسم وی نام‌گذاری شد. یک تمبر یادگاری نیز در بزرگداشت وی چاپ و منتشر شد. در ۱۴ اسفند ۱۳۵۷ به‌مناسبات دوازدهمین سالگرد مرگ وی، جمعیت بی‌شماری به احمدآباد سرازیر شد. این تجمع یکی از بزرگ‌ترین گردهم‌آیی‌ها در تاریخ جدید ایران بود. مردم مجبور بودند کیلومترها دورتر اتومبیل خود را متوقف و بقیه‌ی راه تا خانه‌ی مصدق را پیاده طی کنند. بنی‌صدر که مراسم بزرگداشت را رهبری می‌کرد اعلام داشت که طرحی را برای انتقال پیکر مصدق به آرامگاهی در تهران در دست بررسی دارد. امّا

خانواده‌ی او این طرح را رد کردند، چون عاقلانه می‌اندیشیدند که در صورت تغییر جو سیاسی، به آرامگاه او احتمالاً بی‌حرمتی شود.

بزرگداشت مصدق، بعضاً تلاشی از سوی ایرانیان برای ادای احترام به وی بود، که در زمان شاه اجازه‌ی آن را نداشتند. بسیاری با بزرگداشت مصدق آرزوهای خود را برای داشتن دولتی مثل دولت او ابراز می‌کردند: یک دولت ملی‌گرا، دموکرات و پای‌بند به قانون.

پنجره‌ای که به‌روی دوستداران مصدق گشوده شده بود، اکنون بسته شده است. نام آن خیابان اصلی تهران دوباره تغییر کرد و این بار به نام امام دوازدهم [ولیعصر] نام‌گذاری شد. عرفی‌گرایی مصدق به همان اندازه در شرایط جدید غیر قابل تحمل بود، که دموکراسی‌خواهی او در رژیم گذشته.

مردانی که کودتای ۲۸ مرداد را سازمان‌دهی کردند، به‌زودی پراکنده شدند. تیمسار زاهدی، نخست وزیری که جانشین مصدق شد، شاه را با کارزار سرکوب‌گرانه‌ی خود علیه ملی‌گرایان و چپ‌گرایان خشنود کرد. اما به‌زودی بین این دو مرد اختلاف افتاد. زاهدی، مثل مصدق، چهره‌ای قدرتمند بود که اعتقاد داشت نخست‌وزیر باید آزاد باشد که دولت خود را اداره کند. اما شاهِ جاه‌طلب چنین عقیده‌ای را برنمی‌تافت. فقط دو سال پس از کودتا، شاه زاهدی را از نخست‌وزیری برداشت و بعد او را به سفارت ایران در دفتر ژنو سازمان ملل منصوب کرد. وی همان‌جا در سال ۱۳۴۲ درگذشت.

اردشیر، پسر زاهدی، که حاضرجوابی و تسلطش به زبان انگلیسی از او یک سرمایه‌ی ارزشمند برای کودتاچیان ساخته بود، زندگی شغلی دراز و موفقی داشت. وی هرچند در زمان نخست‌وزیری پدرش در دهه‌ی سوم زندگی خود به سر می‌برد، به‌سرعت تبدیل به چهره‌ای متنفذ، هم به‌عنوان مشاور پدر و هم پرده‌دار شاه شد. نفوذ او با سقوط پدرش کاهش نیافت، به‌طوری که در ۱۳۳۶ با دختر بزرگ شاه، شهناز، ازدواج کرد. شاه که مراقب نفوذ روزافزون وی بود، او را به تبعیدگاه طلاییِ سفارت ایران در بریتانیا

فرستاد. میزبانان انگلیسی که از نقش او در کودتا آگاهی داشتند، از آمدن اردشیر استقبال کردند. وی بعدها به تهران بازگشت و یک دوره وزیر خارجه شد و سپس به سفارت ایران در ایالات متحده رفت و در آن مقام از رژیم شاه تا پایان تلخ آن دفاع کرد. پس از انقلاب اسلامی سال ۱۳۵۷، وی به ویلایی در سوئیس رفت. اردشیر هرگز نقش خود را در کودتا نپذیرفت و حتی مقاله‌ای بی‌سر و ته نوشت و در آن تأکید کرد که سیا نیز در ماجرا دخالت نداشته است. وی در آن مقاله نوشت: «سقوط مصدق به‌دلیل بازی کثیف سیا نبود، و پدرم نیز هرگز با مأموران سیا ملاقات نکرد.»

اسدالله رشیدیان که شبکه‌ی خرابکار او متشکل از روزنامه‌نگاران، سیاستمداران، ملایان درباری و رهبران باندهای خیابانی، نقش مهمی در پیش‌برد عملیات آژاکس داشت، زندگی موفقی را در سال‌های بعد تجربه کرد. وی و برادرانش در تهران ماندند، و معاملات تجاری او تحت حمایت شاه به اوج شکوفایی رسید. منزل او به محلی تبدیل شد که در آن سیاستمداران و دیگر چهره‌های بانفوذ، شب‌های زیادی را به بحث درباره‌ی آینده‌ی کشور می‌گذراندند. شاه چندبار او را به‌عنوان فرستاده‌ی خصوصی خود به نزد دولت‌های خارجی فرستاد. امّا در اواسط دهه‌ی ۱۳۴۰ شاه از حضور چنان شخصیت پیچیده و دارای ارتباطات بسیار در تهران و کسی که از اسرار زیادی آگاه بود، نگران شد. رشیدیان که خود این موضوع را احساس کرده بود به کعبه‌ی آمالش، انگلستان، رفت تا سال‌های باقی‌مانده‌ی عمر خود را در آسایش سپری کند.

همه‌ی کسانی که دستی در کودتا داشتند، اقبال کافی نیافتند که به بازنشستگی برسند. یکی از آنهایی که شاه به‌ویژه نسبت به او ناسپاسی نشان داد، تیمسار نصیری بود؛ افسری که در اولین کودتای ناموفق، نقش ایفا کرد و حضور مؤثری در کودتای موفق بعدی داشت. نصیری تا سال‌ها پس از شکست مصدق، در مقام فرمانده گارد شاهنشاهی، وفادارانه خدمت کرد. وی چنان با علاقه و بی‌مهابا به شاه خدمت می‌کرد که در ۱۳۴۴ به ریاست دستگاه

سرکوبگر و بی‌رحم ساواک منصوب شد. در این مقام، به مدت یک دهـه کثیف‌ترین کارهای رژیم شاه را بدون هیچ شکایتی انجام داد. دشمنان شاه وی را به جنایات وحشتناک متهم می‌کردند، و وقتی آنها در اواخر دهـه‌ی ۱۳۵۰ یورش نهایی خود را برای کسب قـدرت آغـاز کـردند، شاه بـرای فرونشاندن خشم آنها وی را [از ریاست ساواک] برکنار کرد. کمی بعد، با این ادعا که از گزارش‌های مربوط به استفاده‌ی ساواک از شکنجه، شوکه شده است دوست قدیمی خود را به زندان انداخت. کوتاه‌زمانی پس از پیـروزی انقلاب ۱۳۵۷ روحانیون، نصیری را به جوخه‌ی آتش سپردند و روزنامه‌های تهران تصاویر پیکر خونین او را منتشر کردند.

تیمسار ریاحی، رئیس وفادار ستاد ارتش مصدق، یک سال پس از کودتا را در زندان گذراند و بعد به حرفه‌ی اصلی‌اش، مهندسی، بـازگشت. پس از انقلاب ۱۳۵۷، وی به وزارت دفاع رژیم جدید رسید و چندماهی نیز در این مقام باقی ماند؛ تا این که رادیکالیسم، دولت بـازرگان و او را از صـحنه‌ی سیاسی خارج کرد. ریاحی دوباره به زندگی خصوصی خـود بـازگشت و چندسال بعد از آن در تهران درگذشت.

شاه به شعبان بی‌مخ، سرکرده‌ی معروف باندهای چماق به دست کـه در روزهای سرنوشت‌ساز مرداد ۳۲ در خیابان‌های تهران جولان می‌داد، یـک کادیلاک زرد کروکی هدیه کرد. وی به چهره‌ای آشنا در خیابان‌های تهران تبدیل شد، که به آهستگی در خیابان‌های شهر می‌گشت، درحالی‌که دو اسلحه سبک در دوسوی کمرش حمل می‌کرد و آماده بود که هـرلحظه بـا دیـدن طرفداران مصدق یا مخالفان شاه، به آنها حمله کند. مأموران ساواک گاه به گاه، برای کتک زدن یا ترساندن کسی، او را فرامی‌خواندند. شعبان پس از انقلاب اسلامی به لوس آنجلس رفت و دست به انتشار خاطرات خود زد و در آن به انکار آن‌چه که ایرانیان از او دیده و سراغ داشتند، پرداخت.

شاهزاده اشرف، خواهر توأمان و یکـدنده‌ی شـاه، در سال‌های پس از بازگشت برادرش به تاج و تخت، به یک چهره‌ی سرشناس بین‌المللی تبدیل

شد. وی زمانی به ریاست کمیسیون حقوق بشر سازمان ملل انتخاب شد و در این مقام در مقابل آن‌چه که «اتهامات بی‌اساس درباره‌ی به‌کارگیری گسترده‌ی شکنجه و کشتار توسط ساواک» می‌نامید، به دفاع از رژیم پرداخت. زندگی او بنا به توصیف خودش، توأم با ناخشنودی بود، که در سه ازدواج ناموفق، و ضربه‌ی ناشی از قتل پسرش در پاریس پس از انقلاب اسلامی، تجلی یافت. پس از انقلاب، وی که سهمی از میلیاردها دلاری که خانواده‌ی او طی سال‌ها به خارج فرستاده بود، داشت در نیویورک اقامت گزید. وی در خاطرات خود موجودیت چیزی به‌نام عملیات آژاکس را پذیرفت و حتّی هزینه‌ی آن را یک ملیون دلار برآورد کرد، امّا نقشی را که دیگر شرکت‌کنندگان به او نسبت داده بودند، انکار کرد.

مونتی وودهاوس، مأمور انگلیسی که مأموریت مخفی او به واشنگتن در ژانویه‌ی ۱۹۵۲ (دی‌ماه ۱۳۳۰) جاانداختن عملیاتِ (در آن موقع موسوم به) چکمه بود، پس از موفقیت کودتا به واشنگتن بازگشت و بـه گـفت وگـوی دوستانه‌ای با آلن دالس نشست. دالس به او گفت، «وقتی که بار آخر ایـن‌جا بودی، تخم کوچولوی خوبی گذاشتی.» وودهاوس بعدها ارتقای مقام و به لرد ترینگتون شهرت یافت. وی از اعضای محافظه‌کار پارلمان و سر ویراستار انتشارات پنگوئن شد. علاقه‌ی بزرگ وی در دوران بعدی زندگی‌اش، تاریخ یونان و بیزانس (رم شرقی) بود، که مطالب زیادی درباره‌ی آن نوشت. وی همچنین کتاب خاطراتی نوشت و در آن به‌صراحت از نقش خود در کودتای ایران و حوادث متعاقب آن صحبت کرد.

وودهاوس پذیرفت که «به‌آسانی می‌توان عملیات چکمه را به‌مثابه‌ی اولین گام به سوی انقلاب ۵۷ ایران، دید. «آن‌چه ما پیش‌بینی نمی‌کردیم این بود که شاه به قدرت نوینی دست پیدا کند و چنان مستبدانه آن را به کار گیرد که نه دولت ایالات متحده و نه وزارت خارجه‌ی انگلیس، توانایی هدایت وی را در مسیری منطقی پیدا نکنند. در ابتدا ما فقط آرامش یافتیم که خطری علیه منافع بریتانیا رفع شده است.»

هربرت موریسون، وزیر خارجه‌ی بریتانیا که سرسختی وی در تصادم کشورش با ایران مؤثر افتاد، در ۱۹۵۹ و در سن ۷۱ سالگی از سیاست کناره گرفت و به یک مقام اشرافی مادام‌العمر دست یافت. در سال‌های بعد، وی به‌ندرت آن شوری را که با آن به مصدق می‌تاخت و از شرکت نفت انگلیس و ایران دفاع می‌کرد، به یاد داشت. زندگی‌نامه‌ای که از خود نوشت، شامل شرح مفصلی از نقش‌اش در تأسیس سرویس آتش‌نشانی ملی و گذراندن قانون ترافیک جاده‌ای در سال ۱۹۳۰ بود و کمتر از یک صفحه‌ی آن به ایران مربوط می‌شد. وی تأکید داشت که طرفدار «اقدام شدید و همراه بازور» علیه مصدق بوده است، امّا نخست‌وزیر اتلی از تأیید حمله‌ی نظامی خودداری کرد چون «ممکن بود زمان زیادی طول بکشد و لذا به شکست بینجامد.»

اتلی در خاطراتش نوشت که انتخاب موریسون به سمت وزیر خارجه، «بدترین انتخابی بود که تا آن موقع کرده بودم.» وی هرگز از تصمیم خود به جنگیدن با ایران اظهار پشیمانی نکرد. وی نوشت، «چنان اقدامی بدون تردید در گذشته انجام‌پذیر بود، امّا در دنیای جدید، افکار عمومی داخل و خارج را جریحه‌دار می‌کند. به نظر من آن روزها دیگر گذشته است که نهادهای بازرگانی کشورهای صنعتی با اخذ برخی امتیازها از کشورهای خارجی بتوانند بدون توجه به احساسات مردم کشورهایی که در آن فعالیت می‌کنند، به کار و فعالیت ادامه دهند... شرکت نفت انگلیس و ایران از تشخیص این حساسیت عاجز ماند.»

زندگی‌نامه‌نویسان وینستون چرچیل، تقریباً هیچ توجهی به نقش محوری وی در کودتا علیه مصدق، نشان نداده‌اند. بیشتر کتاب‌هایی که درباره‌ی او نوشته شده است، حتی ذکری از آن به میان نمی‌آورند. چرچیل زمانی به‌طور خصوصی گفته بود که به نظر وی، کودتای ضدمصدق «عالی‌ترین عملیات از پایان جنگ به بعد» بوده است، اما هرگز اهمیتی بیشتر از ذکر آن در حاشیه‌ای محو از حیات حرفه‌ای‌اش، برایش قایل نشده است.

قهرمان یا شخصیت منفی اصلی داستان، کِرمیت روزولت، به‌نحو عجیبی

حیات حرفه‌ای معمولی و پیش‌پاافتاده‌ای را ادامه داد. وی پس از کودتا بر سر راه بازگشت از تهران به وطن خود، در لندن توقف کرد و ضمن یک دیدار خصوصی با چرچیل شرح کوتاهی از ماوقع را به او ارائه داد. پس از پایان گزارش، چرچیل به او گفت: «مرد جوان، اگر من فقط چندسال جوان‌تر بودم بسیار مشتاق بودم که در این ماجراجویی بزرگ زیر دست تو خدمت کنم.»

چند روز بعد، روزولت همین شرح ماجرا را برای رئیس جمهور آیزنهاور، جان فاستر دالس، آلن دالس و گروه کوچکی از مقامات ارشد آمریکا بیان کرد. اندک زمانی بعد، طی یک مراسم خصوصی و مخفی، آیزنهاور مدال امنیت ملی را بر سینه‌ی وی نشاند.

روزولت، جلسه‌ی گزارش به کاخ سفید را با این هشدار به پایان رساند که سیا نباید این موفقیت در ایران را به این معنا بگیرد که قادر است دولت‌ها را بنا به میل خود تغییر دهد. امّا برادران دالس، پیروزی کودتا را دقیقاً به همین معنا دریافتند. آنها همان موقع نیز درصدد ضربه زدن به دولت چپ‌گرای گواتمالا بودند و از روزولت خواستند که رهبری عملیات کودتا را به عهده گیرد. امّا وی این دعوت را رد کرد. روزولت در سال ۱۹۵۸ (۱۳۳۷) سازمان سیا را ترک کرد. وی پس از آن که شش سال در شرکت نفتی گلف کار کرد، توانست چند معامله‌ی موفقیت‌آمیز در زمینه‌ی مشاوره و کسب نظر موافق صاحبان قدرت صورت دهد. وی در سال ۲۰۰۰ و در حالی که هنوز وقایع اوت ۱۹۵۳ (مرداد ۱۳۳۲) را نقطه‌ی اوج زندگی خود می‌دانست، درگذشت. روزولت تا روز مرگ سرسختانه بر این باور بود که کودتایی را که وی سازماندهی و اجرا کرد، از حقانیت و ضرورت برخوردار بوده است.

آیا چنین بود؟ البته برای این پرسش حیاتی، پاسخی نهایی وجود ندارد. مجموعه‌ای از عوامل بر روندهای تاریخی تأثیر می‌گذارند و نتیجه‌گیری درباره‌ی علت‌ها و معلول‌ها همیشه مخاطره‌انگیز است. با این همه، کمتر کسانی‌اند که انکار کنند کودتای ۱۳۳۲ در ایران مجموعه‌ای از پیامدهای ناخواسته را در پی داشته است. سرراست‌ترین و ساده‌ترین پیامد کودتا این

بود که مجال دیکتاتور شدن را به محمدرضاشاه داد. وی مقادیر بی‌شماری
کمک از ایالات متحده دریافت کرد ـ بیش از یک میلیارد دلار در دهه‌ی بعد
از کودتا ـ امّا حکومت ظالمانه‌ی او خشم ایرانیان را علیه او برانگیخت؛ و در
سال ۱۳۵۷ خشم آنها به انقلابی به رهبری بنیادگرایان مذهبی انجامید..

رئیس جمهور وقت آمریکا، جیمی کارتر، اندک زمانی پس از سقوط شاه
به وی اجازه داد که به آمریکا وارد شود. این اقدام، افراطیون ایرانی را دچار
خشم دیوانه‌واری کرد، و گروهی از آنها با حمایت رهبران جدید خـود بـه
سفارت آمریکا در تهران حمله بردند و ۵۲ دیپلمات آمریکایی را به‌مدتی
بیش از ۱۴ ماه به گروگان گرفتند. غربی‌ها، و به‌ویژه آمریکایی‌ها، نه‌فقط این
اقدام را وحشیانه، که غیرقابل توجیه یافتند. این جهت‌گیریِ توأم با نفرت، به
این دلیل بود که تقریباً هیچ‌کدام، از نقش و مسئولیت ایالات متحده در تحمیل
رژیم سلطنتی، که ایرانی‌ها شدیداً از آن نفرت پیدا کرده بـودند، آگـاهی
نداشتند. گروگان‌گیران به یاد می‌آوردند وقتی که شاه در ۱۳۳۲ راه فرار و
تبعید را در پیش گرفت، مأموران سیای مستقر در سفارت آمریکا وی را به تاج
و تخت بازگرداندند. ایرانی‌ها می‌ترسیدند که تاریخ دوباره تکرار شود. یکی
از گروگان‌گیران، سال‌ها بعد در توضیح گروگان‌گیری گفت: «در پس ذهن همه
این ظن ریشه دوانده بود که با پذیرش شاه در آمریکا، شمارش معکوس برای
انجام یک کودتای دیگر آغاز شده است. ما متقاعد شده بودیم که به ایـن
ترتیب، یک بار دیگر سرنوشت ما رقم می‌خورد، و این امری بازگشت‌ناپذیر
بود. ما اکنون مجبور بودیم که امر بازگشت‌ناپذیر را تغییر دهیم.»

حادثه‌ی گروگان‌گیری، روند تاریخ سیاسی آمریکا را تغییر داد، و روابط
بین ایالات متحده و ایران را مسموم کرد. این رویداد آمریکا را بر آن داشت
تا در جنگ طولانی و وحشتناک عراق با ایران و روند تحکیم دیکتاتوری
صدام حسین، به عراق کمک کند، و در داخل ایران نیز تندروترین عـناصر
ائتلاف انقلابی تقویت شدند. یکی از نزدیک‌ترین مشاوران آیت‌الله خمینی،
آیت‌الله علی خامنه‌ای، که بعدها به‌عنوان رهبر عالی کشور جانشین او شـد،

رادیکالیسم رژیم را این‌گونه توجیه کرد: «ما لیبرال‌هایی از نوع آلنده و مصدق نیستیم که سیا بتواند ما را براندازد.»

روحانیون بنیادگرا در اوایل دهه‌ی ۱۳۶۰ قدرت خود را در ایران تثبیت کردند، و حمایت آنها از گروگان‌گیرانی که دیپلمات‌های آمریکایی در تهران را به اسارت گرفتند، فقط آغازی بر کارزار ضدغربی آنها بود.

رهبران انقلابی ایران با تعهد به اسلام رادیکال و علاقه به روی آوردن به شدت عمل، به قهرمانان محبوب انقلابیون مذهبی بنیادگرا در بسیاری از کشورها تبدیل شدند. بنابراین، دور از ذهن نمی‌نماید که بتوان خط ممتدی از نقطه‌ی آغاز عملیات آژاکس تا رژیم سرکوبگر شاه و انقلاب اسلامی و تا گردونه‌های آتشینی که مرکز تجارت جهانی در نیویورک را به کام خود کشیدند، ترسیم کرد.

جهان بهای سنگینی برای فقدان دموکراسی در بخش بزرگی از خاورمیانه پرداخته است. عملیات آژاکس به خودکامگان و کسانی که در آنجا سودای استبداد در سر دارند آموخت که قدرتمندترین دولت‌های جهان، ظلم و استبداد بی‌حد و مرز آنها را مادام که دوست دولت‌های غربی و شرکت‌های نفتی آنها باقی بمانند، تحمل می‌کنند. این خود به برهم زدن تعادل سیاسی در یک منطقه‌ی وسیع، دور کردن آن از آزادی و پیش رفتن به‌سوی دیکتاتوری، کمک کرد. با به صحنه آمدن یک نسل پسا ـ انقلابی در ایران، روشنفکران ایرانی دست به کار ارزیابی آثار بلندمدت کودتای ۱۳۳۲ شدند. چندین مقاله‌ی اندیشمندانه منتشر شد که در آنها پرسش‌های بسیار جالبی را مطرح کردند. یکی از آنها که در «فصلنامه‌ی سیاست خارجی آمریکا» منتشر شد، چنین نتیجه‌گیری می‌کند:

این استدلال معقولی است که اگر به‌خاطر کودتا نبود، ایران [اکنون] از یک دموکراسی بالغ و رسیده برخوردار بود. میراث کودتا چنان تلخ و فراموش ناشدنی بود، که وقتی شاه سرانجام در ۱۹۷۹ (۱۳۵۷) کنار رفت، بسیاری از ایرانیان در هراس از تکرار وقایع ۱۹۵۳ (۱۳۳۲)

بودند، که این خود یکی از انگیزه‌های دانشجویان ایرانی برای تصرف سفارت آمریکا محسوب می‌شد. بحران گروگان‌گیری به‌نوبه‌ی خود حمله‌ی عراق به ایران را موجب شد، درحالی‌که وقوع انقلاب [اسلامی]، در تصمیم شوروی به اشغال افغانستان نقش داشت. خلاصه آن که حوادث تاریخی زیادی از آن یک هفته‌ی تهران، فراروییدند...

کودتای ۱۹۵۳ و پیامدهایش، نقطه‌ی شروع صف‌بندی سیاسی در خاورمیانه و آسیای مرکزی است. با نگاهی به گذشته، آیا کسی می‌تواند بگوید که انقلاب اسلامی ۱۹۷۹ اجتناب‌ناپذیر بود؟ یا وقوع آن فقط زمانی میسر شد که آرزوها و آمال مردم ایران در سال ۱۹۵۳ موقتاً به محاق رفت؟

از دیدگاه تاریخی، آثار فاجعه‌بار عملیات آژاکس را به‌آسانی می‌توان مشاهده کرد، و آثار منفی آن تا مدت‌ها دامن‌گیر جهان خواهد بود. امّا آثار به راه نینداختن کودتا چه می‌بود؟ ترومن رئیس جمهور آمریکا تا آخرین لحظه‌ی حضور خود در کاخ سفید، اصرار داشت که ایالات متحده نباید در ایران دخالت کند. چه می‌شد اگر آیزنهاور نیز همین دیدگاه را داشت؟

استدلال آنهایی که از کودتا دفاع می‌کنند، از این قرار است که اتحاد شوروی منتظر فرصت برای حمله به ایران بود. آنها می‌گویند که انجام یک کودتای پیشگیرانه ضرورت داشت، زیرا عقب راندن حمله‌ی شوروی بسیار دشوار و شاید ناممکن می‌بود. از دیدگاه آنها، قبول این ریسک که ممکن است شوروی‌ها اقدامی نکنند، یا اقدام آنها قابل دفع است، بسیار مخاطره‌آمیز بود.

جان والر، یکی از آخرین بازماندگان کهنه کار عملیات آژاکس، سال‌ها بعد تأکید کرد: «این مسئله‌ای سیاسی بود با دامنه‌ای بسیار فراتر از ایران؛ مسئله درباره‌ی کارهایی بود که شوروی‌ها انجام داده بودند و چیزهایی که ما درباره‌ی نقشه‌های آینده‌ی آنها می‌دانستیم. موضوع جالب این بود که بدانیم روس‌ها چه اولویتی را در دستور کار خود داشتند و چه می‌خواستند. ایران در

صدر برنامه‌های آنها قرار داشت. اگر کسی نگران خطر شوروی نبود، نمی‌دانم به چه خطری می‌توانست باور داشته باشد. این یک مسئله‌ی واقعی بود.»

سام فال، که در مقام یک دیپلمات جوان انگلیسی وودهاوس را در سفرش به واشنگتن همراهی کرده بود و بعدها در سفارت بریتانیا در تهران مشغول به کار شد، به همین نتیجه رسید. وی در خاطرات خود نوشت که کودتا «البته یک کار غیراخلاقی بود» چون مداخله در امور داخلی یک کشور خارجی محسوب می‌شد. امّا اضافه کرد: «سال ۱۹۵۲، زمان بسیار خطرناکی بود. تب جنگ سرد در کره بالا گرفته بود. اتحاد شوروی سعی کرده بود که در ۱۹۴۸ تمام برلین را تسخیر کند. استالین هنوز زنده بود. قدرت‌های غربی به هیچ ترتیبی نمی‌توانستند خطر حمله‌ی شوروی به ایران را نادیده بگیرند، امری که به یقین منجر به بروز جنگ جهانی سوم می‌شد.»

امّا تاریخ سایه‌ای از تردید بر این ترس‌ها می‌افکند. استالین در اواخر دهه‌ی ۱۹۴۰ کوشیده بود تا با آمیزه‌ای از روش‌های نظامی و سیاسی ایران را متزلزل کند، و مدتی نیز سربازانش عملاً بخش بزرگی از شمال ایران را در کنترل خود داشتند اما فشارهای دیپلماتیک واشنگتن و تهران او را مجبور به خروج از ایران کرد. این نشان می‌دهد که شوروی‌ها احتمالاً اکراه داشتند که آزموده را دوباره بیازمایند.

پس از مرگ استالین در اوایل ۱۹۵۳، رژیمی در کرملین به قدرت رسید که سیاست خارجی کمتر تجاوزکارانه و مهاجمی را دنبال می‌کرد. با این حال، این مسئله در آن زمان روشن نبود. ممکن بود یک آدم بی‌رحم مثل بریا به جای خروشچفِ نسبتاً میانه‌روتر، به قدرت برسد و این آمادگی را داشته باشد و حتّی ماجراجویی‌های توسعه‌طلبانه و به‌مراتب تحریک‌آمیزتری را در دستور کار قرار دهد. این خطری بود که سیا اعتقاد داشت نمی‌توانست آن را نادیده بگیرد.

یک پرسش بی‌پاسخ مانده‌ی دیگر، توان حزب توده‌ی طرفدار شوروی در اوایل دهه ۱۹۵۰ بود. برادران دالس مدعی بودند که حزب توده شبکه‌ی

وسیعی ایجاد کرده و به‌محض سقوط یا برکناری مصدق، آماده‌ی به دست گرفتن قدرت است. پژوهشگرانی که درباره‌ی حزب و سازمان‌های متحد آن مطالعه کرده‌اند، نسبت به این ادعا ابراز تردید کرده‌اند. حزب توده، به روشنفکرانی که با مصدق مخالف بودند، چون وی را مانعی در مقابل سلطه‌ی کمونیسم می‌دیدند، و یک پایه‌ی مردمی که عمدتاً دوستدار وی بودند، تقسیم می‌شد. حزب، هسته‌هایی در ارتش و سازمان‌های غیرنظامی داشت، امّا آنها آن‌قدرها که وانمود می‌شد پردامنه و بانفوذ نبودند. مدت‌ها پس از کودتا، پژوهشگری با یک دیپلمات آمریکاییِ متخصص کنترل فعالیت‌های حزب توده در اوایل دهه‌ی ۱۹۵۰، و دو مأمور سیا که همراه وی در سفارت آمریکا در تهران فعالیت می‌کردند، مصاحبه‌ای انجام داد. آنها تأیید کردند که «حزب توده واقعاً زیاد قدرتمند نبود، و مقامات بلندپایه‌ی آمریکایی درباره‌ی توان آن و اتکای مصدق به آن بزرگ‌نمایی می‌کردند.»

این پرسش اساسی که آیا کودتای آمریکایی برای بازداشتن شوروی‌ها از سازمان دادن کودتایی به‌نفع خودش انجام شد، پاسخ قاطعی ندارد. هیچ‌کس هرگز نخواهد دانست که شوروی‌ها چه اقدامی ممکن بود انجام دهند و در این صورت تا چه‌اندازه موفق می‌شدند. کودتا مسلماً پیامدهای فاجعه‌باری داشت. امّا این که چه پیامدهایی بر انجام ندادن آن مترتب بود، پرسشی است که پاسخ به آن باید تا ابد در قلمرو حدس و گمان بماند.

اما ایران چگونه به چهارراه مصیبت‌بار مرداد ۱۳۳۲ رسید؟ مسئولیت اصلی بر عهده‌ی نواستعمار خشک‌مغزی که چراغ راهنمای شرکت نفت انگلیس و ایران بود، و تمایل دولت بریتانیا به پیروی از آن، قرار دارد. اگر شرکت حتّی ذره‌ای حسن‌نیت نشان می‌داد، می‌توانست به سازشی با مقامات ایران دست یابد، و اگر با رزم‌آرای نخست‌وزیر که طرفدار باقی ماندن انگلیسی‌ها در ایران بود همکاری می‌کرد، ممکن بود مصدق هرگز به قدرت نرسد. امّا، مردانی که شرکت را اداره می‌کردند و مقاماتی دولتی که دست نوازش بر سر آنها

می‌کشیدند، همچنان در ذهنیت امپراتورمآبانه خود و بی‌اعتنایی به ایرانیان و خواست‌های آنان، غوطه‌ور بودند. دین اچِسُن کاملاً حق داشت زمانی که نوشت: «هرگز چنین جمع معدودی، چنین احمقانه و چنین سریع، چنان فضاحتی به بار نیاورده بودند.»

با این حال، اچِسُن خودِ مصدق را هم مقصر می‌دانست که بنا به توصیف وی «ملهم از یک نفرت متعصبانه از انگلیسی‌ها و میل شدید به بیرون ریختن آنها و همه‌ی کارهایشان از کشور، بدون توجه به هزینه‌ی آن» بود. مسلماً، مصدق به همان اندازه‌ی شرکت انگلیسی در برابر ایده‌ی سازش مقاومت نشان می‌داد. وی در چند برهه می‌توانست پیروزی خود را اعلام و سازشی را صورت دهد. برای مثال، در تابستان ۱۳۳۱، وی یک قهرمان ملی خدشه‌ناپذیر بود. او بر اثر یک شورش خودجوش توده‌ای به قدرت بازگشته و پیروزی بزرگی بر انگلیسی‌ها در دادگاه جهانی به دست آورده بود. پرزیدنت ترومن از او حمایت می‌کرد. یک رهبر مصلحت‌گرای دیگر احتمالاً از این فرصت استفاده می‌کرد، امّا مصدق مصلحت‌گرا نبود. وی فردی ایده‌آلیست، آرمانگرا و مبارزه‌جویی تا به آخر بود؛ ذهن تک‌ساحتی او که کارزار مبارزه علیه شرکت نفت انگلیس و ایران را پیش می‌برد، انجام سازش را برای او در زمانی که می‌توانست و می‌بایست، ناممکن کرد.

دیگر ناکامیِ بزرگ و درد آور مصدق، ناتوانی یا خودداری او از درک دیدگاه رهبران غرب نسبت به اوضاع جهان بود. آنها نسبت به گسترش قدرت کمونیسم در حالتی شبیه به سراسیمگی قرار داشتند. مصدق بر این باور بود که اختلاف وی با شرکت نفتی انگلیس و ایران ربطی با رویارویی جهانی شرق و غرب ندارد. این دیدگاهی بسیار غیرواقع‌بینانه بود. مردانی که در واشنگتن و مسکو نشسته و تصمیم می‌گرفتند، هر اتفاقی را که در جهان رخ می‌داد، بخشی از جنگی می‌دانستند که بر سر کنترل سرنوشت جهان جریان دارد. مصدق به‌طور بی‌فکرانه‌ای باور داشت که می‌تواند مشکل بی‌عدالتی و ظلمی را که بر ایران روا داشته می‌شد جدای از این تعارض فراگیر حل و فصل کند. مصدق

همچنین در ارزیابی خود از کمونیست‌های حزب توده و کوشش پنهان آن‌ها به نفوذ در دولت، ارتش و جامعه‌ی مدنی ایران، ناپختگی نشان داد. وی از استبداد بیزار بود و اعتقاد داشت که همه‌ی ایرانیان باید اجازه داشته باشند تا هرآنچه را که می‌خواهند بگویند و انجام دهند. این حقیقت که کمونیست‌ها از نظام‌های دموکراتیک اروپای شرقی برای رسیدن به قدرت سوءاستفاده کرده و دموکراسی را نابود کرده بودند، ظاهراً تأثیری بر ذهن او نگذاشته بود. خودداری‌اش از سرکوب جنبش کمونیستی در ایران او را در فهرست مرگ سازمان «سیا» در واشنگتن قرار داد. شاید این مسئله غیرعادلانه بوده باشد، امّا یک واقعیت خشن آن روزگار محسوب می‌شد. مصدق با نشان دادن ناتوانی در تشخیص این واقعیت، صفوف دشمنان خود را مستحکم‌تر کرد. مصدق در طول ۲۶ ماه تصدی خود هرگز سعی نکرد تا جبهه‌ی ملی را به یک جنبش سیاسی منسجم تبدیل کند، و لذا جبهه‌ی ملی ائتلافی سست و بدون رهبری متمرکز یا برخوردار از یک پایگاه سیاسی سازمان‌یافته، باقی ماند. مصدق در انتخابات مجلس در ۱۳۳۱ برای تشکیل هسته‌ای از نامزدهای متعهد به برنامه‌اش کوششی نکرد. این امر جبهه‌ی ملی را در مقابل فشارهای خارجی برای درهم شکستن آن آسیب‌پذیر کرد و آن را از شکل دادن به طرفدارانی که می‌توانست برای دفاع از دولت در لحظات حساس بسیج کند، باز داشت.

با این حال، مصدق را به‌رغم سوءداوری‌های تاریخی‌اش، نمی‌توان نخست‌وزیری شکست‌خورده دانست. دستاوردهای او ژرف و حتی دگرگون ساز بود. او مردم خود را در مسیر سفری دراز و دشوار به سوی دموکراسی و خوداتکایی قرارداد، و نه‌فقط تاریخ آن‌ها، که شیوه‌ی خودنگری و جهان‌نگری شان را برای همیشه تغییر داد. وی بر سیستم امپراتوری بریتانا ضربه‌ی ویران‌گری وارد آورد و سقوط نهایی آن را تسریع کرد. مصدق الهام‌بخش همه‌ی کسانی در جهان شد که معتقدند ملت‌ها می‌توانند و باید برای حق تعیین سرنوشت خود در آزادی، مبارزه کنند. وی در تاریخ ایران، خاورمیانه و مبارزات ضداستعماری یک سر و گردن از همه بالاتر است. هیچ شرحی از تاریخ قرن

بیستم بدون اختصاص فصلی درباره‌ی او، کامل نیست.

مصدق و شرکت نفت انگلیس و ایران با رد تلاش‌های مکرر سازش، برای یکدیگر فاجعه آفریدند. با این حال، اگر رأی‌دهندگان انگلیسی و آمریکایی همکاری نمی‌کردند، برخورد نهایی بین آنها صورت نمی‌گرفت. آنها کاملاً ناخواسته تن به این برخورد دادند. ایران موضوعی چشمگیر امّا نه تعیین‌کننده، در مبارزات سیاسی بود که وینستون چرچیلِ پا به سن گذاشته را در لندن به قدرت بازگرداند. امّا، در مبارزات انتخاباتی آیزنهاور به هیچ‌وجه محلی از اِعراب نداشت، هرچند که پیش‌روی جهانی کمونیسم مسلماً در شکل‌دهی دیدگاه‌های بسیاری از رأی‌دهندگان آمریکایی، نقش داشت. نتیجه‌ی هردو انتخابات تا اندازه‌ی زیادی، مثل چیزهای دیگر متأثر از تمایل ساده‌ی رأی‌دهندگان به تغییر بود. امّا این نتایج در ایرانِ دوردست، مسیر کل تاریخ آینده‌ی آن را رقم زد. اگر چرچیل و آیزنهاور در انتخابات پیروز نشده بودند، عملیات آژاکسی در کار نمی‌بود.

انتخابات ایالات متحده عمدتاً از این بابت اهمیت داشت که جان فاستر و آلن دالس را به قدرت رساند. آنها مردان برانگیخته‌ای به شمار می‌رفتند که توجه خود را کاملاً به تهدید جهانی کمونیسم معطوف کرده بودند. شاید تصمیم آنها به انتخاب ایران به‌عنوان نخستین عرصه‌ی جنگ صلیبی، عاقلانه یا غیرعاقلانه بوده باشد، امّا روا نیست که قضاوت بی‌رحمانه‌ای درباره‌ی روش کار آنها صورت پذیرد. این دو، حتّی پیش از ادای سوگند، بی‌هیچ تردیدی متقاعد شده بودند که مصدق باید برود. آنها هرگز به این امکان نمی‌اندیشیدند که کودتا ممکن است فکر بدی باشد یا این که پیامدهای منفی به بار آورد. تاریخ احتمالاً قضاوت بهتری درباره‌ی آنها می‌کرد، اگر کودتا نتیجه‌ی تعمق و بحثی جدی و روشنگرانه می‌بود. در عوض، حرکت کودتا برجهیده از بی‌حوصلگی بهانه‌گیرانه و میل سوزان به انجام کاری، هرکاری، بود که یک پیروزی بر کمونیسم وانمود شود. ایدئولوژی و نه عقل و خرد، نیروی محرکه‌ی برادران دالس محسوب می‌شد. ایران جایی بود که آنها

برگزیدند تا به دنیا نشان دهند که ایالات متحده دیگر جزئی از آن چیزی نیست که نیکسون معاون رئیس جمهور آن را «مدرسه‌ی مهار کمونیست‌های هراس‌آور دین اچِسُن» می‌نامید.

روش ارزیابی ترومن و آیزنهاور از تهدید کمونیستی فرق چشمگیری با هم نداشتند. هردو بر این باور بودند که مسکو در حال رهبری یک کارزار بی‌وقفه‌ی خرابکاری و براندازی با هدف سلطه بر جهان است، و ایران یکی از محتمل‌ترین اهداف این کارزار به شمار می‌رود؛ ایالات متحده اولویت ملی بالاتری برای سازمان‌دهی مقاومت، و به شکست کشاندن این کارزار، در پیش ندارد. با این حال، دیدگاه‌های آنها درباره‌ی چگونگی شکل دادن به این مقاومت، عمیقاً متفاوت بود. ترومن ظهور ملی‌گرایی در جهان توسعه‌نیافته را می‌پذیرفت و حتّی از آن استقبال می‌کرد. وی معتقد بود که ایالات متحده با کنار آمدن با جنبش‌های ناسیونالیستی، می‌تواند به دنیا نشان دهد که صادق‌ترین دوست آسیا، آفریقا و آمریکای لاتین است. فکر براندازیِ یک دولت خارجی برای او نفرت‌انگیز می‌نمود، بعضاً به این دلیل که نتایج درازمدت آن کاملاً غیرقابل پیش‌بینی و به‌احتمال زیاد، فاجعه‌بار بود.

ترومن اوقات زیادی را صرف اندیشیدن و گفت‌وگو درباره‌ی ایران کرد. اما آیزنهاور بسیار کمتر خود را درگیر پرونده‌ی ایران می‌کرد. وی به برادران دالس اختیار داد تا سیاست دولت او را نسبت به جهان سومِ ناآرام شکل دهند. آنها برای رسیدن به موفقیت‌های سریع و چشمگیر در جنگ صلیبی‌شان شتاب داشتند و عملیات پنهانی را راهی برای رسیدن به آن می‌دانستند. کودتاهای پیشگیرانه، و اقدام علیه تهدیدهایی که هنوز به واقعیت نپیوسته بودند، از نظر آنها نه‌فقط عاقلانه، که الزامی بود. آنها نگران پیامدهای آتی چنان کودتاهایی نبودند، زیرا اعتقاد داشتند که اگر ایالات متحده از آنها حمایت نکند آینده‌ی خود را به خطر می‌اندازد.

موفقیت عملیات آژاکس آثاری فوری و گسترده در واشنگتن بر جای نهاد. سیا، یک شبه به عضو محوری دستگاه سیاست خارجی آمریکا تبدیل

شد، و عملیات پنهانی به‌عنوان یک راه کم‌هزینه و مؤثر برای شکل دادن به روند رویدادهای جهان در دستور کار قرار گرفت. کِرمیت روزولت توانست شکل‌گیری این دیدگاه را حتی پیش از تمام کردن کار تحویل گزارش اجمالی خود به کاخ سفید در ۴ سپتامبر ۱۹۵۳ (۱۳ شهریور ۱۳۳۲)، حس کند.

وی بعدها نوشت: «یکی از حضار به‌شکل نگران‌کننده‌ای اشتیاق نشان می‌داد. جان فاستر دالس در صندلی‌اش به پشت تکیه داده بود. به‌رغم حالت وارفته‌اش کاملاً هشیار می‌نمود. چشم‌هایش برق می‌زد و مثل گربه‌ای چاق خرناسه می‌کشید. وی به‌وضوح نه‌تنها از چیزهایی که می‌شنید لذتی می‌برد، بلکه غریزه‌ام به من می‌گفت که در ذهنش مشغول طرح نقشه‌ای است.»

دالس مسلماً در حال برنامه‌ریزی بود. سال بعد، او و برادرش دومین کودتا را سازمان دادند، که آن نیز به سقوط رئیس جمهور گواتمالا، ژاکوبو آربنز، منجر و به زنجیره‌ای از رویدادها در آن کشور انجامید که به جنگ داخلی و مرگ خشونت‌بار صدها هزار تن اختتم شد. سیا بعدها عزم خود را به کشتن یا برکناری رهبران کشورهای خارجی، از کوبا و شیلی گرفته تا کنگو و ویتنام نشان داد. هریک از این عملیات، تأثیر ژرفی بر جای نهاد که عکس‌العمل های آن تا امروز نیز دیده می‌شوند، و برخی از آنها نکبت و رنج گسترده‌ای را به بار آورده و کل آن مناطق را شدیداً علیه ایالات متحده برانگیخته است.

پرسش آخری که باید به آن پاسخ داد، از این قرار است که چرا عملیات آژاکس موفق شد؟ پاسخ آن، تا اندازه‌ی زیادی به بخت و تصمیم‌های تصادفی برمی‌گردد. اگر شرکت‌کنندگانِ اصلی در عملیات، هریک در ۵ تا ۶ نقطه‌ی متفاوت، تصمیم متفاوتی می‌گرفتند، کودتا شکست می‌خورد.

کِرمیت روزولت نیز ممکن بود پس از شکست کودتای ۲۵ مرداد، تصمیم بگیرد که کار را رها کند و به کشورش بازگردد. محتمل تر آن می‌بود که مصدق و همکارانش با توطئه‌گران شدیدتر برخورد می‌کردند. شاپور بختیار سال‌ها بعد طی مصاحبه‌ای گفت: «مصدق باید بلافاصله واکنش نشان می‌داد و همه را

تیرباران می‌کرد.» این کار تقریباً به یقین در آن روز همه چیز را نجات می‌داد، امّا انجام این کار در جَنَم او نبود.

کودتا ممکن بود با شکست نیز مواجه شود، اگر مصدق سریع‌تر می‌جنبید و به پلیس دستور سرکوب جمعیت متخاصمی را می‌داد که روزولت و مأمورانش به خیابان‌ها فرستاده بودند؛ و اگر، موقعی که مصدق سرانجام دستور سرکوب را صادر کرد، یک افسر وفادار را به‌جای تیمسار دفتریِ آشکارا محافظه‌کار مأمور این کار می‌کرد؛ و اگر دفتری با ستون تحت فرماندهی تیمسار کیانی که عازم کمک به نیروهای طرفدار دولت بود برنخورده و او را از ادامه‌ی راه منصرف نکرده بود؛ و اگر رئیس ستاد ارتش وفادار به مصدق، تیمسار ریاحی، توانسته بود بگریزد، و نیروهای وفادار بیشتری را بسیج کند؛ و اگر مصدق از حامیان خود می‌خواست که به‌جای ماندن در خانه در ۲۴ ساعت پیش از وارد آمدن ضربه‌ی نهایی، به خیابان‌ها بریزند؛ یا اگر کمونیست‌های حزب توده با سازمان‌دهی خوب خود تصمیم می‌گرفتند به طرفداری از مصدق وارد کارزار شوند.

بی‌گمان، اگر سازمان سیایی وجود نمی‌داشت، کودتای مرداد ۱۳۳۲ صورت نمی‌گرفت. سیا عملیات آژاکس را طراحی، و مبلغ زیادی برای آن پرداخت کرد ــ هزینه‌ی نهایی عملیات از ۱۰۰ هزار تا ۲۰ میلیون دلار برآورد شده، بسته به این که کدام هزینه‌ها محاسبه شده باشند ــ و یکی از خوش‌فکرترین مأمورانش را برای هدایت عملیات درنظر گرفت. با این حال، کِرمیت روزولت و رفقایش نمی‌توانستند بدون کمک ایرانی‌ها موفق شوند. دو گروه، کمک بسیار ارزشمندی به انجام کودتا کردند. نخست، برادران رشیدیان و مأموران مخفی‌شان که سال‌ها وقت خود را صرف ایجاد شبکه‌ی براندازی کرده و منتظر ورود کسی مثل روزولت بودند. دوم افسران ارتش که قدرت آتش تعیین‌کننده‌ای در آن روز حیاتی برای کودتاچیان فراهم آوردند.

در هفته‌های پایانی زمامداری دولت مصدق، ایران به دامن هرج ومرج فروافتاد. مأموران انگلیسی و آمریکایی بی‌وقفه تلاش می‌کردند تا بین جبهه‌ی

ملی و بقیه‌ی جامعه‌ی ایران شکاف بیندازند، و کار آنها ثابت کرد که جامعه‌ای توسعه‌نیافته تا چه حد در برابر یک کارزار مستمر رشوه‌دهی و بی‌ثبات‌سازی آسیب‌پذیر است. با این همه، مصدق خود، در اوایل سال ۱۳۳۲، به کشاندن ایران به بن‌بست، کمک کرد. این گفته ممکن است مبالغه‌آمیز باشد، همان‌طور که برخی گفته‌اند وی تا اندازه‌ای عملاً آرزو می‌کرد که سرنگون شود. در هر حال، وی راه‌حل‌های زیادی نداشت. بسیاری از ایرانی‌ها این را حس کرده و منتظر وضعیت جدیدی بودند.

مأموران اطلاعاتی خارجی، صحنه را برای کودتا چیدند و نیروهای عمل‌کننده را در آن رها کردند. با این حال، عملیات در نقطه‌ی معینی با نیروی خود پیش می‌رفت. جمعیت کثیری که در روز ۲۷ مرداد به خیابان‌ها ریختند، بعضاً مزدور، و بخشی دیگر مردمی از مصدق بریده، بودند. سیا زمینه‌ی رویدادهای آن روز را فراهم کرد، امّا، در وقایع‌نگاری پس از آن نیز تأیید کرد: «این که تا چه‌اندازه نتیجه‌ی کار برآمده از تلاش مشخص همه‌ی مأموران ما بود، هرگز دانسته نخواهد شد.»

پس از کودتا، ایرانی‌ها خیلی زود دریافتند که خارجی‌ها نقشی محوری در سازمان‌دهی آن داشته‌اند. با این حال، در ایالات متحده این حسِ تشخیص بسیار کُند رشد می‌کرد. فقط وقتی که نفرت ضدآمریکایی در ایران پس از انقلاب اسلامی به حد انفجار رسید، آمریکایی‌ها تازه دریافتند که کشورشان در آن‌جا نامحبوب است. آنها کم‌کم داشتند دلیل این امر را درمی‌یافتند.

فقط چهار ماه پس از سرنگونی مصدق، ریچارد نیکسون به ایران آمد و خود را شدیداً به زاهدی و محمدرضاشاه علاقه‌مند نشان داد. رئیس جمهور آیزنهاور محتاط‌تر بود. وی تا سال ۱۹۵۹ (۱۳۳۸) از ایران دیدن نکرد و زمانی هم که آمد فقط ۶ ساعت در ایران توقف کرد. شاه استقبالی باشکوه از وی به عمل آورد و یک طاووس نقره‌ای که با یاقوت کبود و قرمز تزیین شده بود، به او هدیه کرد. امّا، دو رهبر در خلوت بر سر گرفتاری‌های پیش رو اختلاف‌نظر پیدا کردند. آیزنهاور به شاه هشدار داد که قدرت نظامی به‌تنهایی

نمی‌تواند کشوری را حفظ کند و از او مصرّانه خواست که به «آرزوهای اساسی» مردم خود توجه نشان دهد. شاه پاسخ داد که امنیت در خاورمیانه «فقط با افزایش توان نظامی ایران» تأمین می‌شود.

آیزنهاور هرگز نقش آمریکا را در عملیات آژاکس نپذیرفت. وی در خاطراتش به یاد می‌آورد که گزارشی خلاصه از آن دریافت کرده امّا گفت که این گزارش کتبی و نه شفاهی بود و روزولت را «یک آمریکایی در ایران، که این کشور را نمی‌شناخته» توصیف کرد. وی تا اندازه‌ای در نوشتن خاطرات روزانه‌اش صریح بود. او تأیید کرد، در حالی که در خاطراتش چنین چیزی را نپذیرفته بود، که روزولت گزارشی اجمالی و خصوصی درباره‌ی کودتا به او داده. وی نوشت که «به گزارش مشروح او گوش دادم و این‌طور به نظرم آمد که بیشتر به یک رمان آبکی می‌ماند تا یک حقیقت تاریخی.»

۴۷ سال پس از وقوع کودتا، ایالات متحده دخالت خود را در آن رسماً تأیید کرد. رئیس جمهور [وقت] بیل کلینتون، که گام در راهی نهاد که تلاش ناموفقی برای بهبود روابط آمریکا با ایران از کار درآمد، بیانیه‌ای به‌دقت واژه‌بندی شده را تأیید کرد که می‌توانست از آن مفهوم یک پوزش‌خواهی مستفاد شود. وزیر خارجه، مادلین آلبرایت این بیانیه را طی نطقی در واشنگتن قرائت کرد:

«در ۱۹۵۳، ایالات متحده نقش برجسته‌ای در سازماندهی براندازی نخست‌وزیر مردمی ایران، محمد مصدق، بر عهده داشت. دولت آیزنهاور اعتقاد داشت که این اقدام به‌دلایل استراتژیک قابل توجیه است. امّا کودتا آشکارا موجب یک عقب‌گرد در امر توسعه‌ی سیاسی ایران شد. اکنون درک آن آسان است که چرا بسیاری از ایرانیان کماکان از این مداخله‌ی آمریکا در امور داخلی‌شان برآشفته‌اند.»

تنی چند از مورخان آمریکایی وقت خود را صرف مطالعه و بررسی کودتای ۱۹۵۳ و پیامدهای آن کرده‌اند. آنها به درجات متفاوت و با تأکیدهای

گوناگون، تأیید می‌کنند که کودتا کل تاریخ بعدی ایران را ترسیم و جهان را به گونه‌ای که امروز می‌بینیم، شکل داده است. در این جا به برخی از اظهارنظرهای آنها درباره‌ی کودتا می‌پردازیم:

جیمز ای. بیل

سیاست آمریکا در ایران در اوایل دهه‌ی ۱۹۵۰ موفق شد افتادن این کشور به دامان کمونیسم در آن زمان جلوگیری کند، و منابع و ذخایر نفتی ایران را به‌مدت دو دهه و با شرایط ممتاز در دسترس جهان غرب قرار دهد. این سیاست همچنین میهن‌پرستان ایرانی، از کلیه‌ی طبقات اجتماعی، را از قدرت حاکم عمیقاً بیگانه ساخت و ملی‌گرایان میانه‌رو و آزادی‌خواه را که سازمان‌هایی مثل جبهه‌ی ملی نماینده‌ی آنها به‌شمار می‌آمدند، تضعیف کرد. بنابراین، راه برای تکوین افراط‌ـ گرایی، در هردو طیف راست و چپ، هموار شد. این افراط‌گرایی به‌شکل غیرقابل تغییری سمت و سوی ضدآمریکایی به خود گرفت... سقوط مصدق نشانه‌ی پایان یک قرن دوستی بین دو کشور بود، و عصر نوینی از مداخله‌های آمریکا و دشمنیِ رو به رشد با ایالات متحده در میان نیروهای تضعیف شده‌ی ناسیونالیسم ایرانی، پدید آورد.

ریچارد و. کاتَم

تصمیم به سرنگونی دولت مصدق، واقعاً تصمیمی تاریخی بود. ایران در نقطه‌ی عطفی تاریخی قرار داشت، که در آن درصد جمعیتِ در حال ورود به فرایند سیاسی، یا آماده برای ورود به آن، با تصاعد هندسی افزایش می‌یافت. این افرادِ رو به بیداری، به رهبرانی چشم داشتند که آنها را به‌لحاظ هنجارها، ارزش‌ها و نهادهای حامی آنها می‌شناختند و اعتماد داشتند. اگر مصدق، جبهه‌ی ملی و رهبران مذهبی‌ای که تفسیری آزادی‌خواهانه‌تر از دین به عمل می‌آوردند،

دولت را در کنترل خود نگاه می‌داشتند، می‌توانستند به‌عنوان عوامل مؤثر اجتماعی برای این توده‌ی رو به بیداری عمل کنند. در عوض، یک دیکتاتوری سلطنتی جایگزین آنها شد که از مردم دور ماند... سیاست آمریکا به‌طور قطع تاریخ ایران را به‌شکلی بنیادی تغییر داد. به برکناری یک دولت نخبه‌ی ملی‌گرا، که ایالات متحده را متحد ایدئولوژیک خود و یک حامی خارجی مطمئن می‌دانست، کمک کرد. ایالات متحده با کمک به حذف دولتی که نماد تکاپوی ایران برای یکپارچگی و اعتبار ملی بود، به نفی مشروعیت ناسیونالیستی رژیم جانشین آن نیز یاری رساند.

مارک جی. گازیوروسکی

در بازنگری به‌گذشته، کودتای ۱۹ اوت ۱۹۵۳ ایالات متحده در ایران، رویدادی مهم در تاریخ بعد از جنگ به شمار می‌رود... اگر کودتا اتفاق نیفتاده بود، آینده‌ی ایران بدون تردید کاملاً متفاوت می‌بود. به همین ترتیب، نقش آمریکا در کودتا و تحکیم بعدی دیکتاتوری شاه، برای آینده‌ی روابط آمریکا و ایران تعیین‌کننده بود. همدستی آمریکا در این رویدادها، تجلّی خود را در حملات تروریستی به شهروندان و تأسیسات آمریکایی در ایرانِ اوایل دهه‌ی ۱۳۵۰، در خصلت ضدآمریکایی انقلاب ۱۳۵۷، و در بسیاری از حوادث ضدآمریکایی ناشی از ایرانِ پس از انقلاب، ازجمله مهم‌ترین آنها، بحران گروگان‌گیری، یافت. حامیان متأخر کودتا غالباً استدلال می‌کنند که کودتا ۲۵ سال ثبات تحت یک حکومت طرفدار آمریکا برای ایران فراهم آورد. با تداوم برآمدِ نتایج وخیم انقلاب برای منافع آمریکا، این پرسش مطرح می‌شود که آیا کودتا ارزش هزینه‌های درازمدت آن را داشته است.

جیمز ف. گود

مصدق، همچنان که نزدیکانش نیز می‌گفتند، قدیس نبود. حتی می‌شد وی را یکدنده و کوته‌فکر دانست. با این حال، وی محبوب‌ترین رهبر در تاریخ جدید، دست‌کم تا مقطع انقلاب [اسلامی] به شمار می‌رفت... اگر مصدق یک زندانی متعلق به گذشته ـ مخالف با حاکمیت دیکتاتوری، حامی دولت مشروطه، بیزار از نفوذ خارجی ـ بود، آمریکایی‌ها هم کمتر از او زندانی تحجر جنگ سرد نبودند، که بی‌طرفی در مبارزه علیه کمونیست‌های بی‌خدا را برنمی‌تافتند.

ماری آن هیس

این دیدگاه که ناتوانی بریتانیا و ایالات متحده در کنار آمدن با مصدق، کسی که وقتی به گذشته نگاه می‌کنیم سیاست‌هایش معتدل به نظر می‌رسد، راه را نه فقط برای شاه و عمّالش در چند دهه‌ی بعدی، که برای رژیم‌های رادیکال، خطرناک و ضدآمریکایی پس از ۱۳۵۷، هموار کرد ممکن است در بلندمدت کاملاً حقیقت داشته باشد. دخالت آمریکا در کودتای ۱۳۳۲ و قرارداد کنسرسیوم ۱۳۳۳، مردم ایران را متقاعد کرد که ایالات متحده اهمیتی به منافع آنها نمی‌دهد و بیشتر علاقه‌مند به زیر بال و پر گرفتن امپریالیسم بریتانیاست تا کمک به حق تعیین سرنوشت و استقلال ملی آنها. این اعتقاد راسخ، ملی‌گرایان ایران را بر آن داشت که ایالات متحده را شیطان بزرگ لقب دهند و آن را مسئول شوربختی‌های کشورشان طی بیست وپنج سال بعدی قلمداد کنند... منازعه‌ی نفتی [اوایل] دهه‌ی ۱۳۳۰ با براندازی ناسیونالیسم ایرانی، بذرهای انقلابی اسلامی را کاشت که ۲۵ سال بعد رویید و رشد کرد و رژیمی به‌مراتب ضدغربی‌تر از رژیم مصدق را در تهران بر سر کار آورد. در نتیجه، پیامدهای آن کودتا حتی امروز نیز سایه‌ی خود را بر خلیج فارس و ماورای آن گسترانیده است.

نیکی ر. کدی

کودتای ۱۳۳۲، که یک سال بعد، تجلیات خود را با امضای یک قرارداد نفتی و واگذاری کنترل مؤثر بر تولید و بازایابی نفت و ۵۰ درصد از منافع حاصل از آن به کنسرسیوم شرکت‌های نفتی خارجی بروز داد، تأثیری قابل درک و تلخ بر افکار عمومی ایرانیان گذاشت که تا به امروز ادامه داشته است... احساسات علیه دولت آمریکا، زمانی که دخالت قاطع این کشور در کودتای ۱۳۳۲ و سرنگونی مصدق آشکار شد، شدت بیشتری یافت. حمایت ۲۵ ساله‌ی آمریکا از دیکتاتوری شاه و تقریباً همه‌ی سیاست‌های آن، بر احساسات ضدآمریکایی افزود. بنابراین، در هردو موردِ بریتانیا و ایالات‌متحده، سوءظن و دشمنی نسبت به آنها، هراندازه هم که نتیجه‌ی بزرگ‌نمایی و بدگمانی بی‌پایه بوده باشد، ریشه در حوادث واقعی و مهم دارند، که از جمله مهم‌ترین آنها، مشارکت در براندازی جنبش‌های انقلابی مردمی و حمایت از دولت‌های نامحبوب است.

ویلیام راجر لوئیس

ملت‌ها را، مثل افراد، نمی‌توان بدون درنظر گرفتن این حس ستمدیدگان که حساب‌های قدیمی باید در نهایت تسویه شود، سمت وسو داد... در کوتاه مدت، دخالت در کودتای ۱۳۳۲ سودمند به نظر می‌رسید، اما در بلندمدت به نظر می‌رسد که این پند قدیمی که نباید دخالت کرد، بخش بهتر خرد سیاسی باشد.

این دیدگاه‌ها جملگی به هم نزدیک‌اند، و به شکل اعجاب‌انگیزی حق را به جانب مخالفان استفاده از زور علیه مصدق، می‌دهند. ترومن پیش‌بینی می‌کرد که سوءمدیریتِ بحران ایران، «فاجعه‌ای برای جهان آزاد» به بار خواهد آورد. هنری گریدی، سفیر او در تهران هشدار می‌داد که کودتا «حماقت محض»

است و ایران را «به موقعیت فروپاشی با همه‌ی پیامدهای آن» می‌کشاند. هرکسی که این عبارات را در ربع قرن پس از ۱۳۳۲ می‌خواند، آنها را کاملاً بر خطا می‌انگاشت. امّا، تاریخ اخیر، این تفکر و افرادِ حامل آن را پس زد. پیامدهای عملیات آژاکس به همان تلخی‌ای بود که آنها [ترومن و گریدی] پیش‌بینی کردند؛ هرچند تحقق واکنش ایجاد شده ــ یا به قول مأموران اطلاعاتی «ضربه‌ی متقابل» ــ به زمانی طولانی‌تر از آن چه که انتظار می‌رفت، نیاز داشت.

دیدگاهی منصفانه‌تر می‌تواند این باشد که ایران در ۱۳۳۲ برای پذیرش دموکراسی آمادگی نداشت و این امکان وجود داشت که در صورت عدم مداخله‌ی آمریکا، ایران دچار آشفتگی می‌شد؛ هرچند اگر مأموران اطلاعاتی آمریکا و بریتانیا چنان دخالت بی‌شرمانه‌ای در سیاست‌های داخلی آن نمی‌کردند، این امکان نیز وجود داشت که اوضاع ایران به آرامش نسبی برسد. با این حال، دشوار می‌توان نتیجه‌ای را تصور کرد که همان درد و وحشتی را که عملیات آژاکس در نیم قرن پس از آن به بار آورد، به همراه داشته باشد. تنها یک حمله‌ی شوروی و در پی آن، جنگ بین ابرقدرت‌ها، شرایط بدتری ایجاد می‌کرد.

کودتا، یک ایران قابل اتکا را به مدت ۲۵ سال برای ایالات متحده و غرب به ارمغان آورد. این بی‌تردید یک پیروزی بود. امّا با توجه به آن‌چه که بعدها حاصل شد، و فرهنگ عملیات پنهانی که پیکره‌ی سیاست آمریکا را در پیِ کودتا به تسخیر خود درآورد، این پیروزی، بسیار خدشه‌دار می‌نماید. عملیات آژاکس میراثی زجرآور و وحشتناک به جا گذاشته است: از خیابان‌های داغ و پرهیاهوی تهران و سایر پایتخت‌های اسلامی، تا صحنه‌های حملات تروریستی در سراسر جهان.

سخن آخر

راهنمای تور ایرانی‌ام، وقتی یکدیگر را در لابی رنگ و رو رفته‌ی هتل لاله ملاقات کردیم خسته ولی خوشحال به نظر می‌رسید. لبخندی موذیانه سرتاسر صورتش را پوشانده بود. فاتحانه به من گفت: «برایتان معجزه کردم. مـا بـه احمدآباد می‌رویم.»

من در جستجوی نشانه‌هایی از محمد مصدق به ایران آماده بودم. سفرم به ایران چندان آسان نبود. وقتی با یک دیپلمات ایرانی در نیویورک ملاقات کردم تا درخواست روادید کنم، به من گفت که پروژه‌ام بسیار جالب به نظر می‌رسد، امّا قبلاً باید توسط مقامات اسلامی در تهران کاملاً بررسی شود. طی چندماه، تقریباً هرروز با تلفن با او تماس می‌گرفتم، امّا هرگز نشانی از پیشرفت در کار مشاهده نشد. سرانجام به این نتیجه رسیدم که از این طریق راه به جایی نمی‌برم. می‌خواستم در چهل ونهمین سالگرد کـودتای ۱۳۳۲ (۱۹۵۳) در ایران باشم، و او تأیید کرد که امکان کمی برای این کار وجود دارد.

من پیشنهاد کردم: «شاید بهتر باشد درخواست روادید توریستی کنم.» و او پاسخ داد: «سعی خود را بکنید.» لحن‌اش دلگرم‌کننده نبود، امّا آن را به فال نیک گرفتم. یک آژانس مسافرتی پیدا کردم که در فرستادن گـردشگر بـه کشورهای غیرعادی تخصص داشت. دوهفته بعد، به کمک آن یک روادید گرفتم. حین سفر هوایی طولانی‌ام با خط هوایی ترکیه بر فراز اقیانوس اطلس و در ادامه‌ی آن به تهران، حیران بودم که چه‌چیز در انتظارم است. اولین نشانه‌ی ناساز، حاکی از آن که با استقبال چندانی مواجه نخواهم شد زمانی ظاهر شدکه خواستم اتاقی در هتل لاله، یکی از بزرگ‌ترین هتل‌های شهر، بگیرم. کمتر از

یک‌سال از حملات تروریستی یازده سپتامبر (۹/۱۱) در نیویورک، گذشته بود، و کارمند هتل کلید اتاق ۹۱۱ را به من داد. وی آن‌گاه که با اعتراض من روبه‌رو شد فقط شانه بالا انداخت و گفت این اتاقی است که از پیش برای من در نظر گرفته شده است.

چند ساعت بعد، تلفن اتاق زنگ زد. از یک دوست ایرانی خواسته بودم تا چندنفر را که ممکن است مصدق را بشناسند یا طرفدار جبهه‌ی ملی باشند برایم پیدا کند، و او حالا تماس گرفته و اصرار داشت که بلافاصله مرا ببیند. وقتی نزد او رفتم، گفت که یک مقام دولتی تلفن کرده و شدیداً به او هشدار داده است که نمی‌بایست از طرف من با کسی تماس بگیرد، و به من نیز بگوید که اگر با کسی، هرکه باشد، تماس بگیرم، بی‌درنگ اخراج می‌شوم. پس، برنامه‌ی ما برای سفر به احمدآباد در سالگرد کودتای ۱۹ اوت (۲۸ مرداد) چه می‌شد؟

او می‌گفت: «من نمی‌توانم با شما بیایم. آنها نمی‌خواهند که من کاری برای شما انجام دهم.»

هنوز چند روزی به مراسم سالگرد مانده بود. تهران کمتر جایی برای دیدن دارد، و من در تقاضانامه‌ام برای گرفتن روادید، نوشته بودم می‌خواهم به اصفهان بروم که در سفر قبلی از آن دیدن کرده بودم. چندروز در آن جا ماندم و گشتم، و کاخ‌ها و مساجد کاشی‌کاری شده‌ی چشم‌نواز را که برایم به همان خیره کنندگی بار نخست می‌نمود، از نظر گذراندم. در بازگشت به تهران، در هواپیما کنار یک تاجر میان‌سال نشسته‌بودم، که مثل همه‌ی آنهایی که در ایران ملاقات کردم، ناراضی بود. بالطبع درباره‌ی موضوع موردعلاقه‌ام با او صحبت کردم. دل به دریا زدم و پرسیدم «شما جوان‌تر از آن هستید که مصدق را به یاد آورید، امّا حتماً باید چیزهایی درباره‌ی او شنیده باشید. چه شنیده‌اید؟ و چه اطلاعاتی از او دارید؟»

وی چندلحظه درنگ کرد تا درباره‌ی این پرسش تأمل کند. صحبت از مصدق در ایران ممنوع نیست، و اگر هم باشد ایرانیان از چنان ممنوعیتی اطاعت نمی‌کنند. امّا نزدیک پنجاه سال، به‌جز یک دوره‌ی کوتاه چندساله‌ی

اول پس از انقلاب اسلامی **۱۳۵۷**، از وی در بهترین حالت یک چهره‌ی مشکوک، و محتمل‌تر یک خائن، تصویر می‌شده است. هم‌نشین جدیدم گفت: «چیز زیادی درباره‌ی او نمی‌دانم. می‌دانم که او نفت را ملی کرد. امّا مسئله‌ی مهم درباره‌ی مصدق این است که وی نماینده‌ی آزادی است. در زمان او، آزادی بیان و آزادی انتخابات برقرار بود و مردم آن‌چه که می‌خواستند، می‌کردند. وی یادآور آن دورانی است که ما در ایران دمکراسی داشتیم. به همین دلیل است که دولت کنونی از او می‌ترسد.»

وقتی به هتل لاله بازگشتیم، یک‌بار دیگر اتاق **۹۱۱** را به من دادند. راهنمای من ــ توریست‌های آمریکایی در ایران باید با یک راهنما سفر کنند ــ از این‌که می‌خواستم خانه‌ی مصدق در احمدآباد را ببینم، ناخرسند بود. من فقط قصد داشتم یک تاکسی کرایه کنم و به آن جا بروم، امّا راهنما به من گفت که این خواسته‌ی من اصلاً انجام‌پذیر نیست. این برای من عجیب بود، زیرا احمدآباد روستایی دور از هر پایگاه نظامی یا تأسیسات محرمانه است. با این همه، نام این دهکده به‌شکل پیچیده‌ای با نام مردی پیوند یافته است که نزدیک به **۱۱** سال یگانه زندانی و معروف‌ترین شهروند آن بود.

بیست هفتم مرداد، شب پیش از سال‌روز کودتا بود که راهنمای من خبر خوش صورت گرفتن معجزه‌اش را به من داد. پرسیدم که چرا ترتیب دادن چنان سفر ظاهراً بی‌خطری باید این‌قدر دشوار باشد؟ از فحوای کلامش این‌طور برمی‌آمد که اگر ایران را بهتر می‌شناختم چنین پرسش احمقانه‌ای نمی‌کردم.

وی توضیح داد که به سه دلیل این کار دشوار است: «نخست آن که، احمدآباد جای معمولی نیست و در زمره‌ی مناطق ویژه گردشگری قرار ندارد. وزارت فرهنگ فهرستی از مکان‌های دیدنی تهیه کرده، و شما قرار است به این جور جاها بروید. توریست‌ها هرگز به احمدآباد نمی‌روند! دوم، احمدآباد در فهرست جاهایی که در تقاضانامه‌ی خود برای دریافت روادید ذکر کرده بودید، نیست. ما بر اساس درخواست‌های خودتان، برنامه‌ریزی کرده‌ایم، و این برنامه را هم وزارتخانه تأیید کرده است و شما قرار است همین را رعایت

کنید؛ و سوم این‌که، شما روادید لازم برای دیدار از چنان جاهایی را ندارید. اگر روادید روزنامه‌نگاری داشتید، به هر جایی می‌توانستید بروید، امّا با روادید توریستی، خیر. این کار بسیار دشوار و بسیار پیچیده بود، کلّ بوروکراسی وزارتخانه باید این کار را تأیید می‌کرد.»

راهنمای یدشده ظاهراً اخم مرا حس کرده بود، چون پس از شرح مناقبی که داد با عجله اضافه کرد: «شما البته نباید برای این مسئله خود را به‌خصوص مدیون من حس کنید، من این کار را برای همه‌ی توریست‌هایم می‌کنم.»

احمدآباد در فاصله‌ی یک‌ساعتی غرب تهران واقع است. بخش اعظم این فاصله در بزرگراه طی می‌شودد و پس از خروج از آن، بازدیدکنندگان در سربالایی راه می‌پیمایند، از کنار کارخانه‌ای کوچک و از میان مزارع جو و چغندر قند می‌گذرند. هیچ علامت و نشانی که راه یا دهکده را نشان دهد به چشم نمی‌خورد و فقط یک دکّه‌ی کوچک تنقلات و نوشابه فروشی دیده می‌شود. هنگامی که به این دکه رسیدیم، دو پسربچه در زیر سایه‌بان جلوی آن نشسته بودند. به راهنمایم گفتم: «از آنها بپرس مصدق که بود.» او هم پرسید و پسربچه‌ها لب به خنده باز کردند و با تکان دادن سر، گویی به کندذهنی ما می‌خندیدند. یکی از آنها پاسخ داد: «او صنعت نفت را ملی کرد!» و دیگری خندید، تحت تأثیر قرار گرفتم.

جاده‌ای که وارد احمدآباد می‌شود در آستانه‌ی در بزرگ یک مجتمع ساختمانی که دیوارهای آجری بلند احاطه‌اش کرده‌اند، تمام می‌شود. هیچ نامی بر در نیست، امّا نگاهی سریع به اطراف نشان می‌دهد که مکان دیگری در آن‌جا به‌ابهت این یکی نیست. این‌جا باید خانه‌ی مصدق باشد. زنگ در خانه را به صدا درآوردم و منتظر ماندم. پس از یکی دو دقیقه، زن جوانی در بزرگ را گشود. در مقابل ما گذرگاهی به طول ۷۰ متر نمایان شد که در طرفین آن ردیف درختان بلند نارون به چشم می‌خورد. از میان درختان می‌توانستم خانه‌ی آجری زیبا و دوطبقه‌ای را با چارچوب‌های سبز در و پنجره آن ببینم.

مصدق بیش از ده سال هیچ‌گاه این محوطه را ترک نکرد. او می‌توانست

این کار را بکند، زیرا محدوده‌ی رفت و آمدش نه‌فقط محوطه‌ی مسکونی‌اش، که داخل روستا را نیز شامل می‌شد. امّا مأموران پلیس دستور داشتند که او را دنبال و مراقبت کنند که از دِه گام بیرون ننهد. امّا وی تنهایی را به مصاحبت آنها ترجیح می‌داد.

محوطه‌ی مسکونی مکان کاملاً دلپذیری است، با باریکه‌راه‌هایی کـه از میان باغ‌ها و آلاچیق‌ها می‌گذرد، و خانه‌ی اربابی راحتی امّا نـه آن‌چنان تجملی. مصدق در این‌جا و طی دوران دراز تبعیدش، بی‌کار ننشست. وی بر کار حدود ۲۰۰ کشاورز که در مزارع اطراف کار می‌کردند، نظارت داشت، به آنها استفاده از وسایل و تجهیزات جدید کشاورزی را می‌آموخت و حـتی جایزه‌ای برای طرح‌های کشاورزی ویژه‌ی افزایش تولید چغندر قند، نصیبش شد. خانواده‌ی او بنا به سنت، حقوقدان و پزشک تحویل جامعه می‌دادند و از آن جا که قبلاً بیشترِ چیزهایی را که مربوط به حقوق می‌شد می‌دانست، وقت خود را صرف مطالعه‌ی علم پزشکی می‌کرد. مصدق متون پزشکی می‌خواند و با جوشاندن ریشه‌ی گیاهان محلی به ساختن داروی ضدمالاریا می‌پرداخت. وقتی که روستاییان بیمار می‌شدند وی با همین گیاهان دارویی آنها را درمان می‌کرد و برای آنهایی که به‌شدت بیمار می‌شدند تـوصیه مـی‌نوشت تـا در بیمارستان نجمیه‌ی تهران، که مـادرش بـنیانگذار و وقـف‌کننده‌ی آن بـود، بستری و درمان شوند. بسیاری از روستاییان مشکلات مالی خود را با او در میان می‌گذاشتند و با حسن توجه و سخاوت وی روبه‌رو می‌شدند.

مصدق در طول ساعت‌های دراز تنهایی، بیشتر وقت خود را در کتابخانه‌ی طبقه‌ی بالا می‌گذراند و خود را در امور موردعلاقه‌ی قدیمی‌اش، مطالعه‌ی فلسفه‌ی اسلامی و آثار نظریه‌پردازان سیاسی مثل منتسکیو و روسـو، غـرق می‌کرد، و به کارهای جدیدی مثل آشپزی می‌پرداخت. وی غذاهای سرخ‌ـ کردنی را از رژیم غذایی خود حذف کرد و فقط غذایی می‌خورد که پخته یا جوشانده شده باشند. یکی از کتاب‌های موردعلاقه‌ی او، که هنوز در اتـاق مطالعه‌اش موجود است، «فرهنگ هنر آشپزی لاروس» بود.

با این همه، کسی که مدتی طولانی میان دیوارهای یک ساختمان زندگی کرده، باید به احساسِ بودن در فضای یک زندان دچار بوده باشد. مصدق طی این سال‌ها، اغلب ناخوش، دچار خونریزی ادواری از زخم‌های عفونی و دیگر عارضه‌ها بود. بستگانی که به دیدار او می‌رفتند می‌گویند که وی افسرده، دلسرد و بی‌روحیه شده بود. او نه برای از دست دادن قدرت، که برای از دست رفتن رؤیاهایش برای ایران سوگوار بود. هیچ‌کاری در احمدآباد نتوانست روحیه‌ی وی را بازگرداند.

مصدق در خاطراتش نوشت: «من عملاً در زندان هستم. در این دهکده حبس شده‌ام و محروم از کلّیه‌ی آزادی‌های شخصی، و آرزومندِ این‌که، عمرم به‌زودی سرآید و از این عذاب هستی راحت شوم.»

خانم سرایداری که من و راهنمایم را به داخل خانه‌ی مصدق هدایت کرد می‌گفت بازدیدکنندگانی به‌طور منظم به آن جا می‌آیند، به‌خصوص در آخر هفته؛ امّا، در این روز که چهل ونهمین سال‌روز کودتایی است که دولت او را در ۲۸ مرداد ۱۳۳۲ ساقط کرد، ما تنها کسانی هستیم که آمده‌ایم. من نیمی از دنیا را پشت سر گذاشته بودم تا به این‌جا بیایم.

مصدق در وصیت‌نامه‌اش ابراز تمایل کرده بود که در گورستان ابن بابویه در تهران، در کنار مزار شهدایی که در دفاع از دولت او در نبردهای خیابانی تیرماه ۳۱ جان خود را از دست داده بودند، به خاک سپرده شود. محمدرضا شاه اما، از بیم این که مزار مصدق به کانونی برای مخالفت با وی تبدیل شود، اجازه‌ی این کار را نداد. پس، بستگانش تصمیم گرفتند پیکر او را بدون تشریفات در احمدآباد دفن کنند. وی دستور داده بود که هیچ بنا یا دیواری حتی یک سنگ قبر برای او نسازند تا آن محل را انگشت‌نما کند. این خواسته‌های او انجام شدند. وی اکنون در زیر کف اتاقی که زمانی ناهارخوری بود، خفته است.

این اتاق مفروش، کوچک اما دلپذیر است. با پنجره‌هایی آفتاب‌گیر که در

طی این سال‌ها فضای یک زیارتگاه را به خود گرفته است. یک میز چوبی پایه کوتاه که رومیزی بافته شده‌ای آن راپوشانده، در نقطه‌ای واقع است که پیکر مصدق در زیرش قرار دارد. بر روی میز دو شمع و یک جلد قرآن نهاده‌اند. بیشتر بازدیدکنندگان ایرانی از سنت فاتحه‌خوانی پیروی می‌کنند و با گذاشتن دست خود به‌نرمی بر روی پارچه‌ی رومیزی اورادی را زمزمه می‌کنند که بر بخشندگی و رحمت پروردگار، گواهی می‌دهند. دیوارهای این اتاق با تصاویر مصدق پوشیده شده است. برخی نقاشی رنگ و روغن، و بقیه با قلم یا مداد کشیده شده‌اند. یکی از آنها، کار سوزن‌دوزی شده‌ای است که او را در پس‌زمینه‌ی یک پرچم ایران نشان می‌دهد. گفتاری از یک سخنرانی او بر تابلویی نقش بسته است: «من به‌عنوان یک ایرانی و یک مسلمان، مخالف هر چیزی که مخالف ایران یا اسلام باشد، هستم.» عکسی که از وی هنگام دفاع سرسختانه از خود در دادگاه، و عکس دیگری که با حالتی محزون در تنهایی نشسته و غرق در افکار خود حین بازداشت خانگی است، نیز بر دیوارها به چشم می‌خورد. عکسی که از نظر من بهترین تصویر اوست، وی را در کنار ناقوس آزادی در فیلادلفیا نشان می‌دهد که انگشت خود را بر روی شکاف معروف آن گذاشته است.

این اتاقی بود که مصدق غذای روزانه‌ی خود را در آن می‌خورد و از مهمانانش پذیرایی می‌کرد. مدتی طولانی در آن‌جا ماندم و به قوه تخیل خود میدان دادم که مرا به آن روزها ببرد. سرانجام از سرایدار تشکر کردم و پرسیدم که آیا می‌توانم گشتی در محوطه‌ی پیرامون آن‌جا بزنم؟ وی اعتراضی نکرد. خود را در سایه‌ی درختان رها کردم و به گاراژ چشم دوختم که یک اتومبیل پونتیاک سبز یشمی مدل ۱۹۴۸ که به همسر مصدق تعلق داشت در آن بلااستفاده پارک شده بود.

پس از چنددقیقه، یک شیءِ به‌مراتب جالب‌تر توجه‌ام را جلب کرد. دو لنگه‌ی در بلندِ یک دروازه‌ی آهنی محکم، به دیوار پشتی خانه تکیه داده شده بودند. این تنها شیئی بود که از خانه‌ی مصدق در تهران، جایی که بخش اعظم

زندگی و از جمله سال‌های پرالتهاب نخست‌وزیری‌اش رادر آن سپری کرده بود، سالم مانده بود.

این دروازه شاهد چه تاریخی بوده است! سفرای آمریکا و انگلیس در ایران، همراه با فرستادگان ویژه‌ای مثل اورِل هریمن، به‌دفعات بی‌شمار از میان آن گذشته بودند تا مصدق را متقاعد به کنار گذاشتن یا تعدیل برنامه‌ی ملی‌سازی صنعت نفت ایران کنند. دسته‌های اوباش درحالی‌که فریاد «مرگ بر مصدق!» سر داده بودند، طی شورش نافرجام زمستان ۱۳۳۰، بر آن کوبیدند. در طی همان شورش، یک جیپ حامل شعبان بی‌مخ، به این در برخورد کرد و در همان حال مصدق به‌سلامت و از روی دیوار پشتی فراری داده شد. هنوز اثر یک گودرفتگی در پایین این در بزرگ که احتمالاً بر اثر همان ضربه به وجود آمده بود، دیده می‌شد.

خانه‌ای که این در بزرگ را احاطه کرده بود، در شب ۲۸ مرداد ۳۲ ویران و در آتش سوزانده شد، و آوار به جا مانده‌اش را با کامیون بردند تا در جای آن یک مجتمع آپارتمانی ساخته شود. تنها چیزی که از آن بر جای ماند همین در بزرگ است، که اهمیت تاریخی زیادی به آن می‌بخشد و برای کسانی که مصدق را می‌شناختند، یا سعی در شناختن او در سال‌های پس از مرگش داشته‌اند، حال و هوایی الهام‌بخش و روحانی را تداعی می‌کند. من نیز دست خود را لحظاتی طولانی روی آن گذاشتم تا آن حس و حال تاریخی را پیدا کنم.

فقط چندنفر در احمدآباد مصدق را به یاد داشتند، یکی از آنها ابوالفتح تک‌روستا نام داشت، که در خیابان غبارآلود بیرون از منزل خود، مشغول کار بر روی اتومبیلش بود. وی راننده‌ی کامیون و کشاورز است که در زمان نوجوانی در مجتمع مسکونی مصدق آشپز بود. وقتی به او گفتم که برای چه کاری به آن جا آمده‌ام، بلافاصله گل از گُلش شکفت و مرا برای صرف چای و خوردن پسته به حیاط خانه‌اش دعوت کرد. در حالی که ما در زیر داربست درخت انگور حیاط وی نشسته و درباره‌ی روزگاران گذشته صحبت می‌کردیم، پرندگان آواز سرداده بودند.

اگرچه گزارش‌های زیادی درباره‌ی کسالت‌ها و عوارض گوناگون مبتلابه مصدق، به ویژه در سال‌های آخر حیاتش، نوشته شده و هرچند دوره‌ی سه ساله‌ی محکومیت انفرادی او نمی‌توانسته برای مردی در سن و سال او تأثیری جز زیان داشته باشد، آقای تک‌روستا او را همچنان قوی و سرزنده به یاد می‌آورد. آن‌گاه که آقای تک‌روستا لب به سخن گشود، داستان‌ها یکی پس از دیگری از زبان او جاری شدند. مصدق داروخانه‌ای دایر کرده بود و در آن‌جا داروی رایگان در اختیار روستاییان می‌گذاشت؛ به کسانی که محتاج بودند وام می‌داد، یک انبار عایق‌بندی شده برای نگهداری یخ در ایام تابستان ساخت، و در ماه رمضان و سال نو به هریک از کارگرانش گونی گونی، غلّه‌ی رایگان می‌داد. آقای تک‌روستا به من گفت: «مصدق مثل زمینداران معمولی نبود. وی املاک خود را مانند یک بنگاه خیریه اداره می‌کرد. بیشتر محصولاتی را که می‌کاشت، به کارگران می‌داد. همه در این جا او را دوست داشتند. هر مشکلی که داشتید و نزد او می‌رفتید، حل و فصل می‌شد. رفتار او با مردم، از عالی‌ترین مقامات گرفته تا فقیرترین کارگران، یکسان بود.» دوست تازه یافته‌ام سپس ادامه داد که یک روز، کشاورزی به نزد مصدق آمد و شکایت کرد که چند تن از مأموران محلی ساواک وی را بازداشت کرده به مقرّ خود برده‌اند و ضمن کتک زدن او با فریاد و توهین از وی درباره‌ی عادات و گفت وگوهای مصدق با دیگران پرسیده‌اند.

«این نخستین‌باری بود که او را چنین خشمگین می‌دیدم. تلفن را برداشت و با فریاد از رئیس پاسگاه ژاندارمری محل خواست که بلافاصله به خانه‌ی او بیاید. وقتی که آمد، مصدق گریبان او را گرفت و به‌سوی دیوار هل داد و سپس عصای خود را به زیر گلوی رئیس پاسگاه گذاشت و فریاد زد: تو این جا هستی تا مواظب من باشی، و حق نداری مزاحم کس دیگری بشوی. اگر مشکلی داری، یک‌راست نزد من بیا، فقط من! هرگز و هیچ‌وقت، دیگر دستت را به روی مردم من بلند نکن! مصدق این سخنان را خطاب به یک مأمور امنیتی و نه یک آدم خوب و بی‌آزار ادا کرد، امّا وقتی صحبت‌هایش تمام شد، آن

مأمور شروع به پوزش‌خواهی و درخواست بـخشایش کـرد. از آن بـه بـعد ژاندارمری هرگز به سراغ ما نیامد. زندانبان از زندانی ترسیده بود!»

از آقای تک‌روستا پرسیدم که آیا او و همسایگانش خود را از مردم دیگر روستاها متفاوت می‌بینند؟ او به من اطمینان داد که چنین است. وی گفت: «ما نه فقط احساس می‌کنیم که تفاوت داریم، بلکه به‌دلیل تأثیر مصدق بر ما واقعاً متفاوت نیز هستیم. میهمانانی از نقاط دوردست به این‌جا می‌آیند و به روستای دیگری نمی‌روند. مردم این‌جا از افتخارِ داشتن چنین مرد بزرگی احسـاس غرور می‌کنند. ما سعی می‌کنیم که مطابق سرمشقی که او به ما داد، رفتار کنیم. ما حسی از خیرخواهی، همکاری، وحدت و همبستگی داریم؛ ما از مـردم محتاج دستگیری می‌کنیم. مردمِ دیگر روستاها این را می‌دانند و زمانی که با مشکل روبه‌رو می‌شوند به نزد ما می‌آیند و ما نیز به آنها کمک می‌کنیم. او پدر ملت ماست، امّا پدر این روستا نیز محسوب می‌شود. واقعاً شرم‌آور است که آنها دولت وی را سرنگون کردند.»

از وی پرسیدم این «آنها» که بودند. آقای تک‌روستا مکثی کرد، و درحالی که نامطمئن به نظر می‌رسید، مدتی طولانی به آسمان خیره ماند و سپس بـا شمردگی گفت: «من یک دهاتی ساده و بی‌سوادم. من نمی‌دانم «آنها» کی‌اند، امّا هرکس که هستند، نمی‌خواهند مردم ما آزاد باشند و پیشرفت کنند.»

ما بیش از یک‌ساعت صحبت کردیم و میزبانم با تأسی از سنت ایرانی از من دعوت کرد که ناهار را با او صرف کنم. دعوتش را با کمال ادب رد کردم، دستش را فشردم و از او عمیقاً سپاسگزاری کردم. سپس به راه افتادم و مدتی بدون هدف سرتاسر دهکده را زیرپا گذاشتم. بعد دوباره به مـحل اولیـه و خانه‌ی مصدق بازگشتم تا ببینم کسی از میهمانان به‌مناسبت سالگرد کودتا در آن‌جا حاضر شده یا خیر، که کسی نیامده بود. گروهی از دوستداران مصدق درنظر داشتند که در آن روز مراسمی در این‌جا برگزار کنند، امّا چندتن از آنان بنا به اتهامات سیاسی گوناگون تحت محاکمه قرار داشتند و نمی‌خواستند مقامات را تحریک کنند.

در سال‌های دهه‌ی ۱۳۷۰، و به‌ویژه پس از انتخاب محمد خاتمی اصلاح‌طلب به ریاست جمهوری در ۱۳۷۶، مردم ایران از مصدق به‌عنوان یک نماد در بحث‌های سیاسی خود بهره می‌گیرند. من دریافتم که نزد بسیاری از ایرانیان هنوز بین نام وی و فکر آزادی پیوند تنگاتنگی برقرار است.

یک مرد جوان به من گفت: «آه، او رهبر بزرگی بود، وقتی در قدرت بود، هرچه می‌خواستید می‌توانستید بگویید. شاه او را کشت، مگر نه؟». به او گفتم، نه دقیقاً، امّا از یک نظر شاید این‌طور باشد.

رهبران اسلامی کاملاً نمی‌دانند با مصدق چه کنند. آن‌ها شکست وی را تأییدی بر این نظر خود، که ایران قربانی ابدی اجنبی‌های سنگدل است، می‌دانند. امّا چون وی یک آزادی‌خواه سکولار بود نمی‌توانند او را مثل یک قهرمان ستایش کنند.

رسانه‌های ایرانی این تناقض را با نحوه‌ی بازتاب چهل و نهمین سالگرد کودتای ۱۳۳۲ به نمایش گذاشتند. یکی از ایستگاه‌های تلویزیونی فیلم مستندی در محکومیت کودتا پخش کرد، امّا کمتر نامی از مصدق به‌عنوان قربانی آن بُرد. گروه کوچکی از دانشجویان طرفدار دولت در بیرون محلی که زمانی سفارت آمریکا بود گرد آمدند. امّا آنها نیز شعارهای خود را محدود به محکوم کردن «جنایات شیطان بزرگ علیه ملت ایران» کردند و به مصدق اشاره‌ای نکردند. فقط دو روزنامه از چهارده روزنامه‌ی تهران مطالبی درباره‌ی سالگرد کودتا منتشر کردند. یکی از آنها، انتخاب، که نزدیک به تندروهاست، کودتا را «علیه مصدق و کاشانی» دانست؛ یک بازنویسی عجیب از تاریخ که آیت‌الله کاشانی را قربانی دخالت خارجی و نه یکی از عوامل آن، توصیف می‌کند. در این مقاله آمده بود، که از کودتا این درس را می‌توان گرفت که ایرانی‌ها باید از رهبران‌شان حمایت کنند، چرا که مخالفت، تنها به منافع «جنگ‌طلبان کاخ سفید» خدمت می‌کند.

یک مقاله‌ی دیگر که در روزنامه‌ای میانه‌رو چاپ شد، دیدگاهی کاملاً

متفاوت ارائه کرد. در این مقاله، روز ۲۸ مرداد ۱۳۳۲ را به‌عنوان «روز بازگشت استبداد» توصیف کرد، و اگرچه به‌دقت از هرگونه ستایش مصدق اجتناب کرد، حادثه را به‌درستی نقل کرد: «کودتا به دست تشکل‌های حرفه‌ای داخل و خارج ایران و صرف ملیون‌ها دلار، شکل گرفت. اصلاً این‌طور نبود که، همچنان که برخی گفته‌اند و نوشته‌اند، کودتا به‌دلیل مخالفت داخلی و بی‌اعتمادی به مصدق صورت گرفته باشد. کودتا زمانی امکان‌پذیر شد که گروه‌های شناخته شده‌ای از سیاستمداران، بسیاری از کسانی که حیات حرفه‌ای خود را مدیون مصدق بودند، از وی گسستند و از همه‌ی وسایل برای هتک آبروی او استفاده کردند. این اتهامات تا ابد قابل توجیه نبوده و طی سال‌های پس از کودتا، آنهایی که چنان اتهاماتی را ساختند و پرداختند، هرگز احترام مردم را به خود جلب نکردند.»

در طول اقامتم در تهران، سعی کردم بناهایی را که به‌نوعی با کودتا مربوط بودند پیدا کنم، امّا موفقیت چندانی به دست نیاوردم. تهران از آن زمان رشد غول‌آسایی کرده و مثل بسیاری از شهرهای بزرگ، این رشد به‌معنای نابودی بسیاری از محلات قدیمی آن بوده است. من به آهستگی از کنار سفارتِ اکنون خالیِ آمریکا عبور کردم. جایی که کِرمیت روزولت عملیات کودتا را از آن‌جا هدایت کرده بود، و گروگان‌های آمریکایی سال‌ها بعد از آن، در آن زندانی بودند. شعارهایی با حروف بزرگ بر دیوارهای سفارت نوشته و به‌طور سردستی به انگلیسی ترجمه شده‌اند. بنا بر یکی از آنها: «ما توی دهن آمریکا می‌زنیم.» دیگری اعلام می‌کند: «روزی که آمریکا از ما تعریف کند، روز عزای ماست». تنها مکان تاریخی دیگری که نام مصدق را به‌نوعی تداعی می‌کرد، کاخ سعدآباد بود. در سال ۱۳۲۸ وی در محوطه‌ی چمن بیرونی آن، به مدت ۳ روز بست نشست و طی آن از شاه درخواست کرد که انتخابات تقلبی آن سال را باطل اعلام کند. داخل کاخ اتاق‌هایی هست که شاهد دیدارهای او با شاه بوده‌اند؛ از جمله ملاقات آن روز سال ۱۳۳۱ که وی بر اثر هیجان دچار حمله‌ی عصبی شد. این کاخ اکنون به روی گردشگران گشوده

شده است. همچنان که به عمارت کاخ نزدیک می‌شدیم، از راننده خواستم که در کنار بلوار درازی که به ورودی کاخ منتهی می‌شد، توقف کند. راننده سردرگم شد. امّا من به حساب خود در جایی ایستادم که اتومبیل حامل کرمیت روزولت در آن شب‌های ملاقات مخفی با شاه ایستاده بود. من می‌توانستم به‌راحتی شاه را به تصور آورم که از پله‌ها پایین می‌آید، از تاریکی می‌گذرد و به درون اتومبیل می‌خزد و کنار وی می‌نشیند.

داخل کاخ، تجمّل و زیادت از هرنظر به چشم می‌خورد. سنگ مرمر، چوب‌های نفیس، نقاشی‌های قدیمی و قالی‌های خوش‌بافت، از جمله دکورهای کاخ محسوب می‌شوند. زمانی دراز را صرف تماشا و گشت در اتاق پذیرایی خصوصی شاه کردم، که حدس می‌زدم همان جایی باشد که وی روزولت را در شب پیروزی ملاقات و سپس از او خداحافظی کرد. تالار بزرگی در طبقه‌ی بالا وجود داشت که احتمالاً همان مکانی بود که شاه در دیدار خود با ژنرال شوار تسکف بر روی میز نشست، البته کسی در آن جا نبود که به‌طور قطع این موضوع را تأیید کند.

گرچه من از مصاحبه با ایرانیان درباره‌ی مصدق و دولت او منع شده بودم، گفت‌وگوهای خودمانی که با مردم معمولی انجام دادم، کاملاً بر من روشن کرد که اکثر مردم برای وی احترام زیادی قائل‌اند. سرانجام روزی خانه‌ی وی در احمدآباد به موزه تبدیل و سیل جمعیت دیدارکننده از سراسر ایران و فراتر، به آنجا رهسپار خواهد شد. من این را به سرایدار خانه‌ی وی، هنگامی که آنجا را ترک می‌کردم، گفتم؛ و او به من گفت که ساختن چنان موزه‌ای دقیقاً آرزوی خانواده‌ی مصدق بوده است.

پرسیدم: «خانواده‌ی مصدق؟» طی دیدارم از لندن، با هدایت متین‌دفتری، نواده‌ی مصدق، که در آستانه‌ی دستگیری توسط جمعیتی انتقام‌جو و خشمگین از ایران گریخته بود، ملاقات کردم. اکنون پی‌بردم که یک نواده‌ی دیگر مصدق، محمود مصدق، نیز زنده است که دور از هیاهو به‌عنوان پزشکی

برجسته، در تهران به طبابت مشغول است. درواقع، اوست که خانه‌ی احمدآباد را حفظ کرده و هزینه‌ی نگهداری آن، از جمله کلبه‌ی کوچک سرایدار و پرداخت حقوق وی را، بر عهده دارد. سرایدار شماره‌ی تلفن او را نداشت، امّا به کمک راهنمایم او را درتهران یافتم. محمود مصدق موافقت کرد که آن شب برای صرف شام به هتل بیاید.

من چنددقیقه‌ای پیش از قرار موعود، از اتاق ۹۱۱ پایین آمدم. نزدیک به یک‌ساعت در محلی نزدیک در ورودی هتل به انتظار نشستم. درست همان موقعی که داشتم با خود می‌اندیشیدم که نکند مهمانم را ندیده، یا گم کرده باشم، وی آمد. تصوّر آن را نمی‌کردم که وی چه شکلی است، اما بلافاصله او را تشخیص دادم. بلندقامت، و خوش‌پوش بود و بسیار با اعتماد به نفس نشان می‌داد. بیشتر از هرچیز لباس وی توجه مرا جلب کرد. او کت و شلوار برتن داشت و کراوات زده بود، چیزی که در ایران ندیده بودم. وقتی به او نزدیک شدم، دیدم کراواتش نشان هاروارد دارد. معلوم شد که وی تازه از جشن چهل وپنجمین سالگرد تجدید دیدار با همکلاسی‌های سابقش برگشته.

به من گفت: «عملاً همه‌چیز از دیدار اورل هریمن از ایران آغاز شد. من در چند جلسه‌ی ملاقات هریمن با پدربزرگم، نقش مترجم را داشتم. روزی هریمن از من پرسید که برای ادامه‌ی تحصیل به کدام دانشگاه می‌خواهم بروم. به او گفتم فکر می‌کنم به انگلیس بروم. اما او گفت ایالات متحده بهتر است. از او پرسیدم کدام دانشگاه را توصیه می‌کند. او که خود فارغ‌التحصیل "ییل" بود، به هر دلیل هاروارد را پیشنهاد کرد. لذا وقتی زمانش فرارسید، درخواست خود را به آن دانشگاه فرستادم. به همین سادگی!»

حتّی پیش از آن‌که به آسانسور برسیم، دکتر مصدق مرا با خود به روزهایی برد که پدربزرگش در قدرت بود. پدر وی کسی جز دکتر غلامحسین مصدق، پزشک مخصوص نخست‌وزیر، نبود که وی را در سفر به سازمان ملل در نیویورک و دادگاه جهانی در لاهه، همراهی کرده بود. غلامحسین مصدق چندسال پیش درگذشت. درواقع همه‌ی پنج فرزند نخست‌وزیر، جز دخترش

خدیجه*، درگذشته‌اند. خدیجه، بیشتر عمرش را در یک بیمارستان روانی در سوئیس سپری کرده بود. نواده‌ها، و فرزندان نواده‌ها، در نقاط مختلف پراکنده شده و بیشترشان از سیاست به دورند. دکتر مصدق به من گفت که او هرگز به چیز دیگری جز پزشکی نپرداخته است. تنها مقام رسمی که وی بر عهده داشته، دبیرکلی «جامعه‌ی باروری و نازایی ایران» بوده است.

دکتر مصدق در آن شب تنها نبود. همراه وی پسرش علی بیست و چندساله که شلوار جین و یک پیراهن سفیدرنگ به تن داشت، نیز آمده بود. بیشتر گفت‌وگوهای ما پیرامون مصدق نخست وزیر دور می‌زد. دکتر داستان‌ها و خاطرات بسیاری از وی برای گفتن داشت. برخی از آن داستان‌ها غم‌انگیز بودند، به‌ویژه آنها که از کج‌خلقی‌های او طی یک دهه انزوای اجباری‌اش حکایت می‌کرد. حتی داستان‌های کم‌اهمیت نیز حکیمانه بودند. مثلاً، مصدق عادت داشت دستمال کاغذی دولایه را از هم باز کند، چون فکر می‌کرد استفاده از هر دو لایه در یک زمان، کار عبث و مسرفانه‌ای است.

چند خاطره‌ی دکتر از اهمیت تاریخی حقیقی برخوردار بودند. وی گفت که چند هفته پیش از کودتای ۱۳۳۲، وی در منزل یک دیپلمات ایرانی در واشنگتن میهمان بود و در آنجا ناخواسته استراق سمع کرد و از زبان همسر سرهنگ عباس فرزانگان، وابسته‌ی نظامی ایران در سفارت، که در فهرست مزدبگیران سیا بود، شنید که با افتخار می‌گفت همسرش در طرح توطئه‌ای دخالت دارد که به‌زودی او را در مقام وزارت خواهد نشاند. روز بعد، محمود مصدق این خبر مهم را به پدربزرگش تلگرام کرد: «چندروز بعد، پس از آن کودتا، از او پرسیدم که تلگرام مرا دریافت کرده است؟ و او گفت: البته که دریافت کردم. وقتی از او پرسیدم چرا کاری در مورد آن انجام نداد، پاسخ داد که کاری نمی‌توانسته بکند. وی گفت که کاملاً از جریان کودتا اطلاع داشت. چاره‌ی او این بود که یا تسلیم شود و یا هوادارانش را تسلیح و جنگ داخلی را آغاز کند. وی از دست کشیدن از آن چه که به آن باور داشت، بیزار

---

* خدیجه مصدق نیز سال گذشته درگذشت. ـ م

بود؛ امّا چاره‌ی دیگر را غیرقابل قبول می‌دانست.»

وقتی صحبت می‌کردیم، علی، نتیجه‌ی نخست‌وزیر فقید، سراپاگوش بود اما کمتر سخنی می‌گفت. زمانی که مشغول صرف دسر بودیم، سعی کردم او را به حرف بکشانم. وی به انگلیسی روان به من گفت که دارد در رشته‌ی روابط بین‌الملل درس می‌خواند. با خود فکر کردم، که هیچ رشته‌ی تحصیلی دیگری برای یک جوان هوشمند با چنان شجره‌نامه‌ای، نمی‌توانست این‌قدر مناسب باشد. پس، آیا وی رؤیای دست یافتن به یک مقام رسمی را در سر می‌پروراند؟

مصدق‌ها، پدر و پسر، پس از این پرسش من نگاهی به یکدیگر انداختند. ظاهراً آنها درباره‌ی این موضوع بارها بحث کرده بودند. دکتر ساکت ماند و هردو منتظر پاسخ مصدق جوان نشستیم.

علی مصدق گفت: «نه، من به سیاست نخواهم پرداخت. از مخاطرات آن می‌ترسم. نه به‌خاطر خودم، که برای نام خانوادگی‌ام. جامعه‌ی ایران بسیار خانواده ـ محور است. هرجا که بروید، پیش از آن که حتی نام‌تان را بپرسند، درباره‌ی پدرتان می‌پرسند. هرکاری که بکنید به خانواده‌تان بازمی‌گردد. اگر از هریک از ما حتی خطای کوچکی سر بزند، نام خانواده‌مان و مصدق نخست‌وزیر را لکه‌دار می‌کند. من یک آدم معمولی هستم و مثل هرکس دیگری اشتباه می‌کنم. مادام که زندگی شخصی داشته باشم، مشکلی به وجود نمی‌آید. امّا اگر سیاستمدار شوم، اشتباهاتم به حساب خانواده‌ام گذاشته می‌شود، حتی آنها که اکنون زنده نیستند. زندگی من مثل پدرم خواهد بود. تمام آن‌چه که ما می‌خواهیم، حفظ میراث خانواده است. من می‌خواهم صداقت، سخاوت و دیگر ویژگی‌هایی را که با نام مصدق عجین است، پیشه کنم. من برای کار سیاسی ساخته نشده‌ام و شک دارم که عضو دیگری از خانواده‌ی ما چنان باشد. این کار مسئولیت و وظیفه‌ی بزرگی برعهده‌ی شخص می‌گذارد.»

یادداشت‌ها

فصل ۱: شب به‌خیر آقای روزولت

Firsthand accounts of the events of August 15-19, 1953, appeared in the New York Times and in newspapers served by the Associated Press, among them the Chicago Tribune. An official account is included in the CIA's clandestine service history, Overthrow of Premier Mossadeq of Iran, November 1952-August 1953, written by Donald M. Wilber and referred to here as "Service History." A summary of this history was published in the New York Times on April 16, 2000, and the full docuÙment is available at www.nytimes.com. Kermit Roosevelt's memoir is Countercoup: The Struggle for Control of Iran (New York: McGraw-Hill, 1979). Other accounts of the coup appear in Ambrose, Stephen, with Immerman, Richard H., Ike's Spies: Eisenhower and the Intelligence Establishment (Garden City, N.Y.: 1981); Diba, Farhad, Mohammad Mossadegh: A Political Biography (London: Croom Helm, 1986); Dorril, Stephen, MI6: Inside the Covert World of Her Majesty's Secret Intellt.. gence Service (New York: Free Press, 2000); Elm, Mostafa, Oil, Power and Principle: Iran's Oil Nationalization and Its Aftermath (Syracuse, N.Y.: Syracuse University Press, 1992); Gasiorowski, Mark J., U.S. Foreign Policy and the Shah: Building a Client State in Iran (Ithaca, N.Y.: Cornell University, 1991); Goode, James F., The United States and Iran: In the Shadow of Mussadiq (New York: St. Martin's, 1997); Katouzian, Homa, Mussadiq and the Struggle for Power in Iran (London: I. B. TauÙris, 1999); Mosley, Leonard, Power Play (Baltimore: Penguin, 1974); Prados, John, Presidents' Secret Wars: CIA and Pentagon Covert Operations Since World War II (New York: William Morrow, 1986); Woodhouse, C. M., Something Ventured (LonÙdon: Granada, 1982); and Zabih, Sepehr, The Mossadegh Era: Roots of the Iranian Revolution (Chicago: Lake View Press, 1982); in articles, including Abrahamian, Ervand, "The 1953 Coup in Iran;' in Science & Society, vol. 65, no. 2 (Summer 2001); Gasiorowski, Mark J., "The 1953 Coup d'Etat in Iran;' in International JourÙnal of Middle East Studies, no. 19 (1987); Louis, William Roger, "Britain and the Overthrow of the Mossadeq Government;' in Gasiorowski, Mark J., and Byrne, Malcolm (eds.), Mohammad Mossadeq and the 1953 Coup in Iran (Syracuse, N.Y.: Syracuse University Press, forthcoming 2003); Gasiorowski, Mark J., "The 1953 Coup d'Etat Against Mossadegh" in that same volume; and Love, Kennett, The American Role in the Pahlavi Restoration on August 19, 1953 (unpublished), the Allen Dulles Papers, Princeton University (1960); and in two videos, History Channel, Anatomy of a Coup: The CIA in Iran, Catalogue No. AAE-43021; and Mossadegh, Iranian

Movies (www.IranianMovies.com), Tape No. 3313.

Mossadegh fried in Persian oil: Frankfurter Neue Presse, October 17, 1952.

Woodhouse emphasizes communist threat: Woodhouse, C. M., or. cit., p. 117.

Philby on Roosevelt: Roosevelt, or. cit., p. 110.

Roosevelt's feeling at border crossing: Roosevelt, ibid., pp. 138-40.

Roosevelt at tennis: Roosevelt, ibid., p. 154.

Zahedi receives over $100,000: Service History, p. B2; and Gasiorowski, Mark J., "The 1953 Coup d'Etat Against Mossadegh;' in Gasiorowski and Byrne, or. cit.

Groups CIA wished to influence, Service History, ibid., p. 7.

Cottam on Iranian press: Anatomy of a Coup (video), or. cit.

Shah hates taking decisions: Faile, Sam, My Lucky Life in War, Revolution, Peace and
   Diplomacy (Lewes, Sussex: Book Guild, 1996), p. 80.

Shah sent Ashraf away: Foreign Relations of the United States 1952-1954, Volume X,
   Iran 1951-1954, (Washington, nc.: Government Printing Office, 1989), p. 675.

Ashraf's eyes lit up: Dorril, or. cit., p. 586.

Ashraf's meeting with Shah: Service History, or. cit., p. 24.

Schwarzkopf brings bags of money: Mosley, or. cit., pp. 216-219; and Roosevelt, or. cit., p. 147.

CIA gave Shah cover mission: Service History, or. cit., p. 25; and Katouzian, or. cit., pp. 39-40.

Schwarzkopf meets Shah: Service History, or. cit., p. 29.

Roosevelt presumed meeting Shah would be necessary: Roosevelt, or. cit., p. 149.

Roosevelt authorized to speak: Roosevelt, ibid., p. 154.

Roosevelt's costume: Roosevelt, ibid., p. 155.

Roosevelt's first meeting with Shah: Roosevelt, ibid., pp. 156-157.

Roosevelt tells Shah United States will not accept second Korea: Service History, or. cit., pp. 33-34.

Roosevelt meets agents in cars: Roosevelt, or. cit., p. 162.

Roosevelt's later meetings with Shah: Roosevelt, ibid., pp. 163-166.

Shah feels stubborn irresolution: Service History, or. cit., p. 35.

Shah will fly to Baghdad: Roosevelt, or. cit., p. 161.

Fake message from Eisenhower: Roosevelt, ibid., p. 168.

Firmans arrive: Roosevelt, ibid., pp. 170-171.

Time moved slowly: Roosevelt, ibid., p. 171.

CIA report on coup preparations: Service History, or. cit., pp. 36-38.

Nothing to do but wait: Service History, ibid., p. 38.

"Luck Be a Lady": Roosevelt, or. cit., p. 172.

Roosevelt drives past Riahi's home: Roosevelt, ibid., p. 172.

Shah will look for work: Foreign Relations of the United States 1952-1954, Volume X,

   or. cit., p. 747.

Roosevelt close to despair: Roosevelt, or. cit., p. 173.

Waller telegram: Waller's remarks at conference in Oxford, England, June 10, 2002.

Fatemi speech: New York Times, August 17, 1953.

فصل ۲: تفو بر تو ای چرخ گردون، تفو

Ferdowsi lament: Mackey, Sandra, The Iranians: Persia, Islam and the Soul of a Nation (New York: Plume, 1996), p. 62..

Hidden Imam: Tabatabai, Allamah Sayyid Muhammad Husayn, Shi'ite Islam (Albany: State University of New York, 1977), p. 214.

Fischer on Shiites: Fischer, Michael M. J., Iran: From Religious Dispute to Revolution (Cambridge, Mass.: Harvard University Press, 1980)pp. 24-27.

Battle cry of Ismail: Mottadeh, Roy, The Mantle of the Prophet: Religion and Politics in Iran (New York: Pantheon, 1985), p. 173.

Ismail adopts Shiism: Arjomand, Said Amir, The Shadow of God and the Hidden Imam (Chicago: University of Chicago Press, 1984), p. 109.

Modern author on Isfahan: Nagel Encyclopedia Guide, quoted in Arab, Gholam Hossein, Isfahan (Tehran: Farhangsara, 1996), p. 1.

Curzon on Qajars: Ghods, M. Reza, Iran in the Twentieth Century: A Political HisÙ tory (Boulder, Colo.: Lynne Rienner, 1989), p. 2.

فصل ۳: آخرین قطره‌ی خون ملت

Curzon on Reuter concession: Curzon, George Nathaniel, Persia and the Persian Question, Vol. 1 (London: Longmans, Green and Co., 1892), p. 480.

Tobacco revolt and fatwa: Afary, Janet, The Iranian Constitutional Revolution, 1906-1911: Grassroots Democracy, Social Democracy, and the Origins of Feminism (New York: Columbia University Press, 1996), pp. 29-33.

Shah borrows half a million pounds: Keddie, Nikki, Roots of Revolution: An Interpretive History of Modern Iran (New Haven, Conn.: Yale University Press, 1981), p. 67.

D'Arcy concession: Ferrier, R. W., The History of the British Petroleum Company, Vol. 1: The Developing Years 1901-1932 (London: Cambridge University Press, 1982), p. 42.

Demand for national assembly: Martin, Vanessa, Islam and Modernism: The Iranian Revolution of 1906 (Syracuse, N.Y.: Syracuse University Press, 1989), p. 74.

British secretary accepts bast: Afary, op. cit., p. 55.

Majlis must decide: Martin, ibid., p. 99.

British diplomat: Martin, ibid., p. 199.

Thrown out law of the Prophet: Martin, ibid., p. 125.

Constitutional government not advisable: Martin, ibid., p. 114.

Overthrow of Islam: Martin, ibid., p. 62.

Two enticing words: Martin, ibid., p. 128.

Openness against insularity: Mackey, op. cit., p. 136.

We want the Koran: Mackey, ibid., p. 152.

Lying between life and death: Bayat, Mangol, Iran's First Revolution: Shi'ism and the Constitutional Revolution of 1905-6 (New York: Oxford University Press, 1991), p.244.

Prize from fairyland: Churchill, Winston, The World Crisis 1911-1914 (New York: Charles Scribner's Sons, 1923), p. 134.

Curzon on Persia's importance: Documents on British Foreign Policy 1919-1939, First Series, Vol. IV (London: Government Printing Press), pp. 1119-1121.

Reza Khan in disturbances: Farmanfarmaian, Manucher, and Farmanfarmaian, Roxane, Blood and Oil: Inside the Shah's Iran (New York: Modern Library, 1999), p. 115.

Reza's speech: Elwell-Sutton, 1. P., "Reza Shah the Great: Founder of the Pahlavi Dynasty;' in Lenczowski, George, Iran Under the Pahlavis (Stanford, Calif.: Hoover Institute, 1978), p. 18.,

Involvement of British officers: Katouzian, Homa, op. cit., pp. 16-17.

Nicholson on Persia: Ferrier, or. cit., p. 589.

Khorasan massacre: Mackey, or. cit., p. 182.

Hamedan baker: Author's interviews in Iran, 2002.

Reza orders mail returned: Mackey, or. cit., p. 178.

Reza largest landowner in Iran: Mackey, ibid., p. 173.

Only one thief in Iran: Ghods, or. cit., p. 93.

Newspaper on common goals in Iran and Germany: Ghods, ibid., p. 166.

Allied leaflet: Goode, James F., The United States and Iran: In the Shadow of Mussadiq (New York: St. Martin's, 1997), pp. 9-10.

فصل ۴: موج نفت

Helpless crew: Longhurst, Henry, Adventure in Oil: The Story of British Petroleum (London: Sidgwick and Jackson, 1959), p. 21.

Petrolifero us territory: Longhurst, ibid., p. 17.

Ahmad Shah as elderly child: Yergin, Daniel, The Prize: The Epic Quest for Oil, Money and Power (New York: Simon and Schuster, 1991), p. 136.

Telegram to Reynolds: Longhurst, or. cit., p. 31.

Mastery itself was the prize: Churchill, or. cit., p. 136.

Sunshine, mud, and flies: Longhurst, or. cit., p. 45.

Curzon on wave of oil: London Times, November 22, 1918.

Production increases at Abadan: Heiss, Mary Ann, Empire and Nationhood: The United States, Great Britain, and Iranian Oil, 1950-1954 (New York: Columbia University Press, 1997), p. 6.

Royalty payment in 1920: Heiss, ibid., p. 6.

Reza burns file: Elm, or. cit., p. 31.

Cadman had attended Reza's coronation: Bill, James A., The Eagle and the Lion: The Tragedy of American-Iranian Relations (New Haven, Conn.: Yale   University Press, 1988), p. 59.

Terms of 1933 oil accord: Heiss, or. cit., p. 13.

Cadman cable: Longhurst, or. cit., p. 78.

Strike at Abadan: Farmanfarmaian, or. cit., p. 186.

Increase in oil production during 1940s: Bamberg, J. H., The History of the British Petroleum Company: Vol. II: The Anglo-Iranian Years, 1928-1954 (Cambridge, UK.: Cambridge University Press, 1994), p. 242.

Assessment of young Mossadegh: Katouzian, or. cit., p. 1.

Mossadegh's reaction to Anglo-Persian Agreement: Katouzian, ibid., p. 13.

Cousin's view of Mossadegh: Farmanfarmaian, or. cit., pp. 166-170.

If subjugation were beneficial: Azimi, Fakhreddin, "The Reconciliation of Politics and Ethics, Nationalism and Democracy: An Overview of the Political Career of Dr. Mohammad Musaddiq;' in Bill, James A., and Louis, William Roger (eds.), Mussadiq, Iranian Nationalism, and Oil (London: I. B. Tauris, 1988), p. 50.

Cut off my head: Katouzian, or. cit., p. 25.

Mossadegh taken prisoner: Katouzian, ibid., p. 33.

فصل ۵: فرمان‌های ارباب

(The notation FO refers to numbered documents of the British Foreign Office.)

Shah's affairs: Forbis, William H., Pall of the Peacock Throne: The Story of Iran (NewYork: Harper ap.d Row, 1980), p. 53.

Chauffeur in one-way street: Arfa, Hassan, Under Five Shahs (New York: William Morrow, 1965), p. 305.

Succession to Reza Shah: Farmanfarmaian, or. cit, pp. 141-142; and Katouzian, pp. 39-40.

General Schwarzkopf's background: Schwarzkopf, H. Norman, It Doesn't Take a Hero (New York: Bantam, 1992), pp. 3-4.

Anglo-Iranian's 1947 profits and Iran's share: Farmanfarmaian, or. cit., p. 212.

Conditions at Abadan: Farmanfarmaian, ibid., pp. 184-185.

Bevin on British standard of living: Yergin, or. cit, p. 427.

Fraser proposes Supplemental Agreement: Heiss, or. cit, p. 7.

British want the whole world: Elm, or. cit, p. 55.

Iskandari threat to nationalize oil: Katouzian, or. cit, pp. 67-68.

Shah's visit to United States: Bill, or. cit, p. 40.

Visit did not go well: McGhee, George, Envoy to the Middle World: Adventures in Diplomacy (New York: Harper and Row, 1983), pp. 66-71.

Joint communique: Alexander, Yonah, and Nanes, Allen (eds.), The United States and Iran: A Documentary History (Frederick, Md.: Alethia Books, 1980), p. 208.

No intention of carrying out orders: FO 371/91448, quoted in Elm, or. cit, p. 63.

British will treat hysterical deputies: FO 371/91512.

Sharogh role: Elm, or. cit., p. 70.

Work of oil committee: Farmanfarmaian, or. cit, pp. 241-242.

Kashani on foreign yoke: Cottam, Richard W., Nationalism in Iran (Pittsburgh: University of Pittsburgh Press, 1979), p. 152.

Mossadegh warns Razmara of disgrace: Elm, or. cit., p. 71.

Northcroft says nationalists unimportant: FO 371/91524, quoted in Elm, or. cit., p. 74.

Fateh letter to Elkington: Elm, ibid., pp. 75-76.

Britain's immense service to mankind: Elm, ibid., p. 79.

Shepherd wrote the gist: Elm, or. cit., p. 80.

Statement of Razmara's assassin: Cottam, or. cit., p. 151.

Mossadegh doubts effectiveness of bodyguards: Katouzian, or. cit, p. 83.

Colonel on Colt bullet: Katouzian, ibid., p. 84.

Shepherd messages to Shah and Ala, and Ala's response: Elm, or. cit., pp. 81-82.

Morrison urges troops toward Iran: Elm, or. cit, p. 83.

Qualities of typical Persian: Goode, or. cit, p. 24.

Foreign Office strategy: Elm, or. cit, p. 84.

Emami on British payroll: Dorril, or. cit., p. 573.

فصل ۶: دشمنان ناپیدا در همه‌جا

CIA mandate: NSC 10/2, "National Security Council Directive on Office of Special Projects;' quoted in Etzold, Thomas H., and Gaddis, John Lewis, Containment: Documents on American Policy and Strategy, 1945-1950 (New York: Columbia University Press, 1978), pp. 125-128.

NSC-68: Foreign Relations of the United States, 1950, Vol. I, pp. 237-292.

Truman points to Iran: Truman conversation with George M. Elsey, June 26, 1950, quoted in Byrne, Malcolm, "The Evolution of U.S. Policy Toward Iran After World War II;" in Gasiorowski and Byrne, or. cit.

Baskerville as American Lafayette: Bill, James A., or. cit., p. 17.

American contribution: Farman Farmaian, Sattareh, Daughter of Persia: A Woman's Journey From Her Father's Harem Through the Islamic Revolution (New York: Anchor, 1992), pp. 56-57.

Unbounded confidence in America: Cottam, Richard W., Ira.n and the United States: A Cold War Case Study (Pittsburgh: University of Pittsburgh Press, 1988), p.39.

McGhee finds Shah's plans grandiose: McGhee, op. cit., p. 69.

Nothing in the till: McGhee, ibid., p. 320.

Funkhouser report: Foreign Relations of the United States, 1950, Vol. V, pp. 76-96.

One penny more: Bill, op. cit., p. 72.

Fergusson report: Louis, William Roger, "Britain and the Overthrow of the Mossadeq Government," in Gasiorowski and Byrne, op. cit.

McGhee meeting in Istanbul: Foreign Relations of the United States, 1951, Vol. V, pp. 60-71.

Bevin on nationalization: Bill and Louis, op. cit., p. 6.

McGhee meets Shah: McGhee, ibid., pp. 326-328.

McGhee meets Shepherd: McGhee, op. cit., p. 326.

Meetings in Washington: Foreign Relations of the United States 1952-1954, Vol. X, op. cit., pp. 37-42; also McGhee, op. cit., p. 335.

Radio Tehran's broadcast: Goode, op. cit., p. 31.

Morrison cable to Franks: FO 371/91535, quoted in Elm, op. cit., p. 112.

Acheson on Mossadegh: Chase, James, Acheson: The Secretary of State Who Created theAmerican World (New York: Simon and Schuster, 1998), p. 353.

New York Times profile of Mossadegh: May 7, 1951.

State Department recognizes sovereign rights of Iran: Alexander and Nanes, op. cit., p. 216.

Morrison annoyed: FO 371/91535, quoted in Elm, op. cit., p. 17.

Morrison message to Acheson: FO 371/91471, quoted in Abrahamian article in Science and Society, op. cit.

Truman exchange with Atdee: Foreign Relations of the United States 1952-1954, Vol. X, op. cit., pp. 59-63.

Grady on nationalization: Wall Street Journal, June 9, 1951.

Jackson proposal: Elm, op. cit., pp. 115-116.

Iranian oil clearly British property: Security Council Official Records, 559th Meeting,October I, 1951,p.11.

They will come crawling: New York Herald Tribune, July 15, 1951.

Drake on staying forever: Interview in Mossadegh (video), op. cit.

Morrison in House of Commons: Elm, op. cit., p. 89.

Patrick Hurley testimony: Baltimore Sun, June 21,1951.

British press on Mossadegh: Abrahamian article in Science and Society, op. cit.

Washington Post sees stricken state: April 7, 1951.

New York Times on comparisons of Mossadegh to American patriots: November 8, 1951.

Chicago Daily News on McGhee: June 30, 1951.

Leggett on Anglo-Iranian: FO 371/91522, quoted in Elm, op. cit., p. 90.

Younger on Anglo-Iranian: Sampson, Anthony, The Seven Sisters: The Great Oil Companies and the World They Made (New York: Viking, 1975), p. 120.

Mountbatten on Morrison: Elm, op. cit., pp. 90-91.

Labor attache on Abadan: FO 371/91628, quoted in Elm, ibid., p. 103.

Jerusalem Post: FO 371/91628, citing Post article of July 6, 1951, quoted in Elm, ibid., pp. 103-104.

Mossadegh appeal to British technicians: Elm, op. cit., p. 118.

Secret British documents: Elm, op. cit., p. 120.

Throw them to the dogs: Elm, ibid., p. 121.

National Security Council report: NSC 107/2, in Foreign Relations of the United States 1952-1954, Vol. X, op. cit., pp. 71-76.

Mossadegh letter to Truman: Foreign Relations of the United States 1952-1954, Vol. X, ibid., pp. 77-79.

Grady cable: Foreign Relations of the United States 1952-1954, Vol. X, ibid., pp.79-81.

Shepherd wants to get Mossadegh out: FO 371/91582, quoted in Heiss, op. cit., p. 94.

Iranian minister at The Hague: New York Times, July 6, 1951.

Truman letter to Mossadegh: Alexander and Nanes, op. cit., pp. 218-219.

Morrison opposes Harriman mission: Foreign Relations of the United States 1952-1954, Vol. X, op. cit., pp. 82-84.

Acheson view of Morrison and Shepherd: Abrams, Rudy, Spanning the Century: The Life ofw. Averell Harriman, 1891-1986 (New York: Morrow, 1992), p. 470.

Shepherd opposes Harriman mission: New York Herald Tribune, July 13, 1951.

Foreign Office directs Shepherd to apologize: FO 371/91562, cited in Elm, op. cit., pp. 126-127.

Grady should urge Mossadegh to accept Harriman mission: Foreign Relations of the United States 1952-1954, Vol. X, op. cit., p. 88.

فصل ۷. نمی‌دانید آنها چه اهریمنانی‌اند

Mossadegh tells Harriman he doesn't know British: Walters, Vernon A., Silent Missions (New York: Doubleday, 1978), p. 242.

Mossadegh sends grandson to English school: Walters, ibid., p. 253.

Harriman finds Mossadegh rigid and obsessed: Foreign Relations of the United

States 1952-1954, Vol. X, op. cit., p. 94.

Harriman's impression of Mossadegh: Abramson, Rudy, op. cit., p. 472.

Mossadegh on foreign influence, and "Tant pis pour nous": Walters, op. cit., pp. 251-252.

Walters on Mossadegh's negotiating style: Walters, ibid., p. 250.

Walters compares Mossadegh to Jimmy Durante: Walters, ibid., p. 248.

Walters's translations: Walters, ibid., pp. 253-254.

Mossadegh on crafty and evil British: Walters, ibid., p. 247.

Levy colloquy: New York Times, October 7, 1951.

Harriman's failed news conference: Abramson, op. cit., p. 473.

Harriman meets Kashani: Abramson, op. cit., pp. 474-475; and Walters, ibid., p. 255.

Harriman cable on Anglo-Iranian's absentee management: Abramson, op. cit., p. 476.

Mossadegh agrees to negotiate if British accept nationalization: Abramson, op. cit., p. 476.

Instructions to Stokes: FO 371/91575, quoted in Elm, op. cit., p. 134.

Mossadegh and Stokes on divorce: FO 371/91577, quoted in Elm, or. cit., p. 135.

Stokes finds proposals too transparent: FO 371/91578, quoted in Elm, ibid., p. 137. Stokes visit to Abadan: FO 371/91580, quoted in Elm, ibid., p. 136.

Harriman shocked by conditions at Abadan: Abramson, or. cit., p. 479.

Harriman says lack of British cooperation endangers his mission: Foreign Relations of the United States 1952-1954, Vol. X, or. cit., p. 103.

Harriman's trips to cool off: Walters, or. cit., p. 257.

Stokes told to offer no further concessions: FO 371/91579, quoted in Elm, or. cit., p. 141.

The result is nothing: Newsweek, September 3, 1951.

Attlee- Truman exchange: Goode, or. cit., p. 43.

Walters recalls a mission unlike any other: Walters, or. cit., p. 263.

Franks says British troops would have a steadying influence: Foreign Relations of the United States 1950, Vol. V, or. cit., pp. 233-237.

Bolton suggests direct intervention: FO 371/91525, quoted in Elm, or. cit., p. 156. Shinwell doesn't want tail twisted: Elm, ibid., p. 157.

British could bring Africans to Abadan: Elm, or. cit., p. 160.

Plans to invade Abadan: Elm, or. cit., pp. 155-168; and Goode, or. cit., p. 33.

Lord Fraser on dumps and doldrums: Elm, or. cit., p. 162.

Gifford tells Acheson of invasion plans: Foreign Relations of the United States 1952-1954, Vol. X, or. cit., pp. 54-55.

Acheson warns Franks against invasion: FO 371/91534, quoted in Elm, or. cit., p. 158.

Wall Street Journallaments threats: April 7, 1951.

Philadelphia Inquirer warns of World War III: August 28, 1951.

Howard K. Smith commentary: May 20, 1951, reported in FO 371/91538, quoted in Elm, or. cit., p. 159.

Morrison on Mossadegh's fanaticism: Morrison, Herbert, An Autobiography (London: Odhams, 1960), p. 281.

Acheson warns of disastrous consequences: Elm, or. cit., p. 165.

Attlee tells cabinet there will be no invasion: Elm, or. cit., pp. 166-167.

Lambton advises Foreign Office on propaganda lines: Louis article in Gasiorowski and Byrne, or. cit.

Zaehner combines high thought with low living: Louis article, ibid.

Drake on lack of cooperation with Iranians: Interview in Mossadegh (video), or. cit.

British prevent foreign oil experts from traveling to Iran: Elm, or. cit., pp. 148-150.

Foreign Office places advertisements: FO 371/91613, with text of ads, quoted in Elm, ibid., p. 146.

Mason intercepts telegrams: Elm, ibid., pp. 146-147.

Acheson on Grady's strong personality: Acheson, Dean, Present at the Creation: My Years at the State Department (New York: Norton, 1969), p. 224.

Henderson considers Mossadegh a madman: Heiss, or. cit., p. 180.

Grady warns against giving Iran a forum: London Daily Standard, October 15, 1951. Acheson warns Morrison against UN. debate: Foreign Relations of the United States 1952-1954, Vol. X, or. cit., p. 201.

Gifford on his meeting with Morrison: Foreign Relations of th'e United States 1952-1954, Vol. X, ibid., p. 205.

فصل ۸: پیرمردی فوق‌العاده زیرک

Mossadegh is symbol of surging nationalism: New York Times, October 9, 1951.

Daily News on Mossy: Newsweek, August 15, 1953.

Mossadegh statement upon arriving in New York: New York Times, October 9, 1951.

Newsweek on Mossadegh: August 15, 1953.

Jebb opening statement to Security Council: Security Council Official Records, 559th Meeting, October 1, 1951.

New York Times on idle Abadan: October 19, 1951.

Jebb urges Mossadegh not to brood: Security Council Official Records, 560th Meeting, October 15, 1951.

Mossadegh speech to Security Council: Security Council Official Records, ibid.

Mossadegh and Jebb on British-Iranian friendship: Goode, op. cit., p. 57.

McGhee on Liaquat: McGhee, op. cit., p. 93.

Churchill in Liverpool: London Times, October 3, 1951.

Second day of Security Council meeting: Security Council Official Records, 561st Meeting, October 16, 1951.

Third day: Security Council Official Records, 562nd Meeting, October 17, 1951.

Reston column: New York Times, October 18, 1951.

Truman received profile of Mossadegh: White House Declassified Documents (Washington: Government Printing Office, 1975), Doc. 780.

Adjectives British applied to Mossadegh: Abrahamian article in Science & Society, or. cit.

Mossadegh arrival at Union Station: Acheson, or. cit., pp. 503-504.

Mossadegh meets with Truman: Acheson, ibid., p. 504.

New York Times describes compromise proposal: October 25, 1951.

Strang rejects proposal: FO 371/91609, quoted in Elm, or. cit., p. 187.

Butler on Britain's viability: FO 371/91602, quoted in Elm, ibid., p. 188.

Reston says United States intervened too late: New York Times, October 18, 1951. McGhee's efforts with Mossadegh: McGhee, or. cit., pp. 390-391.

McGhee bids farewell to Mossadegh: McGhee, or. cit., p. 403.

Walters pays final visit to Mossadegh: Walters, or. cit., p. 262.

Egyptian newspapers hail Mossadegh: Elm, p. 193.

Mossadegh and Nahas Pasha issue statement: McGhee, or. cit., p. 404.

Churchill says Attlee had scuttled and run: Dorril, p. 560.

Churchill directs Attlee to be stubborn: FO 371/91609, quoted in Elm, or. cit., p. 189.

Churchill describes Mossadegh as elderly lunatic: Goode, or. cit., pp. 34-35.

McGhee sees almost the end of the world: McGhee, op. cit., p. 403.

Mossadegh as man of the year: Time, January 7, 1952.

فصل ۹: انگلیسی‌های خرفت

Shah will pack his suitcase: Katouzian, or. cit., p. 122.

Mossadegh argues and faints: Katouzian, op. cit., p. 123; and Musaddiq, Moham-mad (edited by Homa Katouzian), Musaddiq's Memoirs: Dr. Mohammad Musaddiq, Champion of the Popular Movement of Iran and Former Prime Minister (London: Jebhe, 1988), p. 340.

Mossadegh's resignation letter: Zabih, Sepehr, The Mossadegh Era: Roots of the Iranian Revolution (Chicago: Lake View Press, 1982), p. 40.

Mossadegh statement on suspending election: Zabih, ibid., p. 38.

Churchill on Italians: FO 371/10465, quoted in Elm, of. cit., p. 268.

Mossadegh at World Court: Elm, ibid., pp. 208-214; and Heiss, OF. cit., p. 129.

Voyage of Rose Mary: Heiss, ibid., p. 130.

Mossadegh leaves favorable impression: Elm, OF. cit., p. 213.

Drop in oil revenue and Mossadegh reaction: Elm, ibid., pp. 271-272.

Zaehner on Qavam: Katouzian, of. cit., pp. 121-122.

Majlis members split between Mossadegh and Qavam: Zabih, OF. cit., pp. 41-41.

Qavam statements as prime minister: Zabih, ibid., p. 44; and Katouzian, OF. cit., p. 124.

Kashani denounces Qavam: Elm, OF. cit., p. 242.

Tudeh protests against Qavam: Zabih, of. cit., p. 63.

Mossadegh presents Koran to Shah: Elm, of. cit., p. 247.

Mossadegh tells Shah he could go down in history: Zabih, OF. cit., p. 66.

Middleton cables: Louis article in Gasiorowski and Byrne, OF. cit.

New York Times on Zahedi: August 20, 1953.

MacLean on Zahedi's arrest: MacLean, Fitzroy, Eastern Approaches (London: Penguin, 1991), pp. 266-274.

Churchill has no regard for timid diplomatists: Woodhouse, OF. cit., p. 125.

Churchill concerned about Jones trip, and exchange with Truman: Elm, of. cit., pp. 250-252; and Goode, OF. cit., p. 87.

Acheson says British want rule or ruin: Elm, of. cit., p. 257.

Truman says nationalization has become as sacred as the Koran: Heiss, of. cit., p.140.

Joint letter to Mossadegh: Elm, of. cit., pp. 250-252.

Mossadegh says Britain has plundered poor nations: Elm, ibid., p. 253.

Churchill urges Truman not to go further: Elm, ibid., p. 254.

Eden on Persian language: Eden, Anthony, Full Circle: The Memoirs of Sir Anthony Eden (Boston: Houghton Mifflin, 1960), p. 211.

Acheson on Eden's view of Iranians: Chase, of. cit., p. 353.

Truman letter to Grady: Henry Grady Papers, Box 2, 1952, at Harry Truman Library.

Roosevelt didn't talk spook: New York Times, June 11,2000.

Roosevelt is coolness personified: The Independent (London), June 15,2000.

Roosevelt thinks Republicans might be different: Roosevelt, OF. cit., p. 107.

فصل ۱۰: بندکفش‌هایت را ببند و راه بیفت

Rashidians receive È10,000 monthly: Dorril, OF. cit., p. 564; and Woodhouse, OF. cit., p. 118.

Recipients of foreign bribes: Service History, of. cit., p. 7.

Description of Rashidian brothers: Bill, OF. cit., p. 91.

Woodhouse on Anglo-Iranian directors: Dorril, OF. cit., p. 580.

Woodhouse on his Washington presentation: Woodhouse, of. cit, pp. 117-118.

Background of John Foster Dulles: Preussen, Ronald W., John Foster Dulles: The Road to Power (New York: Free Press, 1982).

Background of Alien Dulles: Grose, Peter, Gentleman Spy: The Life of Allen Dulles (Boston: Houghton Mifflin, 1994).

Allen Dulles urges CIA to launch worldwide covert action program: Grose, ibid.,

p. 292.

Smith tells Roosevelt to get going: Roosevelt, op. cit., pp. 115-116.

Henderson says Mossadegh lacks stability: Goode, op. cit., p. 82.

Henderson on National Front: Ambrose, op. cit., p. 109.

Joint cable from Henderson and Middleton: Brands, op. cit., p. 272.

Henderson in touch with Zahedi: Brands, ibid., pp. 272-279.

United States can no longer approve of Mossadegh government: Service History, op. cit., p. 2.

Eisenhower complains about British efforts: Elm, op. cit., p. 277.

Sinclair visits Washington: Louis article in Gasiorowski and Byrne, ibid.

Shah in hysterical state: Foreign Relations of the United States 1952-1954, Vol. X, op. cit., pp. 681-683.

Shaban crashes through gate: Kennett Love article in Allen Dulles papers, op. cit.; and New York Times, August 23, 1953.

Mob organized by Kashani: FO 371/10562, quoted in Elm, op. cit., p. 295.

Allen Dulles warns of communist takeover: Foreign Relations of the United States 1952-1954, Vol. X, op. cit., p. 689.

March 4 meeting of National Security Council: Foreign Relations of the United States 1952-1954, Vol. X, op. cit., p. 693.

Eisenhower considers Mossadegh only hope for West and wants to give him $10 million: FO 371/104614, quoted in Elm, op. cit., pp. 282-283.

Dulles and Eden issue communique: Elm, op. cit., pp. 277-283.

Pardon for Tahmasibi: Azimi, Fakhreddin, Iran: The Crisis of Democracy 1941-53 (London: 1. B. Tauris, 1989), p. 298.

Zaehner report on splitting National Front: Abrahamian article in Science & Society, op. cit.

Eisenhower has real doubts: Foreign Relations of the United States 1952-1954, Vol. X, op. cit., p. 713.

Wisner says CIA ready to discuss plot: Louis article in Gasiorowski and Byrne, op. cit.

Allen Dulles approves $1 million: Service History, op. cit., p. 3.

Afshartus kidnapping: Louis article in Gasiorowski and Byrne, op. cit., note 170; and Dorril, op. cit., p. 585.

Eisenhower letter to Mossadegh: New York Times, July 10, 1953.

Eisenhower and Churchill approve plot: Service History, op. cit., p. vi; Prados, John, Presidents' Secret Wars: CIA and Pentagon Covert Operations Since World War II (New York: William Morrow, 1986), p. 95; Dorril, op. cit., p. 587; Woodhouse, op. cit., p. 125; and Louis article in Gasiorowski and Byrne, op. cit.

Wilber and Darbyshire begin work in Cyprus: Service History, op. cit., pp. 5-6.

Initial plan for coup: Service History, pp. BI-BIO and 16-18; and Gasiorowski

article in Gasiorowski and Byrne, op. cit.

Dulles on getting rid of this madman: Roosevelt, op. cit., p. 8.

Dulles polls advisers and then decides to get going: Roosevelt, ibid., p. 18; Elm, op. cit., p. 299; and Bill and Louis, op. cit., p. 283.

Bohlen opposes coup: FO371/98603.

Goiran opposes coup: Dorril, op. cit., p. 584.

Bedamn budget compared to worldwide covert action budget: Gasiorowski article in Gasiorowski and Byrne, op. cit.

John Foster Dulles asks Allen Dulles if plot is still on: Foreign Relations of the United States 1952-1954, Vol. X, op. cit., p. 737.

John Foster Dulles makes public statement: Foreign Relations of the United States 1952-1954, Vol. X, op. cit., p. 338.

Wilber on anti-government propaganda: Wilber, Donald N., Adventures in the Middle East: Excursions and Incursions (Princeton, N.J.: Darwin, 1986), pp. 188-189.

فصل ۱۱: می‌دانستم! آنها عاشق من هستند!

For sources of information about the events of mid-August 1953 in Tehran, see notes for Chapter 1.

Roosevelt meets Zahedi: Roosevelt, op. cit., pp. 166-167; and Service History, p. 45. Smith on snuggling up to Mossadegh: Foreign Relations of the United States 1952-1954, Vol. X, op. cit., p. 748.

Ardeshir Zahedi receives journalists: Kennett Love article, op. cit.; and Dorril, op. cit., p. 592.

Love on copying machine: Anatomy of a Coup (video), op. cit.

Roosevelt had sent Rashidians to Washington: Roosevelt, op. cit., p. 80.

Jalili and Keyvani vitally important: Service History, op. cit., p. 7.

Fatemi on royal robbery: London Times, August 17, 1953.

McClure mission: Elm, op. cit., p. 306; and Service History, op. cit., p. 46.

Jalili and Keyvani prefer money to execution: Dorril, op. cit., p. 595; and Gasiorowski article in Gasiorowski and Byrne, op. cit.

Roosevelt sees slight chance of success: Service History, op. cit., p. 51.

Roosevelt prepares escape plan: Gasiorowski article in International Journal, op. cit.

Love on military-looking car: Mossadegh (video), op. cit.

Roosevelt on anti-Shah protesters: Roosevelt, op. cit., p. 180.

Roosevelt admits small complications, gives Henderson assignment: Roosevelt, ibid., pp. 183-184.

Roosevelt describes Mossadegh as old bugger: Roosevelt, op. cit., p. 163.

Monday was active and trying time: Service History, op. cit., p. 56.

Riots scare Roosevelt: Roosevelt, op. cit., p. 179.

Henderson meets Mossadegh: Roosevelt, op. cit., p. 185; and Foreign Relations of the United States 1952-1954, Vol. X, op. cit., p. 750.

Mossadegh's fatal mistake: Time, August 31, 1953.

Daftary leads troops to royalist side: Dorril, op. cit., p. 593; and Katouzian, op. cit., p. 191.

New York Times on policemen swinging into action: August 19, 1953.

Shah arrives in Rome: London Times, August 19, 1953.

Shah doesn't expect to return home in immediate future: New York Times, August 19, 1953.

Shah likely to join colony of exiled monarchs: LolJdon Daily Telegraph, August 19, 1953.

Waller on crowds in Iran: Anatomy of a Coup (video), op. cit.

Ten thousand dollars sent to Kashani: Dorril, op. cit., p. 593; and Gasiorowski article in International Journal, op. cit.

Zirkaneh giants: Ambrose, Ike's Spies, or. cit., p. 210.

Mossadegh refuses to arm Tudeh: Author's interview with former Tehran mayor, Nosratollah Amini, June 23, 2002; and Lapping, or. cit., p. 215.

Tribal chiefs paid by Roosevelt's agents: Gasiorowski article in Gasiorowski and Byrne, or. cit.

New York Times on bully-boys: August 23,1953.

Cottam on mob: Mossadegh (video), or. cit.

Smith exchanges cables with Roosevelt: Roosevelt, or. cit., p. 190.

Roosevelt hears radio broadcast: Roosevelt, ibid., pp. 187-191.

Roosevelt fetches Zahedi: Roosevelt, or. cit., pp. 193-194.

Roosevelt toasts impending victory: Roosevelt, ibid., p. 194.

Radio plays "Star-Spangled Banner": Interview with Malcolm Byrne in Anatomy of a Coup (video), or. cit.

Shah and Empress react to news of coup: London Times, August 20, 1953.

Shah regrets not playing important part: New York Times, August 19, 1953.

Mossadegh says he prefers to die: Saheb interview in Mossadegh (video), or. cit.

Kissing party: Elm, or. cit., pp. 307-308; and Katouzian, or. cit., p. 192.

Roosevelt and comrades full of jubilation: Roosevelt, or. cit., p. 195.

Meeting of Roosevelt, Henderson, and Ardeshir Zahedi: Roosevelt, ibid., pp. 195-196.

Roosevelt speaks at victory party: Roosevelt, ibid., pp. 195-197.

Some victims had banknotes in their pockets: Elm, or. cit., p. 308.

Three hundred killed: New York Times, August 20, 1953; and Time, August 31, 1953.

New York Times on sudden reversal: August 23, 1953.

Associated Press on Zahedi's coup: Chicago Tribune, August 20, 1953.

A day that should never have ended: Secret History, or. cit., p. 77.

Zahedi sends Batmanqelich to pick up Mossadegh: Diba, or. cit., p. 186.

Mossadegh arrives and greets Zahedi: Chicago Tribune, August 21, 1953.

Zahedi orders that Mossadegh be addressed respectfully: Chicago Tribune, August 21, 1953.

British airliner unsuitable: London Times, August 21, 1953.

Dutch airline charter: New York Times, August 23, 1953.

Shah on Mossadegh's crimes: New York Times, August 23, 1953.

Shah's airport reception: New York Times, August 23, 1953.

Shah's radio speech: London Times, August 24, 1953.

Zahedi will send Mossadegh to city jail: London Times, August 24, 1953.

Zahedi's government receives millions from CIA: Service History, or. cit., p. xiii.

Zahedi receives $1 million for himself: Gasiorowski, US Foreign Policy and the Shah, or. cit., p. 90.

Roosevelt's final meeting with Shah: Roosevelt, pp. 199-202.

Roosevelt leaves with tears in his eyes: Roosevelt, ibid., p. 203.

فصل ۱۲: خرناسه کشیدن گربه‌ی چاق

Mossadegh on his only crime: Musaddiq, or. cit., p. 74.

Riot outside Mossadegh's home: Author's interview with Mahmoud Mossadegh, August 19, 2002.

Officers arrested and executed: Diba, or. cit., p. 191.

Tudeh activists executed: Abrahamian, Ervand, Iran between Two Revolutions (Princeton, N.J.: Princeton University Press, 1982), p. 280.

Fatemi on traitor Shah, and snake who bites: Goode, op. cit., p. 123.

1962 rally: Diba, op. cit., p. 193.

Mossadegh wants God to take him: Musaddiq, op. cit., p. 80.

Consortium agreement: Elm, op. cit, pp. 310-331; Heiss, op. cit., pp. 187-220; and Goode, op. cit., pp. 138-153.

Shah on Mossadegh's xenophobia: Pahlavi, Mohammad Reza, Mission for My Country (New York, McGraw-Hill, 1960), pp. 302,127.

Shah on Mossadegh's nationalism: Pahlavi, Mohammad Reza, Answer to History (New York: Stein and Day, 1980), p. 84.

Shah on worst years of his life: Goode, op. cit., p. 155.

Bakhtiar visits Mossadegh's grave: Goode, ibid., p. xiii.

Khomeini rants at Bakhtiar: Farmanfarmaian, op. cit., p. 452.

Ardeshir Zahedi denies CIA involvement: Zahedi, Ardeshir, "What Really Happened:" www.ardeshirzahedi.com.

Shaban receives Cadillac: Diba, op. cit., p. 190.

Ashraf on unsubstantiated allegations: Pahlavi, Ashraf, Faces in a Mirror (Englewood Cliffs, N.J.: Prentice-Hall, 1980), p. xiv.

Dulles on Woodhouse's nice little egg: Dorril, op. cit., p. 596.

Woodhouse on first step toward catastrophe: Woodhouse, op. cit., p. 131.

Morrison recalls little about Iran: Morrison, op. cit., pp. 281-282.

Eden defends decision not to wage war: Eden, op. cit., pp. 246-247.

Eden on Morrison: Harris, Kenneth, Attlee (London: Weidenfeld and Nicholson, 1982), p. 472.

Churchill considers Ajax finest operation: Service History, op. cit., p. 81.

Roosevelt meets Churchill: Roosevelt, op. cit., p. 207.

Eisenhower awards medal to Roosevelt: Prados, op. cit., pp. 91-92.

Hostage-taker fears another coup: Zahrani, Mostafa T.,"The Coup That Changed the Middle East: Mossadeq v. the CIA in Retrospect:' in World Policy Journal (Summer 2002).

Khamenei says his movement not like Mossadegh's: Abrahamian article, op. cit.

Iranian intellectual on legacy of coup: Zahrani article in World Policy Journal, op. cit.

Waller defends coup: Statement to conference in Oxford, England, June 10, 2002.

Falle on legacy: Falle, op. cit., p. 81.

Tudeh strength exaggerated: Gasiorowski article in Gasiorowski and Byrne, op. cit.; Behrooz, "The 1953 Coup in Iran and the Legacy of the Tudeh:' in Gasiorowski and Byrne, ibid.; and Abrahamian article in Science & Society, op. cit.

Acheson on losing so much so stupidly: Acheson, op. cit., p. 503.

Acheson on Mossadegh's responsibility: Acheson, ibid., p. 504.

Nixon on Acheson's cowardly college: New York Times, November 2, 1952.

Dulles purrs: Roosevelt, op. cit., p. 209.

Bakhtiar says Mossadegh should have shot plotters: Mossadegh (video), op. cit.

CIA says some facts will never be known: Service History, op. cit., p. 67.

Eisenhower meets Shah: New York Times, December 15, 1959.

Eisenhower refers obliquely to coup: Eisenhower, Dwight, Mandate for Change: The White House Years, 1953-1956 (Garden City, N.Y.: Doubleday, 1963), p. 164; and Ambrose, Stephen, Eisenhower: The President (New York: Simon and Schuster, 1984), p. 129.

Albright acknowledges American responsibility: New York Times, March 18, 2000. Bill on legacy: Bill, or. cit., pp. 288-289.

Cottam on legacy: Cottam, Iran and the United States, or. cit., pp. 261-263.

Gasiorowski on legacy: Gasiorowski article in International Journal, or. cit.

Goode on legacy: Goode, or. cit., p. 124.

Heiss on legacy: Heiss, or. cit., pp. 234-238.

Keddie on legacy: Keddie, or. cit., pp. 142,275-276.

Louis on legacy: Bill and Louis, or. cit., pp. 255-256.

کتاب‌شناسی

Abrahamian, Ervand. Iran Between Two Revolutions (Princeton, N.J.: Princeton University Press, 1982).

_____. "The 1953 Coup in Iran" (article), in Science & Society, vol. 65, no. 2 (Summer 2001).

Abramson, Rudy. Spanning the Century: The Life of W Averell Harriman, 1891-1986 (New York: William Morrow, 1992).

Acheson, Dean. Present at the Creation: My Years at the State Department (NewYork: Norton, 1969).

Afary, Janet. The Iranian Constitutional Revolution, 1906-1911: Grassroots Democracy, Social Democracy, and the Origins of Feminism (New York: Columbia University Press, 1996).

Akhavi, Sharough. Religion and Politics in Contemporary Iran: Clergy State Relations in the Pahlavi Period (Albany: State University of New York Press, 1980).

Alexander, Yonah, and Nanes, Allen (editors). The United States and Iran: A Documentary History (Frederick, Md.: Alethia Books, 1980).

Ambrose, Stephen. Eisenhower: The President (New York: Simon and Schuster, 1984).

_____, with Immerman, Richard H. Ike's Spies: Eisenhower and the Intelligence Establishment (Garden City, N.Y.: Doubleday, 1981).

Amirsadeghi, Hossein (editor). Twentieth-Century Iran (London: Heinemann, 1977).

Andrew, Christopher. Secret Service: The Making of the British Intelligence Community (London: Heinemann, 1985).

Arab, Gholam Hossein. Isfahan (Tehran: Farhangsara, 1996).

Arfa, Hassan. Under Five Shahs (New York: William Morrow, 1965).

Arjomand, Said Amir. The Shadow of God and the Hidden Imam (Chicago: University of Chicago Press, 1984).

_____. The Turban for the Crown: The Islamic Revolution in Iran (New York: Oxford, 1988).

Attlee, Clement R. As It Happened: The Autobiography of Clement R. Attlee (NewYork: Viking, 1954).

Avery, Peter. Modern Iran (New York: Praeger, 1965).

_____, et al. (editors). The Cambridge History of Iran (7 vols.) (Cambridge, U.K.: Cambridge University Press, 1968-1991).

Azimi, Fakhreddin. Iran: The Crisis of Democracy 1941-53 (London: I. B. Tauris, 1989).

Bamberg, J. H. The History of the British Petroleum Company: Volume II: The Anglo-Iranian Years, 1928-1954 (Cambridge, u.K.: Cambridge University Press, 1994).

Banani, Amin. The Modernization of Iran 1924-41 (Stanford, Calif.: Stanford University Press, 1966).

Bayat, Mangol. Iran's First Revolution: Shi'ism and the Constitutional Revolution of 1905-6 (New York: Oxford University Press, 1991).

Bill, James A. The Eagle and the Lion: The Tragedy of American-Iranian Relations (New Haven, Conn.: Yale University Press, 1988).

———— and Louis, William Roger (editors). Mussadiq, Iranian Nationalism, and Oil (London: 1. B. Tauris, 1988).

Blair, John M. The Control of Oil (New York: Pantheon, 1976).

Brands, H. W. Inside the Cold War: Loy Henderson and the Rise of the American Empire 1918-1961 (New York: Oxford University Press, 1991).

Brock, Ray. Blood, Oil and Sand (Cleveland: World, 1952).

Buder, D. E. The British General Election of 1951 (London: Macmillan, 1952).

Central Intelligence Agency (written by Donald N. Wilber). Overthrow of Premier Mossadeq of Iran, November 1952-August 1953 (Clandestine Service History, 1954, unpublished); summary published in New York Times, April 16, 2000, textavailable at www.nytimes.com.

Chace, James. Acheson: The Secretary of State Who Created the American World (New York: Simon and Schuster, 1998).

Churchill, Winston S. The World Crisis, Volume I (New York: Scribners, 1928).

Cottam, Richard W. Nationalism in Iran (Pittsburgh: University of Pittsburgh Press, 1979).

————. Iran and the United States: A Cold War Case Study (Pittsburgh: University of Pittsburgh Press, 1988).

Curzon, George Nathaniel. Persia and the Persian Que tion (London: Longmans, Green and Co., 1892).

Department of State. Foreign Relations of the United States 1952-1954, Volume X: Iran 1952-1954 (Washington, nc.: Government Printing Office, 1989).

Diba, Farhad. Mohammad Mossadegh: A Political Biography (London: Croom Helm, 1986).

Donoughue, Bernard, and Jones, G.W. Herbert Morrison: Portrait of a Politician (London: Weidenfeld and Nicholson, 1973).

Donovan, John C. The Cold Warriors: A Policy-Making Elite (Lexington, Mass.: Heath, 1974).

Donovan, Robert A. Conflict and Crisis: The Presidency of Harry S Truman 1948-1953 (New York: Norton, 1982).

Dorril, Stephen. MI6: Inside the Covert World of Her Majesty's Secret Intelligence Service (New York: Free Press, 2000).

Dulles, Allen. The Craft of Intelligence (New York: Harper and Row, 1963).

Durraj, Manocher. From Zarathustra to Khomeini: Popular Dissent in Iran (Boulder, Colo.: Lynne Rienner, 1990).

Eden, Anthony. Full Circle:The Memoirs of Si rAnthony Eden (Boston: Houghton Mifflin, 1960).

Eisenhower, Dwight. Mandate for Change: The White House Years, 1953-1956 (Garden City, N.Y.: Doubleday, 1963).

Elm, Mostafa. Oil, Power and Principle: Iran's Oil Nationalization and Its Aftermath (Syracuse, N.Y.: Syracuse University Press, 1992).",

Elwell-Sutton, L. P. Persian Oil: A Study in Power Politics (London: Lawrence and Wishart, 1955).

Etzold, Thomas H., and Gaddis, John Lewis. Containment: Documents on American Policy and Strategy, 1945-1950 (New York: Columbia University Press, 1978). Eveland, Wilbur C. Ropes of Sand: America's Failure in the Middle East (New York: Norton, 1980).

Faile, Sam. My Lucky Life in War, Revolution, Peace and Diplomacy (Lewes, Sussex: Book Guild, 1996).

Farman Farmaian, Sattareh. Daughter of Persia: A Woman's Journey From Her Father's Harem Through the Islamic Revolution (New York: Anchor, 1992).

Farmanfarmaian, Manucher, and Farmanfarmaian, Roxane. Blood and Oil: Inside the Shah's Iran (New York: Modern Library, 1999).

Fatemi, Faramarz S. The u.S.S.R. in Iran: The Background History of Russian and Anglo-American Conflict in Iran and Its Effect on Iranian Nationalism and the Fall of the Shah (South Brunswick, N.J.: Barnes, 1980).

Fatemi, Nasrollah Saifpour. Oil Diplomacy: Powderkeg in Iran (New York: Whittier Books, 1954).

Ferrier, R:W. The History of the British Petroleum Company: Volume I: The Developing Years, 1901-1932 (London: Cambridge University Press, 1982).

Foran, John (editor). A Century of Revolution: Social Movements in Iran (Minneapolis: University of Minnesota Press, 1994).

Forbis, William H. Fall of the Peacock Throne: The Story of Iran (New York: Harperand Row, 1980).

Ford, Alan W. The Anglo-Iranian Oil Dispute of 1951-1952 (Berkeley: University of California Press, 1954).

Gasiorowski, Mark J. u.S. Foreign Policy and the Shah: Building a Client State in Iran (Ithaca, N.Y.: Cornell University Press, 1991).

———. "The 1953 Coup d'Etat in Iran" (article), International Journal of Middle East Studies, no. 19 (1987).

———, and Byrne, Malcolm (editors). Mohammad Mossadeq and the 1953

Coup in Iran (Syracuse, N.Y.: Syracuse University Press, forthcoming 2003).

Ghani, Cyrus. Iran and the Rise of Reza Shah: From Qajar Collapse to Pahlavi Power (London: I. B. Tauris, 2000).

Ghods, M. Reza. Iran in the Twentieth Century: A Political History (Boulder, Colo.: Lynne Rienner, 1989).

Gilbert, Martin. Winston S. Churchill: Volume VIII: Never Despair, 1945-1965 (Boston: Houghton Mifflin, 1988).

Goode, James F. The United States and Iran: In the Shadow of Mussadiq (New York: St. Martin's, 1997).

Graham, Robert. Iran: The Illusion of Power (New York: St. Martin's, 1980).

Grose, Peter. Gentleman Spy: The Life of Allen Dulles (Boston: Houghton Mifflin, 1994).

Hairi, Abdul-Hadi. Shi'ism and Constitutionalism in Iran (Leiden, The Nether-lands: E. J. Brill, 1977).

Halliday, Fred. Iran: Dictatorship and Development (London: Penguin, 1980).

Hamilton, Charles W. Americans and Oil in the Middle East (Houston: Gulf Publishing, 1962).

Harris, Kenneth. Attlee (London: Weidenfeld and Nicholson, 1982).

Heikal, Mohamed. Iran, the Untold Story: An Insider's Account of America's Iranian Adventure and Its Consequences for the Future (New York: Pantheon, 1982).

Heiss, Mary Ann. Empire and Nationhood: The United States, Great Britain, and Iranian Oil, 1950-1954 (New York: Columbia University Press, 1997).

History Channel. Anatomy of a Coup: The CIA in Iran (video), Catalogue No. AAE 43021.

Iranian Movies. Mossadegh and the 1953 Coup by CIA (video), Tape No. 3313, Iranian Movies.com.

Irving, Clyde. Crossroads of Civilization: 3,000 Years of Persian History (New York: Barnes & Noble, 1979).

Jeffreys-Jones, Rhodri. The CIA and American Democracy (New Haven, Conn.: Yale University Press, 1989).

Katouzian, Homa. The Political Economy of Modern Iran: Despotism and Pseudo Modernism 1926-79 (New York: New York University Press, 1981).

———. Mussadiq and the Struggle for Power in Iran (London: 1. B. Tauris, 1999).

Keddie, Nikki R. Religion and Rebellion in Iran: The Tobacco Protest of 1891-1892 (London: Frank Cass, 1966).

———. Roots of Revolution: An Interpretive History of Modern Iran (New Haven, Conn.: Yale University Press, 1981).

———, and Gasiorowski, Mark J. (editors). Neither East nor West: Iran, the Soviet Union, and the United States (New Haven, Conn.: Yale University

Press, 1990).

Krause, Walter W. Soraya, Queen of Persia (London: Macdonald, 1956).

Lapping, Brian. End of Empire (London: Granada, 1985).

Ledeen, Michael, and Lewis, William. Debacle: American Failure in Iran (New York: Alfred A. Knopf, 1981).

Lenczowski, George. Iran Under the Pahlavis (Stanford: Hoover Institute, 1978).

Levy, Walter J. Oil Strategy and Politics, 1941-1981 (Boulder, Colo.: Westview, 1982).

Limbert, John W. Iran: At War with History (Boulder, Colo.: Westview, 1987).

Longhurst, Henry. Adventure in Oil: The Story of British Petroleum (London: Sidgwick and Jackson, 1959).

Longrigg, Stephen H. Oil in the Middle East: Its Discovery and Development (Oxford: Oxford University Press, 1968).

Louis, William Roger. The British Empire in the Middle East 1945-1951 (Oxford: Oxford University Press, 1984).

Love, Kennett. The American Role in the Pahlavi Restoration on August 19, 1953 (unpublished), the Allen Dulles Papers, Princeton University (1960).

Lytle, Mark Hamilton. The Origins of the Iranian-American Alliance 1941-1953 (New York: Holmes and Meier, 1987).

Mackey, Sandra. The Iranians: Persia, Islam and the Soul of a Nation (New York: Plume, 1998). MacLean, Fitzroy. Eastern Approaches (London: Penguin, 1991).

Martin, Vanessa. Islam and Modernism: The Iranian Revolution of 1906 (Syracuse, N.Y.: Syracuse University Press, 1989).

McGhee, George. Envoy to the Middle World: Adventures in Diplomacy (New York: Harper and Row, 1983).

McLellan, David S. Dean Acheson: The State Department Years (New York: Dodd, Mead, 1976).

Milani, Mohsen M. The Making of Iran's Islamic Revolution: From Monarchy to Islamic Republic (Boulder, Colo.: Westview, 1994).

Millspaugh, Arthur C. American in Persia (Washington, nc.: Brookings Institution, 1946).

Monroe, Elizabeth. Britain's Moment in the Middle East, 1914-1971 (Baltimore: Johns Hopkins University Press, 1981).

Morrison, Herbert. An Autobiography (London: Odhams, 1960).

Mosley, Leonard. Power Play: The Tumultuous World of Middle East Oil, 1890-1973 (London: Weidenfeld and Nicholson, 1973).

Mottahedeh, Roy. The Mantle of the Prophet: Religion and Politics in Iran (New York: Pantheon, 1985).

Musaddiq, Mohammad (edited by Homa Katouzian). Musaddiq's Memoirs: Dr. Mohammad Musaddiq, Champion of the Popular Movement of Iran and

Former Prime Minister (London: Jebhe, 1988).
Nicholson, Harold. Curzon: The Last Phase, 1919-1925 (London: Constable, 1934).
Pahlavi, Ashraf. Faces in a Mirror (Englewood Cliffs, N.J.: Prentice-Hall, 1980).
Pahlavi, Mohammad Reza. Mission for My Country (New York, McGraw-Hill, 1960).
_______. Answer to History (New York: Stein and Day, 1980).
Prados, John. Presidents' Secret Wars: CIA and Pentagon Covert Operations Since World War II (New York: William Morrow, 1986).
Preussen, Ronald W. John Foster Dunes: The Road to Power (New York: "Free Press, 1982).
Ramazni, Rouhullah K. lran's Foreign Policy 1941-1973 (Charlottesville: University Press of Virginia, 1975).
_______. The United States and Iran: Patterns of Influence (New York: Praeger, 1982).
Rand, Christopher T. Making Democracy Safe for Oil: Oilmen and the Islamic East (Boston: Little Brown, 1975).
Roosevelt, Kermit. Countercoup: The Struggle for Control of Iran (New York: McGraw-Hill, 1979).
Rose, Kenneth. Superior Person: A Portrait of Curzon and His Circle in Late Victorian England (New York: Weybright and Talley, 1969).
Rubin, Barry. Paved with Good Intentions: The American Experience and Iran (New York: Oxford University Press, 1980).
Saikal, Amin. The Rise and Fall of the Shah (Princeton, N.J.: Princeton University Press, 1980).
Sampson, Anthony. The Seven Sisters: The Great Oil Companies and the World They Made (New York: Viking, 1975).
Schwarzkopf, H. Norman. It Doesn't Take a Hero (New York: Bantam, 1992).
Seldon, Anthony. Churchill's Indian Summer: The Conservative Government 1951-1955 (London: Hodder and Stoughton, 1981).
Shawcross, William. The Shah's Last Ride: The Fate of an Ally (New York: Simon and Schuster, 1988).
Shuster, William Morgan. The Strangling of Persia (New York: Century, 1912).
Sick, Gary. All Fall Down: America's Tragic Encounter with Iran (New York: Random House, 1985).
Stassen, Harold, and Houts, Marshall. Eisenhower: Turning the World Toward Peace (St. Paul, Minn.: Merrill Magnus, 1990).
Tabataba'i, Allamah Sayyid Muhammad Husayn. Shi'ite Islam (Albany: State University of New York Press, 1977).
Truman, Harry S. Years of Trial and Hope, 1946-53 (Garden City, N.Y.: Doubleday, 1978).

Vicker, Ray. Kingdom of Oil: The Middle East, Its People and Its Power (New York: Charles Scribner's Sons, 1974).

Walters, Vernon A. Silent Missions (New York: Doubleday, 1978).

Warne, William E. Mission for Peace: Point Four in Iran (New York: Bobbs -Merrill, 1956).

Wilber, Donald N. Adventures in the Middle East: Excursions and Incursions (Princeton, N. J.: Darwin, 1986).

————. Contemporary Iran (New York: Praeger, 1963).

————. Iran: Past and Present (Princeton, N. J.: Princeton University Press, 1976).

Woodhouse, C. M. Something Ventured (London: Granada, 1982).

Wright, Denis. The Persians Amongst the English: Episodes in Anglo-Persian History (London: I. B. Tauris, 1985).

Yergin, Daniel. The Prize: The Epic Quest for Oil, Money and Power (New York: Simon and Schuster, 1991).

Zabih, Sepehr. The Mossadegh Era: Roots of the Iranian Revolution (Chicago: Lake View Press, 1982).

نمایه